HISTOIRE GÉNÉRALE
DU CINÉMA AU QUÉBEC

DU MÊME AUTEUR

Cinéma et société québécoise. Montréal, éditions du Jour, 1972 (épuisé).

Cinémas canadien et québécois. En collaboration avec Pierre Pageau. Montréal, Collège Ahuntsic, 1977 (épuisé).

Histoire du cinéma au Québec. Québec, Direction générale de l'enseignement collégial, 1983 (épuisé).

Index analytique de Cinéma Québec. Montréal, chez l'auteur, 1984.

Le Québécois et sa littérature. En collaboration. Sherbrooke, éditions Naaman, 1984.

Guide pratique d'analyse filmique. Montréal, chez l'auteur, 1984 et 1985.

Index analytique d'Objectif. Montréal, chez l'auteur, 1986.

Littérature québécoise et cinéma. En collaboration. Ottawa, éditions de l'Université d'Ottawa, 1986.

Aujourd'hui le cinéma québécois. En collaboration. Dans *CinémAction*, n° 40, Paris et Montréal, éditions du Cerf et O.F.Q.J., 1986.

Yves Lever

HISTOIRE GÉNÉRALE
DU CINÉMA AU QUÉBEC

Boréal

*Cet ouvrage a été publié grâce à une subvention
de la Fédération canadienne des études humaines,
dont les fonds proviennent du Conseil de
recherches en sciences humaines du Canada.*

*La publication de cet ouvrage a également bénéficié
d'une aide de l'Office national du film.*

**Maquette de la couverture : Gianni Caccia
Illustration de la couverture : Philippe Béha**

© **Les Éditions du Boréal, Montréal
Dépôt légal : 2ᵉ trimestre 1988
Bibliothèque nationale du Québec**

Données de catalogage avant publication (Canada)

Lever, Yves, 1942- . Histoire générale du cinéma au Québec
Comprend un index.
Bibliographie p. 501-520
ISBN 2-89052-202-4
1. Cinéma — Québec (Province) — Histoire.
2. Producteurs et réalisateurs de cinéma — Québec (Province).
I. Titre.
PN1993.5.C35L48 1988   791.43'09714   C87-096288-4

INTRODUCTION

Bon an, mal an, une ou deux monographies, quelques thèses universitaires, plusieurs articles importants viennent enrichir le corpus de nos connaissances historiques sur le cinéma en situation québécoise.

À part les premiers essais de synthèse qui tiennent davantage des «célébrations des origines» qu'ils ne ressemblent à des analyses et qui datent de presque vingt ans (*Le Cinéma canadien*[49] de Gilles Marsolais, *Comment faire ou ne pas faire un film canadien*[127] d'André Paquet, *Cinéma d'ici*[35] d'André Lafrance et Gilles Marsolais); sauf les «Notes historiques» que Pierre Pageau et moi publiions en 1977 sous le titre *Cinémas canadien et québécois*[53] et les brefs résumés de *Vers une politique du cinéma au Québec*[14] (le «Livre bleu» de Michel Brûlé en 1978), aucune étude d'ensemble n'a encore été publiée pour colliger, classer et interpréter la totalité des recherches partielles disponibles. J'excepte, bien entendu, les notes de cours servant à mes étudiants que la Direction générale de l'enseignement collégial du ministère de l'Éducation du Québec a reproduites sous le titre d'*Histoire du cinéma au Québec*[42] en 1983.

Cette édition tirée à quelques centaines d'exemplaires se voulait la première étape du travail devant aboutir à la présente publication. Je tâchais d'y préciser une grille pour l'assemblage et l'analyse des faits à retenir. Cet ouvrage contenait l'ensemble des données significatives mises à jour par mes recherches et celles de mes collègues. Il comportait également une bibliographie réunissant tous les titres qui formeraient la «bibliothèque idéale» du curieux de l'histoire locale du cinéma. Dans le texte ou en annexe, on trouvait quelques extraits significatifs d'articles et de textes anciens importants qui faciliteraient le travail de l'étudiant et l'aiguilleraient rapidement vers les sources essentielles. Cette *Histoire* se voulait en somme, en plus d'être exposé historique avec la rigueur que cette méthodologie implique, un manuel pratique, un guide de recherche et un outil de référence utile aussi aux autres chercheurs et aux journalistes. À ces derniers, elle apprendrait peu de faits inédits, mais elle proposerait une mise en perspective nouvelle et des interprétations différentes de certaines évidences trop souvent répétées dans le milieu.

Dans le présent ouvrage, je conserve le même idéal : celui d'offrir une synthèse historique qui s'adresse à tous les curieux de l'histoire. Le travail quotidien d'enseignement m'impose la production d'un manuel pratique, première exigence à laquelle je ne puis me dérober et qui, je crois, peut aussi rendre service à bien des collègues. Par ailleurs, comme il n'existe aucune compilation analytique de la production (il n'y a même pas d'histoire satisfaisante de l'Office national du film !) et que personne n'a encore tenté de réaliser une synthèse-panoramique de l'ensemble de l'activité cinématographique locale pour relier entre eux les événements et les insérer dans l'histoire générale, je tente également d'offrir ici cet ouvrage de base. Il y a là deux types de production intellectuelle dont les exigences, si différentes soient-elles, ne me semblent pas inconciliables.

L'aspect « manuel », avec ses contraintes d'ordre pédagogique, se verra surtout dans les multiples divisions, dans les résumés, dans les répétitions et particulièrement dans le système de références. En effet, on y rencontrera beaucoup d'extraits significatifs, parfois assez longs, de textes de base, textes que l'on ne retrouve que dans des bibliothèques très spécialisées ou dans des archives difficiles d'accès. À d'autres moments, on aura de longues citations qui ont pour but de mieux faire saisir un événement ou l'esprit d'une époque. Certains textes, développements, listes de films, nomenclatures, ou autres, sembleront peut-être inutiles aux chercheurs et aux membres de la profession pour qui ce sera de l'archi-connu, mais l'étudiant de cégep ou d'université, qui n'a ni le temps ni les moyens de multiplier les « zoom in » dans les archives, appréciera ce « panoramique » initiatique sur l'horizon des connaissances acquises.

En tant que livre d'histoire, le présent ouvrage regroupe l'ensemble des faits significatifs dévoilés, compilés et interprétés par toutes les études effectuées jusqu'à ce jour. On y trouvera donc une mise à jour de même qu'une évaluation de l'état de la recherche.

Les « acteurs » de cette histoire, encore presque tous vivants, y verront les contours des situations qu'ils ont contribué à créer ou à faire évoluer. Par le jeu des comparaisons et des références, ils pourront mesurer à son juste niveau leur participation au grand jeu de la création de l'imaginaire filmique du Québec. Plusieurs ne seront évidemment pas d'accord avec les interprétations, les jugements parfois sévères (quelquefois trop indulgents?) que ma vision d'ensemble et ma sensibilité me font avancer. Qu'ils n'y voient là aucune attaque personnelle et qu'ils soient convaincus que cela ne diminue en rien l'estime que je porte à tous ceux qui ont fait exister le cinéma en ce pays.

Ce livre ne prétend pas à l'apparente neutralité habituelle des recherches historiques (qui n'abuse généralement personne, tout lecteur sensible devinant rapidement dans quel nid idéolo-

« Chaque enfant a droit, dès sa naissance, à un nom et à une nationalité. » Telle était la phrase de la déclaration de l'UNICEF sur les droits de l'enfant que *Chaque enfant* d'Eugene Fedorenko voulut illustrer. Le cinéma aussi a droit à son nom et à sa nationalité. Quand l'enfant — ou le cinéma — grandit, les droits deviennent aussi des responsabilités... (ONF)

gique couche l'auteur). Il propose plutôt une vision engagée, qui se veut simplement honnête : tous les faits importants de l'histoire y sont représentés et je crois avoir établi des rapports justifiables, sinon justes, entre eux. Que transparaissent en plus mes préalables esthétiques et politiques ou mes préférences pour tel courant est inévitable et normal. Ma position est celle du critique curieux, passionné, disponible à toute bonne surprise, mais aussi celle du professeur qui pour les exigences du métier a visionné tous les films significatifs à plusieurs reprises — dans certains cas jusqu'à cinquante fois (on ne voit bien que ce que l'on revoit) — et souvent même, découpage ou scénario à la main. Il est d'ailleurs tout aussi inévitable et normal que tel cinéaste pense que je ne lui accorde pas l'importance qu'il croit mériter alors que je m'étends trop sur tel autre, estimé par lui insignifiant ; ou que tel critique juge ma bibliographie très incomplète parce que je n'y ai pas inclus tel de ses articles « majeurs ».

On le remarquera rapidement, le ton se fait même parfois polémique. Je prends fréquemment la contrepartie de plusieurs points de vue si souvent répétés qu'ils semblent devenus des évidences (auxquelles j'ai moi-même parfois adhéré), mais qui ne le sont plus pour moi (par exemple : l'importance d'*Objectif*, l'« intouchabilité » de certains cinéastes, l'« indiscutabilité » de certains choix d'institutions). Je ne le fais pas seulement par esprit de contradiction (bien que j'aie le mien comme tout le monde et que la quarantaine le rende plus mordant), ni seulement par jeu (encore qu'il n'y ait rien de plus fécond intellectuellement que de se demander de temps en temps : et si le contraire de cette théorie était aussi vrai ? et si ces évidences n'étaient qu'écrans de fumée ? et si j'avais besoin de meilleures « lunettes » ou filtres pour mieux voir ?). Mais parce que j'ai assisté ou participé, soit à titre de critique, intervenant, collaborateur, organisateur, membre de jurys, à tous les débats importants (où j'ai pu constater combien les encensoirs voltigent haut entre gens du milieu !), parce que j'ai la manie de prendre au sérieux certaines affirmations, parce qu'une relecture récente de presque toute la littérature consacrée au cinéma au Québec m'a révélé à l'évidence (mais en est-ce bien une ?) la trop grande complaisance et/ou tiédeur de la critique depuis vingt ans (y compris la mienne), j'ai senti la nécessité de soumettre l'ensemble des idées reçues à de nouvelles grilles d'interprétation moins liées aux amitiés ou aux effets de coterie à la mode. À gauche comme à droite, chez Marx comme chez Dieu, on a écrit trop souvent avec une mentalité de théologien détenteur de toutes les réponses, surtout de celles pour lesquelles il n'y avait pas encore de question! On a eu l'idolâtrie facile ou trop de gentillesse, de sorte que quelques vérités utiles n'ont jamais trouvé leur expression à côté des dogmes des «canonistes».

Je veux donc, dans plusieurs de ces pages, proposer quelques «vérités» (?) utiles, ou bellement inutiles, mais incitant à un peu plus de lucidité. Sans prétendre jamais à la «vérité pleine et entière», car je connais mieux que quiconque tous les pans d'ignorance de l'histoire du cinéma québécois et tous les secteurs où l'on manque encore de renseignements essentiels. Si pour la période contemporaine surtout, certains me trouvent sévère, c'est que je ne considère plus le cinéma québécois comme «jeune» ni ne pense qu'il faille l'«encourager» à ce titre. Je ne considère pas Gilles Carle, Pierre Perrault, Jean Pierre Lefebvre ou Jean-Claude Labrecque comme des jeunes cinéastes à protéger des mauvaises critiques! D'ailleurs ceux-là ne doivent-ils pas trouver insultante l'indulgence condescendante de certains textes envers leurs œuvres mineures? Dans mon esprit, le cinéma au Québec est parvenu à l'âge de la maturité et doit accepter d'être regardé avec le point de vue du Japonais ou du Martien, c'est-à-dire de l'observateur n'ayant aucun préjugé, qui voit tout de suite si «le roi est nu» et qui conserve la naïve franchise de le dire.

Une histoire du cinéma, comme toute histoire, n'est pas que collection de dates bien établies dans leur chronologie, mémorial d'anecdotes, nomenclatures et recueil d'éphémérides. Mais elle doit d'abord être cela si on la veut source de documentation; et on peut en mesurer la richesse par la quantité et la qualité des informations. Elle doit aussi mettre en interrelation des événements, suggérer des interprétations, dévoiler des liens cachés ou occultés, faire émerger des significations, dégager des perspectives et des tendances. La plupart des histoires du cinéma, qu'elles soient d'origine européennes ou américaines, se limitent le plus souvent à la production et à ce qui l'entoure (conditions de création et de diffusion). Rarement les œuvres y sont-elles replacées en continuité ou dans leur interinfluence, ou bien reliées aux autres produits culturels de la société productrice ou réceptrice. Plus rarement encore y apprend-on dans quelles conditions s'effectue la rencontre public-films, qui accapare la recette du box-office, quel groupe social surtout fréquente les salles, comment on réagit devant la censure, quel impact a la critique, quelle typologie de personnages les scénaristes privilégient à tel moment, quelle image de la société ressort de l'ensemble de la production, les raisons présumées de l'échec provisoire ou permanent de tel film considéré comme chef-d'œuvre par les historiens... Le « panoramique » que je veux brosser sur l'histoire québécoise du cinéma entend aborder toutes ces questions; il se situe d'emblée au niveau de l'analyse culturelle et s'arrêtera sur les quelques moments clés les plus significatifs.

Quelques indications méthodologiques

D'abord, en ce qui concerne les matériaux utilisés pour la composition de ce livre, j'ai tenu compte avant tout des sources habituellement consultées par tout bon historien:

Les sources écrites et publiées: les histoires existantes, les monographies, les revues et journaux, les biographies, les interviews, les catalogues et rapports annuels des institutions comme l'ONF ou l'OFQ, les pages publicitaires des journaux (très révélatrices du succès ou de l'échec des films), les brochures et dossiers, les programmes de festivals, etc. En situation québécoise, il est assez remarquable qu'on doive compter surtout sur des revues apparemment fort éloignées du monde du cinéma pour trouver les informations pertinentes (les revues cléricales ou syndicales, par exemple, pour tout ce qui touche les périodes avant 1960). On trouvera dans les sections consacrées à la critique et en bibliographie la liste de ces principaux journaux, revues et documents où figurait dans le passé, et encore aujourd'hui, une critique régulière ou occasionnelle. Presque toujours oubliés dans les bibliographies (par exemple, dans celle du *Dictionnaire* de Houle et Julien), ces articles ont probablement eu autant sinon plus d'impact que ceux des revues de cinéma, car ils rejoignaient toujours des dizaines de fois plus de lecteurs en dehors du cercle des cinéphiles (un article dans *Positif* apporte peut-être du prestige à son auteur, mais c'est l'article du *Journal de Montréal* ou de *La Presse* qui amène ou non du monde dans les salles ; et c'est de l'éditorial du *Devoir*, fût-il écrit par un journaliste dont l'igno-

Les affiches indiquent généralement très bien les symboles et le sens du film que les producteurs et les distributeurs veulent mettre en évidence. (Ciné-fiche ONF)

rance du cinéma saute aux yeux de tous les gens du milieu, que discutent les parlementaires lors des délibérations en vue de l'adoption d'une nouvelle loi). On peut les consulter sans trop de difficultés, mais presque uniquement à la Bibliothèque nationale ou dans des bibliothèques spécialisées (Centre de documentation de la Cinémathèque québécoise, Maison Bellarmin), etc.

Les sources manuscrites: cela comprend les archives dans les dossiers publics (licenses, permis, cadastres, enregistrements officiels, rapports des finances publiques, relations de procès, communiqués de presse des organismes...) et les documents personnels (photos de tournage, journaux de bord, rapports financiers, devis de production, courrier, scénarios non publiés...) qui ont été déposés dans des bibliothèques publiques ou qui sont accessibles pour consultation privée. Il y en a relativement peu au Québec. D'abord parce qu'il n'y a pas eu de tradition de conserver les documents personnels (on n'en voyait pas l'intérêt!). Mais aussi parce que la préoccupation de faire l'histoire du cinéma est récente et que plusieurs personnes au centre de querelles ou scandales retentissants vivent toujours et ne tiennent pas à la connaissance publique de certains dossiers (quelques-unes consentent parfois à en parler *off the record*, mais sans donner accès à leurs papiers). Là où il en existe, par exemple, à la Régie du cinéma du Québec ou à l'Office des communications sociales, ces sources ne sont pas répertoriées, ni classées en dossiers analytiques. Les chercheurs n'ont pas facilement accès à ces documents.

Cela comprend aussi les thèses et mémoires universitaires (non édités) qui se font heureusement de plus en plus nombreux. La plupart des auteurs ont la sagesse d'en déposer une copie à la Cinémathèque. Leur pertinence n'apparaît cependant pas toujours évidente: je comprends mal, par exemple, que les professeurs d'université encouragent les étudiants à reprendre des sujets archi-connus comme «Lang et le 3e Reich», «la tendresse chez Chaplin» ou «le montage chez Eisenstein» (je caricature à peine), alors qu'il reste tant de secteurs inexplorés dans l'histoire locale qu'aucun Américain, qu'aucun Russe n'écrira jamais.

Les sources audio-visuelles: à commencer, évidemment, par les copies mêmes des films. Sauf lors des projections publiques de la Cinémathèque, hélas trop peu fréquentes, on peut rarement les consulter librement. Pour des films relativement récents aussi, les distributeurs n'offrent généralement que des copies mauvaises, mutilées, décolorées, rayées, mal entretenues (même à l'ONF) ou mal réparées. J'ai vu, croyez-le ou non, une copie de *Entre la mer et l'eau douce* de Michel Brault circuler pendant deux ans avec une bobine entièrement inversée, de sorte que tous les personnages devenaient gauchers et qu'il fallait lire toutes les inscriptions à l'envers! Personne n'ignore l'intérêt qu'il y aurait à pouvoir consulter les chutes de certains films, et pas seulement celles des documentaires; les nouvelles technologies rendront peut-être cet objectif réalisable. L'arrivée des magnétoscopes dans les foyers, les clubs-vidéo, l'accroissement du nombre des diffuseurs télévisuels et la constitution par la Cinémathèque d'une banque de «classiques» accessibles en tout temps

Cinéma, cinéma de Gilles Carle et Werner Nold, un film de montage qui raconte et classifie avec humour la production de l'équipe française de l'ONF durant ses 25 premières années. Petite mise en scène, avec Chloé Sainte-Marie, dans la cuisine du studio qui aurait servi au tournage de bien des séquences. Comme pour *Autoportrait, Dreamland* et *Has Anybody Here Seen Canada?*, et les films consacrés à des cinéastes (*voir* dans la bibliographie), l'intérêt principal de ce genre de film tient surtout dans les citations de documents filmiques retirés de la circulation depuis longtemps. (Photo Attila Dory, ONF)

sur support vidéo de la même façon qu'on y consulte les documents écrits (catalogue encore modeste, qui devrait cependant s'enrichir considérablement à mesure de l'obtention des droits), devraient éliminer ce qui jusqu'à maintenant fut le principal obstacle à l'analyse culturelle en profondeur.

On dispose aussi de quelques anthologies, études et monographies sur films ou vidéos (*Autoportrait* de l'ONF, *Albert Tessier, à force d'images, Dreamland, Cinéma, cinéma*, etc.). Elles offrent le grand avantage d'être déjà le fruit d'une réflexion, d'une étude, d'un choix et d'une interprétation. Les équipes professionnelles qui les ont réalisées bénéficiaient généralement de bons budgets et avaient accès à toutes les sources. À condition de bien élucider au point de départ les positions esthétiques et politiques des promoteurs, ces films deviennent de précieux outils de référence.

Les postes de télévision, surtout Radio-Canada, ont tous produit à un moment ou à un autre des séries sur des cinéastes ou des événements, ou simplement des reportages, interviews ou émissions de critique (pensons à *Images en tête* dans les années 50 et 60 et à *Ciné-magazine* dans les années 70). Malheureusement, ils n'en ont conservé que des miettes, lesquelles se dégradent dans quelque placard au lieu d'être tranférées sur un support plus accessible au public.

Tous les journalistes et chercheurs conservent aussi sans doute les bobines de ces interviews dont on ne retrouve que des bribes dans les publications. Peut-on espérer qu'un jour ils en feront profiter les autres ?

Les informations obtenues par l'enquête journalistique habituelle : interviews, conférences de presse, analyse de dossiers, vérifications, contrôle des sources, etc.

Enfin, **les souvenirs personnels :** quand on a déjà consacré plus de vingt ans à l'animation de ciné-clubs, à l'enseignement du cinéma et à la critique, à la participation à toutes sortes de comités et associations, même si on a toujours préféré se situer proche des films et loin des cinéastes (ce qui me semble la meilleure position pour le critique), on a forcément accumulé une foule d'anecdotes, d'impressions et de notes écrites. Souvenirs tout aussi suspects (« la mémoire ne manque jamais d'imagination », écrit si justement Pierre Perrault) que toutes les autobiographies, mémoires et recueils de souvenirs! Mais documents inévitables, tout aussi valables et irréfutables que les autres si on les a soumis aux vérifications et corroborations d'usage.

Quelques notes maintenant pour l'utilisation de cette histoire. De *Cinémas canadien et québécois*, les notes historiques publiées en 1977 en collaboration avec Pierre Pageau, j'ai conservé la division en quatre grandes périodes (avec des frontières légèrement différentes) et le cadre général d'analyse qui fournit maintenant les titres des sections de chaque chapitre. À l'intérieur de chaque section, les faits sont généralement présentés de façon chronologique. Ces divisions se justifient, me semble-t-il, car elles correspondent aux étapes les plus marquantes de l'activité cinématographique en liaison avec l'évolution culturelle globale du Québec. Si la concordance entre l'esprit de renouveau du « direct » et celui de la « Révolution tranquille » ne fait doute pour personne, il peut en être autrement pour ce qui touche les années 20 et l'après Deuxième Guerre mondiale. Ce livre tâchera d'en établir les liens essentiels.

Pour ne pas alourdir la présentation et ne pas faire double emploi, je n'indique pas les sources au moyen de notes de bas de page, mais par des appels de notes qui renvoient à la bibliographie. Cette méthode comporte en plus l'avantage de fournir les pistes essentielles pour des recherches plus élaborées. Un index général (des noms et des sujets) et un autre des films cités sont présentés, car ils sont le premier lieu de recherche. Ainsi, celui qui veut connaître Maurice Proulx, par exemple, trouve dans l'index des noms cités les pages où les informations essentielles sur ce pionnier sont exposées et des chiffres, en appels de note, lui indiquent les numéros des titres de la bibliographie qui situent les références et renvoient à d'autres sources. Je n'indique toutefois pas les références au *Dictionnaire* de Houle et Julien, ni au *Film Companion* de Peter Morris, ni au « Dictionnaire de 54 cinéastes » de Pierre Véronneau contenu dans *Aujourd'hui le cinéma québécois*, le numéro 40 de *CinémAction* récemment paru ; la consultation de ces ouvrages de base va de soi dès que l'on veut obtenir un minimum d'informations sur tous les principaux sujets.

Quant à la bibliographie, instrument essentiel, je n'ai pas voulu y reprendre toutes les autres bibliographies qu'on a récemment publiées. Je reproduis néanmoins bon nombre de titres choisis, car il m'a semblé nécessaire d'établir une liste qui puisse satisfaire les étudiants de cégep ou d'université. Ceux-ci savent rarement consulter les ouvrages spécialisés qui sont en nombre insuffisant ou encore totalement absents des bibliothèques de leurs institutions. Sans compter que les bibliographies qui se veulent complètes mettent souvent sur la piste de références intéressantes, mais introuvables. Sauf exceptions (très rares), on peut consulter tous les titres inscrits ici dans les bibliothèques des cégeps ou des universités ou à la Cinémathèque. Plusieurs des entrées de la bibliographie de *Cinémas canadien et québécois* n'y figurent pas non plus : nous l'avions alors voulue exhaustive en ce qui regarde les livres, car il n'en existait alors aucune de valable ; mais comme elle se retrouve toute dans *Écrits sur le cinéma*[25], le « Dossier de la Cinémathèque » n° 9, je n'ai pas jugé bon de reprendre certains titres moins importants ; le chercheur de détails saura les repérer.

En annexe — aspect « manuel » de l'ouvrage -, on trouvera un certain nombre de documents ou d'extraits particulièrement révélateurs, des listes d'informations utiles et quelques pages d'humour composées de perles que, dans des moments de grande lucidité volontaire ou involontaire, des personnalités bien connues ont laissé tomber...

***

Pour la rédaction de cette étude, j'ai pu profiter de tout ce que mes collègues ont publié depuis les quelque vingt années qu'ont débuté les recherches sérieuses sur le cinéma d'ici. Par le jeu des citations et des références, je nommerai à l'occasion les Michel Houle, Pierre Demers, Gilles Marsolais, Pierre Véronneau, Michel Brûlé, Louise Carrière, Peter Morris, à qui nous devons les monographies les plus étoffées. Que tous ceux et celles qui ne trouvent pas ici mention de leurs recherches (mais elles sont inscrites dans la bibliographie), soient également remerciés et sachent qu'elles furent pareillement utiles. De même que tous ces journalistes des quotidiens qui tiennent pour nous la chronique événementielle sans laquelle nous aurions bien de la difficulté à rassembler les informations pertinentes ou même parfois à en

La Cinémathèque québécoise (335, boulevard de Maisonneuve est, Montréal). À peu près toutes les sources publiées y sont offertes au public en consultation libre ; on y conserve aussi une quantité imposante de sources manuscrites (scénarios, devis de production, papiers personnels) et une grande collection d'appareils, de photos et d'affiches. (Photo Alain Gauthier, coll. Cinémathèque québécoise)

connaître l'existence. Je rêve d'ailleurs du moment où les Luc Perreault, Richard Gay ou Jean-Pierre Tadros trouveront le temps d'écrire quelques synthèses étoffées sur ces vingt dernières années qu'ils ont suivies et racontées au jour le jour.

Qu'il me soit permis de remercier spécialement ici mon collègue et ami Pierre Pageau dont les connaissances, les conseils, les remarques et... la bibliothèque me furent fort utiles durant la rédaction de ce livre. Sans compter que cet ouvrage a pour matériaux de base un travail conjointement réalisé il y a dix ans.

Que soient remerciés aussi monsieur René Beauclair et tout le personnel du Centre de documentation cinématographique de la Cinémathèque pour l'accueil chaleureux et l'aide à la recherche, ainsi qu'Alain Gauthier pour la reproduction des photos d'archives.

PREMIÈRE PARTIE

L'ÉPOQUE DU MUET QUÉBÉCOIS
1896-1938

Comme pour le reste de l'Amérique et une bonne partie de l'Europe, ces années voient l'arrivée au Québec de la majorité des découvertes qui marquent en profondeur le XXᵉ siècle : l'automobile et l'avion, l'électricité et la radio (déjà inventées, mais ne s'étendant et ne se démocratisant qu'à cette époque), qui viennent accentuer la transformation des communications et susciter de toute nouvelles relations entre les individus et les communautés. Jamais les personnes comme les idées n'ont autant circulé au-delà des frontières et établi autant de communication entre les peuples.

Parallèlement, les Québécois assistent à l'expansion du développement de leurs richesses naturelles, et par conséquent à l'augmentation de l'emploi, laquelle entraîne une nouvelle vague d'immigration (jusqu'à l'arrivée de la grande crise économique des années 30), à la montée du syndicalisme, à la fondation de plusieurs collèges et universités, à une urbanisation accélérée (elle aussi ralentie par la crise) et aux débuts timides des politiques sociales. Politiquement, on vit alors une assez grande stabilité : la nouvelle constitution de 1867, encore toute jeune, commence à peine à donner ses fruits ; à Ottawa comme à Québec, les partis libéraux s'assoient pour longtemps sur les sièges du pouvoir. Leur idéologie « libérale », au sens étymologique du terme, héritée de la tradition britannique, les porte à ne pas trop s'énerver devant les mouvements nationalistes francophones du Québec, animés surtout par de jeunes intellectuels foncièrement conservateurs comme l'abbé Lionel Groulx et ses collègues de *L'Action française*, lesquels s'accrochent alors davantage aux valeurs conservatrices qu'aux idées génératrices de changements. La formule de « la langue gardienne de la foi », et vice-versa, se diffuse surtout à cette époque et sert de leitmotiv autant au clergé catholique qu'aux partis politiques conservateurs.

Dans ce contexte[44], l'arrivée du cinéma, moyen de divertissement par excellence, de surcroît d'origine américaine pour la plus grande partie de ses manifestations, ne pouvait manquer de provoquer des remous.

Pour cette première période (1896-1938), qui va de la naissance du cinéma à la création de l'Office national du film, nous parlerons plutôt du cinéma au Québec que du cinéma québécois.

En effet, nous verrons que sauf les premiers essais documentaires, films artisanaux surtout, de quelques valeureux pionniers, il ne se fit presque pas de production au Québec avant 1940.

Par ailleurs, nous verrons se mettre en place les réseaux de distribution et d'exploitation qui demeureront à peu près inchangés jusque dans les années 40, au moment où le «film parlant français» commencera à être davantage diffusé.

Nous verrons aussi le Parlement de Québec voter une législation de censure qui ne connaîtra que peu de changements avant les années 60. Sera très liée à cette législation la lutte que le clergé catholique mènera contre la diffusion du cinéma américain «corrupteur» et «dénationalisateur».

Ce cinéma américain qui suscite tant de critiques occupe en effet la presque totalité des écrans pendant toute cette première période. Les Québécois n'auront à cause de cela presque aucun accès aux grandes productions nationales qui connaîtront leur âge d'or durant les années 20 et 30 (l'expressionnisme allemand, le formalisme russe, le réalisme poétique français, le mysticisme nordique, l'école documentaire anglaise, etc.).

Le contrôle américain sur la diffusion pancanadienne sera aussi la principale cause de l'échec des intéressantes tentatives canadiennes de créer une production nationale (surtout celle des Shipman dans les années 20). Dès ce moment, les Américains considèrent le Canada, en ce qui concerne l'exploitation, comme une partie de leur *domestic market* (c'est encore la même chose en 1988), et ils y imposent leurs pratiques commerciales. En ce qui concerne la distribution, cela n'empêche pas les films canadiens d'être classés sur le territoire américain comme «étrangers» et comme concurrence dangereuse à éliminer! Cette production canadienne (bien connue par les travaux de Peter Morris) n'eut aucune influence sur ce qui se passa au Québec. Elle y fut distribuée, mais noyée dans le nombre des produits hollywoodiens, dont elle ne diffère que fort peu, elle y passa presque inaperçue.

Exploitation

Le 28 décembre 1895, à Paris, naissait officiellement le cinéma avec les premières projections publiques des frères Lumière.

Six mois plus tard, le samedi 27 juin 1896, une première projection publique en terre canadienne se déroule à Montréal, au café-concert Palace, au 78 de la rue Saint-Laurent, devant un public choisi de journalistes et de notables. Deux Français, Louis Minier et Louis Pupier, y présentent les premières bandes bien connues des frères Lumière, sur un appareil Lumière, évidemment[118]. L'événement fait la une de *La Presse* du lundi 29 juin et tous les journaux francophones reprennent la nouvelle. Mais les journaux anglophones n'en parlent pas et c'est ce qui explique que l'on ait longtemps cru que cette fameuse première projection avait eu lieu à Ottawa en juillet comme l'affirment Peter Morris[1-50] et les autres historiens anglophones.

Minier et Pupier passent les deux mois suivants à offrir leurs «vues animées» au public montréalais ordinaire. Ernest Ouimet[6] avait donc probablement raison quand il affirmait avoir vu le cinématographe Lumière en juin 1896. Après être allés concurrencer le Vitascope d'Edison à l'Exposition de Toronto à la fin d'août, les deux projectionnistes reviennent promener la nouvelle invention durant l'automne dans les principales villes du Québec (Québec, Trois-Rivières, Sherbrooke, Saint-Jean, Saint-Hyacinthe). Au même moment, les projections se multiplient (probablement avec les projecteurs Edison surtout) dans diverses salles de Montréal.

À partir de 1897 et pendant les dix années qui précèdent la « sédentarisation » des projections, les représentations se multiplient et presque toutes les villes d'au moins deux mille habitants reçoivent la visite des projectionnistes ambulants. Minier revient occuper le Palace au printemps et il est bientôt remplacé par Mesguich (l'as des opérateurs chez Lumière). Celui-ci, en grande tournée nord-américaine, a filmé à Toronto, Ottawa, Québec et Montréal et il s'arrête dans cette dernière ville un certain temps avant de retourner en France. Débutent aussi les spectacles au Parc Sohmer dans un kiosque baptisé Radiascope et ils deviendront bientôt une attraction régulière. Il est très amusant d'ailleurs de voir les noms que prend la nouvelle invention dans ses divers lieux d'exposition : elle s'appelle Animatographe ou Kinématographe au Théâtre Royal, Théâtroscope au 58 rue Saint-Laurent, Phantascope au Théâtre Français, en plus des Vériscope, Fériscope, Motographe, et autres ; on verra même bientôt un Warographe (sans doute pour des films de guerre !). Pour l'accès à cette nouveauté, il en coûte en général 10 ou 15 cents, parfois jusqu'à 25 cents, ce qui représente pour l'époque un peu plus que le salaire moyen d'une heure de travail (jusqu'en 1980, le coût moyen d'un billet de cinéma correspond à peu près toujours au salaire horaire moyen d'un ouvrier non spécialisé ; depuis 1980, il est légèrement en dessous).

Selon Germain Lacasse[118], les plus importants de tous ces projectionnistes tour à tour ambulants ou sédentaires furent la comtesse Marie-Anne d'Hauterives et son fils Henry qui arrivent à Montréal en novembre 1897 avec un projecteur et des bandes Lumière, Méliès et Pathé. Ils ont surnommé leur appareil Historiographe, car il est destiné à « enseigner l'histoire universelle dans les écoles ». En neuf tournées annuelles consécutives, ils parcourent presque tout le Québec, jusque dans les régions les plus éloignées, présentant tous les succès de l'époque, américains comme français ; ils offrent même le film coloré dès qu'il apparaît en France. Ils sont souvent les premiers à révéler le cinéma à bien des habitants. Habile à négocier avec les autorités ecclésiastiques et les notables, la Comtesse réussit à « vendre » son produit aussi bien aux archevêchés qu'aux écoles et couvents de toutes communautés. Toujours selon Lacasse, ils auraient fait autant de projections que tous leurs concurrents réunis.

Durant cette décennie, les projections se déroulent en divers lieux hétéroclites : cirques ambulants, cafés, magasins, salles paroissiales, fonds de cours, etc. On les retrouve souvent jumelées à des spectacles de variétés ou de théâtre. Il est d'ailleurs amusant de penser que si, pendant ces premières années, le cinéma sert à meubler les entractes du théâtre, c'est bientôt l'inverse qui se produira : des chanteurs viendront faire leurs petits numéros entre deux films, question simplement d'allonger la séance. Il y a encore, mêlées ou non aux représentations cinématographiques, beaucoup de projections avec des appareils du précinéma (ex. : le Kinétoscope d'Edison, le Mutoscope, les lanternes magiques, les spectacles avec photos, etc.).

Cette exploitation, qu'ailleurs on appelle des « forains », se poursuit encore longtemps après que le réseau de salles s'organise. Après les d'Hauterives, Wilfrid Picard[238] est l'un des plus illustres représentants de ces « voyageurs de commerce » du cinéma. Dès 1905, et pendant presque toute la période du muet, il parcourt la province en tous sens, depuis Montréal jusqu'à Mont-Laurier et la Gaspésie. Il s'était fait construire une roulotte (la première à traction animale, puis la seconde ayant comme base une voiture automobile) avec laquelle il partait parfois pendant des mois, passant de villages en villages, organisant partout des projections et suscitant chaque fois l'étonnement et l'admiration. Il s'approvisionnait des meilleurs films de l'époque, principalement de films religieux et de documentaires, ce qui lui évitait bien des problèmes, car il faisait sa « publicité » surtout aux portes des églises lors des rendez-vous dominicaux.

Même à Montréal, avant 1906, l'exploitation du cinéma se fait de façon tout à fait artisanale et plus ou moins régulière. Les habiles bricoleurs sont rois, qui savent rafistoler quelques pièces de divers appareils et se procurer quelques bandes. Ernest Ouimet[6] fut l'un de ceux-là :

> Dans mon temps, c'était pas la même histoire ! Je partais, ma machine à vues sur l'épaule, mes rouleaux et mon rideau sous le bras, et je prenais les p'tits chars pour me rendre au théâtre où je donnais mes projections.

C'est ce même Ernest Ouimet que l'on voit bientôt à l'origine de l'exploitation organisée, telle qu'on l'entend aujourd'hui, en 1906, à peu près en même temps qu'aux États-Unis et dans les grandes villes d'Europe. Ouimet (1877-1972), projectionniste reconnu et bon mécanicien de « machines à vues » depuis 1902, ouvre le premier janvier son premier Ouimetoscope dans un ancien café-concert (la salle Poiré, rue Sainte-Catherine). Quelques mois plus tard, au moment de la semaine sainte, il obtient déjà un gros succès financier avec *La Vie et la Passion de Jésus-Christ*.

Le succès de Ouimet entraîne, toujours à Montréal, l'ouverture de plusieurs autres cinémas la même année (par ex. : le Bourgetoscope (*sic*), le Casino, le Starland, le Palace et le Nickelodeon dans une ancienne église au coin des rues Bleury et Sainte-Catherine). Ouimet lui-même ouvre une deuxième salle, le Karn Hall, dans l'Ouest de la ville pour le public anglophone.

L'intérieur du Ouimetoscope. Dix ans après l'invention du cinéma, c'est le début de l'exploitation organisée. (Coll. Cinémathèque québécoise)

L'année suivante, Ouimet ouvre son second Ouimetoscope (le 1er septembre 1907). C'est, dit-on, la première salle de luxe construite expressément pour le cinéma en Amérique du Nord. Elle coûte 130 000 $ et contient 1 200 fauteuils. Les prix d'entrée sont de 10 et 15 cents pour les sièges ordinaires et de 35 et 50 cents pour les loges. Ouimet va lui-même acheter ses bobines de films à New York et souvent il en traduit, avec humour, les intertitres en québécois. Il y obtiendra ses plus grands succès lorsqu'il y présentera les films d'actualité qu'il tournait lui-même (parfois le même jour) dès 1906. Il en conservera la direction jusqu'en 1914, au moment où il fondera la Specialty Film Import et deviendra le représentant exclusif de la maison Pathé au Canada. Il louera alors sa salle; mais il devra s'en départir en 1922, après sa grande faillite, causée surtout par les difficultés de distribution amenées d'abord par la guerre, puis par l'impossibilité d'acquérir des films vraiment rentables. Ouimet ira alors tenter sa chance à Hollywood, y produira un long métrage (*Why Get Married*) qui n'aura de succès nulle part et reviendra finalement au Québec où un emploi de gérant dans un magasin de la Commission des liqueurs (aujourd'hui Société des alcools) lui permettra de gagner modestement sa vie.

Durant toute sa carrière d'exploitant et de distributeur, Ernest Ouimet connaîtra toujours beaucoup de difficultés avec la concurrence (surtout celle des distributeurs de Toronto qui veulent contrôler tout le Canada), mais son principal « ennemi » sera, à compter de décembre 1907, le mandement de Mgr Paul Bruchési, archevêque de Montréal, sur la sanctification du dimanche. Déja, dans les mois précédents, Ouimet avait dû payer une amende parce que les autorités civiles, poussées par l'archevêché, prétendaient que la loi de 1906 interdisant le théâtre, pour lequel on exigeait un droit d'entrée le dimanche, s'appliquait également au cinéma. Astucieusement, il avait essayé de contourner le problème en vendant des bonbons à l'entrée de la salle et en donnant la permission aux acheteurs d'aller regarder les « vues » qui, elles, étaient gratuites! L'archevêque riposta avec son mandement, qui ne s'adressait qu'aux catholiques, évidemment, mais par là, les exploitants d'autres confessions se trouvaient favorisés, car le dimanche apportait toujours les meilleures recettes. Nous en reproduisons ici l'essentiel, car il marque le début de la lutte féroce que le clergé québécois fera au cinéma durant les trois décennies suivantes (*voir* pages 62-72):

> Or, vous n'ignorez pas, nos très chers frères, le règlement que nous avons promulgué il y a deux ans, afin de protéger parmi nous le respect du dimanche, grandement compromis, à notre avis, par des pratiques qui tendaient à se répandre. Nous avons interdit, entre autres choses, les représentations théâtrales, les séances et les concerts payants, même pour un motif de charité, les courses de chevaux, et les tournois entre clubs et associations, donnés comme spectacles publics et payants.
>
> Ce règlement, nous le confirmons aujourd'hui, et nous déclarons qu'il s'applique à tous ces spectacles de cinématographe, de vues animées ou stéréoscopiques, et de curiosités quelconques présentées sous toutes sortes de noms. Ce sont là des entreprises lucratives, un négoce véritable, une exploitation qui ne peut être permise.
>
> Ces endroits d'attractions publiques se sont multipliés d'une

manière alarmante depuis quelque temps. Si nous gardions davantage le silence, le désordre se verrait bientôt dans toutes nos rues. Ceux qui tiennent ces établissements en perçoivent, nous le savons, des profits considérables. Mais ils admettront que le dimanche n'est nullement fait pour nous enrichir en spéculant sur les passions populaires.

Ces représentations et ces attractions diverses devront être discontinuées le dimanche : nous en faisons un ordre exprès à tous ceux qui dépendent de notre juridiction.

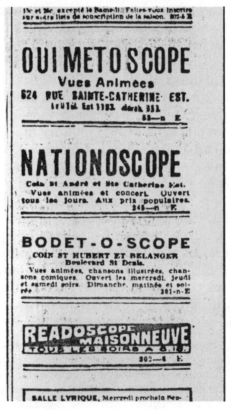

Quelques « amusements » offerts au public dans *La Presse* à la fin d'octobre 1908. On voit que dans la majorité des cas, le cinéma cohabite avec du théâtre, des concerts, de la chanson. (Publicité)

Les autres jours, nous espérons que la morale y sera scrupuleusement respectée, et que l'on ne mettra sous les yeux des spectateurs que des scènes irréprochables. Relativement à quelques salles de vues animées, nous avons entendu de la part d'un grand nombre de personnes, des plaintes qui, nous l'espérons, ne se répéteront pas.

On comprend en effet, le mal immense que peuvent faire sur l'âme de tous, mais des jeunes gens et des enfants en particulier, des images inconvenantes ou suggestives. Tout ce que nous avons dit autrefois des théâtres s'applique, avec non moins de raison, à ces spectacles d'un nouveau genre. Que ceux qui en ont la direction se rappellent donc leur devoir et leur responsabilité.

Il importe aussi que les salles ne soient jamais dans une obscurité complète et qu'une vigilance sérieuse empêche tout désordre et tout danger.

C'est la ville de Montréal qui tente de régler le problème en août 1908 avec un règlement qui interdit toutes les représentations cinématographiques le dimanche[14]. Ainsi, Ouimet n'est plus le seul à subir les interdits. Les autres exploitants s'unissent alors à lui pour contester ce règlement en cour, règlement qui, apparemment, n'était pas observé. Au terme de procès qui dureront presque quatre ans, qui iront jusqu'en Cour suprême, et qui coûteront fort cher, Ouimet obtiendra gain de cause, mais pourra difficilement se remettre des torts causés.

En ces débuts de l'exploitation organisée, Montréal voit apparaître de bien curieux noms sur les marquises des salles jusque-là consacrées surtout au théâtre et aux variétés: Bijou Dream, Ovilatoscope, Supérioscope, Lune rousse, Passe-temps, Ladébauchoscope (d'après le nom du personnage de la célèbre bande dessinée), Nationoscope, Readoscope, Rochonoscope, Mont-Royaloscope, Bodet-O-Scope, Parigraphe... Jean Béraud raconte dans son histoire du théâtre[7] (d'où j'ai tiré une partie de la nomenclature qui précède) que le cinéma fait une concurrence féroce au théâtre, dès les années 1907-1908, en raflant toutes les salles disponibles. L'effet de nouveauté s'atténue peut-être quelque peu, mais la longueur, la qualité technique et la variété des sujets s'améliorant toujours davantage font que les «vues animées» sont désormais entrées dans les mœurs.

Malgré la censure, malgré les luttes cléricales, l'exploitation connaît ses plus grands développements entre 1910-1930[37]. Le public ouvrier surtout apprécie beaucoup le cinéma et s'y rend en foule. Les grandes salles que nous fréquentons encore aujourd'hui sont presque toutes construites à cette époque (St-Denis, Loews, Palace, Impérial, Papineau...; certaines ont été beaucoup transformées depuis et sont devenues des multisalles). Jusqu'en 1915 environ, ce sont surtout des Canadiens français qui contrôlent les salles, mais bientôt s'opéreront les prises de contrôle qui durent encore aujourd'hui. Le principal moment se situe en 1920, lorsque Famous Players Canadian Corporation Ltd, une filiale de la Famous américaine, est constituée et que la compagnie d'Adolf Zukor ne distribue plus ses films via les salles des frères Allen, les plus gros exploitants canadiens. Privés complètement de films, ceux-ci devront vendre leurs salles à Famous Players en 1922 et cette compagnie devient alors, et sera jusqu'en 1985 (alors qu'elle est détrônée par Cineplex Odeon), la plus importante chaîne canadienne, présente dans toutes les grandes villes du Québec comme dans tout le Canada[201].

L'entrée d'une salle vers 1915. On constate l'importance de la publicité par l'affiche en même temps que l'exclusivité de l'anglais dans les titres. (Coll. Cinémathèque québécoise)

On comprend alors pourquoi, dès 1915, il ne se diffuse que du cinéma américain sur nos écrans[184]. Il faut dire que la guerre qui ravage alors la plus grande partie de l'Europe élimine presque toute concurrence. Les Québécois ont alors accès presque en même temps que leurs voisins aux mimes de Charlot ou de Buster Keaton, aux aventures de Douglas Fairbanks ou aux mélos de Mary Pickford (ces deux derniers sont reçus triomphalement à Montréal en octobre 1922), aux drames de Rudolf Valentino et à tout le reste de cette production aujourd'hui oubliée. Dans les salles, où les programmes changent toutes les semaines, ils se voient offrir des *Lying Lips, Saved from the Harem, The Shadow of Scandal, The Foolish Virgin, A Touch of Sin, Flaming Passion, Splendid Sin, Pleasure Mad,* et des centaines de titres tout aussi aguichants[187]! Dans les journaux, de courts résumés des films (la critique n'existe pas encore) promettent bien des voluptés («D'enchanteresses beautés au bain sur la plage», «Exhibition de beautés physiques», «La femme qui rivalise avec Cléopâtre et la Vénus de Milo...», «Une jeune fille endormie dans la chambre d'un homme», «Dans les jardins secrets des millionnaires», «Adam et Ève nus et ne rougissant pas...», etc.) pendant que les placards (les affiches) à l'entrée des salles jouent avec des cartons «ce soir», «à l'affiche» ou «aujourd'hui» stratégiquement placés pour éviter les nudités complètes[121]! Belles promesses que les films ne tiennent malheureusement jamais, car si la censure (*voir* pages 57-62) n'épure l'affichage et la publicité qu'à partir de 1928 (malgré bien des campagnes pour «nettoyer la rue» (*La Presse,* 14 janvier 1904 et 21 janvier 1924; *voir aussi* Pelland[129]), elle avait commencé à «taillader» (le mot est de Pelland) les pellicules dès 1913. Il est d'ailleurs fort dommage que le Bureau de censure n'ait conservé ni les bouts de pellicule coupés, ni au moins leur description sur papier.

Très rarement ce cinéma sera-t-il présenté avec des intertitres bilingues; encore plus rarement avec des intertitres français (la copie de *Jeanne D'Arc,* de Dreyer, un film français, ne contenait aucun mot de français, probablement arrivait-elle via un des *Majors* américains)[179]. Seuls les milieux nationalistes et cléricaux réagissent contre ce fait, le public ordinaire l'acceptant comme allant de soi, comme d'ailleurs le Bureau de censure (qui, à l'époque, fonctionne surtout en anglais).

Le champ commercial francophone demeure donc à peu près complètement libre en 1931, quand Robert Hurel, un Français, fonde sa Compagnie cinématographique canadienne pour l'exploitation du «film parlant français» au Québec[69]. L'expression choisie veut signifier à la fois le film doublé (d'origine américaine surtout) et le film français. L'adresse télégraphique de la CCC est France-Film et ce nom (déposé en 1932) deviendra bientôt la raison sociale du plus important distributeur de films francophones au Canada durant les deux décennies suivantes. Hurel présente des films au Canadien à Québec et au Cinéma de Paris à Montréal. Joseph Cardinal en présente aussi au St-Denis de Montréal depuis un an:

> Ce que je veux, c'est que le St-Denis devienne le rendez-vous exclusif de tous ceux qui veulent entendre parler la langue française à l'écran. Je veux faire du St-Denis le foyer cinématographique des familles canadiennes-françaises, c'est-à-dire un endroit où l'on viendra se distraire, se délasser sans avoir à subir la fatigue qu'exige la compréhension d'acteurs de langue anglaise. Je considère qu'en ce faisant je coopère avec ceux qui défendent le français au Canada et qui veulent qu'il soit parlé correctement.

Les participants au Congrès du film parlant français en 1931. On voit les Hurel, Larente, Cardinal, etc., et tous ceux qui sont intéressés à occuper une place plus importante dans ce marché alors en pleine expansion. (Coll. Cinémathèque québécoise)

Tous les propagandistes du «film parlant français» joueront ainsi sur la carte nationaliste (et souvent aussi sur la carte morale) pour élargir leurs publics. La tactique sera bonne puisqu'en 1940, ils occuperont 10 % des salles. Entre temps,

Joseph Alexandre DeSève (que nous retrouverons dans la production plus tard) avait acheté le Théâtre St-Denis, s'était emparé de France-Film et lui avait assuré le monopole du marché francophone.

Les statistiques officielles manquent totalement pour les années précédant 1930 et même, elles ne permettent des recoupements significatifs qu'à partir de 1937. Des recherches en cours de Germain Lacasse devraient bientôt fournir des données indicatives intéressantes. Nous pouvons toutefois déduire qu'entre 1906 et 1938, d'après le nombre de salles nouvelles qui se construisent, l'apparition de magazines spécialisés, l'intensification des luttes contre le cinéma et les références de plus en plus nombreuses dans la littérature générale, le nombre de spectateurs est en progression constante[37]. À la fin de notre période (1938), il atteint les trente millions sur une population de trois millions, ce qui donne une moyenne de 10 entrées par année (mais seuls les plus de seize ans peuvent alors entrer dans les salles, *voir* page 61). La moyenne canadienne annuelle se chiffre alors à 12 entrées par habitant. Les Québécois vont donc au cinéma

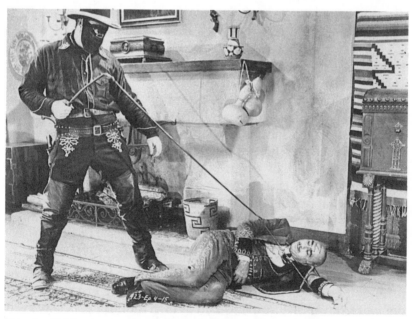

Douglas Fairbanks en *Zorro* a pendant longtemps rempli d'enfants les salles de quartier et le réseau parallèle. (Coll. Cinémathèque québécoise)

un peu moins souvent que l'ensemble des Canadiens (statistique constante jusqu'à aujourd'hui). Ils payent en moyenne 25
cents pour s'engouffrer dans les 172 salles dont les 115 000 sièges ne sont occupés qu'à 25 % de leur potentiel d'entrées. Comme
partout, le format standard y est le 35 mm. Dans 90 % des cas,
c'est pour y voir des films parlant anglais (le muet persiste encore
un peu).

Ces données ne tiennent toutefois pas compte des milliers de projections réalisées dans le réseau parallèle (salles paroissiales des villages, écoles, couvents, etc.) depuis l'arrivée du format 16 mm (au début des années 30). Voilà un type d'exploitation
commerciale qui ne cessera de prendre de l'ampleur jusqu'en
1960. À un stade plus artisanal encore, l'agronome Joseph Morin
(futur fondateur du Service de cinéphotographie de Québec) avait
inauguré, vers 1920, ce « réseau parallèle » en se promenant partout avec ses bandes éducatives pour les agriculteurs[204]. Il aura
de multiples imitateurs dans les décennies suivantes (Tessier,
Proulx et les projectionnistes de l'ONF).

Distribution

Comme le soulignent Lamonde et Hébert[37], la distribution est
le moins bien connu de tous les secteurs de l'industrie cinématographique québécoise. Il faudra attendre qu'un chercheur
dépouille et analyse les archives du Bureau de censure (créé en
1912) et d'autres archives publiques pour obtenir des données
précises. Encore là, on pourra tout au plus établir des listes de
compagnies et des chiffres fragmentaires sur le nombre de films
mis en circulation. Quant à connaître les chiffres d'affaires et les
revenus nets de cette industrie, il semble qu'il faille y renoncer
à tout jamais.

Nous savons toutefois qu'avant 1920, Ernest Ouimet[6],
avec sa Ouimet Film Exchange d'abord, achetait, projetait et
revendait les films Edison, puis des films Pathé et tout ce qu'il
pouvait trouver en Europe ; qu'en 1915, il fonde la Specialty Film
Import Limited pour devenir le représentant unique de Pathé
(qui produit des films aux États-Unis durant la guerre) pour tout

le Canada; et que pour des raisons inconnues, mais sans doute fut-il étouffé par la concurrence américaine alors en pleine progression, il fait faillite en 1921. Il faut dire, d'une part, que la Grande Guerre qui ravage alors l'Europe ne favorise pas les communications et que, d'autre part, le cinéma américain entre alors dans sa période la plus riche en créations originales. L'esthétique hollywoodienne s'y définit et y acquiert ses lettres de noblesse : Griffith avec *Naissance d'une nation* a perfectionné une forme de récit et de montage auxquels personne désormais n'échappera; on ne mesurera plus le comique ou l'épique qu'à l'aune de Chaplin, Keaton, Stroheim ou Fairbanks. Avant Ouimet, et même pendant ses premières années de distributeur, il semble que les bandes européennes nous arrivaient après un passage par les États-Unis, surtout au moment de la toute-puissance du trust Edison.

À partir de la guerre, les *Majors* (les grandes compagnies américaines comme Paramount, Warner Bros., United Artists, 20th Century Fox, etc., dont le nombre ne dépasse jamais la dizaine et qui contrôlent les grands studios, la distribution et même une partie de l'exploitation à travers des filiales) installent progressivement leurs succursales à Montréal. Elles monopolisent toute la distribution des films à succès. Comme ce sont les mêmes compagnies ou leurs associés qui contrôlent aussi les salles à partir de 1922, on comprend alors que toute production autre qu'américaine ait bien peu de chances de s'imposer.

Mais ce secteur ne vit pas en paradis pour autant. Si aucun concurrent économique ne le menace, il n'en affronte pas moins des ennemis sérieux et fort bien organisés : le Bureau de censure et les milieux cléricaux qui font campagne pour une censure toujours plus sévère. Exaspérés, les «placiers» (c'est ainsi qu'on appelle les distributeurs à l'époque) menacent en 1926 de boycotter complètement le Québec si les coupures ne cessent de défigurer les œuvres. La nouvelle paraît dans *La Presse* et *La Patrie* du samedi 17 avril. Le clergé, qui verrait la fermeture totale des salles comme une bonne nouvelle (*voir* pages 62-72) riposte très vite en réclamant une censure encore plus sévère. Le lundi 19 avril, *Le Devoir* publie une déclaration du premier ministre Taschereau qui appuie entièrement le Bureau de censure et menace à son tour les «producteurs» de faire interdire leurs films dans tout le Canada par ses amis d'Ottawa (le gouvernement, libéral aussi, de Mackenzie King) s'ils mettent leur chantage à exécution[129]. Toute la semaine, *Le Devoir*, qui endosse totalement la position du clergé pour des raisons autant religieuses que nationalistes, publie articles et témoignages félicitant le premier ministre. Des dizaines d'associations catholiques se prononcent, des Sociétés Saint-Jean-Baptiste aux Chambres de commerce en passant par les syndicats et les groupes paroissiaux. Après deux semaines, la campagne s'atténue et personne ne parle plus de boycott.

Ce n'est que lorsque le parlant se généralise que la nécessité de franciser au moins quelques salles se fait impérieuse. En plus de Films de Luxe (fondée en 1924) qui fait venir quelque 50 films «en français» entre 1930 et 1932 et de Paramount qui en présente aussi quelques-uns (probablement des doublages), deux compagnies naissent pour occuper ce terrain vierge[69].

D'abord, Robert Hurel, ancien employé de la Paramount en France, vient en 1929 faire ce que nous appelons maintenant une étude de marché et, fort de l'appui des producteurs français, revient en 1930 fonder sa propre compagnie, la Compagnie cinématographique canadienne pour l'importation des films. L'adresse télégraphique de la CCC étant France-Film, c'est ce nom qui est le plus souvent utilisé pour désigner la compagnie. Aussi Hurel dépose-t-il ce nom de France-Film en 1932 pour la division de sa compagnie qui s'occupe de distribution et d'exploitation au Québec tandis que la CCC se limite à l'importation (situation qui perdure jusque dans les années 80).

Puis Édouard Garand, éditeur et promoteur de spectacles, constitue la seconde le 9 juillet 1931 sous le nom Les films des éditions Édouard Garand. Lui aussi veut organiser à la fois la distribution et l'exploitation du «film parlant français». Un jeune comptable autodidacte ayant la «bosse des affaires», Joseph Alexandre DeSève, se joint à Garand peu après. Les associés réalisent d'assez bonnes affaires jusqu'en février 1934, alors que DeSève, devenu le véritable maître de la compagnie, en change le nom pour Franco-Canada Films et occupe officiellement le poste de président.

En septembre 1934, nous avons en présence deux compagnies également bien structurées et dirigées par d'habiles hommes d'affaires : DeSève chez Franco-Canada Films et Alban Janin, entrepreneur en construction, qui, en devenant le principal actionnaire de France-Film au mois de mars, en avait pris la direction. Les deux évoluent en concurrence dans un marché en expansion, qui demeure cependant un petit marché qui ne saurait avant plusieurs années offrir assez d'espace pour le développement de plusieurs compagnies majeures. En financiers avertis, DeSève et Janin fusionnent les deux sociétés le 1er octobre, comprenant que l'affrontement serait suicidaire pour les deux. C'est le nom de France-Film qui est conservé et par suite d'une série de manœuvres, Alexandre DeSève en devient vice-président, mais en fait, c'est lui qui contrôle tout. Pour Robert Hurel, nommé président, le titre est plus honorifique qu'effectif.

À la suite de cette fusion, France-Film jouit donc d'un quasi-monopole de la distribution du film francophone (les compagnies américaines s'intéressent à peine à ce marché), en même temps qu'elle possède ou programme plusieurs salles. Pour sa publicité, elle joue abondamment sur la carte nationaliste et sur les campagnes pour le « bon parler français », comme en témoigne ce texte (les majuscules sont de son auteur) :

FRANCE-FILM monte la garde... Le public, qui a encouragé avec un si bel enthousiasme les films français présentés dans la province de Québec par la FRANCE-FILM, nous a confié une tâche aussi noble que glorieuse : DÉFENDRE LA LANGUE FRANÇAISE PAR LE FILM. À ce devoir, à cette tâche, nous ne voulons jamais faillir.
LE SUCCÈS EST LE FRUIT DE LA PERSÉVÉRANCE ET DU TRAVAIL CONSCIENCIEUX. LA FRANCE-FILM FAIT RESPECTER NOTRE LANGUE. France-Film défend notre langue et ne manquera jamais à cette tâche qu'elle s'est imposée avec foi. ENCOURAGER LE FILM FRANÇAIS, C'EST AIDER À LA SURVIVANCE DE NOTRE RACE. Une fois par semaine, plus souvent si vous le pouvez, fréquentez le CINÉMA FRANÇAIS! TEL UN PHARE qui éclaire la route du marin, le guide à bon port... l'écusson de France-Film annonce au cinéphile un programme français de la plus haute qualité. France-Film est une firme canadienne-française, au capital canadien-français et qui combat pour que les nôtres aient leur part dans l'industrie du film.

Est-il utile d'ajouter ici que dans cette lutte contre les compagnies américaines, à la fois pour la possession des salles par les autochtones et pour la diffusion de produits autres qu'américains, France-Film jouit de l'appui presque inconditionnel du

Joseph Alexandre DeSève et l'abbé Aloysius Vachet. La diffusion du « film parlant français » s'accroît en parallèle avec la volonté du clergé québécois d'utiliser les vues animées en éducation ou simplement pour procurer des loisirs « sains » à la jeunesse. (Coll. Cinémathèque québécoise)

clergé, d'une grande partie des intellectuels, surtout les nationalistes, et de plusieurs hommes politiques ? Plusieurs années auparavant, ceux-ci avaient pressenti la force de conviction du cinéma hollywoodien, même muet, et l'influence culturelle qu'il commençait à avoir. Après tout, les Hurel, Garand, DeSève, Janin et bien d'autres qui eurent moins de succès, ne voulaient que corriger une situation qu'aujourd'hui surtout nous ne pouvons considérer qu'anormale. Qu'ils aient fait flèche de tout bois en jouant le même jeu capitaliste concurrentiel et monopolistique que les *Majors* américains auxquels ils voulaient ressembler, et qu'ils aient marqué des points capitaux, ne fait qu'illustrer leur talent ! Ils retrouveront les mêmes appuis après la Deuxième Guerre mondiale quand DeSève et quelques autres entrepreneurs se lanceront dans la production.

Production

Si, pendant cette période, le cinéma canadien anglais[307] réussit à produire un certain nombre d'œuvres intéressantes dans le long métrage commercial (principalement Ernest Shipman au début des années 20), il n'en fut pas de même pour le Québec. Tout au plus pouvons-nous relever trois titres : *The Battle of Long-Sault (Dollard des Ormeaux)* (1913) de Frank Crane[124], produit par la British American Film, *Madeleine de Verchères* (1922) et *La Drogue fatale* (1924) d'Arthur Larente et J.-Arthur Homier[241]. En fait, comme le premier se fit sans aucun apport francophone, c'est *Madeleine de Verchères* que nous pouvons considérer comme le premier long métrage de fiction québécois, non seulement par le sujet (tout à fait national et moral, pour plaire au clergé), mais aussi par les conditions de production, les artisans et les interprètes. Comme son titre l'indique, il racontait l'épisode historique de l'héroïne de Verchères lors de la lutte contre les Indiens. Le deuxième film des mêmes auteurs, *La Drogue fatale*, reprenait un thème moralisateur déjà très à la mode à cause des scandales hollywoodiens (les drogues dures comme douces y sont autant à la mode qu'aujourd'hui, *voir* toute bonne histoire du cinéma américain).

À la suite des succès relatifs de ces productions, Homier tenta d'établir un studio à Montréal, mais ne réussit pas à intéresser suffisamment d'investisseurs. Il abandonna toute ambition dès 1924. De ses films, rien ne subsiste que le souvenir et quelques descriptions écrites, car son fils qui les avait conservés dut les détruire sur ordre du Département des incendies (ils étaient sur pellicule à support nitrate, évidemment).

Au même moment, Jean Arsin réalise avec l'aide du journal *La Presse* et divers autres commanditaires trois films de fiction dont ne subsistent aucun extrait ou copie connus. Mais les journaux font beaucoup état de leur succès. Ici encore, il faudra attendre la publication des recherches en cours de Germain Lacasse pour en savoir davantage[317].

On trouve toutefois une histoire plus riche dans le cinéma documentaire. Les premières « vues » tournées au Québec le furent par les cameramans d'Edison dès 1894; jusqu'en 1913, celui-ci fait tourner environ 80 films au Canada. Voulant s'assurer des droits d'auteur, il les fit enregistrer à la Library of Congress à Washington. Parmi ces titres, on relève: *Fêtes du 300ᵉ anniversaire de la fondation de Québec, Le Ski à Montréal, Les Rapides du Long-Sault, Voyage de noces de Montréal à Vancouver,* etc.

Ce qui est sans doute le premier film publicitaire au Canada est projeté à Montréal en juin 1897. Il s'agit d'une promotion pour le journal *La Presse*. Nous ne savons qui l'avait réalisé.

Dans ses mémoires, Mesguich dit qu'il a tourné des scènes à Québec et à Montréal en 1897. Ainsi, en exceptant le film publicitaire dont nous ignorons l'auteur, nous pouvons affirmer que les premières images cinématographiques du Canada et du Québec, avant celles de Ouimet, sont tournées par des « étrangers ».

Tout au début du siècle, le Canada compte à peine 5 millions d'habitants. La principale immigration, surtout dans l'Ouest, vient des États-Unis. Pour le gouvernement fédéral, comme pour la Canadian Pacific Railway qui a construit la première ligne *coast to coast* et qui en a fait le symbole de l'unité canadienne, il apparaît nécessaire de stimuler l'immigration britannique pour maintenir la culture anglo-saxonne, perçue comme le fondement de la culture canadienne, majoritaire. C'est pourquoi le CPR (qui veut aussi rentabiliser sa voie vers l'Ouest), commandite une série de films touristiques pour encourager l'immigration britannique. Ces films, composés de beaux paysages et de scènes pittoresques de la vie canadienne (prises de Québec à Vancouver, en été uniquement, car les scènes de neige et de glace étaient interdites pour ne pas décourager l'éventuel immigrant) seront tournées, à compter de 1902, par la Bioscope Company of Canada fondée par Charles Urban, un producteur de Londres. Celui-ci se charge aussi de la diffusion de ces films en Angleterre. Ces films seront diffusés jusqu'en 1918, alors que les productions du gouvernement fédéral prennent la relève.

Le premier Québécois à produire des images d'ici est encore Ernest Ouimet[6] qui, à partir de 1906, filme divers événements susceptibles d'intéresser le public de son Ouimetoscope. Comme les premiers pionniers, il filme aussi ses enfants et des scènes de sa vie familiale. Souvent, il projetait le soir même les images qu'il avait prises l'après-midi dans un quartier de Montréal. Ce furent nos premières « actualités filmées ». Ouimet fit

Photogrammes de *Mes espérances* (1908); comme tous les pionniers, Ernest Ouimet commence par le film de famille. (Coll. Cinémathèque québécoise)

aussi plus tard des films de commandite, même un long métrage (*Le feu qui brûle* (*sic*), 1918) pour l'Association des pompiers de Montréal. Il ne subsiste malheureusement que quelques-unes de ces bandes filmées par Ouimet, car celui-ci, en 1921, lors de sa faillite, brûla toutes ses pellicules (sur support nitrate, évidemment) dans un terrain vague de Montréal. Ouimet s'installa ensuite à Hollywood où il produisit *Why Get Married* (1924, mise en scène de Paul Cazeneuve, un homme de théâtre français qui avait vécu un certain temps au Québec) qui connut peu de succès à Montréal et ailleurs.

En 1921, Blaine Irish et Bernard Norrish achètent, avec l'aide de la Canadian Pacific Railway qui devient le principal actionnaire, la Associated Screen News, filiale montréalaise d'une compagnie de New York. Sous sa nouvelle direction, celle-ci connaît un essor considérable dans les années suivantes parce que plusieurs distributeurs américains font fabriquer leurs copies dans ses laboratoires. Elle produit aussi plusieurs séries de films d'actualités pour les *Majors* américains et pour News of the Day, des films de commandite pour diverses compagnies et, pour les salles de cinéma, une longue série de courts reportages (dix minutes) illustrant divers aspects de la vie canadienne (les *Canadian Cameo*). Cette compagnie ne participera toutefois jamais très activement à la vie des Canadiens français de sorte que nous ne pouvons considérer ses productions comme du cinéma québécois proprement dit (six *Cameos* seulement seront doublés en français). Associated Screen News sera finalement intégrée dans Bellevue Pathé en 1970, laquelle deviendra Astral Bellevue Pathé en 1973.

Le gouvernement fédéral canadien commence dès cette époque à participer à la vie cinématographique. En 1916, il fonde son premier organisme, le War Office Cinematographic Committee, pour coordonner et aider à la réalisation des multiples demandes que recevait l'armée, de la part d'individus et de compagnies, d'aller filmer la guerre en Europe, surtout la participation canadienne. Le 18 septembre 1918, le ministère du Commerce et de l'Industrie préside à la création du Exhibits and Publicity Bureau dont la mission est de vanter les produits et les possibilités commerciales du Canada à l'étranger en même temps que de promouvoir l'immigration britannique (encore!).

Les cameramen et photographes du Canadian Government Motion Picture Bureau autour de 1925. Leurs grosses caméras 35 mm rendent les trépieds indispensables et déterminent les limites du filmable. (ONF)

En 1923, l'organisme change de nom en même temps que de mandat, car il doit répondre maintenant aux demandes des divers ministères, et devient le Canadian Government Motion Picture Bureau[86]. Mais il loge toujours au même ministère. On y produit surtout des films touristiques pour faire admirer nos magnifiques paysages ou des documentaires promotionnels sur l'industrie et l'agriculture pour encourager les importations de capitaux; quelquefois aussi, des montages d'actualités et des reportages d'intérêt général. On y poursuit aussi le but de faire connaître les régions du Canada aux gens des autres régions. Dans l'espoir que les films américains refléteront mieux les réalités canadiennes, on offre aux sociétés hollywoodiennes de les aider quand ils viennent filmer en ce pays. Dans ces organismes (les «ancêtres» de l'Office national du film), situés à Ottawa, l'on ne travaille qu'en anglais et les Canadiens français n'ont jamais accès aux postes de créateurs. Le Rapport Grierson[106] (1938) jugera sévèrement le Bureau; si ses produits obtinrent un certain succès durant les années 20, la décennie suivante le voit péricliter: manque de professionnalisme, absence de leadership, manque de coordination avec les différents ministères, contenus fades sinon mensongers...

Pour parler de cinéma vraiment québécois (sauf les quelques expériences de Ouimet, de Larente et Homier, d'Arsin), il faut attendre nos pionniers du documentaire, à compter de 1925.

Albert Tessier[250] fut l'un des premiers et des plus importants de ces pionniers. Né en 1895 à Sainte-Anne de la Pérade, dans une famille d'agriculteurs, il fait des études classiques à Trois-Rivières et devient prêtre en 1920. Il travaille alors au Séminaire de Trois-Rivières dans divers postes et devient en 1937 «visiteur» (représentant du gouvernement) des Instituts familiaux, poste qu'il occupera jusqu'à la fermeture de ce type d'écoles dans les années 60 et qui lui fournira le motif et l'occasion de parcourir tout le Québec. Il fut aussi historien, archiviste, journaliste et éditeur de recherches historiques et d'autres œuvres québécoises (dont les premiers recueils de contes de Félix Leclerc).

Les images que Tessier aimait filmer : la valorisation de la campagne et l'invasion de la modernité la transformant pour le meilleur et pour le pire. (Photo Tavi, coll. Cinémathèque québécoise)

Dès ses études classiques, Tessier est un passionné de photographie. Il en fera bientôt sur une base semi-professionnelle avec un ami (Avila Denoncourt) sous le pseudonyme de Tavi.

En 1925, d'une manière tout à fait artisanale, il commence à filmer gens et paysages de la Mauricie, images qu'il monte ensuite à l'aide d'un seul projecteur (il se vantera plus tard de n'avoir jamais utilisé de trépied, ni de spots, ni de monteuse ; il fabriquait lui-même ses intertitres). Quant aux magnétophones portatifs, ils n'apparaîtront qu'à la fin de sa « carrière » et ne l'intéresseront pas tellement ; une partie de ses films, achetés par le Service de cinéphotographie de Québec, sera toutefois sonorisée. Toute son œuvre sera aussi à ses frais[195].

Autodidacte de la caméra comme du montage, il ne se préoccupe que bien peu des règles de la prise de vue et de l'harmonie des raccords. De qui aurait-il pu apprendre ces règles, d'ailleurs, puisque personne avant lui n'avait filmé au Québec les sujets qui le passionnaient, ni surtout n'avait tenté de conserver un ton spontané et naturel à la reproduction des scènes. Trente ans avant le cinéma direct et les appareils en moins (surtout le magnétophone, ce qui lui a au moins fait éviter le piège de l'interview), il en vivait l'esprit en faisant un « cinéma de cameraman » avant tout. Sous cet aspect, seuls l'éclairage et la mise au point le préoccupent vraiment, car il tient à obtenir des images bien claires (pour des idées bien nettes, comme dirait l'autre !). Le reste (cadrage, angles, positions de caméra et types de plans) dépend plus des possibilités du moment que d'une volonté esthétique. Ses « scénarios », composés non d'après l'analyse des images, mais d'après un « thème » à développer, ne viennent qu'après pour articuler le développement de son idée et fournir un canevas pour les intertitres, qu'il fabrique lui-même de façon tout à fait artisanale, ou pour ses commentaires lors des projections.

Un hobby passionnant, mais rien qu'un hobby, le cinéma est pour Tessier moins un moyen d'expression artistique (ce qu'est pour lui la photographie) qu'un moyen efficace de faire découvrir la beauté du monde et de communiquer des valeurs. Son objectif est clairement de « propagande » (le mot n'a pas à l'époque la coloration péjorative d'aujourd'hui) : il veut apprendre l'histoire, le respect du terroir, la grandeur de la vie paysanne, la beauté de la nature vierge et celle des cultures, le nationalisme, la discipline du travail bien fait, l'importance de l'école, la sagesse des vieux. Il veut surtout « développer la faculté d'émerveillement », « réveiller les gens à la beauté de l'environnement » :

Quand vous saurez regarder intensément jusqu'à l'émotion, vous n'aurez plus à courir après les images. Elles surgiront de partout, secoueront votre sensibilité, mettront en branle votre imagination, appelleront irrésistiblement le déclic de votre appareil photographique.

La Patrie n'est pas une abstraction... c'est quelque chose qui se voit, qui se palpe : de la terre, de l'eau, des plantes, des animaux, des travaux humains, des monuments, et surtout des hommes, qui continuent les rêves et les œuvres de leurs prédécesseurs et qui travaillent pour ceux qui viendront après eux.

Au gré de ses tournées d'animation pédagogique dans les Instituts familiaux aux quatre coins du Québec, Tessier projette ses films et les commente à des auditoires variés qui vont des scouts aux agriculteurs en passant par les couventines et les évêques. Si nous pouvons juger de son talent de conteur (de «bonimenteur») tel que manifesté dans le film[300] que Louis Ricard lui a consacré peu avant sa mort, nous comprenons qu'il ait souvent séduit son public.

C'est pour honorer la mémoire de cet authentique pionnier, celui qui eut peut-être le meilleur sens de l'image, que fut nommé Prix Albert Tessier la plus haute distinction accordée à un cinéaste par le gouvernement du Québec, prix créé en 1980. Albert Tessier était décédé en 1976. (On trouvera en annexe, page 488, la liste des récipiendaires de ce prix.)

Autre artisan et également prêtre, Maurice Proulx[205] (né en 1902) commence sa carrière de cinéaste amateur en même temps que celle de professeur d'agronomie en 1933. Autodidacte lui aussi (en cinéma), il aura toutefois l'occasion de côtoyer des professionnels et d'améliorer l'aspect technique de la représentation. Il ne craint pas d'utiliser le trépied et les éclairages artificiels. Bricoleur talentueux, il se fabrique des tables de montage et des appareils de titrage (pour ses films muets). La fabrication de films est pour lui plus qu'un hobby, car ses films servent, en bonne partie, directement à son travail de professeur d'agronomie et il y consacre une grande partie de son temps, conscient de produire des documents qui rejoignent beaucoup plus de personnes que son enseignement ne le pourra jamais. C'est pourquoi il porte une assez grande attention à une utilisation du langage cinématographique qui favorise la clarté de l'exposé : l'enchaînement classique du plan d'ensemble au plan moyen au gros plan s'y retrouve systématiquement, de même que les fon-

Maurice Proulx et sa mère en compagnie de Maurice Duplessis en 1952, à la première de *Jeunesse rurale*. Pour le premier ministre, Proulx était le meilleur cinéaste du monde parce qu'il montrait ce que ses propres discours exaltaient : les valeurs paysannes et religieuses. (Coll. Cinémathèque québécoise)

dus marquant les changements de séquences. Il affectionne les plans-séquences et les panoramiques qui rassemblent toutes les personnes liées à tel événement. On sent souvent (parfois trop) le travail de composition ; contrairement à Tessier, Proulx semble connaître toujours d'avance ses « scénarios » et les choix qu'ils impliquent ; on n'y retrouve pas la même fraîcheur et la même spontanéité. Comme si, le commentaire étant déjà écrit, le choix des images pour l'illustrer avait aussi été préalablement décidé. Ce qui, par ailleurs, ne diminue en rien la qualité que ses images atteignent parfois, malgré leur visée plus utilitaire qu'artistique (il est moins bon photographe que Tessier). Il faut faire l'expérience de visionner *En pays neufs* (son film le plus célèbre et sans doute le plus important) dans l'esprit où il fut réalisé, c'est-à-dire sans bande sonore : débarrassés de cette agaçante musique mal repiquée sur des disques de qualité douteuse et du commentaire trop idéologique, les images et le montage se révèlent tout à fait signifiants et historiquement intéressants. Ses objectifs de propagande sont à peu près les mêmes que ceux de Tessier, mais il s'y greffe des préoccupations plus directement pédagogiques : « Chaque fois que je déclenchais la caméra, je me voyais derrière le projecteur en train de commenter les images. » Lui aussi travaille en solitaire indépendant, pendant longtemps seul « technicien » de ses films. Il devient ensuite conférencier pour expliquer ou commenter ses images partout au Québec. Quand le gouvernement du Québec créera son Service de cinéphotographie en 1941, celui-ci achètera (et parfois produira) plusieurs films de Proulx.

Propagandiste et professeur, un brin soucieux d'ethnologie, Proulx filme la colonisation en Abitibi et en Gaspésie entre 1934 et 1939 (Bernard Devlin s'inspire directement de *En pays neufs* pour *Les Brûlés* et Pierre Perrault en reproduit des séquences pour son *Retour à la terre*; Marcel Carrière reprend des images de *En pays pittoresque* pour *Chez nous, c'est chez nous* qui raconte la mort brutale de ce village de Gaspésie dont Proulx avait célébré les débuts et qui s'appelait, ironiquement, Saint-Octave de l'Avenir. Il filme aussi divers sites touristiques, des événements religieux et des bandes sur diverses techniques agricoles pour rejoindre les paysans non scolarisés. Ses films reflètent l'esprit triomphaliste de l'Église catholique de l'époque et la mystique duplessiste de la grandeur paysanne.

> Je n'ai jamais eu une conception bien arrêtée du cinéma documentaire. J'ai toujours agi, filmé d'instinct pour ainsi dire. Je crois que c'est la seule véritable conception du documentaire que j'avais. Je voulais faire passer un message, montrer des situations, faire comprendre quelque chose. (...)
>
> Parfois, assez souvent même, j'étais conscient de prendre des scènes rares, des gestes quotidiens de cultivateurs, de travailleurs qui disparaîtraient dans quelques années. J'étais alors très heureux et fier de filmer de telles scènes sur le point de disparaître comme la coupe à la faucille et l'engerbage du blé, un laboureur avec ses bœufs, etc.; et surtout les gestes de nos gens de la campagne. Il ne faut pas oublier aussi les images du début de la colonisation en Abitibi, dans les villages gaspésiens, les petites paroisses aves les trottoirs en bois, le brûlage des abattis, la vie de nos ancêtres au début du siècle. J'ai aussi eu la chance de filmer des Indiens encore très peu marqués par la civilisation des Blancs. (...)
>
> C'était la grande liberté d'expression et tout ce qu'on montrait à l'écran, c'était beau et bon. Il n'y avait personne pour nous critiquer, malheureusement, car c'était tout nouveau pour le Québec...
>
> C'était du cinéma « nature », en pleine nature.

D'autres prêtres se sont aussi improvisés cinéastes amateurs dans diverses régions du Québec : les abbés Tremblay, Imbeau, Larouche et Joron au Saguenay-Lac-Saint-Jean[103], l'abbé Côté en Bellechasse et en Beauce ; le père Lafleur qui a fait plusieurs films ethnologiques sur les Indiens en Abitibi-Témiscamingue durant les années 30[204]. De son côté, Paul Provencher filme les Indiens de la Côte Nord entre 1936 et 1940[306].

Paul Provencher avec sa caméra-fusil : quand le chasseur de gibier devient chasseur d'images ! (Coll. Cinémathèque québécoise)

C'est aussi à cette période, vers 1930, que commence la carrière, d'amateur d'abord, puis de publicitaire pour l'Office du tourisme et de la publicité de la province de Québec, d'Herménégilde Lavoie[203-310]. Et il y a sûrement plusieurs autres cinéastes amateurs encore mal connus, ne seraient-ce que ces portraitistes de familles dont Josée Beaudet a retracé des images fort intéressantes pour son *Film d'Ariane*, car aucune recherche systématique n'a été faite à ce sujet jusqu'à maintenant, ces films n'étant pas facilement accessibles.

Tous ces pionniers filment très intuitivement, sans avoir beaucoup réfléchi à ce qu'est le cinéma comme « art et industrie ». Ils n'ont pas envie de « faire du cinéma », mais le voient simplement comme un moyen de communication à la mode et lui reconnaissent un bon pouvoir de propagande. Ils font simplement de « l'album de famille » avec le goût de conserver des images des personnes et des événements, comme ils l'auraient fait avec un appareil photo s'ils n'avaient pas disposé d'une caméra ou comme ils auraient simplement écrit un journal personnel. Comme le soulignent Pierre Demers et Constance Frigon en parlant des pionniers au Saguenay-Lac-Saint-Jean : « En ce temps-là quand on sortait les caméras, c'était pour filmer les grandes fêtes populaires et religieuses, la grande visite (le lieutenant-gouverneur, le patron de l'Alcan, l'archevêque ou le chanoine Lionel Groulx), les voyages d'exploration ou les anniversaires d'usage[103]. » Ils n'avaient donc aucune prétention, ni même la conscience, de faire œuvre ethnologique ou historique. Un simple travail de mémorialistes, plutôt. Combien y a-t-il de ces bouts de films, en 16 ou en 9,5 mm dans des placards ou caisses d'archives de compagnies (films publicitaires ou de prestige), de communautés religieuses ou de citoyens ordinaires au Québec ? Nul ne le sait. Mais il faut espérer que les propriétaires les retrouvent et les apportent à la Cinémathèque avant que les pellicules ne soient complètement dégradées.

Si nous produisons peu d'images de Canadiens français, cela ne veut pas dire qu'on n'en voit pas sur les écrans. En effet, les grands studios hollywoodiens produisent régulièrement des « sujets » canadiens, prétendument filmés ou non au Canada. Pas moins de 575 entre 1907 et 1957 (dont environ 500 avant 1940), selon l'étude de Pierre Berton, *Hollywood's Canada: the Americanization of our National Image*[9]. Systématiquement, toujours selon cette étude, les références géographiques sont le plus souvent farfelues, les Amérindiens et les Canadiens français sont culturellement trahis et méprisés. Sur leurs écrans, la seule image d'eux-mêmes que les Québécois (comme les étrangers) peuvent voir en est une essentiellement négative : ils ne sont toujours que coureurs des bois, ou aventuriers minables, ou bûcherons, ou

Rose-Marie de W.S. Van Dyke (1936): un de ces films de *mounties* où le « méchant » est toujours le Canadien français ou le Métis (toujours né d'un Canadien français et d'une Indienne). (Photo NFA, Londres)

guides…; jamais très intelligents, leur seule force est dans leurs gros bras; très souvent « maniaques sexuels », ils sont toujours infidèles à leur femme qu'ils passent d'ailleurs leur temps à battre (quand ils sont à la maison!); ils n'ont jamais de premier rôle, la belle et courageuse « police montée » étant toujours jouée par le Canadien anglais, celui du bandit-grosse-brute leur étant réservé… Pour la Canadienne française, tout est à l'avenant: toujours dans des rôles féminins négatifs, elle est la « mauvaise femme » qui essaie de détourner le bon héros de son devoir, la mégère jalouse… Les Canadiens français sont les « Mexicains » et les « Indiens » du Nord… On comprend que les nationalistes et le clergé d'ici, qui en étaient conscients dès 1924, ne prisaient pas tellement ce type de cinéma.

Législation

Précisons d'abord ici qu'en vertu d'articles divers de la Constitution canadienne, les deux paliers de gouvernement, le fédéral et le provincial, peuvent légiférer sur le cinéma, chacun toutefois dans les cadres de sa compétence reconnue. Ainsi, le parlement d'Ottawa peut édicter des règlements concernant le commerce international des appareils et des produits filmiques; il peut fermer la frontière aux produits étrangers ou en réglementer la circulation; il peut aussi se doter de divers organismes de production ou de diffusion propres à réaliser les intérêts du public canadien.

Toutefois, le cinéma étant avant tout un produit culturel, ce sont les provinces qui sont habilitées à définir les lois qui correspondent à leurs objectifs d'éducation et de développement culturel, ce qui inclut au premier chef la censure (ou la « surveillance » ou quel que soit le nom); elles peuvent aussi se doter de tous les organismes utiles à la réalisation de leurs politiques (propagande, diffusion, cinémathèques, dépôt légal, taxation). Mentionnons enfin que les municipalités (troisième palier de gouvernement) peuvent aussi édicter des règlements qui toucheront l'un ou l'autre des niveaux de l'industrie (par exemple: la sécurité dans les lieux publics, les permis de tournage dans les rues, l'interdiction de tels spectacles, etc.).

En plus des lois concernant directement le cinéma, il faut tenir compte aussi, pour bien comprendre cette histoire, de tout un ensemble d'autres lois générales qui s'y appliquent. Par exemple, celui qui ouvre une salle doit se conformer à la loi des licences régissant les établissements commerciaux, à celle de la sécurité dans les édifices publics, au code du bâtiment, aux lois fiscales (taxe d'amusement, de vente), à la loi du dimanche, aux lois du pays en général concernant l'ordre public, la décence et l'obscénité... Nous n'aborderons toutefois ces lois «indirectes» que lorsqu'un de leurs effets provoquera un événement spécial.

Dans cette première période, la législation du cinéma s'est réduite presque uniquement à la censure.

Il y a deux façons de censurer : ou bien on interdit complètement ou en partie le produit lui-même (les ciseaux qui «tailladent» les films, comme disait l'avocat Pelland en 1926)[129]. Ou bien on limite le public, soit par les groupes d'âge, soit par la spécialisation de l'auditoire (films réservés à des psychiatres, par exemple). La censure québécoise du cinéma se fera des deux façons.

Le 24 mars 1911, lorsqu'est votée à Québec la première loi touchant directement le cinéma, elle se greffe sur la Loi des exhibitions publiques de 1909, à l'article 3713 qui se lit comme suit :

> Toute exhibition publique de monstres, d'idiots ou d'autres personnes imbéciles ou difformes tendant à compromettre la sûreté ou la morale publique, peut être prohibée par les conseils locaux de la province ; toute personne contrevenant à toute telle prohibition est passible d'une amende de quarante piastres, recouvrable avec dépens, à la poursuite de la corporation municipale qu'il appartient (*sic*), par action ou procédure civile, pour son propre bénéfice, devant tout tribunal ayant juridiction, jusqu'au montant ci-dessus, sur le témoignage d'un témoin digne de foi.

Est-ce significatif de la conception que l'on entretient du cinéma, que cette loi soit rattachée à celle des «exhibitions de monstres, d'idiots ou d'autres personnes imbéciles»? Peut-être en partie, si l'on se rappelle l'opinion que la majorité des intellectuels d'alors avaient envers le cinéma, mais en consultant l'index des lois existantes, on voit mal à quelle autre loi on aurait pu la greffer.

Cette loi de 1911 n'est pas très maligne puisqu'elle ne

fait que limiter l'accès des salles aux moins de 15 ans :

> 3713 a. Il est prohibé à toute personne ou à toutes personnes en charge d'une salle de vues animées où il est donné des spectacles au moyen du cinématographe, et, dans le cas d'une compagnie ou société, à tout gérant ou autre personne en charge de l'établissement, de recevoir, de quelque façon, à ces spectacles, des mineurs âgés de moins de quinze ans révolus, à moins qu'ils ne soient accompagnés de leur père, de leur mère, de leur tuteur, de leur précepteur ou d'un gardien spécialement autorisé par leur père ou par leur mère.

Il peut être amusant de constater ici que l'Ontario et le Manitoba se dotent d'une loi à peu près semblable, ce même 24 mars 1911. Les autres provinces canadiennes ne tarderont pas à les imiter[19].

En 1912, par un nouvel ajout à la Loi des exhibitions publiques sanctionné le 21 décembre, Québec s' «attaque» aux films en créant son Bureau de censure. La loi en fixe la composition, les devoirs et privilèges des membres, leurs fonctions, les modes de fonctionnement, les pénalités relatives aux infractions à cette loi, etc. En voici les deux articles principaux :

> 3713e. Il est loisible au lieutenant-gouverneur en conseil de nommer une commission qui portera le nom de : « Bureau de censure des vues animées », composée de trois commissaires et d'un secrétaire, qui tous resteront en fonction durant bon plaisir.

> 3713n. Il sera du devoir de la commission d'examiner tous films ou autres appareils de ce genre, que l'on se proposera d'employer dans la province pour les exhibitions de vues animées au moyen de cinématographes, machines de vues animées ou autres moyens semblables et d'accorder ou refuser l'autorisation d'en faire usage, après avoir entendu celui qui en fera la demande.

Le texte de cette loi se termine en disant qu'elle entrera en vigueur le 1er mai 1913. C'est donc à cette date qu'il faut situer le début de la censure des films au Québec, et non en 1909, 1910 ou 1912 comme beaucoup de publications, même récentes, l'affirment ou le laissent entendre par des formulations ambiguës. Par un règlement du 30 avril 1913, promulgué par le lieutenant-gouverneur en conseil, il y est clairement indiqué qu'aucun film ne pourra être projeté publiquement sans l'approbation du Bureau de censure qui a tout loisir d'approuver, de modifier ou de condamner (en tout ou en partie) les films qui lui sont soumis. Le Bureau est et sera toujours situé à Montréal. Aucun membre du clergé n'en fait partie et il jouit, au moins officiellement, d'une grande indépendance de jugement. Il s'impose des critères généraux de moralité en 1921 (qui tous figurent encore dans la liste, cinq fois plus longue, de 1931). Durant les années 20, il se fait de plus en plus sévère, en réponse aux demandes expresses du clergé et suivant les directives du pouvoir politique.

En 1919, un changement minime : les mineurs de moins de 16 ans, au lieu de 15 ans, ne peuvent entrer dans les salles qu'accompagnés. Mais cela ne change rien, car de toute façon, cette loi n'est pas observée : les parents eux-mêmes envoient leurs enfants seuls au cinéma, les caissiers sont les uniques juges de l'âge et des gens « bien intentionnés » font entrer avec eux des enfants qu'ils ne connaissent pas. Cela sera largement démontré dans l'enquête qui suit l'incendie du Laurier Palace.

En effet, le 9 janvier 1927, un dimanche après-midi, un incendie au Laurier Palace, salle de 800 places au coin des rues Sainte-Catherine et Saint-Germain dans l'Est de Montréal, provoque la mort de 78 enfants de 4 ans et demi à 18 ans, dont 65 ont moins de 16 ans, et qui se trouvaient tous en contravention de la loi. Quelques dizaines de blessés survivront[188]. Événement dramatique s'il en est, amplifié par une couverture de presse énorme. Le cinéma était devenu non seulement corrupteur, mais aussi « meurtrier », selon le titre du manifeste du père Papin Archambault publié peu après : *Parents chrétiens, sauvez vos enfants du cinéma meurtrier*[83].

Une « Commission royale », présidée par le juge Louis Boyer, est alors chargée de « faire enquête sur l'incendie du Laurier Palace et sur certaines autres matières d'intérêt général ». L'enquête publique se déroule du 26 avril au 30 juin à Montréal, Québec, Valleyfield et Saint-Jérôme. Parmi ceux qui viennent témoigner, beaucoup de membres du clergé ou des sociétés cléricales demandent un changement à la loi pour interdire tout cinéma le dimanche en plus de l'interdiction totale pour tous les moins de 16 ans. Le Rapport Boyer[158], du nom du juge président de l'enquête, concède l'un mais refuse l'autre. Voici comment ses conclusions, rendues publiques à la fin d'août 1927, sont formulées :

1. Le désastre du LAURIER PALACE a été causé par la panique occasionnée par le feu, qui résulta de la négligence d'un inconnu.

2. Il n'y a aucune responsabilité criminelle ou civile de la part de qui que ce soit.

3. Ces conditions (de sécurité des théâtres et des salles publiques), trop longues à énumérer ici sont posées à la section trois de ce rapport.

4. Les enfants en dessous de seize ans, même accompagnés, ne devraient pas être admis.

5. Les spectacles le dimanche ne devraient pas être interdits.

6. Les citoyens en général et les classes ouvrières sont, généralement parlant, en faveur de l'exclusion des enfants en dessous de seize ans et contre l'interdiction des spectacles le dimanche.

7. Les lois provinciales et municipales sont en général suffisantes, sauf sur quelques points signalés.

8. La manière dont ces lois ont été mises à exécution est généralement satisfaisante, mais il y aurait lieu à l'emploi de plus d'inspecteurs et à la censure des affiches par le Bureau de censure provincial et non par les autorités municipales.

9. Le cinéma, généralement parlant, n'est pas immoral.

Le tout respectueusement soumis.

Quant aux pièces produites comme exhibits et aux requêtes et lettres reçues, nous vous les expédions avec les procès-verbaux des séances, séparément.

(signé) LOUIS BOYER
Juge de la Cour Supérieure,
Commissaire enquêteur.

En fait, l'incendie avait été causé par une cigarette ou une allumette « jetée par un imbécile ou un inconscient » dans une bouche de chaleur sur le plancher du balcon. Comme aujourd'hui, il était interdit de fumer au cinéma, mais il semble que beaucoup transgressaient continuellement ce règlement.

Ces conclusions, ainsi que l'ensemble des constatations de l'enquête, furent tout autant louangées[21] que décriées[167]. Parce que le rapport final ne manque pas de mordant en maints endroits et ne ménage ni une certaine hypocrisie de la part des sociétés catholiques (dont les membres vont au cinéma, mais veulent l'interdire aux autres, ou dont les enquêtes n'ont rien de très scientifique), ni les incohérences dans l'application de la loi. Parce qu'il affirme que les catholiques ordinaires n'obéissent pas aux autorités et qu'il ne voit aucune unanimité à l'intérieur du clergé. Parce qu'il blâme la tolérance de la police envers les contrevenants à la loi. Parce qu'il affirme que « la censure est efficace, mais pourrait être exercée d'une manière plus intelligente ». Parce qu'il se prononce positivement sur la moralité du cinéma et recommande des projections pour les enfants.

Les conclusions du Rapport Boyer se retrouveront dans un texte de loi le 22 mars 1928, le gouvernement en profitant alors pour réécrire l'ensemble de la loi et lui ajouter quelques mesures. Il y est d'abord stipulé :

> 2. Il est défendu à toute personne ou à toutes personnes en charge d'une salle où il est donné des spectacles au moyen du cinématographe, et, dans le cas d'une compagnie ou société, à tout gérant ou autre personne en charge de l'établissement, de recevoir, de quelque façon, à ces spectacles, des mineurs âgés de moins de seize ans, qu'ils soient accompagnés ou non.
>
> La présente disposition ne s'applique pas aux représentations cinématographiques données gratuitement dans les collèges, couvents ou institutions éducationnelles.

Puis, ce qui est nouveau, bien que réclamé depuis longtemps, la censure des affiches est également imposée (article 25). Jusqu'alors, elle était effectuée à Montréal par le Département de police (qui en condamnait souvent jusqu'à 50 %) et à Québec par « un comité de citoyens des plus responsables nommés par le Conseil de ville » qui n'en rejette, lui, que 15 %[158]. Un autre article (30a) prévoit aussi la censure des annonces dans les journaux, mais celui-ci ne sera promulgué que le 28 janvier 1931.

Cette loi de 1928 demeurera quasi inchangée jusqu'en 1967, alors qu'un tout autre système de classification entrera en vigueur et que les visas permettront l'accès aux salles selon diverses catégories d'âges (pour tous, 14 ans, 18 ans). Cette loi de censure est maintenant complète : elle limite le public et donne toute latitude aux censeurs de couper ou modifier films, affiches et annonces pour les journaux. Ils ne s'en priveront d'ailleurs pas. Ils rajusteront aussi leurs « critères » le 11 mai 1931, multipliant par cinq ceux de 1921 et s'inspirant, parfois même littéralement, du *Production Code* (ou code Hays) dont les producteurs américains s'étaient doté l'année précédente. Ces critères ne seront abolis que le 4 mars 1963. Nous les reproduisons en annexe (*voir* page 477).

Jusqu'à quel point ces directives étaient-elles influencées par les autorités ecclésiastiques? Impossible de le savoir exactement. Il n'y eut jamais de clerc membre du Bureau de censure (il était interdit aux prêtres d'aller au cinéma dans ces années-là), mais le chanoine Adélard Harbour, qui avait beaucoup écrit sur (et contre!) le cinéma, fut souvent appelé comme conseiller. Il est certain que le gouvernement réfléchissait bien avant de nommer les membres du Bureau... et que ceux-ci y réfléchissaient à deux fois avant de prendre une décision qui pourrait choquer les autorités de tous azimuts.

Comparée aux autres lois de censure en Amérique du Nord, surtout celles des autres provinces canadiennes, la québécoise n'étonnait pas trop. Si elle était plus sévère sur certains points (surtout dans ses coupures des images « sexuelles ») et plus chatouilleuse sur ce qui touchait les références à la religion et au clergé, elle l'a toujours moins été sur les matières politiques et sur les images de violence. Elle n'a jamais non plus, comme c'était le cas dans toutes les autres provinces canadiennes (jusque dans les années 60 en Ontario), interdit le cinéma le dimanche.

Par son interdiction des salles à tous les moins de 16 ans, la loi favorisera la mise en place de tout un réseau parallèle, surtout avec les salles paroissiales et les écoles, pour offrir les films « convenables » aux enfants. Le mouvement des ciné-clubs des années 50 en sortira.

L'Église et le cinéma

> Le cinéma dans le monde, le cinéma chez nous, est un agent de perversion morale, familiale et sociale.
> Le cardinal Villeneuve (1937)[137]

Lorsqu'en 1936, le pape Pie XI publie l'encyclique *Vigilanti Cura*[130], portant exclusivement sur le cinéma, et qu'il y affirme que le cinéma n'est ni bon ni mauvais en soi, mais que cela dépend de l'usage qu'on en fait, il marque le début de la fin des luttes que le clergé québécois mène depuis 30 ans contre la diffusion du 7e art.

Cette lutte ne constitua pas qu'un épiphénomène à la frange des préoccupations collectives. Elle se situa, au contraire, au cœur des transformations en cours durant les années 20, cette période fascinante qui voit bouger le Québec dans plusieurs secteurs névralgiques : industrialisation, syndicalisme, nouvelles élites et contestation des autorités traditionnelles. La crise économique et la guerre ralentiront les mouvements bien amorcés, mais ce sont les mêmes idées qui animeront la période pré-Révolution tranquille des années 50. C'est aussi la période pour laquelle il existe le moins d'études en ce qui concerne le cinéma : à part le Mémoire universitaire[173] (non publié) que je lui ai consacré, on ne retrouve ici et là que de brèves références plutôt imprécises[21]. Attardons-nous-y un peu.

Nous avons déjà souligné (dans la section Exploitation) la campagne que mena en 1907 l'archevêque de Montréal, Mgr Paul Bruchési, pour l'interdiction du cinéma le dimanche parce que c'est un « commerce » avant tout. Ce n'était pas la première intervention. Déjà en 1899, l'évêque de Saint-Hyacinthe avait envoyé une lettre à son clergé à ce sujet et l'avait réclamée du Conseil de ville. D'autres diocèses refusaient toutefois de recourir à cette extrémité. En fait, c'est toujours à Montréal et à Québec, les deux plus grandes villes, que se feront les luttes les plus virulentes contre le cinéma. Normal, pense-t-on, puisque c'est là que le cinéma pénètre le plus ; mais on peut penser aussi que le cinéma y sert de bouc émissaire pour un ensemble de transformations liées à la structure même de la vie urbaine et pour lesquelles le cinéma ne servait que de révélateur.

Bien que les milieux cléricaux tiennent déjà le cinéma dans la même suspicion entretenue depuis des siècles envers le théâtre, le principal motif de la lutte est plutôt le désir d'affirmer le caractère inviolable du dimanche comme « jour du Seigneur », comme un « repos sanctifié par la religion »[110]. Il faut dire que nous sommes à l'époque où beaucoup d'industries, notamment celles des pâtes et papiers, imposent une production ininterrompue (24 heures par jour, 7 jours par semaine) pour augmenter la rentabilité des équipements (et les profits...). Les clercs voient dans cette banalisation du dimanche l'une des principales raisons pour lesquelles le monde ouvrier commence à s'éloigner de l'Église. S'il faut en plus que le cinéma se mette à remplacer le rendez-vous de la messe du dimanche! D'autant plus que tous les divertissements payants sont interdits dans les autres « protestantes » provinces canadiennes, donnant par là aux Québécois un exemple de vertu (!). Cette lutte durera une vingtaine d'années, mais le clergé n'aura jamais gain de cause. Si certaines des sociétés qu'il contrôlait reçurent de leurs membres une promesse de s'abstenir, le « monde ordinaire » s'est assez peu préoccupé de l'interdit et a continué à se rendre en nombre de plus en plus grand dans les salles.

Quelques-unes des publications qui explicitent les positions cléricales en matière de cinéma durant cette première période. (Photo Alain Gauthier, coll. Cinémathèque québécoise)

Une deuxième lutte, à partir de 1915 surtout, connut plus de succès. Rappelons que nous sommes au moment où les compagnies de distribution américaines s'installent ici et contrôlent toute la diffusion en imposant leurs produits. Ce cinéma américain est vite perçu comme « corrupteur » à divers points de vue.

C'est pourquoi, au nom de la protection de l'enfance, le clergé n'aura de cesse de réclamer une censure plus sévère des films et une interdiction totale pour les moins de 16 ans. Il obtiendra les deux dans les années 20 (*voir* la section Législation). Il aura « justifié » ses demandes dans une longue série de brochures ou d'articles de revues écrits par de pieux laïcs autant que par des prêtres, sous des titres aussi percutants que « Le cinéma corrupteur »[121], « Notre cinéma, pourquoi nous le jugeons immoral »[107], « Le cinéma déformateur »[186], « La place des enfants n'est pas au cinéma », « Parents chrétiens, sauvez vos enfants du cinéma meurtrier »[83] (c'était juste après l'incendie du Laurier Palace!), « Les dangers du cinéma », « Pour l'amour de Dieu, n'y allez pas! », « Dimanche vs cinéma »[110]...

    « Corrupteur », le cinéma l'est, dit-on, à plus d'un titre. Indépendamment des films, d'abord, simplement en tant que forme de spectacle et médium : les salles elles-mêmes sont mauvaises pour la santé physique, surtout celle des enfants, car elles sont un « lieu de propagation de maladies contagieuses », des « trappes à feu » (*sic*). Regarder les films occasionne d'autre part une « trop forte fatigue nerveuse » (témoignages médicaux à l'appui). Il nuit ensuite à l'école parce qu'il diminue le rendement scolaire, disperse l'attention, habitue à la réception passive, enlève tout esprit critique et le remplace par le « dévergondage de l'imagination » (les films « exercent l'imagination de la jeune fille surtout à chercher à comprendre ce que, pour son bien, elle devrait ignorer »); tout cela en plus, bien sûr, des contenus « délétères » et des « mauvaises leçons d'histoire », car il est « empoisonnement de l'imagination populaire » (H. Bernard). L'obscurité et la promiscuité des salles en font aussi des lieux propices à tous les dérèglements moraux et même à des attentats à la pudeur contre les enfants et les innocentes jeunes filles ! « Quand on songe, cite le père Archambault, que c'est dans l'obscurité complice que se déroulent de si troublantes leçons... que le mal se passe de maître ou qu'il suffit d'un tour de main pour l'enseigner à qui l'ignore. » L'habitude du cinéma est un « esclavage », une « drogue », une « dépravation esthétique » (jamais les « vues animées » n'y sont-elles considérées comme un art) ! Sans compter qu'il est le grand responsable des conflits parents-enfants !

Et l'on n'a encore rien dit des contenus des films! Là est le plus grand danger. Voyons d'abord quelques textes où l'on s'efforce de montrer comment le cinéma est «immoral» parce qu'il s'attaque à la foi, à la religion, à la morale, surtout sexuelle et conjugale, et aux clercs:

> Est-il uniquement question d'obscénité, de nudité, de costumes indécents? Non pas. Il est question de tout ce qui touche à la morale catholique, surtout quand l'amour et le mariage sont en cause.
>
> Oscar Hamel, 1928[107]

> Le mauvais cinéma s'attaque au besoin à la justice et à la magistrature, qu'il présente sous de fausses couleurs ou qu'il bafoue effrontément. Que dire de la place immense donnée par le cinéma au crime et à la luxure! Sur la toile, l'abus de la taverne et du café-dansant est criant. On rougit d'y voir grouiller ce que la société compte de plus laid dans les deux sexes et de plus crapuleux. Le cinéma, considéré dans la grande majorité de ses spectacles, est le tombeau de la femme, du mariage et de la famille. Il faut renoncer à décrire les attitudes diverses de la femme, au cinéma. La séduction, le concubinage et l'union libre, l'adultère et le divorce sont les thèmes habituels des productions données en pâture au peuple fier de la libre Amérique. L'aboutissement logique de l'exploitation de la femme est le travestissement et la dégradation du mariage. En se moquant du lien conjugal, de l'autorité du mari et de celle des parents, les entrepreneurs de spectacles détruisent une institution qui est l'arche sainte de la société. La dépravation de la femme et la dégradation du mariage doivent aboutir logiquement à la ruine de la famille.
>
> Faut-il s'étonner, après cela, que le cinéma ose s'attaquer à froid et à fond à la morale et à la religion elle-même? On verra même le cinéma traîner dans la boue la cornette de la religieuse et la bure du religieux!
>
> Léo Pelland, 1924[129]

> L'intelligence ne se gave pas en vain d'histoires de tripots sans qu'une morale épicurienne entre dans les âmes. Baisse de la natalité, criminalité croissante, malhonnêteté publique, dévergondage, sont les fruits d'une telle morale. Sous une pareille influence rien d'étonnant si les danses orgiaques, les modes avilissantes, les attitudes débraillées se propagent si rapidement en dépit des mises en garde de l'Église. C'est que le cinéma s'oppose à tout l'esprit d'ordre, qu'il vienne de la famille, de l'école ou de l'Église. L'œuvre de ces organismes — moraliser l'homme — est par le cinéma compromise.
>
> Il développe le type de l'homme-brute qui se débarrasse du poids trop lourd de son âme pour se confier aux poussées de l'instinct.
>
> Hermas Bastien, 1927[186]

Le cinéma corrupteur

Fuis l'antre où les démons dissimulent leurs sièges,
Où déployant leurs films comme un panorama
Ils enlacent les cœurs qu'ils ont pris en leurs pièges,
Garde ton âme blanche et fuis le cinéma.

Ton âme, ô mon enfant, fraîche de son baptême
Réfléchit comme un lac les splendeurs du ciel bleu,
Fuis les sombres climats qui rendent le teint blême,
Fuis l'air du cinéma qui mine peu à peu.

Fuis les souffles brûlants qui dessèchent les roses,
Et jettent les blancs lys en un mortel coma,
Fuis les vents imprégnés de germes de névrose,
Garde ton âme blanche et fuis le cinéma.

Armand Chossegros, s.j., 1927

J'inclus ce petit poème surtout pour le sourire qu'il nous arrache. Mais il faut souligner aussi qu'il fut publié dans une revue pour adultes à très fort tirage, le *Messager canadien du Sacré-Coeur* (juillet 1927). Enfin, voici une dernière citation qui résume presque toutes les autres et qui nous introduit au deuxième grand motif d'opposition au cinéma.

Trop souvent, les mauvais films poussent la jeunesse dans les voies du mal, parce qu'ils glorifient les passions et les rendent enchanteresses, parce qu'ils montrent la vie sous un faux jour, parce qu'ils détruisent l'amour pur et fidèle, le respect du mariage, l'affection pour la famille, et qu'ils suggestionnent (*sic*) l'ambition, l'éblouissement de la richesse, l'habileté dans le crime, la faiblesse dans l'amour, l'oubli et le mépris des liens les plus sacrés, la légèreté de la vie au lieu d'en enseigner le devoir. Hors les films insignifiants qui déshabituent le peuple de tout effort de réflexion et dissolvent les instincts natifs de l'esprit, les autres sont presque toujours d'un irréalisme qui trompe, et qui dégoûte du monde vrai dans lequel chacun doit évoluer chaque jour. Ceci, à plus forte raison, pour une province qui doit emprunter tous ses sujets filmés à des peuples étrangers. Il est vrai, hélas, qu'à force de voir sur l'écran des mœurs étrangères, on les implante dans la vie. Pour une large part, notre américanisation vient du cinéma.

Le cardinal Rodrigue Villeneuve, 1937[137]

En plus de son immoralité, le cinéma est donc « corrupteur » aussi par l'acculturation américaine qu'il provoque. La « langue gardienne de la foi » (et vice-versa) n'était pas qu'un slogan à cette époque. Compte tenu du fait qu'à partir de 1915 environ, il passe seulement du cinéma américain sur les écrans du Québec, que les intertitres sont à peu près toujours uniquement en anglais, qu'à l'arrivée du parlant il n'y a place que pour l'anglais encore, il ne faut pas trop s'étonner que les nationalistes entrent en conflit avec ce cinéma qu'ils appellent «dénationalisateur». Ils craignent cette acculturation américaine qu'ils sentent inévitable si le public s'expose trop longtemps, et de façon exclusive, aux produits séduisants d'outre-frontière. Rappelons ici que si nous n'en sommes plus à l'époque de la grande migration vers la Nouvelle-Angleterre, le Québec n'en continue pas moins de perdre chaque année des milliers de personnes, attirées par les bons salaires des «factries» (*factories*) et les conditions de vie plus reluisantes au sud de la frontière.

Et ce n'est pas qu'une question de langue. Dès 1918, dans une conférence au Monument national, l'abbé Lionel Groulx donnait le ton définitif sur la question:

> Jamais à aucune période de notre histoire, notre peuple ne s'est aussi inconsciemment gavé du pire exotisme. Le cinéma est devenu le premier et l'unique livre, le roman, le feuilleton, le théâtre, le catéchisme de la déformation populaire. Dans la masse de nos familles, on en vit et on en rêve. Quelle tristesse d'y songer! Nos petites gens, nos enfants, notre dernière réserve, qui ignorent les héros et la noblesse de notre histoire, se passionnent à cœur d'année pour des bandits illustres, pour des cabotins de bas étage, pour des drames de pistolet et de cours d'assises, pour un art vulgaire et bouffon, pour les tristes héros des magazines américains ou du mélodrame étranger. Il y a là quelque chose de très grave... N'en doutons pas: une morale désastreuse entre dans les âmes avec ces histoires louches et cet art criard; l'échelle des valeurs se renverse; nos instincts artistiques se dépravent; peu à peu le fond de nos vieilles traditions familiales s'altère... N'est-il pas grand temps que l'on s'avise de ce danger et que l'on réforme le cinéma? S'il devait rester ce qu'il est, peut-être faudrait-il commencer bientôt contre ce fléau ravageur, le pire agent de dénationalisation, une campagne méthodique comme celle qui a été faite contre l'alcool.

Dans plusieurs autres textes, nous voyons ces arguments longuement développés. Souvent, on ne manque pas d'insister sur le fait que si la situation est aussi grave, c'est que le cinéma appartient surtout à des «Juifs» apatrides sans foi ni loi: l'antisémitisme (explicite ou larvé) du monde catholique à cette époque avait trouvé là un de ses meilleurs champs de bataille. Notons que cet antisémitisme n'est pas que le fait d'individus isolés ; on le retrouve dans beaucoup de textes, publiés dans des revues avec *imprimatur* et *nihil obstat* d'évêques et autres censeurs ecclésiastiques, ce qui implique bien des personnes en accord avec le texte.

Harry Bernard, dans *L'Action française*[187], fut sans doute le plus explicite sur cette influence américaine (et le plus antisémite aussi). Après avoir insisté sur le fait que toutes les entreprises cinématographiques américaines appartenaient à des Juifs, après un long couplet sur leur soif de l'or et leur « but de déchristianisation », il poursuit :

> Aux mains de la juiverie, le cinéma n'importe encore chez nous que des mœurs étrangères. Déjà la France s'est plainte de l'invasion du film américain, qui cherche à imposer subrepticement la pensée, la philosophie et l'esthétique américaines. On sait le retentissement que peuvent avoir ces mœurs sur les nôtres, du côté moral et spirituel. Du point de vue national, elles ne sont pas moins à redouter. Le sens national est ce qui manque le plus, chez nous, au plein épanouissement de l'individualité ; et le cinéma, tel que compris par les Israélites américains, est peu propice à sa formation. Pays jeune, le Canada français ne saurait être moins prudent que la France dans ses fréquentations intellectuelles. Comme le notait à Montréal l'abbé Lionel Groulx, à l'occasion de la Saint-Jean-Baptiste, le 24 juin dernier, notre absence de sens national tient à deux causes, l'une d'ordre politique, l'autre d'ordre intellectuel. La première, c'est notre état de peuple colonial, et la seconde l'ignorance de notre histoire. Un patriotisme conscient ne se formera qu'à la condition d'étudier le passé, de s'en imprégner, de réaliser dans l'idée de patrie, selon le mot de Joseph de Maistre, « une association, sur le même sol, des vivants avec les morts et ceux qui naîtront ».
>
> Or le cinéma américain est ce qu'il y a de moins ordonné dans ce sens. Non seulement il ignore tout de notre histoire, de notre vie nationale, mais, quand il affecte de s'intéresser à ce pays de neige qu'est le Canada, il le représente sous des couleurs fausses, ou n'en montre qu'un aspect, comme il arriva lors de l'engouement pour les histoires de la gendarmerie à cheval canadienne, à la suite des romans de James-Oliver Curwood et de Ralph Connor. Il nous rend, en quelque sorte, auprès de l'étranger, le même mauvais service que Maria Chapdelaine.
>
> Notre prestige ne gagne rien à cette propagande. D'autre part, les Canadiens n'y apprendront point à s'enorgueillir de leur race. Au

contraire, par la comparaison constante avec les scènes artificielles ou luxueuses qui sont l'essence du cinéma, ils risquent de se laisser éblouir par celles-ci, et de ne garder qu'un dédaigneux mépris pour la réalité ordinaire qui les entoure. L'attirance des États-Unis, qu'expliquent l'énorme population de ce pays et la persuasion éloquente de son or, nous a causé des torts irréparables. La république américaine nous a pris deux millions d'hommes et ne cesse, par tout ce qu'elle nous exporte, dans le sens spirituel et matériel, de miner notre fonds canadien-français.

Comme les autres, Harry Bernard demandait une censure sévère, « un contrôle pas purement platonique, mais actif et sérieux », entre autres pour « les pellicules prétendues canadiennes, tournées à Los Angeles ou à Hollywood, qui ne nous rendent pas justice » (cinquante ans plus tard, Pierre Berton prouvera bien ce point), ainsi que l'interdiction aux enfants ; mais il suggérait aussi la mise sur pied d'une organisation de cinéma catholique pour concurrencer les grands sur leur terrain (« on combat le feu par le feu »). Ce pour quoi il faudra attendre 25 ans.

Cette lutte connaîtra son point culminant en 1927, après l'incendie du Laurier Palace. C'est dans les quelque dix mois suivants que sont publiés le plus grand nombre de textes. Rien qu'avec ceux du *Devoir* dans la semaine du 10 janvier, il y aurait de quoi faire un ouvrage. On y retrouve, surtout sous les signatures d'Omer Héroux et de René Lepire tous les arguments anticinéma possibles. La *Semaine religieuse de Montréal* bat la marche des revues cléricales avec un article du chanoine Adélard Harbour presque chaque semaine. Bien peu de voix discordantes se font entendre, bien qu'il n'y ait unanimité ni dans le clergé, ni dans le reste de la société, comme le révélera le Rapport Boyer[158]. Il faut dire que les évêques se sont prononcés avec force en invoquant leur autorité. Le chanoine Harbour, qui par ailleurs ne cesse d'invoquer la « démocratie » en prétendant parler au nom de tous, rappelle souvent qu'en matière de morale, l'opinion publique n'a aucune autorité, seuls les évêques détiennent le droit de définir ce qui est bon ou non pour les « fidèles » (qui sont d'ailleurs de moins en moins fidèles, puisqu'on reconnaît que les églises commencent à se vider), « à nous le devoir d'obéir » ! Pour lui, le juge Boyer se rend coupable d'usurpation d'autorité avec les conclusions de son enquête.

Au fond, ce que cette lutte révèle, c'est la peur de l'autorité religieuse devant ce moyen d'expression et de communication, non parce qu'elle ne le comprend pas, bien au contraire, elle en a la même perception profonde qu'Epstein développera plus tard dans son beau livre *Le Cinéma du diable* : le cinéma ouvre un champ de non contrôlable par quelque autorité que ce soit et questionne tout le savoir établi. Comme l'Église dirige alors tout le domaine de l'éducation supérieure, une grande partie des publications, et qu'elle oriente l'opinion publique presque à sa guise, l'attaque paraît sérieuse. Ce n'est pas tant dans leur discours que dans leur autorité même que les évêques se sentent menacés. La lutte contre le cinéma devient un prétexte pour la réaffirmer avec force. Mais déjà les syndicats, même catholiques, s'opposent aux demandes des évêques, ne se gênant pas pour rappeler que les enfants peuvent se marier à 12 ans (dans le cas des filles) et 14 ans (dans le cas des garçons), que beaucoup travaillent à 14 ans et souvent plus jeunes, et qu'ils devraient changer cela, s'ils ont tellement à cœur le bien des moins de 16 ans, plutôt que de s'attaquer aux « vues » et de vouloir les interdire. Les gens ordinaires, certains curés même, n'osent pas contester l'autorité directement, mais continuent d'aller au cinéma comme si rien n'avait été dit.

Après la loi de 1928 qui interdit dorénavant l'entrée des salles à tous les moins de 16 ans, la lutte s'atténue peu à peu. Tout au plus rappelle-t-on de temps en temps que la loi connaît de multiples infractions et qu'il faudrait plus de vigilance. L'application du très rigoureux *Production Code* à la source des films, l'action outre-frontière de la Legion of Decency (campagne très organisée des églises protestantes et catholiques américaines contre l'immoralité du cinéma) rendent aussi la surveillance moins nécessaire : ce que la censure n'avait jamais très bien réussi, l'auto-censure le produisait maintenant à l'intérieur même des studios d'Hollywood.

Quant aux enfants, ils ne sont pas pour autant privés complètement de cinéma, car à ce moment commence la création de cet immense réseau parallèle que deviendront les salles paroissiales et les écoles après 1930, avec la généralisation du format 16 mm.

Après *Vigilanti Cura* (l'encyclique publiée à Rome en 1936

par Pie XI et largement diffusée ici dans son édition de « L'Oeuvre des tracts »)[130], nous n'assisterons plus qu'à quelques attaques isolées, comme celle du cardinal Villeneuve de Québec en 1937, qui reprenait tous les arguments les plus traditionnels. L'objectif sera plutôt de « christianiser » la diffusion et de se servir de ce que le cinéma avait de « valable » pour mieux répandre les valeurs chrétiennes.

Critique

Il faudra attendre le début de 1950 et *Découpages* pour voir une vraie revue de critique cinématographique au Québec. Mais cela ne veut pas dire que les cinéphiles ne se virent pas offrir de revue de cinéma, ni ne purent lire de critique.

En effet, commence à paraître en 1919 *Panorama*, qui se dit « le seul magazine de langue française consacré aux vues animées » ; 22 numéros seront publiés jusqu'en 1921. Il s'agit essentiellement d'une revue promotionnelle, présentant des articles aussi divers que des interviews d'acteurs, des résumés de films, des curriculum vitae de vedettes, de la publicité de salles, un roman feuilleton, des recettes de cuisine, des cours de danse, des blagues et même des conseils d'hygiène... La majorité des textes et des photos ne sont que des traductions de revues étrangères, surtout américaines. De l'activité cinématographique locale, on n'y apprend à peu près rien d'autre que les titres de quelques films projetés.

D'autres revues du même genre connaîtront diverses fortunes : *Le Film* (1920-1952, 510 numéros), *Cinéma* (1921-1924, 25 numéros), *Le Bon Cinéma* (1927-1929, 16 numéros), *Le Courrier du cinéma* (1935-1954, 120 numéros). On y retrouve à peu près les mêmes contenus dans toutes, bien que *Le Courrier du cinéma*, dont France-Film deviendra rapidement propriétaire, reflétera plutôt les potins des studios parisiens et qu'on y trouvera aussi de la promotion pour la production locale d'après-guerre (publicité, photos de vedettes, résumés d'intrigues).

Revue promotionnelle aussi que *Le Bon Cinéma* (1927-1929), mais d'un genre un peu spécial, car il s'agit de vendre à la fois les films les plus catholiques... et les appareils pour les projeter !

Elle est publiée par Le Bon Cinéma National Limitée, œuvre créée par l'abbé Benjamin Paradis en 1905, mais poursuivie surtout par son frère, et elle est ce que nous appellerions aujourd'hui un distributeur indépendant marginal; elle fait appel à toutes les « autorités favorables » (les communautés religieuses, évidemment) pour mousser ses produits. Elle se définit ainsi: « Notre revue favorisera, par tous les moyens à sa connaissance et à sa disposition, la diffusion du cinéma historique, religieux, apologétique, scientifique, scolaire, industriel, agricole et récréatif de tous genres. » Quel généreux programme! Mais la littérature ne raconte que fort peu d'exemples de sa réalisation.

Jamais de critique, donc, dans ces revues promotionnelles ou corporatives. À peu près aucune non plus dans les quotidiens et les hebdomadaires, sauf à l'occasion (très rare) de la sortie d'un film exceptionnel ou lors d'un événement spécial. Il faut dire que la plus grande partie des journaux de cette époque reste à être dépouillée par les chercheurs. Mais je ne crois pas toutefois que cette recherche infirmera la conclusion tirée de notre échantillonnage.

Par ailleurs, comme nous pouvons le dégager des textes cités à la section précédente, et nous pourrions en aligner des dizaines d'autres tout aussi explicites, il y eut une critique assez poussée dans les revues cléricales (ou contrôlées par l'Église) et les brochures publiées par les catholiques (les *Semaine religieuse* de Montréal et de Québec, *L'Action française*, « L'Oeuvre des tracts », « L'École sociale populaire », etc.). Il faut lire cette littérature pour voir comment les rédacteurs ecclésiastiques avaient la parole expressive, le verbe puissant et au besoin, le ton agressif! Elle fut surtout idéologique, politique, éthique et psychologique; assez peu sociologique et pas du tout esthétique: on n'y retrouve jamais de termes cinématographiques comme plans, travelling, cadrages, *shots*...; on n'y analyse jamais les mises en scène, décors, interprétations, comme on le faisait pour le théâtre. D'ailleurs, on y cherche en vain le terme « 7e art », pourtant bien connu depuis 1920; le cinéma n'y est qu'un moyen de propagande, un divertissement suspect, jamais un art. Pour trouver de bonnes raisons de s'opposer au cinéma, on s'est penché assez loin sur ses effets sur l'individu et les institutions de pouvoir. Comme nous pensons l'avoir montré dans notre mémoire universitaire sur ce sujet, si les clercs et leurs supporteurs laïcs ont méconnu les vrais enjeux spirituels et refusé le questionnement du pouvoir ecclésial qui s'y manifestait, ils avaient très bien compris l'essentiel du pouvoir du cinéma sur les esprits quand ils développaient les problématiques d'« école parallèle », de « danger pour l'humanisme classique », de « dévergondage de l'imagination », de « l'exploration du rêve et du merveilleux », de « l'irrationnel », du « nouvel opium du peuple », des nouvelles esthétiques, de l'influence américaine sur les modes de vie, etc. On reconnaissait qu'idéalement, il pourrait exercer une influence très positive, comme l'exprime la citation qui suit, mais c'était pour regretter ensuite que dans la situation présente, il pervertisse ce merveilleux pouvoir.

> On croit généralement et à bon droit qu'il y a deux moyens de s'instruire : l'étude et le voyage, sauf qu'au lendemain d'une malchance on en ajoute un troisième : l'expérience. Si l'imprimerie nous a donné le livre et généralement la lecture à bon marché, le cinéma par l'image prise sur le vif et admirablement reproduite nous offre le voyage à un prix défiant toute concurrence... même quand on est député. Sur l'écran lumineux les pays les plus éloignés apparaissent avec leurs paysages, leurs sites pittoresques, leurs monuments, leurs populations, avec leurs costumes et leurs coutumes : c'est le voyage à l'étranger avec les ennuis et les dangers en moins.
>
> À l'humble agriculteur qui n'a jamais franchi les limites de son village, le cinéma permettra d'améliorer ses méthodes en lui faisant connaître celles de contrées plus avancées ; à l'industriel, il enseignera, jusque dans le détail, des moyens d'action et de mise en opération avantageux qu'il n'a pas le temps ou le moyen d'aller étudier sur place ; du maître d'école primaire, aussi bien que du professeur d'université, il simplifiera fructueusement la besogne.
>
> Bref, on peut affirmer que, dans toutes les branches des connaissances humaines et pour tous les degrés de l'échelle sociale, le cinéma peut être un auxiliaire puissant et que ses ressources sont illimitées. Ressources illimitées dans la variété des sujets susceptibles d'être reproduits, ressources illimitées également quant au rayonnement de son influence pour le bien et le beau.
>
> Euclide Lefebvre, dans *Le Cinéma corrupteur*[121]

De la dernière phrase de ce texte, il suffirait de changer « le bien et le beau » par « la révolution », et nous y verrions sans peine un texte de Lénine ou de Trotsky à la même époque !

Comme quoi les intellectuels d'ici n'étaient pas seuls dans leur vision du cinéma.

Ce que nous révèlent aussi les textes de l'époque, c'est que les meilleurs produits du cinéma mondial autres qu'américains, ne parviennent pas sur nos écrans. Même les meilleures œuvres du cinéma américain (Griffith, Chaplin, Keaton, etc.) se trouvent noyées dans la médiocrité ambiante.

Mack Sennett, le créateur des *Keystone Cops* et des *Bathing Beauties*, probablement le plus grand comique avant Chaplin ; ce Québécois s'appelait en réalité Michael Sinnott et était originaire de Richmond, dans les Cantons de l'Est. (Coll. Cinémathèque québécoise)

Migration de talents

Si le Canada ne sut pas à cette période s'imposer sur ses écrans ni sur ceux de l'étranger, la liste est toutefois longue de Canadiens et Canadiennes qui atteignirent le panthéon des plus grandes vedettes ou l'autorité suprême sur des studios d'Hollywood[47]: Mary Pickford, Louis B. Mayer, Walter Huston, Walter Pidgeon, etc. D'origine québécoise, mentionnons plus particulièrement: Mack Sennett qui fut le plus grand comique avant Chaplin, Norma Shearer, Lew Cody (Louis-Joseph Côté), Rod Larocque, Florence Labadie, Charles Bruneau, Raoul Barré qui fut l'un des principaux pionniers de l'animation, Ernest Ouimet, qui tenta d'y faire son nid, etc.

DEUXIÈME PARTIE

LES RÊVES TRANQUILLES
DES CANADIENS FRANÇAIS
1939-1955

Avec 1939, nous entrons dans une période importante à tous points de vue, à la fois pour le cinéma au Québec et pour le cinéma québécois.

En effet, c'est durant cette période 1939-1955 que se mettront en place les organismes gouvernementaux pour promouvoir une production nationale d'où sortira le documentaire canadien typique. Les Canadiens français se doteront d'une industrie commerciale de longs métrages de fiction, industrie que l'arrivée de la télévision en 1952 fera malheureusement péricliter très rapidement. Pareille influence de la télévision sera encore plus désastreuse en matière d'exploitation qui, après avoir atteint un plafond en 1952, verra inéluctablement sa clientèle baisser d'année en année, sans espoir possible de retour, et ce, malgré les performances de grandes vedettes hollywoodiennes comme Clark Gable, Esther Williams ou John Wayne, l'arrivée de perfectionnements techniques spectaculaires comme le cinémascope, une plus grande diversité des genres et la perfection (toujours inégalée) qu'atteignent la comédie musicale et le western.

L'événement marquant de cette période est, au Québec comme partout dans le monde, la Deuxième Guerre mondiale. Toute la vie, et la vie de tous, en sort bouleversée.

C'est d'abord politiquement, par le biais de la crise de la conscription que les Québécois «entrent» vraiment dans la guerre. Viennent ensuite les effets sociaux prévisibles: départ des hommes pour l'armée, séparation des familles, augmentation du travail des femmes et leur entrée dans les usines, problèmes divers d'adaptation... Tout cela se double souvent des problèmes liés au passage brusque de la campagne à la ville, car pendant et immédiatement après la guerre, le Québec connaît une croissance rapide de son taux d'urbanisation. Voilà de quoi fournir bien des histoires, des sujets, des thèmes et des sentiments pour un cinéma qui a le goût de se tourner vers la réalité tout en cherchant à émouvoir.

Dans sa brutale ouverture au monde extérieur, la guerre n'a cependant pas apporté que des malheurs. Avec l'accentuation des communications en plusieurs secteurs, avec le retour d'Europe des militaires, entrent aussi sur les places publiques un lot d'idées nouvelles, un souffle de contestation des valeurs établies et des autorités traditionnelles. Les jeunes intellectuels

André Melançon dans *Partis pour la gloire* de Clément Perron, 1975. La crise de la conscription dans ses effets quotidiens : des soldats fouillant les maisons à la recherche des déserteurs. Louis Portugais a aussi très bien raconté ce moment dans *Il était une guerre*. Quelques autres films ont aussi évoqué les effets locaux de cette guerre, mais aucune fiction n'a encore raconté la participation des Québécois aux combats. (Photo Takashi Seida, ONF)

du Québec profitent des nouveaux moyens de transport pour aller achever leurs études ou simplement faire le pèlerinage en France, à cette fameuse Rive gauche où ils espèrent frôler, comme en des rites initiatiques, les nouvelles vedettes de l'intelligentzia, les Sartre, Beauvoir, Camus, Merleau-Ponty, etc. La publication du *Refus global* de Borduas en 1948 (cosigné par plusieurs artistes et intellectuels) illustre cette revendication de nouvelles libertés et l'éclatement des frontières. Remarquons ici que c'est la France, et non les États-Unis, qui attire les jeunes intellectuels. Les courants libertaires, frondeurs, iconoclastes, qui s'y élabo-

Un film de Jacques Godbout
Mis en musique par
François Dompierre

Une production de
l'Office national du film
du Canada

L'imaginaire des Canadiens français tel que raconté dans les romans-feuilletons de Pierre Saurel (Pierre Daigneault) dans les années 50 et traduit vingt ans plus tard dans la comédie musicale « cynique » de Jacques Godbout (Ciné-fiche ONF)

rent ont tout pour séduire les jeunes Québécois mal à l'aise dans le carcan traditionnel. Par son autoritarisme et ses outrances, le régime politique de Maurice Duplessis (au pouvoir de 1936 à 1939 et de 1945 à 1959) provoque aussi, par un naturel phénomène de rejet, l'émergence de nouvelles idées et visions du monde qui, à défaut de s'imposer dans la sphère politique, prennent de plus en plus de place dans les débats publics et les divers lieux d'expression artistique. Les cinéastes des années 50 en seront particulièrement influencés.

Sauf pour les quelques aspects que nous allons développer, il faut dire que nous connaissons assez mal le cinéma de cette période. D'une part, il a souffert longtemps de préjugés qui en bloquaient toute étude systématique (indifférence envers les pionniers, mépris envers la production de fictions commerciales, dédain du soi-disant académisme du documentaire oneffien...) de sorte que nous n'avons encore à notre disposition que quelques études partielles. D'autre part, cette époque étant très proche, beaucoup de documents importants demeurent toujours dans les coffres secrets et archives personnelles de nombreux témoins essentiels qui furent mêlés aux grenouillages de la production, ce qui laissera encore pour un bon bout de temps des zones d'ombre inévitables.

Production

A. Les organismes gouvernementaux

a) à Ottawa : le National Film Board — l'Office national du film

Pendant sa première décennie, le Canadian Government Motion Picture Bureau[86] avait remporté beaucoup de succès avec ses films touristiques. Mais de longs retards à s'adapter au cinéma parlant, une baisse de ferveur chez les artisans et un manque de leadership avaient provoqué une chute libre de sa réputation vers le milieu des années 30.

C'est de Londres, car le Royaume-Uni était le marché privilégié de ces films, qu'arrivèrent les principales critiques. Il faut dire que les diplomates canadiens avaient alors sous les yeux

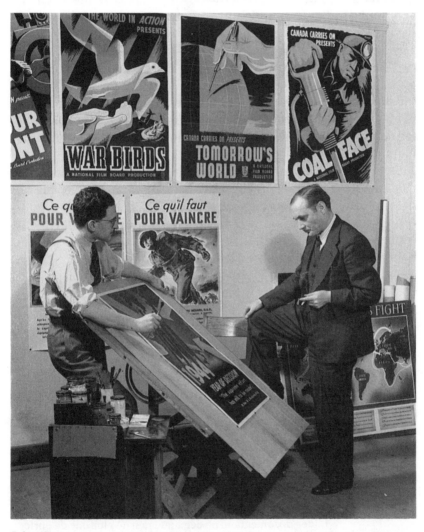

John Grierson examinant le travail d'un affichiste de l'ONF. En arrière-plan, on voit le magnifique travail de présentation des séries *The World in Action* et *Canada Carries On*. À noter, au centre de la photo, l'affiche de *Ce qu'il faut pour vaincre* mettant en vedette Dollard Ménard, héros de Dieppe, ce militaire que ses collègues généraux tenteront dans les années 80 de discréditer parce qu'il aura osé se prononcer publiquement pour le oui lors du référendum. (ONF)

le travail assez exemplaire de l'école documentaire anglaise sortant du General Post Office Film Unit sous la direction de John Grierson. Rien de surprenant, donc, à ce que le haut-commissaire du Canada à Londres, Vincent Massey, suggère la venue de Grierson pour étudier la situation et recommander les améliorations nécessaires (au fait, le rapport avait été rédigé par Ross MacLean, secrétaire de Massey et futur successeur de Grierson à la tête de l'Office). Invité de façon officielle, Grierson arrive à Ottawa en mai 1938, travaille avec une célérité rarement vue chez les fonctionnaires et dès le 23 juin suivant, remet un rapport de 60 pages[106]. Ses recommandations seront presque suivies à la lettre dans le National Film Act, loi qui créera officiellement le National Film Board le 2 mai 1939[63].

Qui est ce John Grierson[313] (1898-1972) que l'on s'arrache aux quatre coins de l'Empire ? Écossais dynamique, fils de pasteur calviniste, préoccupé de philosophie, d'éthique et d'éducation populaire, vaguement socialiste mais fondamentalement conservateur[72], intellectuel libéral à la manière fin XIXe siècle, habile dans ses relations avec les hommes politiques, il avait servi dans la marine durant la Première Guerre mondiale, avait voyagé ensuite aux États-Unis et étudié à Chicago. Passionné de cinéma, fasciné par la force de propagande du produit hollywoodien tout en s'en méfiant et redoutant son pouvoir sur l'opinion publique (il connaît les idées de Walter Lippman), il rêve d'utiliser ce pouvoir en éducation[27]. Voici un collage de quelques citations, puisées à diverses sources, exprimant l'essentiel de sa pensée cinématographique ; nous les reproduisons parce que cette vision influencera le sens que la plupart des meilleurs créateurs de l'ONF (dont, au Québec, Gilles Groulx, Arthur Lamothe, Michel Brault, Maurice Bulbulian, etc.) donneront à leur travail :

> L'art n'est pas un miroir, mais un marteau.
> Le seul film qui en vaille la peine montre le présent, remet en question le passé ; mais le seul bon film est celui que l'on fera demain.
> L'idée documentaire ne demande rien de plus que de porter à l'écran, par n'importe quel moyen, les préoccupations de notre temps, en frappant l'imagination et avec une observation aussi riche que possible. Cette vision peut être du reportage à un certain niveau, de la poésie à un autre ; à un autre enfin, sa qualité esthétique réside dans la lucidité de son exposé.
> La création, c'est moins la création de choses que de vertus.

Nous pouvons, grâce à la propagande, élargir les horizons de l'école et donner à chaque individu, dans son milieu de vie et dans son travail, une connaissance vivante de la société dans laquelle il a le privilège de servir.

Nous allons vers une société intérimaire, ni capitaliste, ni socialiste, dans laquelle nous pourrons réussir une planification centralisée sans brimer l'initiative privée... dans laquelle l'unité et la discipline pourront s'accomplir sans délaisser les vertus humanitaires.

... mettre la classe ouvrière dans le cinéma.

... donner une raison logique, une rationalité à ce qui est spontané, à la vie.

... il faut qu'il se dégage toujours une conclusion.

Nous dépensons l'argent du gouvernement, donc nous avons une responsabilité devant la communauté.

Tout est beau pourvu qu'on sache donner aux choses leur juste valeur.

Le cinéma n'est pas seulement le domaine des créateurs, mais aussi celui des prophètes[214].

Sitôt la remise de son rapport, Grierson était retourné en Angleterre. Il revient toutefois le 22 novembre suivant pour rédiger le texte de la loi qui créera le futur organisme. Au mois de mars 1939, le projet de loi sera débattu en chambre et finalement voté le 2 mai suivant. Voici les principaux articles qui le définissent:

3.(1) Est instituée une Commission nationale du cinématographe composée du Ministre (du Commerce), qui en est le président, d'un autre membre du Conseil privé du Roi au Canada, et de six autres membres nommés par le gouverneur en conseil, dont trois sont choisis parmi des personnes en dehors du service civil du Canada et trois parmi les hauts fonctionnaires du service civil permanent ou des services civils ou de défense du Canada. (...)

6. La Commission est tenue d'accomplir les devoirs que le gouverneur en conseil peut lui demander d'entreprendre et particulièrement, sans restreindre la teneur générale de ce qui précède, de contrôler les activités cinématographiques du gouvernement et de donner des avis consultatifs au gouverneur en conseil à cet égard. (...)

8.(1) Sur la recommandation de la Commission, le gouverneur en conseil doit nommer un commissaire du cinématographe officiel qui est le fonctionnaire en chef exécutif de la Commission, envers laquelle il est responsable, et qui reçoit le traitement que le gouverneur en conseil peut déterminer. (...)

9. Dans l'accomplissement des devoirs que lui impose la présente loi,

le commissaire relève en tout temps de la Commission et est assujetti à ses ordres, et il lui incombe

a) D'émettre des avis consultatifs sur la production et la distribution de films nationaux destinés à aider les Canadiens de toutes parties du Canada à comprendre les modes d'existence et les problèmes des Canadiens d'autres parties;

b) De coordonner les activités cinématographiques nationales et départementales après avoir consulté la Commission et les divers départements et services administratifs;

c) De donner des conseils sur les moyens d'obtenir la qualité, l'économie, l'efficacité et la coopération utile dans la production, la distribution et la représentation des films du gouvernement;

d) D'émettre des avis consultatifs sur les contrats et conventions de production, de distribution et de représentation concernant les activités cinématographiques des divers départements du gouvernement, d'approuver lesdits contrats et conventions et, à leur égard, d'agir comme intermédiaire entre ces départements et le Bureau et entre ces départements et les sociétés commerciales. (...)

11. Le Bureau doit entreprendre le traitement et la production des films édités par les départements du gouvernement et pour leur compte, sauf si le commissaire est d'avis que les fonctionnaires d'autres départements peuvent exécuter le travail et que les résultats obtenus seront pratiques et économiques au point de vue technique, ou si la Commission considère qu'il serait dans l'intérêt public d'avoir recours à des sociétés commerciales. (...)

14.(1) est institué un service central de distribution des films officiels.

Comme il ressort bien de ces extraits essentiels de la loi, la Commission n'est là que pour conseiller, la production demeurant le travail du Canadian Government Motion Picture Bureau. Les deux organismes ont leurs bureaux à Ottawa, non loin du Parlement. Le nouveau commissaire en est, en quelque sorte, le directeur général exécutif et sert de lien entre le gouvernement et les créateurs. Elle demeure attachée au ministère du Commerce, ce qui indique bien sa visée «publicitaire» ou «service public». La loi ne mentionne jamais l'idée de création artistique ou d'action culturelle, lesquelles relèvent officiellement des provinces selon la Constitution; ce qui explique peut-être que personne n'a alors relevé que le pouvoir central risquait fort d'empiéter sur les juridictions provinciales avec ce mandat de «faire comprendre les modes d'existence...». Il était clair toutefois que le Bureau, pour plus d'efficacité, devait être enrichi de nouveaux créateurs et animé d'un esprit nouveau. Déjà, Stuart Legg, venu avec Grierson, avait commencé à y travailler.

Les premiers locaux de l'ONF, sis dans une ancienne scierie et jouxtant un laboratoire de produits pharmaceutiques. Le mélange des odeurs stimulait beaucoup, racontent les pionniers, les tournages *on location*. (ONF)

Après plusieurs mois de recherches vaines pour trouver un commissaire assez « neutre » pour ne déplaire à aucun groupe en place, mais assez fort pour faire bouger le Bureau, c'est finalement à Grierson qu'est confié le poste de commissaire en 1940. Celui-ci, en continuité avec toute son expérience anglaise, « entrevoyait l'ONF davantage comme un ministère de l'Éducation qu'autre chose » (Gary Evans).

Mais entre temps, la guerre avait imposé de nouvelles exigences de production et amené de nouveaux besoins (information, publicité, éducation, service de cartographie pour les armées). Il fallait une direction ferme, une grande rapidité de décision, un nouvel esprit pour transformer le cinéma d'État, depuis longtemps sclérosé, en une arme de guerre. Avec Grierson à sa tête, il devint clair pour tous que la Commission ne pourrait se contenter du rôle de conseiller et qu'elle voudrait bientôt diriger la production. Cela se passa très vite : le 11 juin 1941, les deux organismes étaient officiellement « unifiés », sous la direction de Grierson, évidemment[126].

Celui-ci avait déjà rassemblé à Ottawa, venant surtout d'Angleterre, mais aussi des États-Unis, une bonne équipe expérimentée, les Stuart Legg, Basil Wright, Raymond Spottiswood, Irving Jacoby, Stanley Hawes, Norman McLaren... Bientôt viendront collaborer les Boris Kaufman, Alexandre Alexeieff, Joris Ivens, Alberto Cavalcanti... À eux se joignent quelques dizaines de jeunes Canadiens qui formeront rapidement des équipes dont les talents n'auront d'égal que les audaces et le goût du travail.

Maurice Blackburn entre à l'ONF en 1942 et y passe toute sa carrière de compositeur. Collaborant à plusieurs films de McLaren, il compose aussi des musiques pour des dizaines de documentaires et d'œuvres de fiction. Le Prix Albert Tessier lui est attribué au moment de sa retraite en 1983. (ONF)

Durant les années de guerre, la production de l'Office est orientée surtout vers l'information du public canadien sur les grands événements du conflit[111]. La série *The World in Action* (un film par mois de 1942 à 1945) illustre surtout ce qui se passe en dehors du Canada, tandis que la série *Canada Carries On (En avant, Canada)*, une soixantaine de films, raconte la vie des Canadiens durant le conflit et leurs efforts pour soutenir les combattants[301]. Stuart Legg en fut surtout le maître d'œuvre et le principal inspirateur de la virtuosité technique (montage époustouflant, rythme) présente dans l'ensemble. Composés d'un habile mélange de métrage saisi aux Allemands ou fourni par les alliés, de *stock-shots* ou d'images originales prises par les cameramans de la maison, commentés et interprétés par une bande-son saisissante (paroles et musique), ces films présentaient l'information d'une manière très vivante (« n'ayez pas peur de dramatiser », avait prévenu Grierson) tout en satisfaisant la curiosité générale au sujet de cette guerre tout aussi fascinante qu'épeurante. Ces deux séries étaient diffusées avec beaucoup de succès dans les salles commerciales, non seulement au Canada, mais dans plusieurs pays (États-Unis, Australie, Inde, Angleterre, Amérique Latine, Afrique du Sud) par les *Majors* américains.

Grierson va, en 1941, recruter à New York Norman McLaren, un Écossais comme lui, pour fonder et diriger un atelier d'animation. Celui-ci visite les écoles des beaux-arts et engage un premier noyau de créateurs (George Dunning, Jim Mackay, René Jodoin, Jean-Paul Ladouceur, Evelyn Lambart, Grant Munro). L'atelier aussi doit faire son effort de guerre : publicité, cartes géographiques, génériques, diagrammes, etc. Parallèlement, il tourne aussi les séries *Chants populaires* et *Let's All Sing Together* dans un esprit de reflet culturel et de divertissement.

En plus de la distribution commerciale de ses productions, l'Office met aussi en place tout un réseau de diffusion de ses produits au moyen de projectionnistes itinérants qui se rendent jusque dans les campagnes les plus éloignées pour faire connaître les dernières nouvelles[35]. On n'a qu'à penser que la télévision n'existait pas encore, que les journaux ne rejoignaient que les élites, que les récepteurs de radio étaient encore rares, et nous comprenons tout l'intérêt que suscitaient ces films qui, en plus de renseigner sur le Canada, enfin !, amenaient aussi le monde entier au village.

Après la guerre, après une chasse aux sorcières dans les services gouvernementaux qui provoque la « démission » de Grierson[125], après de malheureuses luttes de pouvoir, l'Office revient peu à peu à ce qui était son mandat original[207]. Mais la loi ne correspondant plus, pour tout ce qui touche les structures administratives et l'organisation générale (le Bureau a été fusionné, la Commission produit et ne se contente plus de conseiller), à ce qu'est devenu l'organisme, on la réécrit ainsi en 1950 (je ne reproduis que le principal article qui définit bien le mandat) :

> 9. L'office est établi pour entreprendre en premier lieu et favoriser la production et la distribution de films dans l'intérêt national, et notamment
>
> a) pour produire et distribuer des films destinés à faire connaître et comprendre le Canada aux Canadiens et aux autres nations, et pour en favoriser la production et la distribution ;
>
> b) pour représenter le gouvernement du Canada dans ses relations avec des personnes exerçant une activité cinématographique commerciale quant à des films cinématographiques pour le gouvernement ou l'un quelconque de ses départements ;
>
> c) pour faire des recherches sur les activités en matière de film et en mettre les résultats à la disposition des personnes adonnées à la production de films ;
>
> d) pour émettre des avis au gouverneur en conseil à l'égard d'activités en matière de film ; et
>
> e) pour remplir, dans les activités en matière de film, les autres fonctions que le gouverneur en conseil peut lui ordonner d'entreprendre.

Le contenu du mandat lui-même se transforme donc quelque peu : de « films destinés à aider les Canadiens de toutes parties du Canada à comprendre les modes d'existence et les problèmes des Canadiens d'autres parties », il passe à « faire connaître et comprendre le Canada aux Canadiens et aux autres nations ». Faut-il voir une différence significative dans ce passage de « Canadiens » à « Canada » ? Les cinéastes seront-ils invités à se préoccuper moins des personnes et davantage des symboles politiques ? Peut-être le législateur l'avait-il en vue, mais il ne nous semble pas que cela ait infléchi de beaucoup l'esprit des créateurs. De même, le « et aux autres nations » ne faisait qu'avaliser, au niveau de la diffusion, une situation qui existait depuis trente ans et que la guerre avait consacrée.

Neighbours (Voisins) de Norman McLaren. Sûrement son film le plus célèbre ;
peut-être pas le plus imaginatif, mais un des plus chargés de sa vision du monde
et de son engagement profond pour les grandes causes. (ONF)

Pour réaliser ce mandat, qui, en clair, veut dire « faire
l'unité canadienne », l'Office produit des « beaux » documentaires pour faire connaître les beaux arbres de la Colombie Britannique aux gens de l'Est ou le Nouveau-Québec aux Westerners,
les Chinois de Montréal aux Italiens de Toronto, les pêcheurs
de l'Île-du-Prince-Édouard aux fermiers de la Saskatchewan, et
vice-versa[301]. Quelques portraits d'individus, célèbres ou pas,
aussi. Je ne caricature pas ! Il faut voir *Autoportrait*, anthologie
d'extraits de la production oneffienne de 1939 à 1961, pour constater à l'évidence cette préoccupation. Mais avec une autre partie de la production, on peut y apprendre aussi le fonctionnement d'une Caisse populaire, comment construire un igloo ou
des aboiteaux, organiser une coopérative ou un « comité mixte
de production » (pour une bonne entente entre patron et ouvriers)
ou mettre sur pied un syndicat, comment combattre le cancer
ou composer avec les problèmes de santé mentale. Il est presque
devenu ce « ministère de l'Éducation » souhaité par Grierson ; et
tout cela sans que personne, sauf Maurice Duplessis au Québec,
à la fin de la période surtout, ne s'inquiète de cet empiètement

de juridictions[68]. Il faut dire que dans la presque totalité des provinces, seul le Québec s'étant donné un organisme du genre (mais sans lui fournir les moyens d'agir — entendre : un budget convenable), ces initiatives étaient les bienvenues, d'abord parce que le produit était valable, mais aussi parce qu'elles leur évitaient de prendre leurs responsabilités.

Formellement, on peut définir ainsi le film typique de la « boîte » : primauté au commentaire bien léché, récité par une belle voix radiophonique, avec en arrière-fond une belle musique classique, accompagnant des images plutôt statiques, esthétiquement et très professionnellement composées selon les critères de la photographie d'album ! En nombre, c'est le documentaire qui prime, mais on utilise aussi la fiction pour certains sujets à caractère didactique. Une fiction qui ressemble parfois à du documentaire, mais le spectateur ne peut s'y tromper, car il y voit les comédiens que la radio, puis la télévision à partir de 1952, lui ont appris à aimer.

L'animation produit dans la dernière décennie de cette période plusieurs de ses principaux chefs-d'œuvre : *Caprice en*

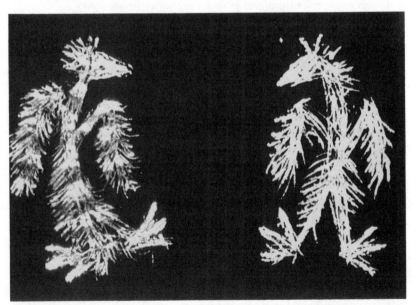

Blinkity Blank de Norman McLaren. Le grattage sur pellicule y atteint un haut niveau de perfection et en fait une des œuvres les plus achevées de l'animateur. (ONF)

couleurs, Voisins, Blinkity Blank de McLaren[245-212], *Sports et transports* de Koenig, Verral et Low.

On y produit aussi quelques films pour enfants (les *Ti-Jean*) dont la valeur de divertissement est réelle pour les jeunes esprits, mais où le regard adulte voit surtout la propagande de valeurs réactionnaires (antisyndicalime, infériorité raciale des Canadiens français, image anachronique du Québec, nationalisme pancanadien naïf, etc.). On en rit aujourd'hui, mais c'est d'un rire jaune quand on apprend que ces films sont encore massivement diffusés (dans les écoles et au canal pour enfants à la télévision).

Comme évaluation globale de cette production de l'après-guerre et des années 50, je risquerais celle-ci: si l'on y fait assez bien «connaître» et aimer le Canada et ses habitants, il est douteux que l'on y fasse autant «comprendre»...

Quelle part les Québécois (ou Canadiens français) ont-ils dans cet Office «canadien» sis à Ottawa, dirigé par des Britanniques unilingues et collé à un parlement fédéral qui ne vit qu'en anglais?[320] Bien petite, si l'on en croit les témoignages multiples

L'Auberge Jolifou de Colin Low. Un voyage à travers les tableaux de Cornelius Krieghoff qui, autour de 1840, dressait de très fidèles portraits des mœurs et coutumes québécoises de son époque. (ONF)

que la campagne de presse de 1957 fera émerger[70] et ceux que l'étude de Robert Boissonneault[157] mettra au jour en 1971. Durant la guerre, il y eut bien quelques francophones intégrés à diverses équipes (Roger Racine, Vincent Paquette, Jean Palardy, Philéas Côté), mais c'était quasi uniquement pour les traductions, le matériel original, même au sujet du Québec, étant tourné presque seulement en anglais durant les premières années[207]. Les francophones accédaient rarement aux postes créateurs, et dans ce cas, ils devaient soumettre leurs scénarios à leurs producteurs unilingues anglophones. Le plus souvent, ils devaient se contenter de traduire les films faits par leurs collègues. Après 1945, les Roger Blais (qui passera pour un touble-fête et en subira des conséquences pas très agréables), Vincent Paquette, Jean Palardy, Pierre Petel, Jean-Yves Bigras, Raymond Garceau, Bernard Devlin... réussiront à imposer leur présence et leur talent de créateur. Plusieurs de ces Canadiens français arrivaient de l'armée : les recrutait-on parce qu'il avaient déjà bien appris à obéir à des ordres en anglais...? Il n'était alors nullement question d'une section française autonome. Il faudra attendre la période suivante (en 1957) avant qu'un commissaire bilingue, Guy Roberge, (un Canadien français, évidemment) soit nommé (*voir* annexe 3, p. 485).

Minoritaires elles aussi, les femmes devront attendre encore plus longtemps avant de voir leurs talents et énergies créatrices reconnus[136]. Pourtant, aussi bien Evelyn Lambart aux côtés de McLaren que Gudrun Bjerring, ou Jane Marsh, ou Evelyn Cherry dans le documentaire avaient montré au moins des capacités égales... Il y a aussi, bien sûr, ces centaines d'inconnues qui servirent de secrétaires, traductrices, monteuses, assistantes de toutes sortes, et qui n'eurent jamais l'occasion de montrer de quoi elles étaient capables. Les artistes du cinéma, qui se voient toujours à l'avant-garde des idées nouvelles, n'avaient pas encore pensé à celle-là !

Avant de déménager à Montréal et de s'éloigner des pressions politiques, l'Office aura connu une crise majeure en 1949-1950[125]. D'un côté, la guerre froide et le maccartysme d'outre-frontière s'y répercutent en une chasse aux communistes qui fait tonner ou ramper quelques politiciens, trembler de peur quelques cinéastes qui avaient eu les paroles et les sentiments trop « humanitaires » ou socialement pertinents. D'un autre côté, l'industrie privée fait des pressions pour éliminer cette maison qui accapare toutes les commandes gouvernementales, dans l'espoir d'occuper à sa place cette lucrative source de production. Enfin, les cadres et le personnel, majoritairement anglophones, s'opposent au projet de déménagement à Montréal, conscients de la remise en cause inévitable de leurs privilèges. La diplomatie d'un nouveau commissaire, Arthur Irwin (venu du monde du journalisme), quelques congédiements, l'instauration de l'autocensure et des règlements qui interdisent à l'Office de prêter ses services (laboratoires, équipements) à l'entreprise privée, feront éviter le pire.

b) à Québec: le Service de cinéphotographie

À Québec, la nécessité de centraliser et de planifier les besoins de divers ministères s'était aussi fait sentir. Déjà, le ministère de la Santé à Montréal, les ministères du Tourisme et de l'Agriculture à Québec commanditaient des productions plus ou moins artisanales pour accompagner leurs efforts d'éducation populaire, ou s'étaient dotés d'embryons de services de production[14]. Le 5 juin 1941, sous le gouvernement libéral d'Adélard Godbout, un arrêté en conseil définit une nouvelle politique:

> Il est ordonné, sur la proposition de l'honorable premier ministre, qu'il soit établi, dans le département du Conseil exécutif, un service appelé: «Service de cinéphotographie», auquel le directeur général des achats sera tenu de confier la gestion de tout ce qui concerne la cinématographie pour tous les départements et tous les organismes sous son contrôle;
> Il est ordonné, de plus, que tous les départements et organismes ci-dessus mentionnés soient tenus de remettre au Service de cinéphotographie tous les appareils de cinéma et accessoires en leur possession, et qu'aucun nouvel appareil de ce genre ne soit acheté pour eux, à l'avenir.

Contrairement à l'Office d'Ottawa, le Service de Québec ne deviendra jamais une grosse maison de production[204]. Tout au plus engagera-t-il une petite équipe de permanents (réalisateurs, cameramans, monteurs) pour répondre à une (petite) partie des commandes des ministères. Il sert plutôt de conseiller et de lien entre le gouvernement et l'entreprise privée qui, elle, est chargée de la réalisation des divers projets. Plutôt que de faire, il fait faire. Il joue alors le rôle de producteur au sens strict pour « répondre aux besoins locaux et régionaux précis des fonctionnaires intervenant dans certains milieux définis ». Ces besoins sont surtout touristiques et didactiques.

En plus des productions gouvernementales, qu'il met à la disposition du public à peu près de la même façon que l'Office d'Ottawa (il diffuse d'ailleurs les films de celui-ci pendant un certain temps), il fait aussi connaître les films des pionniers Maurice Proulx et Albert Tessier. Ses catalogues comprennent également des centaines de titres de films (ils sont en majorité) produits par des compagnies comme Bell ou Imperial Oil, ou par différents organismes des gouvernements américains ou français.

Fait aussi à signaler, si nous exceptons les quelques religieuses qui furent les premières « cinéastes » québécoises, c'est au sein du Service que travailleront les premières réalisatrices professionnelles dans les années 50 (Dorothée Brisson et Suzanne Caron)[206].

B. Hollywood en Québec

L'entreprise de distribution de « films parlant français » était profitable. France-Film, qui la contrôlait, réalisait de bons profits et disposait de capitaux à investir. Car en plus de son service de distribution et de ses salles, elle venait d'acquérir les droits de distribution en format 16 mm des meilleurs titres de son catalogue et elle vendait aussi des projecteurs. Elle avait conquis ainsi une grande partie du marché parallèle des salles paroissiales, des écoles et des organisations de toutes sortes qui, à l'occasion, offraient des projections. Le public se laissait de plus en plus gagner à un cinéma différent (des films américains doublés), plus sentimental, plus intérieur, plus proche de sa culture. La guerre en avait toutefois plus ou moins tari l'approvisionnement. Elle avait cependant de positif que plusieurs bons réalisateurs de métier se retrouvaient agents libres en Amérique et que plusieurs comédiens français étaient venus s'installer au Québec. La situation était mûre pour que certains industriels déjà au fait de l'orga-

Jean Desprez, la scénariste du *Père Chopin* et auteure de nombreux radio-romans; elle fut l'une des premières personnes à définir cette esthétique du mélodrame qui marque encore le téléroman et une partie du cinéma. En 1986, Iolande Cadrin-Rossignol lui consacre ses *Contes des mille et un jours*. (Photo Roméo Gariépy, La Maison des quatre)

nisation du cinéma se laissent tenter par la production. Deux compagnies surtout essayeront de concurrencer modestement Hollywood, la France et l'Italie.

La première à entrer en scène est Renaissance Films[69] en 1944 pour le tournage du *Père Chopin*. Charles Philipp, Russe d'origine mais Français d'adoption et ancien collaborateur chez Pathé, en est l'instigateur et Fedor Ozep le réalisateur. La compagnie productrice est constituée le 6 avril avec un capital de 500 000 $. Le tournage s'effectue entre la mi-août et la mi-octobre. Peu après, Alexandre DeSève qui voit le film au montage en perçoit l'intérêt et il en achète les droits de distribution pour France-Film. Il achète la majorité des parts de Renaissance

Films et constitue une nouvelle compagnie sous le nom de Renaissance Films Distribution Inc. Celle-ci devra surtout s'employer à faire du cinéma « catholique », c'est-à-dire en accord avec ce que DeSève et ses amis du clergé croient être les valeurs du milieu... ! Pour ce faire, DeSève s'associe à la Fiat, une petite maison catholique de France et à l'abbé Aloysius Vachet qui se fera un vaillant propagateur de la cause et un bon ramasseur de fonds. Ils veulent voir le catholicisme « pénétrer le film comme il a pénétré à d'autres époques les institutions et les États ». De grands studios sont aménagés dans des bâtiments que l'armée canadienne vient d'évacuer, rue Côte-des-Neiges à Montréal.

Fedor Ozep dirigeant Paul Dupuis dans *La Forteresse*, un essai de film noir à la manière américaine. (Photo Roméo Gariépy, coll. Cinémathèque québécoise)

Entre 1947 et 1950, année de la faillite de Renaissance, on aura beaucoup discuté, beaucoup voyagé entre Paris et Montréal, beaucoup dépensé d'argent (au moins trois millions de dollars), mais produit bien peu de films, seulement trois : *Le Gros Bill* (réalisé par René Delacroix) et *Les Lumières de ma ville* (réalisé par Jean-Yves Bigras) au Québec, *Docteur Louise* (plaidoyer contre l'avortement réalisé par René Delacroix) en France. Beaucoup de mystère plane encore sur la faillite (très rentable, paraît-il, pour certains) de cette compagnie qui fut, selon Véronneau, « un panier de crabes où le signe de piastre et le signe de croix se mariaient mal » !

La Quebec Productions Corporation[68] (pour se donner de l'importance, le nom anglais s'imposait !), fondée en 1946 par Paul L'Anglais[193] et René Germain, fera de meilleures affaires à défaut de produire de meilleurs films. Elle se propose de produire des films bilingues et elle est soutenue, pour la distribution, par la Rank Corporation d'Angleterre.

Le premier long métrage produit est *La Forteresse (Whispering City)* réalisé par Fedor Ozep en double version avec deux équipes différentes de comédiens. L'une, destinée aux publics québécois et français, est tournée en français et comprend Paul Dupuis, Nicole Germain et Jacques Auger dans les rôles principaux. Pour l'autre version, on engage Paul Lukas, Mary Anderson et Helmut Dantine qui devraient plaire aux Américains et au public anglophone en général. Tous les comédiens des rôles secondaires jouent dans les deux langues. Ce sera la seule expérience du genre à l'époque et elle ne se révélera pas très heureuse. Le film sort le 2 mai 1947. Suivent *Un homme et son péché*, *Le Curé de village* et *Séraphin*, réalisés par Paul Gury et sortis en 1949 et 1950, puis *Son Copain*, coproduit avec la France et réalisé par Jean Devaivre ; et enfin *Le Rossignol et les Cloches* de René Delacroix, sorti en 1952.

D'autres compagnies de moindre importance (où l'on retrouvera parfois DeSève, qui s'était retiré à temps de Renaissance, et la France-Film) naissent et ne survivent que le temps d'une production[68-69]. Signalons la Canadian Motion Picture Productions qui donne *Sins of the Fathers* de Richard Jarvis en 1948 ; la Selkirk Productions pour *Forbidden Journey*, aussi de Jarvis en 1950 ; la Mount-Royal Films pour *The Butler's Night Off*, de Roger Racine en 1950 (bien qu'achevé, ce film ne sortira jamais) ; la Carillion Pictures pour *Étienne Brûlé, gibier de potence* de Melburn E. Turner en 1952. La palme du meilleur succès d'affaires de toute cette période revient à L'Alliance cinématographique canadienne, DeSève ayant su profiter de l'immense popularité de la pièce

La Petite Aurore, l'enfant martyre de Léon Petitjean et Henri Rollin en la faisant porter à l'écran par Jean-Yves Bigras (en 1951)[273]. Gratien Gélinas[191] obtient aussi un bon succès en adaptant sa très populaire pièce *Tit-Coq* (sortie du film en 1953). Frontier Films produit en 1953 *Coeur de maman*, mis en scène par René Delacroix et tiré d'une pièce mélo d'Henri Deyglun; de la même équipe, sauf Jean-Yves Bigras pour la mise en scène, sortira en 1954 le dernier long métrage de cette série, *L'Esprit du mal*.

Comme caractéristiques d'ensemble de tous ces longs métrages[199], nous pouvons dire que formellement, ils adoptaient presque tous l'esthétique européenne du mélodrame mêlée aux recettes éprouvées des très populaires radio-romans locaux (personnages schématiques et stéréotypés des milieux populaires, interprétation très théâtrale, grande place accordée aux dialogues,

Premier de la série, *Le Père Chopin* introduit presque toutes la problématique des films de la décennie suivante. Dans son esthétique comme dans son contenu narratif, cette séquence du concert à la campagne résume la première partie du film; c'est une autre séquence d'un grand concert, mais cette fois au Chalet de la montagne à Montréal, qui vient à la toute fin résoudre les intrigues et donner espoir d'une nouvelle vie. Au centre, Marcel Chabrier et à sa droite, Ovila Légaré qui reprendra avec grand succès, dans plusieurs films, son personnage de bon gros curé sympathique. (Photo André G. de Tonnancourt, coll. Cinémathèque québécoise)

etc.). L'utilisation du langage cinématographique y est assez conventionnelle, le travail de la caméra y est plutôt statique, mais reste efficace dans son utilisation d'éléments simples comme les champs, contre-champs, le choix des types de plans et des formes de montage ; les éclairages et les rapports musique-action créent généralement bien les ambiances et les effets recherchés. Scénaristes comme acteurs principaux venaient d'ailleurs en grande partie des radio-romans qui en avaient fait des vedettes du *star-system* local (les Ovila Légaré, Nicole Germain, Guy Mauffette, J.-Léo Gagnon, Paul Desmarteaux, Paul Dupuis, Pierre Dagenais, etc.).

Les scénarios étaient souvent tirés d'œuvres existantes, soit de radio-romans (*Curé de village* de Robert Choquette, *Un homme et son péché* et *Séraphin* de Claude-Henri Grignon qui n'étaient d'ailleurs eux-mêmes que des « extensions » d'un roman), soit de pièces de théâtre (*La Petite Aurore, l'enfant martyre, Tit-Coq, Coeur de maman*) ou d'œuvres littéraires (*Un homme et son péché, Étienne Brûlé, gibier de potence*). Sauf pour *Tit-Coq*, les films constituent davantage des transpositions que des adaptations, car on note des différences considérables avec les œuvres originales. Ce second regard, impliquant un minimum de distanciation et des choix interprétatifs nous semble avoir été positif. À part *Le Gros Bill*, il n'y eut pas de vraie comédie (bien qu'aujourd'hui, presque tout y semble comique). Les réalisateurs furent européens au début (Ozep, Delacroix, Gury (celui-ci travaillait ici au théâtre depuis longtemps), mais de jeunes Québécois (Bigras, Gélinas, Jarvis, Racine) prirent rapidement la relève. Soulignons enfin qu'on y parle un français ordinaire du Québec avec une intonation soignée : non comme celle « de la radio », mais sans chercher à « faire peuple » ni joual, de sorte que le spectateur comprenne bien les dialogues (ce qui ne fut pas toujours le cas dans les périodes populistes postérieures).

Ils furent tous distribués par France-Film et exploités dans ses salles, mais aussi dans tout le Canada français et en Nouvelle-Angleterre, avec un succès commercial moyen : seuls *Aurore* et *Un homme et son péché* procurèrent de gros bénéfices. Bien que naissante, la critique ne les ménagea point. Les Léon Franque (pseudonyme de Roger Champoux) dans *La Presse*, Gilles Marcotte dans *Le Devoir*, Roland Côté au *Canada* ou René Lévesque à Radio-Canada, hésitèrent souvent entre l'indulgence et le matraquage, mais accordèrent dans l'ensemble la sympathie que méritaient ces pionniers.

C'est sociologiquement surtout que ces films présentent beaucoup d'intérêt[67]. Produits et définis par des hommes d'affaires (qui fréquentent par ailleurs davantage les sacristies que les cercles littéraires ou les galeries d'art) dans un but de propagande

Hector Charland, Guy Provost et Nicole Germain dans *Un homme et son péché*, un des plus grands succès financiers de l'époque et une des premières adaptations d'un roman célèbre. De la même manière que les Américains se sont inventé, avec le western, une «histoire» qui fondait leur mystique de pionniers, la saga de Séraphin, d'Alexis et de Donalda raconte une «colonisation» mythique des Pays d'en Haut qui conteste le matérialisme croissant dans la société québécoise et veut raviver les valeurs ludiques (Alexis s'enivre dans la joie, chante l'amour des femmes et de la terre) et spirituelles (seule la religion mène au véritable «pays d'en Haut»). On ne s'étonne donc pas de constater que ce roman de 1933 ait connu de multiples rééditions, se soit poursuivi dans une longue série radiophonique, dans un film et finalement dans une très longue série télévisée dont on reprenait encore des épisodes à l'automne 1986. (Photo Roméo Gariépy, coll. Cinémathèque québécoise)

avant tout, ils ne répondent pas tellement à un besoin d'expression artistique de la part de cinéastes authentiques. Ces hommes d'affaires, qui obtiennent facilement du clergé la recommandation en chaire d'acheter des actions de leur compagnie, font partie de cette petite élite canadienne-française qui commence à se faire une place à côté des capitalistes anglophones qui contrôlent la grande entreprise montréalaise. Volontairement, consciemment, ils se lancent dans le cinéma pour soutenir les valeurs qui assurent sa stabilité au régime duplessiste en pleine consolidation. Ils l'affirment eux-mêmes dans des feuillets publicitaires, brochures et conférences. Plusieurs clercs participent à « l'oeuvre » en épurant les scénarios ou servent de caution. Le père Émile Legault qui figure au générique, en tant qu'assistant metteur en scène, d'*Étienne Brûlé, gibier de potence*, m'a raconté qu'il n'avait absolument pas collaboré, mais avait accepté qu'on utilise son nom parce que le *casting* se composait surtout de Compagnons de Saint-Laurent, la troupe de jeunes comédiens qu'il dirigeait et qu'il voulait aider, et aussi parce qu'il n'avait trouvé rien à redire au scénario!

On ne s'étonne donc pas trop d'y voir affirmées et parfois survalorisées les valeurs de la campagne[199]. Cela va de la manière de filmer (plans d'ensemble, larges panoramiques sur des horizons bien dégagés, travellings dans les champs, alors qu'on n'y filme la ville qu'à l'intérieur et en des plans statiques; contre-plongées du clocher ou de personnages sympathiques, etc.) à la composition des caractéristiques des personnages positifs. Il y a isomorphisme évident, par exemple, entre le Paul Dupont du *Père Chopin*, Alexis des *Séraphin*, *Le Gros Bill*, le jeune chanteur du *Rossignol et les Cloches* et les curés en général, tous représentants des valeurs spirituelles et de l'art de vivre, tandis que les Pierre Dupont du *Père Chopin*, Céleste Paradis (*sic*) de *Coeur de maman*, Leblanc du *Curé de village*, et tous ceux qui parlent ou touchent de l'argent — à part Séraphin, ils sont tous liés à la ville — paraissent infâmes ou ridicules. Comme si, au fond, on voulait dire aux spectateurs: ne touchez pas trop à l'argent, car cela salit; laissez-le à quelques personnes de « mauvaise vie » qui vont se salir à votre place et vous procurer le nécessaire!

Mais s'il y a valorisation de la campagne, un second regard découvre facilement, inscrite en creux dans les trames romanes-

René Delacroix répétant avec Gérard Barbeau une scène du *Rossignol et les Cloches*. Tous les 20 ans environ, le Québec connaît un petit prodige « à la voix d'or ». Barbeau fut le prédécesseur immédiat de René Simard, mais ne tenta pas de poursuivre la carrière et mourut dix ans plus tard alors qu'il étudiait la théologie pour devenir prêtre. (Photo Roméo Gariépy, coll. Cinémathèque québécoise)

ques et néanmoins totalement efficace, une implacable vérité : la campagne ne recèle pas que pureté, chant des petits oiseaux, joyeuse camaraderie, sens communautaire. Elle dévoile aussi ses drames de jalousie (très fréquents), ses abus d'autorité, son commérage réducteur et oppressant, sa soif d'argent et des plaisirs de la ville, ses limites aux ambitions légitimes, son enfermement, ses peurs de la nouveauté, etc. Malgré tout le discours réducteur qu'on y entretient sur la ville (prostitution, alcool, mauvaises fréquentations, richesse malhonnête, classes sociales, mensonges, criminalité, etc.), les jeunes surtout s'y sentent attirés comme au seul lieu où ils pourront réaliser leurs rêves.

On y fait toujours grand éloge de la famille, mais en même temps, il y en a bien peu de complètes, de « normales » dans ces films ! La plupart des adultes au premier plan (Tit-Coq, le gros

Bill, les Dupont, Alexis, Séraphin, etc.) sont présentés hors de tout lien familial. Presque tous les personnages d'enfants, d'adolescents ou de jeunes adultes (ils ont souvent des premiers rôles, comme Aurore ou le « rossignol », ou prennent une part très importante à l'action) sont des « orphelins », surtout « de mères ». Pourquoi cette absence des mères ? Disons d'abord qu'en éliminant ainsi leur rôle de transmettrice des traditions, de protectrice (si la mère « au ciel » permet les retrouvailles des frères Dupont, celle d'Aurore est impuissante à empêcher son martyre !) et d'éducatrice, cela permet plus facilement aux enfants d'adopter des comportements inédits ; ils sont coupés des modèles et

Lucie Mitchell et Yvonne Laflamme dans *La Petite Aurore, l'enfant martyre* de Jean-Yves Bigras. Au premier degré, on comprend pourquoi ce fut le plus grand succès de l'époque : le problème des enfants battus demeure aussi actuel aujourd'hui qu'il y a quarante ans. Mais à un second degré, c'est un des films les plus explicites de la période : la campagne est un lieu où on martyrise les enfants, où il n'y a pas de famille unie, où le mariage n'apporte que malheurs et où la religion est complètement inefficace. Tout cela entre en contradiction absolue avec l'idéologie officielle. Le beau petit couple compensatoire, le médecin sympathique, le juge vengeur ne suffisent pas, aujourd'hui, à renverser l'image. (Coll. Cinémathèque québécoise)

de la pensée du « vieux monde », davantage laissés à eux-mêmes. En même temps, cela ouvrait la porte à de nouveaux rôles pour les femmes (la journaliste de *La Forteresse*) ou à de nouveaux comportements (les grandes filles dans *Le Père Chopin*, la chanteuse dans *Les Lumières de ma ville*, etc.). À ce sujet, on lira avec intérêt les pages que Louise Carrière a consacrées à cette époque dans *Femmes et cinéma québécois*[15].

On y constate, évidemment, une présence assez forte du clergé catholique, mais moins autoritaire ou moralisatrice qu'on ne s'y attend. L'étude de Christiane Tremblay-Daviault[65] ne m'a pas convaincu qu'une « Église-mère » y supplée aux mères absentes. Sauf pour *Le Curé de village*, où le curé tire toutes les ficelles puisqu'il a le rôle principal et que c'est lui qui introduit au village cette valeur moderne qu'est la tolérance, le prêtre est plutôt discret et n'intervient que dans des situations un peu exceptionnelles où son rôle consiste surtout à rappeler les principes de morale. Presque absent de plusieurs films, on ne le voit que dans la première partie du *Père Chopin* (à la campagne) et seulement à la fin dans *Aurore* où il se révèle inutile; celui des « Pays d'en Haut » paraît bien impuissant devant Séraphin! Le *Padre* de *Tit-Coq* ne l'aide pas trop à faire son bonheur! Un peu comme pour le rôle de la mère, je crois que c'est davantage l'absence ou l'impuissance des prêtres qui est significative dans ce cinéma. À un autre niveau, le Martien qui le regarderait pour apprendre les grandes caractéristiques de la religion catholique au Québec resterait sur sa faim, car il ne trouverait qu'une morale! Laquelle ne comporte que bien peu de directives claires et incontestées, bien peu d'originalité par rapport à ce qui est vécu ailleurs dans le monde, et qui disparaît bien facilement quand les personnages passent de la campagne à la ville.

Une société fermée sur elle-même, comme on l'a souvent affirmé? Oui et non. Si les personnages se méfient souvent de l'ailleurs et des inconnus, on remarque l'irruption d'un étranger dans presque tous les films — les Dupont viennent de France dans *Le Père Chopin*, le *Gros Bill* arrive des États-Unis, comme la journaliste dans *La Forteresse* et Leblanc dans *Le Curé de village*; Alexis, dans les *Séraphin* y est allé travailler; *Son copain* se passe à moitié en France, etc. Ces étrangers tiennent généralement des rôles déterminants.

C'est pourquoi je crois, avec Michel Brûlé (*voir* en annexe, pages 480-484), que ces films jouèrent à l'époque, même si les spectateurs ne s'en doutèrent que rarement, et même si cela dépassait souvent l'idée des réalisateurs (encore que les Ozep, Delacroix, Gury, et une partie des comédiens qui avaient vécu

Paul Guèvremont dans *Le Curé de village*, une des plus intéressantes illustrations des effets de l'irruption de l'étranger dans un milieu clos. (Photo Roméo Gariépy, coll. Cinémathèque québécoise)

dans une Europe moins puritaine, ne détestaient sûrement pas jouer un peu à la provocation), le rôle d'«imaginaire catalyseur» dans un moment historique où l'ensemble de la population du Québec se cherchait un nouveau modèle de société[94]. D'une manière douce, «tranquille» comme les évolutions marquantes au Québec, les films annonçaient le bouillonnement proche de la fin du duplessisme.

C. Les artisans

En plus des abbés Tessier et Proulx (*voir* période précédente) qui poursuivront leur carrière de cinéastes artisans jusqu'à la fin des années 50, plusieurs amateurs, dans diverses régions du Québec, produiront des dizaines de documents, généralement muets, pour garder souvenance d'événements importants pour la famille, la région ou l'institution. L'intérêt de ces films est d'ordre ethnologique surtout. Nous les connaissons encore très mal, puisqu'aucune recension sérieuse n'a encore été tentée. Il y a là plusieurs beaux sujets de recherche pour des «historiens-détectives» qui ne manquent pas de patience…! Voici quelques pistes que nous avons glanées dans diverses références, certaines bien connues, d'autres moins.

Michel Vergnes[204], qui a longtemps travaillé au Service de cinéphotographie et qui, à ce titre, a eu l'occasion de rencontrer presque tous les principaux pionniers, raconte qu'il a connu un abbé Cyr de la région de Témiscouata qui aurait fait un film sur les Îles-de-la-Madeleine vers 1940; il aurait même appris des trucs de lui. Plus tard, vers 1947, il connut aussi le père Venance, un capucin, qui tournait des films scientifiques avec une petite caméra 16 mm. Il a aussi collaboré avec Jean Arsin, propriétaire d'un studio à Montréal, qui fit durant les années 40 plusieurs films sur Montréal, Trois-Rivières, etc.

En 1942, Gratien Gélinas[191], qui obtenait alors beaucoup de succès au théâtre avec ses revues et son personnage de Fridolin, réalise avec quelques amis un court métrage humoristique intitulé *La Dame aux camélias, la vraie*. Marguerite Gautier n'y est plus qu'une racoleuse et une pickpocket et Armand Duval un adolescent naïf! Une voix *off* en contrepoint de l'image commente l'action tout à fait dans l'esprit du théâtre de boulevard.

Gratien Gélinas dans *Tit-Coq*, sa pièce de théâtre qui fut un des plus grands succès de la scène, prolongé par le film. Ici aussi, les mésaventures du bâtard Tit-Coq battent en brèche les valeurs officielles liées à la famille, à la fidélité, à la religion. (Coll. Cinémathèque québécoise)

En 1943, le père Jean-Marie Poitevin, p.m.é.[312], qui avait été missionnaire en Chine de 1933 à 1939 et d'où il avait rapporté le documentaire *Péripéties d'une visite en Mongolie*, tourne *À la croisée des chemins*, long métrage de 88 minutes, qui reprend une pièce de théâtre jouée lors d'une grande exposition missionnaire l'année précédente (dans le cadre des modestes célébrations du 300e anniversaire de la fondation de Montréal) et qui intègre des images de Chine. Interprétation: Paul Guèvremont (qui signe aussi la mise en scène), Denise Pelletier, Rose Rey-Duzil, Jean Fontaine, Denis Drouin, etc.; narrateur: René Lévesque. *La croi-*

Denise Pelletier et Paul Guèvremont dans *À la croisée des chemins* de Jean-Marie Poitevin. Le film amuse par sa naïve fiction qui se veut reconstitution d'une époque, par son intrigue au dénouement prévisible et ses maladresses cinématographiques. Mais il intéresse grandement l'historien par ses citations de films d'archives tournés en Chine même, par ses extraits documentaires des départs de missionnaires et par l'interprétation, décrite par les principaux acteurs eux-mêmes, en voix *off*, de l'ensemble du phénomène. (Coll. Cinémathèque québécoise)

sée des chemins, c'est le moment où Jean Leber, fils de commerçant qui termine son cours classique, doit décider de son avenir : suivra-t-il les traces de son père ou deviendra-t-il missionnaire en Chine, comme « la vocation » lui en a été récemment inspirée ? Le suspense ne dure pas très longtemps ! Film passionnant à étudier pour bien comprendre l'esprit qui a poussé tant de Québécois(es) à partir vers les missions lointaines, en même temps que l'atmosphère des collèges classiques et la force du catholicisme. Le regard d'aujourd'hui y découvre l'Église dans tout ce qu'elle avait de préjugés envers les femmes, impérialisme culturel, racisme, esprit conquérant. Mais aussi dans ce qu'elle sut provoquer de générosité, d'esprit d'aventure, d'aspiration à des espaces nouveaux[167].

C'est après son congédiement du ministère du Tourisme

de Québec en 1947 que commence la vraie carrière de cinéaste d'Herménégilde Lavoie (1908-1973)[310]. Il fonde alors sa propre compagnie Les Documentaires Lavoie Enr. et produit surtout des films de commande et de promotion pour le gouvernement du Québec, pour des communautés religieuses et diverses entreprises commerciales. Encore très mal connue, cette longue œuvre mériterait quelques études sérieuses.

En mars 1956, sort au St-Denis à Montréal *Le Village enchanté*, long métrage d'animation produit d'une façon tout à fait indépendante et réalisé par les frères Marcel et Réal Racicot. Ils y ont consacré presque tous leurs temps libres des six années précédentes! À la manière du dessin typique de Walt Disney, il raconte des péripéties imaginaires et édifiantes des premiers temps de la colonisation du Canada et fait appel au merveilleux des contes de la chasse-galerie.

Affiche du *Village enchanté*, long métrage d'animation des frères Réal et Marcel Racicot. Comme la plupart des sujets «historiques», il parle davantage de la vision de ses auteurs que de l'époque de sa diégèse. (Coll. Cinémathèque québécoise)

Au Lac-Saint-Jean, en 1955, Benjamin Bélisle produit, met en scène et fait la photo d'un long métrage intitulé : *La Sacrifiée*. Tourné en 16 mm, ce film n'a jamais été montré publiquement.

C'est à la fin de cette période que commence à Jonquière la production de longs métrages destinés aux enfants par Roger Laliberté[198] avec des comédiens amateurs, des techniciens et des moyens tout aussi amateurs. Avec *Le Diamant bleu* (1956), *Les Aventures de Ti-Ken* (1960), *Les Plans mystérieux* (1965) et *Au boutte* (1973), Laliberté n'a pas encore prouvé qu'il a ce qu'il faut pour passer chez les professionnels...

Claude Jutra, alors étudiant, reçoit un prix au Canadian Film Award de 1949 des mains du premier ministre Louis Saint-Laurent pour *Mouvement perpétuel* (réalisé en collaboration avec Michel Brault). C'est ce même politicien qui venait de signer le Canadian Co-operation Project de triste mémoire (*voir* pages 118-120) et qui se verra finalement récompensé par un siège au conseil d'administration de Famous Players. (Coll. Cinémathèque québécoise)

Il y a encore probablement beaucoup de productions d'amateurs ou artisanales, réalisées à cette époque, dont personne n'a entendu parler et qui se dégradent dans quelque armoire. Il faut souhaiter que leurs propriétaires osent les apporter à la Cinémathèque pour au moins leur assurer une conservation normale (par exemple, ces films de religieuses sur leurs communautés, leurs collèges ou divers événements).

Dans ce qui précède, nous n'avons parlé que des films en formats professionnels (le 35 mm et le 16 mm). Il y eut aussi des milliers de «films de famille» ou d'essais amateurs sur pellicule 8 mm et parfois 16 mm. Là aussi, il y aurait sûrement de très agréables surprises si on pouvait en faire une cueillette et une étude systématique (coutumes, rites familiaux, modes locales et régionales, etc.).

Signalons enfin qu'après l'arrivée de la télévision (en 1952), quelques compagnies se constituent et tâchent d'accaparer le marché des commandites et de la publicité télévisuelle (dès que celle-ci se fait sur films, et non en direct); parmi elles, Briston Creative Films (Les Films Briston) et Oméga Productions de Pierre Harwood et Henri Michaud (producteurs, entre autres, de *Radisson* (1954) et de *Pépinot et Capucine* (1955) pour Radio-Canada. Certaines obtiennent aussi des sous-contrats de l'ONF.

Distribution

La distribution commerciale ne connaîtra que peu de changements à cette époque[37]. Les *Majors* américains continuent de contrôler le lucratif marché des salles et y imposent leurs produits. Le «film parlant français» contrôlé par France-Film avait réussi à s'imposer dans 10% des salles en 1940, mais à cause de la guerre (baisse de la production en France, difficultés des communications), il devra attendre 1950 avant d'atteindre les 20% (et ce succès n'est atteint que grâce à la popularité des mélodrames québécois)[14]. Un nouveau marché s'ouvre qui prendra bientôt beaucoup d'ampleur: la télévision a beaucoup d'heures à remplir et achète presque n'importe quoi. Nous pouvons quand même dire que le monopole américain absolu est maintenant chose du passé.

C'est la distribution paracommerciale et parallèle (presque uniquement en 16 mm) qui connaît un grand essor à cette période. Plusieurs compagnies de distribution indépendantes naîtront après la Deuxième Guerre mondiale[16] pour alimenter le vaste réseau des « salles paroissiales » et des institutions d'enseignement (que ne satisfait pas la Cinémathèque de la section catholique du Département de l'instruction publique, qui tenait alors lieu de ministère de l'Éducation), réseau presque uniquement francophone, qui s'étend d'autant mieux que les enfants de moins de 16 ans sont interdits dans les salles depuis 1928 et que les ciné-clubs commencent à se répandre à partir de 1950. Signalons surtout Astral Films (1946) qui distribue principalement des versions de films américains, J.A. Lapointe (1946), Rex-Film (1951) et Art Film Inc. (1953) qui distribuent le produit commercial français (ou européen doublé en français) et le film de ciné-club qui est très demandé à partir de 1950. Pour le marché des ciné-clubs, justement, ces compagnies inscriront dans leurs catalogues beaucoup de vieux classiques (du néo-réalisme italien, des Russes des années 20 et 30 encore inédits au Québec, etc.), produits qui n'intéressent pas tellement les « gros » distributeurs commerciaux. Elles fonctionnent en général dans l'esprit « catholique » de l'époque (avaient-elles le choix ?) : J.A. Lapointe mentionne dans sa publicité qu'il ne distribue que des films approuvés par les centres diocésains.

Dans la distribution parallèle, il faut mentionner surtout le vaste réseau que l'Office national du film[126] crée durant la guerre pour mieux diffuser sa propagande. Plus de quinze cents villages du Canada étaient rejoints par les projectionnistes itinérants, sans compter les « conseils du film » (dépôts de films gérés par des associations locales qui organisaient elles-mêmes les projections) opérant en milieux urbains. Théo Picard[35], un des membres de ce réseau, raconte que certains faisaient aussi des projections dans les usines, à l'heure du lunch. Ajoutés aux « grandes vues » (les longs métrages de fiction), ces « petites vues » suscitaient partout beaucoup d'intérêt et répondaient à la curiosité générale comme au besoin d'information. L'Office met aussi ses films à la disposition des étrangers par le biais des ambassades du Canada et, plus tard, par ses propres bureaux.

Il peut être amusant d'évoquer ici la lutte que le gouvernement de Maurice Duplessis mena, dès 1946, contre les films de l'Office, d'abord parce qu'ils encourageaient trop la « centralisation fédérale » et ensuite parce que ce « vrai nid de commu-

(Publicité dans les *Recueil des films*) En dehors de la région de Montréal, où les autorités religieuses acceptaient mal de se faire dire quoi faire par l'archevêque de Québec ou de Rimouski, Rex-Film a pu constituer un imposant réseau de distribution et de programmation de salles. Dirigée par des pieux laïcs de Québec, cette compagnie voulait concurrencer les *Majors* sur leur propre terrain.

nistes » diffusait une propagande « subversive »[70]. Il demandera d'abord à la censure provinciale d'être très sévère envers ces films, puis ira jusqu'à interdire leur diffusion par les organismes provinciaux, qui jusque-là avaient collaboré avec leurs collègues fédéraux. Cette mesure, à effet publicitaire spectaculaire, mais sans grande efficacité, ne ralentira toutefois pas l'extension de la diffusion des films de l'Office, car ses propres bureaux prennent la relève. Si l'on assiste à un certain ralentissement vers le milieu des années 50, il est dû surtout à l'arrivée de la télévision qui s'approvisionne à la même source.

Le Service de cinéphotographie de Québec devient aussi diffuseur des films gouvernementaux, mais offre en plus des centaines de produits à caractère éducatif venant de partout (gouvernements étrangers, compagnies, artisans).

En 1947, la Bibliothèque de la ville de Montréal ouvre sa Cinémathèque pour mettre à la disposition des écoles et des organismes de loisirs les meilleurs produits éducatifs (documentaires et films d'animation, films didactiques) venus du monde entier. C'est, au Québec, le premier effort systématique pour faire pénétrer le cinéma à l'école en tant qu'outil pédagogique de plein droit. Le « Bon cinéma » l'avait tenté sans grand succès dans les années 20.

Exploitation

A. Exploitation commerciale

Comme dans le reste de l'Amérique du Nord et une partie de l'Europe, c'est à cette période, juste avant l'arrivée de la télévision, que l'exploitation (commerciale et parallèle recensée) connaît au Québec son âge d'or[37].

En 1952, année de l'implantation de la télévision, alors que la province compte 4 174 000 habitants, on enregistre environ 60 millions d'entrées, pour une moyenne de 14,3 par personne. Pour l'ensemble du Canada : 263 millions d'entrées pour 14 459 000 habitants, soit une moyenne de 18,1. Depuis la compilation des statistiques, on remarque une constante : les Québécois vont moins au cinéma que l'ensemble des Canadiens. En proportion de l'entrée progressive des téléviseurs dans les foyers et en corrélation avec l'extension de certains loisirs de plein air, le nombre des entrées baisse régulièrement jusqu'en 1969 pour atteindre un plancher de 19 millions qui se maintiendra jusqu'en 1983 ; mais la population dépassant alors les 6 millions, la moyenne annuelle n'est plus que de 3 entrées par habitant.

Pour cette époque, nous ne disposons encore que de données fragmentaires sur le pourcentage de propriété étrangère, c'est-à-dire non québécoise, des salles, et sur la répartition des profits. Nous savons toutefois que Famous Players Canadian Corporation[94] augmente son réseau de salles et est présente dans presque toutes les villes de quelque importance (dans *En pays neufs*, nous voyons un Palace à Rouyn et un Capitol à Bourlamaque, qui viennent juste d'être construits). En 1941, N.L. Nathanson, le rusé et coriace homme d'affaires qui avait « négocié » la vente du réseau des frères Allen à Famous Players, se tourne contre ses anciens patrons et fonde à Toronto (où se trouve déjà le siège social de Famous) la Odeon Theatres[125] avec son fils Paul à la direction. Ce réseau se constitue d'abord par l'affiliation d'indépendants qui jusque-là gîtaient chez Famous, puis par l'achat de salles un peu partout. C'est tout de suite la guerre entre les deux réseaux. Mais les hommes d'affaires avertis qui les dirigent comprennent vite qu'il ne saurait y avoir de vainqueur et que la lutte pour l'élimination de l'autre serait trop coûteuse ; ils en viennent donc à une entente en 1946 pour se partager l'approvisionnement des meilleurs films américains et éliminer ainsi la surenchère à la distribution. Pour le Québec, cela voulait dire surtout qu'Odeon aurait le monopole des versions françaises. Quant à l'exploitation des primeurs (*first run*) et des versions les plus rentables, qui s'évalue à environ 80 % de la recette totale du secteur, elle ne profite qu'à des étrangers (alors qu'ils ne possèdent, jusqu'aux années 80, pas plus du tiers des salles)[201] et cette situation prévaut toujours en 1987. Fait encore plus défavorable, c'est à Toronto que se décide ce que les Québécois verront ou ne verront pas, à quel moment les films leur seront offerts et dans quelle salle ils seront présentés. La même année, Paul Nathanson (son père était décédé en 1943) vend 50 % des parts de la compagnie à la Rank Corporation d'Angleterre, déjà propriétaire, dans son pays, d'un réseau de salles qui s'appelait aussi Odeon, et se retire des affaires. Quatre ans plus tard, il cède la dernière moitié de ses parts à la Rank.

Que projette-t-on dans les salles du Québec à l'époque ? Ici encore nous manquons totalement de statistiques précises sur la provenance des films. L'observation des pages publicitaires des journaux démontre une nette prédominance des produits américains. Nous savons aussi qu'environ 20 % des salles n'offrent que des « films parlant français » (ce qui signifie aussi bien les doublages de films américains ou italiens que les créations françaises) et qu'un autre 20 % des salles programment dans les deux langues selon les disponibilités. Ce qui, par rapport à la population du Québec, et même en ne considérant que le Montréal plus anglophone et plus bilingue, apparaît nettement disproportionné.

Bien que minoritaires, les films français jouissent d'un

assez grand succès, surtout vers la fin de la période[20]. On peut en voir un bon indice dans les foudres qu'ils s'attirent de la part du clergé et des revues cléricales : les cotes morales « adultes avec réserves », « à déconseiller » et « à proscrire » (voir la section Église et cinéma, page 131) leur sont octroyées dans plus de 50 % des cas ! En comparaison, presque la totalité des films américains reçoivent les cotes « tous » et « adultes »[2]. Ceci s'appliquant, ne l'oublions pas, uniquement à ce que le Bureau de censure a déjà laissé passer et souvent charcuté (voir la section Législation, page 134).

En 1952, on paie en moyenne 50 cents pour entrer dans les salles commerciales, ce qui représente encore le salaire d'environ une heure de travail (au salaire minimum). En général, c'est un peu plus cher à Montréal. Pour ce prix, on obtient le plus souvent un programme double : une production récente de haut niveau et une reprise. Les prix n'ont donc pas tellement augmenté depuis 1900 ; ils n'ont que quintuplé en 50 ans, parallèlement, grosso modo, à l'augmentation des salaires et du coût de la vie. Avec la baisse du nombre d'entrées, ils vont toutefois se mettre à augmenter plus rapidement, question de rattraper la marge de profits ; ils vont alors décupler en 30 ans.

En 1947 se déroule sur le plan de la politique culturelle nationale un des événements les moins glorieux de toute l'histoire, dont les répercussions se font encore sentir. Bien qu'en pleine croissance économique, le Canada connaît alors de sérieuses difficultés avec sa balance des paiements, surtout avec les États-Unis (il faut y payer comptant les biens de consommation qu'on y achète, alors que les exportations vers les pays européens pour la reconstruction d'après-guerre se font à crédit). Dans les mesures visant à l'équilibre, le budget national impose des quotas et des taxes spéciales sur beaucoup de produits américains (de luxe surtout) et il interdit même l'entrée des équipements cinématographiques de ce pays. Il ne touche pas encore aux profits générés par les films et qui passent la frontière, ces 17 millions de dollars que les Majors encaissent (10 pour la distribution, 7 pour l'exploitation).

Cependant la rumeur répand qu'une loi interdirait bientôt la sortie d'une partie de ces capitaux, ce qui forcerait les Majors à dépenser ici cet argent, probablement en le réinvestissent dans la production, comme cela se passe ailleurs (presque tous les pays adoptent cette mesure à l'époque). Certains songent même à limiter la présence des films américains sur les écrans pour donner plus de chance au produit national, comme presque tous les pays développés le font.

La riposte américaine ne se fait pas attendre. Eric Johnston, alors président de la Motion Picture Association of America (le regroupement des *Majors* pour défendre leurs intérêts aux États-Unis) vient à Ottawa faire du *lobbying* avec l'aide de J.J. Fitzgibbons, président de Famous Players Canadian Corporation, et proposer des mesures « volontaires » (il s'agit avant tout d'éviter le vote d'une loi) qui favoriseraient l'ensemble de l'industrie canadienne. Cette tactique des « mesures volontaires » offre l'avantage de la temporisation, des promesses vagues, des clauses mal définies, des vérifications quasi impossibles, des réalisations incontrôlables.

I Confess (La Loi du silence) d'Alfred Hitchcock fut tourné à Québec dans le cadre du Canadian Co-operation Project. Quelques comédiens québécois, dont Ovila Légaré, obtinrent des rôles secondaires ou de figurants. (Coll. Cinémathèque québécoise)

Après quelques mois de discussions, surtout autour de tables de restaurants, les *Majors* et le gouvernement canadien annoncent le 24 janvier 1948, la mise sur pied du Canadian Co-operation Project[125], qui sera maintenu pendant dix ans. L'entente prévoyait cinq grands objectifs:

1) Obtenir plus de productions américaines (tournages) au Canada;
2) Acheter plus de films canadiens pour le marché américain;
3) Donner une chance au capital canadien de participer aux productions américaines;
4) Promouvoir le tourisme américain au Canada;
5) Présenter des informations générales au sujet du Canada dans des films diffusés aux États-Unis.

Ce fut là un des plus beaux marchés de dupes jamais réussis par un financier américain! Et pas un homme politique canadien n'eut le courage de dénoncer ces promesses jamais réalisées, sauf pour quelques tournages (dont deux au Québec: *The Thirteenth Letter* d'Otto Preminger et *I Confess* d'Alfred Hitchcock qui emploient quelques comédiens d'ici), dont la plupart auraient de toute façon été effectués au Canada; ou quelques références risibles à des «réalités» canadiennes comme les «mountaineers from Winnipeg» (*sic*) ou à de merveilleuses forêts où les bandits en fuite trouvent des cachettes sûres! C'est par dérision pour ces références que John Kramer titrera son histoire filmée du cinéma canadien (1939-1953) *Has Anybody Here Seen Canada?*, une de ces vagues allusions au Canada tirées de films mineurs et peu diffusés[308]. Quant à la distribution américaine des films canadiens, elle fut presque nulle, si ce n'est quelques courts métrages de l'ONF cédés pour rien à la Columbia; pour ce qui est du long métrage, n'oublions pas que ces *Majors* s'employaient activement à tuer dans l'œuf toute tentative de création d'une production canadienne[9].

La tactique des «mesures volontaires» avait si bien réussi que les mêmes *Majors* n'hésitèrent pas à la réutiliser trente ans plus tard. Avec des résultats heureux identiques! De nouveaux ministres à Ottawa, Hugh Faulkner et Francis Fox, crurent tout aussi naïvement les vagues promesses et les mensonges qui avaient si bien berné C.D. Howe et Louis Saint-Laurent en 1947 (*voir* pages 268 et 376)[147].

B. Exploitation parallèle

Interdits dans les salles commerciales, les enfants n'étaient quand même pas privés complètement de cinéma. À leur intention, mais aussi pour le public adulte, les paroisses (qui demeuraient encore d'importants lieux de regroupement et d'activités multiples, autant en ville qu'à la campagne) organisaient des projections, le plus souvent en fin de semaine, dans les salles paroissiales, les sous-sols des églises ou les gymnases d'écoles[37]. On y montrait « petites » et « grandes vues », c'est-à-dire, courts métrages documentaires et longs métrages de fiction. De mon enfance dans un petit village de la Gaspésie au détour des années 50, je conserve de merveilleux souvenirs de ces films d'aventures épiques, westerns, comédies musicales américaines ou européennes, des Zorro, Errol Flynn, Tarzan, Fernandel, Bogart, Josélito et autres enfants « à la voix d'or »... découverts à la salle paroissiale. On y projetait en somme, avec quelques années de retard, les mêmes succès qui avaient rempli les salles commerciales de la ville. Ainsi, un grand réseau dit « de salles paroissiales » ou « communautaire », équipé presque uniquement en 16 mm (format qui permet de la mobilité, alors que le projecteur 35 mm ne peut bouger et est de manipulation plus compliquée), se construit à partir du milieu des années 30 et atteint son apogée durant les années 50. Michel Tremblay a particulièrement bien évoqué ces séances du samedi après-midi dans son roman *La Duchesse et le Roturier*[64].

Dans les campagnes surtout, mais aussi en ville, ce réseau sera très accueillant pour les projectionnistes itinérants de l'ONF durant et après la guerre. Il favorisera aussi la pénétration de notre cinéma naissant (chaque village a probablement eu la chance de voir *Aurore, l'enfant martyre* ou *Un homme et son péché*).

Il sera toujours impossible de quantifier l'étendue et la somme des opérations de ce réseau. Dirigées dans tous les cas par des bénévoles, les responsables des salles tenaient fort peu de comptabilité, d'autant moins que plusieurs se passaient en cachette le film pour lequel un seul payait la location! On n'y faisait d'ailleurs jamais de profits, les 5 ou 10 cents d'entrée suffisant rarement à payer toutes les dépenses; si d'aventure on réussissait à accumuler quelques dollars, c'était pour aider à la reconstruction de l'église ou à quelque autre bonne œuvre, parfois pour les réinvestir dans des films plus récents et plus coûteux. L'arrivée de la télévision touchera aussi ce réseau, mais plus lentement (n'oublions pas qu'il fallut plusieurs années avant que l'on puisse capter la télé dans l'ensemble du Québec rural) et moins profondément que l'entreprise commerciale.

Le réseau scolaire commence lui aussi à accueillir le cinéma, surtout les films didactiques que le Service de cinéphotographie va chercher un peu partout dans le monde, mais aussi les documentaires d'intérêt général des organismes gouvernementaux et les divertissements « de vendredi après-midi ». Aux niveaux postélémentaires, les ciné-clubs prospéreront à partir de 1950.

Enfin, signalons aussi que la télévision va très vite diffuser du cinéma pour combler ses trous de programmation. Elle deviendra rapidement auprès du public de masse le principal agent de diffusion de vieux films parmi lesquels se faufilent quelques classiques.

C. Les ciné-clubs et l'éducation cinématographique

L'événement le plus heureux à survenir pour l'exploitation du cinéma (parallèle surtout) durant toute cette période est sans doute la fondation des ciné-clubs.

En 1949, la Jeunesse Étudiante Catholique (JEC), mouvement d'action catholique avec des sections dans la plupart des écoles de niveau postélémentaire, prend le cinéma comme thème d'enquête et de discussion pour l'année scolaire 1949-1950 et fonde les premiers ciné-clubs étudiants structurés. Le mouvement applique au cinéma sa devise « voir-juger-agir ». Dès lors, un fort mouvement de ciné-clubs étudiants se développe dans tout le réseau des institutions d'enseignement (collèges classiques, écoles secondaires, écoles normales, instituts familiaux, scolasticats de communautés, etc.); il atteindra son point culminant au début des années 60[2].

Pour animer et soutenir le mouvement, la Commission étudiante du cinéma de la JEC fonde, en 1950, *Découpages*, première revue d'éducation et de vraie critique cinématographique au Québec. Leurs principaux collaborateurs sont Gilles Sainte-Marie, Michel Brault, Fernand Cadieux, Pierre Juneau, Claude

Sylvestre, Jacques Giraldeau, Marc Lalonde, pour la plupart étudiants universitaires. Presque tous s'illustreront dans un domaine ou l'autre du cinéma par la suite. Dix-sept numéros seront publiés entre 1950 et 1955. Transcrivons ici l'introduction du premier numéro, car elle résume bien l'orientation de presque tout le mouvement des ciné-clubs pour les quinze années suivantes, surtout lorsqu'il passa sous une autre direction (après 1952). Signalons ici que la plupart des signataires de cette introduction n'en partageaient plus tout à fait les idées quelques années plus tard, lorsqu'ils passèrent de spectateurs à créateurs:

> À toutes les équipes étudiantes qui s'intéressent à la question du cinéma et qui luttent pour en faire un instrument de la culture étudiante moderne!
>
> Le cinéma est devenu pour le milieu étudiant canadien un problème d'envergure sociale. Il nous atteint tous. Nous sentons bien qu'il faut faire quelque chose. Mais nous ne savons pas quoi au juste. Certains en ont peur, d'autres veulent le bannir, d'autres l'accepter en bloc. Mais nous sentons que ce n'est pas ça, qu'il faut une solution positive et équilibrée. Nous voulons qu'il nous serve.
>
> Comment cela se fera-t-il? Le cinéma nous apparaît comme quelque chose de colossal et sur lequel nous, étudiants, désarmés, sans grand argent, sans pouvoir politique, ne pouvons rien faire. Nous ne sommes que spectateurs! C'est le terrain sur lequel nous pouvons agir et justement c'est là que notre lutte se situe. Cela nous permet, étudiants, de jouer un rôle considérable dans cette lutte pour faire du cinéma un facteur de promotion spirituelle.
>
> En effet, immédiatement dans le milieu étudiant nous pouvons apprendre à vivre par le cinéma et non pas de lui. Il peut devenir un facteur de vie et non de rapetissement; ce qu'il est trop souvent.
>
> Transformer l'attitude du spectateur, c'est déjà commencer la transformation du cinéma.
>
> Cette tâche est urgente. Toute notre génération se pose à chaque jour la question. Se peut-il que nous la laissions sans réponse?
>
> Par notre action présente, nous exerçons sur notre génération une action à longue portée qui peut être décisive.
>
> L'équipe

Retenons surtout de ce texte le désir des jeunes cinéphiles d'inscrire le cinéma au nombre des «instruments de culture moderne» et des «facteurs de promotion spirituelle». La revue s'adresse aux spectateurs, dont elle veut transformer l'attitude. Ce sera d'ailleurs une constante des ciné-clubs que de viser la formation des spectateurs. Occasionnellement seulement, ils déboucheront sur la création et le rassemblement de cinéastes amateurs.

Le mouvement était parti de la base, les étudiants, mais affichant trop de liberté par rapport aux autorités ecclésiales, il les heurta bientôt. Ces jeunes adultes avaient la prétention de diriger eux-mêmes leurs associations, contestaient l'autorité décisionnelle sur les choix de films, réclamaient les classiques inédits, même ceux des « méchants communistes » comme Eisentein ou Poudovkine dont ils trouvaient les titres dans les histoires du cinéma, ne voyaient pas de mal là où les censeurs officiels au gouvernement ou officieux chez les distributeurs jouaient des ciseaux. L'archevêque Paul-Émile Léger de Montréal, récemment promu cardinal, et dont l'autorité est à son zénith, veut soumettre ces « fils » un peu rebelles et, parmi d'autres mesures, il désavoue la Commission des ciné-clubs. Les Jécistes voient ainsi « leurs efforts torpillés par l'autorité ecclésiastique », raconte Guy L. Côté qui considère que derrière cette mesure « se cache un épisode noir et honteux qui a soustrait à la cause de l'éducation cinématographique une poignée d'hommes solides et doués. »

Dès l'année suivante, le mouvement est de plus en plus contrôlé par les autorités religieuses par l'entremise des « centres diocésains » du cinéma, qui se dotent bientôt d'un Office national (1956), lequel établit aussi les cotes morales des films et dresse la liste des films dans laquelle les ciné-clubs peuvent puiser. Sa Commission des ciné-clubs entreprend en 1955 la publication de *Séquences*, revue de formation et de critique qui prend la relève de *Découpages*, qui périclitait depuis 1953. Elle organise aussi des stages d'été pour les animateurs et les participants, stages où l'on retrouve beaucoup de jeunes enthousiastes qui s'illustreront bientôt dans la production ou d'autres domaines du cinéma. Malgré leurs limites, ces activités sont d'autant moins négligeables qu'il n'existe alors aucune école de cinéma, ni programmes d'études dans les collèges et universités. Ils comblent donc un manque sérieux. Aucun bilan d'ensemble de cette aventure des ciné-clubs n'a été tenté, à part celui que j'ai inscrit dans mon étude *L'Église et le cinéma au Québec*[173]. Résumons-en ici les grandes lignes.

Il est sûr qu'à partir de 1953 environ, le mouvement fut

contrôlé par les prêtres, religieux ou religieuses « modérateurs » ou « modératrices » (à prendre ici au sens strict!). Bon nombre de ciné-clubs sont d'ailleurs fondés par eux et leur doivent la permanence de l'organisation : dans les collèges classiques, les étudiants passent, les abbés restent! Ils « modéraient » souvent la liberté de choix des films : bien des classiques ont mis du temps à être insérés dans les programmes (les films d'Eisenstein ou des autres Russes, certains de Fellini...) ou même ne le seront jamais (certains Buñuel), mais pour ceux qui ont vécu comme moi cette époque de la découverte enthousiaste du 7e art, mieux valaient ces restrictions que pas de ciné-clubs du tout. D'autres ont toutefois moins facilement supporté ces limites que moi : il faut lire le long éditorial enflammé que Jean-Pierre Lefebvre consacra en 1967 dans *Objectif* au « dirigisme absolu » des Centres diocésains et de *Séquences*, aux « vaillants mais ignorants apôtres venus évangéliser le cinéma à coup de théories jécistes », qui font de l'enseignement du cinéma un « lavage de cerveau » ou « un proche parent de l'enseignement du petit catéchisme »...

Le néo-réalisme italien y a toujours joui d'une grande vogue (Ah! *Le Voleur de bicyclette*), de même que le cinéma japonais au fur et à mesure de sa disponibilité ; des Américains, plusieurs westerns trouvaient grâce, mais non la « trop superficielle » comédie musicale! Quant à la production locale, seuls quelques documentaires méritèrent l'analyse ; les mélodrames étant regardés de haut et sans aucun intérêt[12].

Ils furent pour beaucoup une (très sérieuse) école de cinéma où, à défaut d'acquérir une compétence technique, plusieurs y prirent au moins le « virus » qui les amènera à y travailler plus tard (presque tous les cinéastes, critiques et professeurs de cinéma de plus de quarante ans). Car elles étaient sérieuses nos séances : lecture préalable de textes sur le film et l'auteur, présentation par l'animateur au début de la séance, discussions après la projection, souvent une seconde projection et une autre discussion! Là, point de place pour la modération : que n'y a-t-on pas entendu sur l'esthétique du néo-réalisme, la solitude du héros dans le western, les éclairages et le montage chez Eisenstein, les recto tono chez Bresson! Comme pour la critique, on puisait surtout ses grilles d'analyse, et beaucoup d'arguments, chez Henri Agel, Amédée Ayfre, André Bazin, Robert Claude, etc., quand ce n'était pas dans les encycliques ou autres publications papales! La devise «voir-juger-agir» des mouvements d'action catholique s'y traduisit, selon le Jésuite Jacques Cousineau par «voir-comprendre-juger-se libérer»: plus on apprenait à jouir du beau, plus on devait conséquemment rejeter le mauvais cinéma et les «mauvaises idées» qui se glissent même parfois dans le bon[2]! Une meilleure connaissance des mécanismes de séduction devait déplacer l'effet-jouissance de la sensibilité vers l'intelligence et relativiser l'influence sur nos esprits! Orientation vertement critiquée par Guy L. Côté, grand défenseur des ciné-clubs, dans *Objectif* quelques années plus tard:

> Eh bien moi, je dis non! Je suis cinéaste et je n'entends pas que l'éducation cinématographique ait pour but de «libérer» mes spectateurs des mouvements de leur sensibilité, des impulsions spontanées de leur instinct, de l'envoûtement de mon art. Sachez que c'est précisément par ces processus que je leur parle, et non en premier lieu par

La nourriture intellectuelle et spirituelle des cinéphiles aux meilleurs moments des ciné-clubs. (Photo Alain Gauthier, coll. Cinémathèque québécoise)

leur intelligence. (...) Je dirais même que dans l'état actuel des choses, alors que notre système d'éducation nous a bourré la tête de toutes sortes de principes mal digérés, mal compris, parce que mal enseignés, c'est peut-être par le cœur, par l'exercice tout simple des mouvements affectifs et spontanés de l'homme, que nous pourrons retrouver une échelle de valeurs qui a un vrai sens chrétien dans notre monde moderne.

Ce sont eux aussi qui ont entraîné la naissance d'une critique analytique structurée qui ne se contentait plus de raconter le film ou de louer le jeu de tel acteur (même si cette critique se limitait trop souvent aux niveaux psychologique et éthique). Si le Festival international du film de Montréal en 1960 et des salles « art et essai » comme l'Élysée et l'Empire après 1960 trouvent un public assoiffé d'un cinéma de qualité, c'est aux ciné-clubs qu'ils le doivent. Enfin, beaucoup de films « trop vieux » ou non rentables pour les salles commerciales n'auraient jamais intéressé les distributeurs sans ce marché spécialisé (les indépendants comme J.A. Lapointe ou Rex-Film auraient eu bien de la difficulté à survivre sans leurs commandes).

Critique

On a l'habitude de dater l'avènement de la critique avec *Découpages*[220]. Nous avons vu dans la partie précédente qu'il y eut bien avant 1950 de la critique vraiment cinématographique dans certaines revues cléricales ou dans plusieurs brochures. Il en est de même durant cette période. Les quotidiens (à *La Presse*, Roger Champoux, alias Léon Franque, au *Devoir*, Gilles Marcotte) lui consacrent de plus en plus de place, bien que les articles ne dépassent que rarement le potinage ou le résumé plus ou moins publicitaire, comme on les retrouve dans les revues promotionnelles. On y sera en général plutôt sympathique aux productions locales, bien que les comparaisons avec le produit américain jouent rarement en faveur des autochtones.

Plus sérieuse sera celle de diverses revues qui lui consacrent une chronique régulière ou épisodique. Dès sa création en 1941, par exemple, *Relations*, revue d'analyse sociale et religieuse des Jésuites, s'adjoint un chroniqueur plus ou moins régulier, Jean Vallerand, qui est aussi critique artistique au *Canada* (quotidien); après 1944, la chronique devient irrégulière et d'autres laïcs comme Roger Duhamel ou divers Jésuites y analyseront le cinéma dans ses effets culturels (entre autres, dans ses relations avec la censure, l'acculturation américaine, la moralité des films français, etc.) ou critiqueront les films à l'écran. Même genre de travail intellectuel épisodique dans *L'Action nationale* (qui avait pris la relève de *L'Action française* en 1933) où nous retrouvons dans les années 50 des noms comme Pierre Juneau ou Claude Sylvestre, personnes liées directement au monde du cinéma. *Cité libre* ajoute son mot avec un fracassant article de Pierre Juneau en 1951 sur «Le cinéma canadien: illusion et faux calculs» où on entrevoit pour la première fois une analyse culturelle pertinente de la production locale. *Vie étudiante* aussi présente souvent des articles. Les *Semaine religieuse* de Montréal et de Québec livrent également de temps en temps études et critiques, transmettent des directives des autorités religieuses. N'oublions pas ici que ces revues rejoignent alors plus de gens que toutes les revues de cinéma n'en atteindront jamais, surtout parce qu'elles s'adressent à ceux que les communicateurs appelleront plus tard des «multiplicateurs» (professeurs, curés, journalistes, etc).

Avec sa revue *Découpages* (1950), la Commission étudiante du cinéma de la JEC lance le mouvement des ciné-clubs et analyse le cinéma dans son esthétique propre, dans ses genres, dans sa relation avec le public. On y ignore toutefois presque complètement le cinéma québécois commercial de l'époque, comme du reste le documentaire canadien. Les quelques films d'ici qui y furent critiqués (*Étienne Brulé, gibier de potence, Tit-Coq*) ne trouvèrent pas des amateurs très enthousiastes, c'est le moins qu'on puisse dire! Ce n'est pas là qu'on peut obtenir une information minimale sur cette période du cinéma québécois. On y a consacré un imposant dossier à la comédie musicale, dont plusieurs articles pas très sympathiques. Par ailleurs, y transparaît moins l'objectif de faire du cinéma «un facteur de promotion spirituelle» qu'une sérieuse passion pour le 7e art en lui-même. Prise dans la querelle globale qui oppose les mouvements d'action catholique «trop indépendants» à la hiérarchie centralisatrice du cardinal Léger, la Commission se voit désavouée en 1952 parce que ses actions sont trop «esthétisantes» et «pas assez morales», et parce qu'elle s'est trop éloignée des autorités[173]. Dix-sept numéros auront été publiés, dont les quatre derniers après 1952, avant que *Découpages* ne disparaisse en 1955.

Pour remplacer la Commission désavouée, le diocèse de Montréal inaugure en 1953 son Centre catholique du cinéma de Montréal. Il publie en 1954 *Ciné-orientations* (14 numéros, jusqu'en 1957) qui s'adresse non seulement aux étudiants, mais à tout le public et se donne comme principale activité la formation et l'information, ce qui se résumera surtout en l'attribution de cotes morales aux films. Jean-Marie Poitevin, p.m.é., dirige le Centre et la revue. Comme son nom l'indique bien, cette petite revue servira davantage à transmettre les directives des autorités et à justifier les «cotes morales», qu'à faire de l'éducation cinématographique, ce qui est pourtant l'un de ses principaux objectifs. On y retrouve toutefois quelques textes théoriques et des nouvelles du mouvement des ciné-clubs.

Pour l'animation de ceux-ci, la Commission des ciné-clubs du Centre fonde en 1955 *Séquences* qui se veut «Cahier de liaison, d'étude et de travail, la voix qui encouragera et soutiendra notre démarche unanime vers la connaissance enrichissante du 7e art» (présentation du numéro un). Au comité de rédaction, durant les premières années, on retrouve surtout des clercs (Léo Bonneville qui en devient directeur en 1956 et qui l'est toujours, Henri-Paul Sénécal, Gilles Blain, Jacques Cousineau, etc.) et quelques laïcs (Gisèle Montbriand qui avait écrit dans *Ciné-orientations* et Marc Hébert). Fort sérieux et austère dans ses premières années, *Séquences*, avec ses quatre numéros publiés durant la période scolaire, reprend à peu près exactement le travail de *Découpages*, avec des études sur le langage, les genres, les grands auteurs, les courants, les techniques. Elle publie aussi les directives officielles (quand cesse *Ciné-orientations*), des commentaires et analyses des textes pontificaux (Pie XII en a produit plusieurs) ou provenant d'autres autorités, des critiques de films, des nouvelles des ciné-clubs, etc. À partir de 1959, elle accueille davantage de jeunes laïcs qui y disent leur passion pour le cinéma et dont certains (Jean Pierre Lefebvre, Jacques Leduc, Réal Larochelle...) seront amenés à y travailler activement plus tard. C'est surtout avec eux d'ailleurs que *Séquences* commence à s'intéresser au cinéma d'ici, car pendant ses six premières années, elle était restée presque complètement en marge de toute l'activité locale, orientée surtout vers la notion de « chefs-d'œuvre » et vers les « grands » auteurs (ce que ne sauraient être nos réalisateurs du cinéma documentaire!).

Trop éphémère, seulement six numéros en deux ans, *Images*, fondée aussi en 1955, se présente comme la première revue de cinéma québécoise complètement indépendante, c'est-à-dire non rattachée à une compagnie comme le *Courrier du cinéma* ou à des organismes, comme *Découpages*. Il vaut la peine de reproduire ici quelques extraits de la présentation du premier numéro, non pas tant comme indication de ce qu'aurait pu devenir cette revue, mais plutôt en tant que reflet de ce que pense un jeune milieu intellectuel dont plusieurs membres deviendront peu après des figures dominantes dans divers secteurs du cinéma et de la culture :

> Nous avons voulu rattacher le cinéma à cette volonté farouche que l'homme a développée de dire les choses ou de se dire par l'image. Cela remonte au premier dessin que l'homme a fait et dont la puissante beauté nous émeut encore. Les images que l'homme inscrit un jour dans la pellicule, sur le papier ou dans la télévision, il les a portées longtemps en lui. Un jour, il nous les projette à la face. À leur tour elles travaillent en nous, elles creusent dans les dessous de l'âme populaire, des sentiers inattendus, des mines où sommeillent des charges capables de dissoudre le monde, de le faire exploser ou au contraire de le transfigurer dans la beauté.
>
> Méditer sur le cinéma et les images n'est donc pas œuvre si vaine qu'on puisse le croire. Cela nous amène en ligne droite à une réflexion sévère sur nous-mêmes et les recès de notre cœur. (...)
>
> Il commence déjà à y avoir dans notre pays, une tradition — peut-être pas importante, mais elle existe — de culture cinématographique. Nous voulons y contribuer et nous voudrions que tous ceux qui s'y intéressent nous aident.
>
> À ce compte, *Images* jouera son rôle. Ce ne sont donc pas tant de simples lecteurs que nous désirons mais des compagnons de réflexion. Nous ne pourrons pas concurrencer les « Fan magazines »; c'est à un rendez-vous de la beauté et de l'intelligence que nous voudrions répondre. Cela vaut bien quelques risques.

Parmi les rédacteurs, entre autres, Gabriel Breton, Roch Demers, Fernand Cadieux, Guy Joussemet, Arthur Lamothe, Jacques Lamoureux, Jean Fortier, Huguette Boivin, Jacqueline Massé... certains sont des « rescapés » de la Commission étudiante du cinéma et de *Découpages*.

Dès le début, *Images* s'intéresse au cinéma qui se pratique ici, à son histoire et à ses créateurs ; en plus, évidemment,
de renseigner sur tout ce qui se passe ailleurs et de critiquer les
films intéressants en projection courante. Il est un peu dommage
qu'elle n'ait pu durer : les ciné-clubs y auraient trouvé une solution de rechange intéressante à *Séquences*, ou à tout le moins un
complément nécessaire.

Comme pour tout mouvement de critique naissant, les
rédacteurs de ces diverses revues, générales ou de cinéma,
empruntent ailleurs leurs modèles et références. À cause du type
de revues, on ne s'étonne pas trop de les voir puiser aux textes
de la critique catholique de France ou de Belgique. Henri Agel
et Amédée Ayfre, qui viennent d'ailleurs donner des conférences, mais aussi André Bazin et les *Cahiers du cinéma*, Edgar Morin,
Gilbert Cohen-Séat... fournissent les principaux modèles. La critique y est surtout comparative et orientée par les notions esthétiques de chef-d'œuvre et de beauté. Elle tient davantage compte
du narratif, de la composition et du jeu des personnages que
de l'aspect cinématographique à proprement parler (travail de
caméra, cadrages, montage, raccords, etc.). Rien d'étonnant, car
c'est la focalisation sur les personnages qui permet le mieux
d'ajouter « le bien » au beau, et de discourir sur les valeurs.

L'Église et le cinéma

Pendant les premières années de cette période surtout, et jusqu'en
1950 environ, l'action de l'Église catholique du Québec se résume
d'abord en la publication d'articles dans les revues qu'elle contrôle (où l'on demande une application plus stricte de la loi du
« 16 ans » qui se voit de moins en moins bien observée)[173]. Elle
s'étend aussi avec l'ouverture des salles paroissiales, sous-sols
d'églises et grandes salles d'école à la diffusion des « petites vues »
racontant la guerre ou décrivant les beautés du Canada, et des
« grandes vues » édifiantes comme *À la croisée des chemins*, *La Fille
des marais* (biographie de Maria Goretti)[20], mais aussi des aventures de Zorro, Tarzan et autres héros populaires. Cela fait également partie de la mission « éducatrice » de l'Église que d'organiser des loisirs « sains » (et contrôlables !) pour les jeunes, afin
de leur « éviter l'oisiveté » !

À la fin des années 40, beaucoup de clercs encouragèrent, directement ou non, par leur aide aux campagnes de financement des compagnies et l'assistance de leur influence, la production de notre petit « Hollywood »[69]. En contrepartie, ils obtinrent un assez grand pouvoir sur la composition des scénarios[132].

Puis ce fut, dans les mouvements d'action catholique et particulièrement la JEC, l'aventure des ciné-clubs, des stages d'été et des revues de critique où le travail d'éducation se faisait plus sérieusement pour vaincre « l'analphabétisme (cinématographique) quasi total des spectateurs, même de culture générale élevée » (Jacques Cousineau)[2]. Cette action n'offrit pas que des épisodes glorieux, comme nous l'avons vu dans la section Ciné-clubs.

En 1951, à l'occasion du 15e anniversaire de la publication de *Vigilanti Cura*, le Comité diocésain d'action catholique de Québec fonde la société Rex-Film pour « importer, distribuer et exploiter des films d'une haute valeur morale, artistique et technique pour le bénéfice des centres paroissiaux et des institutions du Canada » et en confie la direction au hollandais L.J. Van der Sande. En plus du pouvoir sur la production, il s'agit maintenant de créer un « secteur témoin » aux autres niveaux de l'industrie. Pour ces activités, qui requièrent des licenses gouvernementales, Rex-Film est constituée en une compagnie sans but lucratif avec de pieux laïcs à sa tête. L'entreprise veut à la fois opérer dans le secteur commercial en programmant le plus grand nombre de salles possible en 35 mm et fournir les films en 16 mm au réseau déjà existant. Elle réussit à obtenir de l'Assemblée des évêques la reconnaissance comme seule centrale pour tout le Québec, et avec ce privilège, à étendre rapidement ses activités. Mais à Montréal, les DeSève et Lapointe, qui contrôlent déjà ce marché et qui ont aussi beaucoup d'amis chez les membres du clergé, n'acceptent évidemment pas cette tentative de monopole venant de Québec. Ils seront les plus forts, d'autant plus qu'ils encouragent ceux qui au diocèse de Montréal songent à créer un centre qui s'occuperait avant tout d'éducation cinématographique. Finalement, Rex-Film obtiendra un certain succès dans les diocèses de Québec, Trois-Rivières et Rimouski durant les années 50; après 1956, où son privilège de distribution (inopérant) est abrogé par suite de la transformation du centre de Montréal en centre national, elle n'est plus qu'une modeste compagnie commerciale ordinaire[173].

L'activité la plus visible de l'Église à la fin de cette période est la classification morale des films et sa publication dans un bulletin hebdomadaire que plusieurs quotidiens reproduisent pour leurs lecteurs. Considérant que la censure de l'État n'assure pas une « protection suffisante », les autorités veulent informer davantage le public. Déjà, entre 1948 et 1954, l'Action catholique du diocèse de Montréal avait établi des cotes morales dans son Ciné-service, activité reprise en 1954 et 1955 par le Centre catholique du cinéma de Montréal. En 1956, cette publication devient *Les Films de la semaine* où, en plus des cotes morales, on trouve aussi des informations sur le film et un jugement esthétique (ce bulletin, devenu bihebdomadaire, existe toujours sous le nom de *Films à l'écran*). À la fin de cette année, quand le centre de Montréal devient Centre catholique national du cinéma, de la radio et de la télévision, les cotes ont maintenant valeur nationale et non seulement diocésaine. Les films y sont classés « tous », « adultes et adolescents », « adultes », « adultes avec réserves », « à déconseiller » et « à proscrire » selon la gravité du « tort » qu'ils

---

Smiles of a Summer Night   **A proscrire**

Un sujet inacceptable

Suédois. 1955. 108 min. Comédie psychologique réalisée par Ingmar Bergman avec Eva Dahlbeck, Gunnar Bjornstrand et Ulla Jacobson.

L'avocat Frédérick Egerman a épousé en secondes noces une très jeune femme, Anne, et son fils Henrik semble en être devenu amoureux. Egerman confie ses soucis conjugaux à une ancienne maîtresse, l'actrice Désirée, chez qui il est surpris en tenue compromettante par le comte Malcolm, l'amant de Désirée. Celle-ci qui veut reconquérir Frédérick l'invite avec Henrik au château de sa mère en même temps que le comte et la comtesse Malcolm. S'ensuit, au cours d'une belle nuit d'été, un chassé-croisé amoureux où les couples se font et se défont au gré des caprices de la passion.

Les rapports entre les divers personnages sont plus complexes que ne le laisse deviner ce court résumé du scénario. Sur un thème vaudevillesque, Bergman a construit une comédie à la fois enjouée et amère où se manifestent son sens du dialogue et son acuité psychologique. Cette œuvre est empreinte d'une ironie désabusée qui se joue de toutes les valeurs. L'interprétation est de qualité.

Distributeur :
Fox

Appréciation morale : *Ce film présente un monde libertin et cynique où les principes moraux sont constamment battus en brèche. A proscrire.*
3-11-61

(Une fiche des *Films de la semaine*) Avant le milieu des années 60, rares furent les films auxquels on accorda la cote la plus sévère ; ils l'obtinrent moins à cause d'images, car la censure avait préalablement écrémé les meilleures représentations, qu'à cause de valeurs et de principes jugés dangereux. Remarquons aussi le titre qui signifie que le film était en version originale et sous-titré en anglais. Ceci fut le cas de la presque totalité des films suédois, italiens ou japonais... à nous parvenir à l'époque.

peuvent causer aux divers spectateurs (rappelons ici que ces catégories n'ont aucun rapport avec les visas d'exploitation et ne constituent aucune contrainte légale). Sans aller jusqu'à en faire un objet *ipso facto* de péché, mais en rappelant le « devoir d'obéir à l'autorité » on demande aux catholiques de s'abstenir entièrement des films des deux dernières catégories. Je ne crois pas que les cotes aient influencé beaucoup les décisions des spectateurs (sinon pour rendre plus aguichants les films « à proscrire », ce qui fut reconnu même à l'époque), mais elles eurent quand même un effet considérable : elles ont écarté bon nombre de films de certaines salles, contrôlées par les clercs, et surtout de celles de tout le réseau parallèle et des ciné-clubs.

À l'occasion, diverses autorités publient des textes où, bien sûr, les encycliques tiennent lieu de manuel de référence et de critères esthétiques. Malgré les encouragements aux ciné-clubs, on y sent presque la même méfiance qu'auparavant et la même peur d'un imaginaire non contrôlable. C'est pourquoi le cardinal Léger et bien d'autres demanderont aux critiques catholiques de « mettre l'accent sur le point de vue moral et de formuler (leurs) jugements en évitant de glisser dans un déplorable relativisme moral et de négliger la hiérarchie des valeurs ».

Législation

Aucun nouveau point de loi n'est voté à Québec en ce qui concerne la circulation des films et la censure. Les inspecteurs du gouvernement étant fort rares et le territoire à couvrir fort large, l'interdiction de l'entrée aux moins de 16 ans se voit de moins en moins bien respectée. Elle est d'ailleurs d'autant plus difficile à observer qu'il n'existe aucune carte d'identité et que les guichetières doivent se fier aux apparences : il est si facile de se tromper, surtout quand le gérant les y incite !

La même clémence ne s'applique pas à la censure. Le Bureau a le pouvoir absolu d'interdire tout film qui propage « les enseignements communistes, l'athéisme et la révolution ». On connaît bien la lutte que le premier ministre Duplessis fit contre l'ONF, mais en plus, il intervint lui-même pour faire interdire certains films, surtout français. *Les Enfants du paradis* fut la principale victime de cette politisation du Bureau de censure[20]. Sans doute pour faire plaisir à quelque évêque ami scandalisé par l'amoralité du film de Carné, Duplessis (dont les préjugés anti-intellectuels français tenaient de la pathologie et qui n'aimait pas du tout le cinéma) ordonna au Bureau de l'interdire totalement, pas seulement de le « charcuter », comme on le faisait habituellement pour le cinéma français. Rien ne put le faire changer d'idée, ni les pressions des distributeurs locaux, ni même les démarches de l'ambassadeur de France. La rumeur répand beaucoup d'autres faits liés à cette politisation de la censure, mais aucune étude sérieuse n'a encore été consacrée à ce sujet.

À Ottawa, on passa tout près d'une loi de contingentement des films américains et d'une loi limitant l'exportation des capitaux générés par le cinéma (en 1947). On conclut plutôt le Canadian Co-operation Project de triste mémoire (*voir* page 118).

Les seules lois votées furent, à Ottawa, celles créant et amendant l'Office national du film (1939 et 1950), et à Québec, celle instituant le Service de cinéphotographie en 1941.

Migration de talents

Bien que le Canada et le Québec aient continué durant cette période de fournir aux studios américains et européens des vedettes importantes (les Lorne Greene, Suzanne Cloutier, Glenn Ford, Yvonne de Carlo, Raymond Burr, Boris Karloff, etc.), la migration de talents joua alors plutôt en faveur du cinéma local.

En effet, la venue de John Grierson en 1939, et peut-être surtout celle des hommes de grand talent qu'il invita pour des collaborations provisoires ou permanentes (Stuart Legg, Basil Wright, Raymond Spottiswood, Alexandre Alexeieff, Joris Ivens, Norman McLaren, etc.) exercent une influence durable sur tout le cinéma fait en ce pays. Les « autochtones » surent bien profiter des leçons de ces maîtres, parfois même pour les dépasser.

Au Québec, les Européens invités à venir réaliser les premiers longs métrages commerciaux n'étaient pas du groupe des maîtres de la profession, mais ils possédaient quand même un certain métier et le succès de quelques films leur devait beaucoup (Paul Gury, Fedor Ozep, René Delacroix, etc).

TROISIÈME PARTIE

LA RÉVOLUTION PAR L'ALBUM
1956-1968

Hollywood vit, au tournant des années 60, les derniers soubresauts de sa gloire passée. Elle a beau agrandir les écrans, multiplier les couleurs, allonger le spectacle et raccourcir les costumes féminins; elle a beau défier, puis déchirer le Code Hays pour libérer les scénarios des tabous, elle ne se remet pas de la fuite de ses «fidèles», séduits par la télévision. Celle-ci provoque d'ailleurs une sensibilité nouvelle chez les spectateurs, laquelle exige une transformation du cinéma qui tarde à venir. Seuls quelques grands succès (*Sound of Music, Longest Day*, les James Bond) retardent la fermeture des grands studios ou leur réorientation vers la production télévisuelle.

D'autre part, l'accession à l'indépendance des pays africains, une relative libéralisation dans les pays d'Europe de l'Est faisant suite à la déstalinisation, encore plus «relative» de l'URSS et le bouillonnement de l'Amérique Latine ont favorisé l'émergence de plusieurs jeunes cinémas nationaux dynamiques et créateurs[29]. Il faut dire que, sauf en Amérique du Nord et dans quelques pays d'Europe de l'Ouest, la télévision ne pénètre que fort lentement et que le cinéma continue presque partout d'accroître sa diffusion, quand il ne commence pas tout simplement à être diffusé; car en 1960, il y a encore probablement les trois quarts de la population mondiale qui n'ont toujours jamais vu d'images animées.

Dans ces nouveaux cinémas, des formes originales et des thématiques inédites illuminent les écrans. Il ne s'agit plus, comme dans le cinéma hollywoodien d'en mettre plein la vue, mais plutôt d'en mettre plein la conscience. Comme le souligne bien Louis Marcorelles dans son étude pour l'UNESCO[46], à Budapest comme à Dakar, Rio ou Montréal, les jeunes cinéastes contestent et veulent «changer simultanément le pays et le cinéma».

Gilbert Sicotte et Roger Le Bel dans *Les Années de rêves*. En 1984, Jean-Claude Labrecque fait revivre par quelques personnages la petite histoire des « beaux rêves » des années 60. C'est parce que certains connaîtront un réveil brutal qu'ils feront les événements d'Octobre 1970. (Photo Warren Lipton, Les Films René Malo)

Ils ont assimilé les leçons du néo-réalisme italien et de la nouvelle vague française et les font servir pour l'élaboration d'œuvres originales et profondément enracinées dans les réalités locales. L'extension des moyens de transports et de communication mis en place dans l'après-guerre favorise les contacts et les échanges entre ces nouveaux cinémas, en même temps qu'elle permet à de riches cinématographies jusque-là pratiquement inconnues, par exemple celle du Japon, de se faire voir partout (les festivals de Cannes et de Venise facilitent beaucoup ces contacts).

Le Québec connaît aussi à cette époque des transformations majeures[44]. Cette décennie est celle qu'on appellera plus tard Révolution tranquille. Après la mort de Maurice Duplessis en 1959 et la fin, en 1960, de son régime autoritaire et conservateur, un nouveau souffle de développement anime toutes les institutions. Les slogans principaux du Parti libéral de Jean Lesage qui vient de prendre le pouvoir, « faut que ça change » et « maîtres chez nous », ne restent pas simples cris électoraux. Une conscience nouvelle est prise du pouvoir que donnent les richesses naturelles quand on en contrôle le développement : et c'est la nationalisation de l'électricité, accompagnée d'un vaste programme d'érection de nouvelles centrales. Un besoin pressant est ressenti de compétences nouvelles dans les sciences et l'économie : et c'est la mise en chantier de la plus radicale transformation de son système d'éducation qu'ait connu un pays d'Occident. Cette réforme s'accompagne — et souvent se nourrit — d'une formidable effervescence culturelle dans tous les secteurs : le théâtre (avec Marcel Dubé surtout), la chanson poétique et enracinée (Félix Leclerc, Gilles Vigneault, Claude Gauthier, Pierre Calvé, Jean-Pierre Ferland, etc.). On assiste à l'apparition de dizaines de nouveaux romanciers, poètes et intellectuels, et pour eux, à la création de nouvelles maisons d'édition comme les Éditions de l'Homme et les Éditions du Jour ; à côté de *Cité libre* on voit surgir des revues critiques comme *Liberté, Maintenant, Parti pris*.

De tout cela émerge une nouvelle conscience politique qui, en commençant par les milieux de jeunes intellectuels, fait des ronds vers les groupes de gens actifs dans les syndicats, asso-

Pour la suite du monde de Pierre Perrault et Michel Brault : la redécouverte que la suite du monde n'est possible que par le rassemblement dans une œuvre collective qui s'appuie sur la force des rêves et l'établissement de nouvelles solidarités. (ONF)

ciations de consommateurs, regroupements de toutes sortes, cellules politiques, associations étudiantes, travailleurs sociaux, religieux de gauche, etc. Elle s'articule sur les deux pôles de l'indépendance du Québec et du socialisme (celui-ci assez diffus, par contre). Des groupes plus engagés et plus radicaux fondent quelques cellules d'un Front de libération du Québec (FLQ), tentent d'imiter les tactiques révolutionnaires qui avaient réussi en Algérie et à Cuba (les deux phares de la gauche de l'époque) et leurs actions violentes (bombes, vols, enlèvements) aboutiront à la crise d'octobre 1970.

Le cinéma québécois ne restera pas en marge de ces mouvements, ni de celui des jeunes cinémas, ni de celui de la nouvelle culture en train de se façonner dans le monde ambiant. Au contraire, dans sa veine documentaire (la principale) comme dans ses modestes fictions indépendantes, il ne sera pas seulement reflet, il participera au travail d'inventaire culturel, à la réflexion collective et aux célébrations du renouveau. Lui aussi, il veut « changer le pays et le cinéma ».

Bien que confondu avec le cinéma canadien (c'est-à-dire anglophone) durant les premières années de cette période, tous les créateurs participant alors de l'esprit et des techniques du *candid eye*, le cinéma québécois s'en démarquera dès que les cinéastes francophones voudront insérer leurs images dans l'histoire en train de se faire et dans le bouillonnement culturel qui anime alors les secteurs les plus dynamiques de la société et dès qu'ils prendront position face aux transformations en cours.

Production

A. Les organismes gouvernementaux

a) l'Office national du film

Nous avons choisi que cette période commence en 1956 avec le déménagement de l'Office national du film d'Ottawa à Montréal parce que nous pensons que ce fait, banal en soi, fut à l'origine des événements qui provoquèrent, comme allant presque de soi, l'émergence du cinéma québécois[74].

Arthur Irwin, l'éditeur du magazine *Maclean* nommé commissaire de l'Office en 1950, au moment le plus fort de la crise anticommuniste, avait décidé ce déménagement dès 1951 parce qu'il avait senti le besoin de l'éloigner des politiciens et de l'installer dans une grande ville qui présenterait une tradition créatrice dans les arts tout en offrant un bassin étendu de talents de toutes sortes (acteurs, peintres, écrivains, décorateurs...)[125]. Irwin, tout unilingue anglophone qu'il était, trouvait indécente la situation des Canadiens français dans la « boîte » et il croyait nécessaire de lui donner un caractère bilingue si l'on prenait au sérieux le mandat de faire l'unité canadienne. Seule Montréal devenait alors le choix logique. Il ne lui fut pas facile de convaincre les fonctionnaires, à commencer par ses subalternes, de la pertinence de ce choix, mais il bénéficiait de l'appui du premier ministre Louis Saint-Laurent et le déménagement fut chose faite au printemps de 1956.

Quelques jeunes Québécois ou francophones de diverses origines ont déjà réussi à s'installer dans la maison (Vincent Paquette, Roger Blais, Raymond Garceau, Jean-Paul Ladouceur, Jacques Bobet, Bernard Devlin, Guy L. Côté, Pierre Juneau (dans un rôle d'administrateur plutôt controversé), etc.), pendant que plusieurs autres y ont fait des séjours plus ou moins longs (Jean-Yves Bigras, Pierre Petel, Jean Palardy). Mais c'est surtout après l'installation à Montréal que s'ajoutent progressivement — et pour y exercer une influence décisive — les Claude Jutra, Michel Brault, Louis Portugais, Fernand Dansereau, Arthur Lamothe, Gilles Groulx, Gilles Carle, Pierre Patry, Léonard Forest, Pierre Perrault, Bernard Gosselin, Marcel Carrière, Claude Fournier... [319] Ces derniers, en majorité diplômés universitaires, frisant la trentaine, ayant tous une expérience de travail créateur (journalisme, graphisme, beaux-arts, poésie, télévision, radio, etc.) et, pour la plupart, liés aux milieux intellectuels les plus dynamiques, n'acceptent pas facilement les seconds rôles, ni de devoir traduire leurs projets pour quêter l'approbation des producteurs unilingues anglophones.

Le 26 février 1957, le journaliste Pierre Vigeant du *Devoir* écrit un petit article sur les injustices qu'ont à subir les Canadiens français à l'Office[70]. La relocalisation à Montréal les a rendues plus évidentes. C'est le début d'une campagne de presse qui durera deux mois. On y apprend que pour des postes égaux, les francophones, mêmes bilingues (ils le sont tous, cela fait partie des conditions d'emploi), sont systématiquement moins payés que leurs collègues unilingues anglophones; que leurs chances d'avancement sont nulles; qu'ils n'ont à ce jour réalisé que moins de 7 % des films de l'institution; qu'ils doivent écrire leurs scénarios en anglais pour que les cadres les comprennent; qu'ils sont surtout confinés aux rôles d'assistants ou de traducteurs; que plusieurs ont à subir quotidiennement des vexations inacceptables; que le soi-disant *fair-play* britannique dans les relations entre cinéastes ne sert qu'à mieux dissimuler les coups bas[157].

Guy Roberge est le premier Canadien français — évidemment bilingue — à devenir commissaire, et c'est parce qu'on vit à l'ONF une crise que seul un habile diplomate peut apaiser. La crise résorbée, on ne se gênera pas pour remettre en poste des unilingues anglophones jusqu'en 1975, surtout Sydney Newman qui aimait tant certains films de Groulx et d'Arcand qu'il les conservait pour lui seul dans son coffre-fort. (ONF)

Plus grave encore, il n'y a aucune reconnaissance de la culture canadienne française comme élément de la mosaïque canadienne : les cadres et producteurs anglophones s'arrogent le droit de décider ce qu'est la culture du Québec ou de l'Acadie. Pour ces jeunes intellectuels, l'ONF (« organisation non française », se moque l'un deux) apparaît comme un microcosme révélateur de l'ensemble de la réalité canadienne et leur enlève toute illusion possible sur la position véritable de leur peuple, non seulement de leur petit groupe, face à la majorité anglophone. C'est l'écroulement du rêve de la bonne entente nationale. Car se vivent à l'ONF, exacerbés par les sensibilités personnelles de ces artistes, les mêmes tensions, luttes, dénis de différences, oppressions que dans le monde politique. Du fait de sa mission propre, l'ONF doit aider à faire l'unité canadienne, mais il est lui-même déchiré par les antagonismes et les préjugés raciaux! La domination linguistique n'y est que le symbole du refus total de la culture minoritaire. Un des cinéastes, signant simplement « Un des *Not Well Integrated* », l'affirme carrément :

> La vérité, c'est qu'on n'a jamais admis de fait, à l'ONF, et qu'on n'a jamais activement reconnu l'existence de deux cultures ayant chacune leurs moyens propres d'expression… Nous sommes dans la position de Lazare recueillant les miettes tombant de la table du riche… On a d'ailleurs trouvé une expression très colorée pour qualifier les Canadiens français « inadaptés » : on parle d'eux comme du *dead wood* ou des *not integrated* de l'ONF… Un intellectuel canadien-français constitue pour eux une espèce de bête étrange, venue d'une autre planète…

Quand on lit ou qu'on entend les Roger Blais ou Raymond Garceau raconter cette époque, on pense à cette fameuse séquence de la rencontre entre les Acadiens et le maire Jones à l'Hôtel de ville de Moncton dans *L'Acadie, l'Acadie* de Pierre Perrault et Michel Brault. On comprend alors que les francophones n'ont pas tort de réclamer une section française autonome.

À la fin d'avril, Guy Roberge devient le premier Canadien français à occuper le poste de commissaire. C'est la fin de la campagne de presse, mais il faudra attendre encore quelques années pour la reconnaissance officielle de l'autonomie des francophones. En 1959, Fernand Dansereau, Bernard Devlin, Léonard Forest et Louis Portugais deviennent cadres producteurs de l'équipe française, avec un pouvoir de décision limité, mais réel. En 1962, consécration irréversible, Pierre Juneau devient directeur de la section. À partir de ce moment-là, il y a, dans les faits, deux sections nettement distinctes, comme il existe deux Radio-Canada, anglophone et francophone, avec direction séparée, mais sous l'autorité toutes deux d'un seul commissaire.

En cette fin des années 50, les Québécois de l'Office collaborent avec les Low, Koenig, Kroitor, Filgate, Daly, etc., pour les séries *On the Spot* et *Candid Eye* ou produisent leurs propres séries, le tout étant destiné à la télévision de Radio-Canada. La collaboration entre les deux organismes de propriété fédérale constitue alors un atout de taille pour le cinéma.

Signalons surtout ici *Panoramique* (1957) qui, par séries d'épisodes dramatiques (entre trois et huit), vise à dégager les grandes lignes de force de l'évolution du Canada français et à rendre compte des bouleversements majeurs qu'il a connus depuis 1930. On verra ainsi *Les Brûlés* (1958, huit parties) de Bernard Devlin sur la dépression, la colonisation pénible de l'Abitibi et le mythe du retour à la terre; *Il était une guerre* (1958, cinq parties) de Louis Portugais sur la crise de la conscription; *Les Mains nettes* (1958, quatre parties) de Claude Jutra sur l'émergence et les nouvelles attitudes du milieu des collets blancs; *Le Maître du Pérou* (1958, trois parties) de Fernand Dansereau sur une famille rurale aux prises avec les problèmes de l'agriculture; *Les 90 jours* (1959, quatre parties) de Louis Portugais sur une grève (inspirée de celle d'Asbestos) illustrant la montée du syndicalisme. Formellement, ces séries adoptent le ton, le langage, les ambiances, les musiques, le style familier des téléromans populaires de l'époque (*La Famille Plouffe*, par exemple) qui, au fond, sont presque les répliques exactes des fictions commerciales des années précédentes. On ne peut voir de grosses différences «formelles» entre, par exemple, *Il était une guerre* et *Le Curé de village*. Le ton s'accommode aussi fort bien de la tradition documentaire et réaliste qui a alors cours dans la production habituelle de l'Office. Après son passage à la télévision, à raison d'un épisode par semaine, chaque série est re-montée et épurée pour en faire un long métrage de durée standard offert à la distribution communautaire. Ces longs métrages circulent encore en 1987 et intéressent tant les historiens en général que ceux du cinéma, car en plus de renseigner sur quelques faits historiques majeurs, ils indiquent fort bien comment le monde intellectuel de cette fin des années 50 interprétait ces faits historiques en fonction des exigences du moment.

Félix Leclerc et Monique Leyrac dans *Félix Leclerc, troubadour* de Claude Jutra. On admire la grande vedette, mais on s'amuse surtout de voir Félix attendre l'équipe de tournage, assister à son arrivée et à l'installation des lourds appareils, se moquer du filmage et des artifices pour simuler la spontanéité et la vraisemblance du «vrai documentaire». (ONF)

Pour faire suite à *Panoramique*, les Québécois de l'Office produisent aussi *Profils* qui veut célébrer «la personnalité de ces hommes et femmes dont on peut dire qu'ils expriment, par leur activité créatrice, les dynamismes de notre vie nationale» (catalogue de l'ONF); ils font ainsi mieux connaître le chanoine Lionel Groulx (Pierre Patry), Germaine Guèvremont (Pierre Patry), Marius Barbeau (Réal Benoit), Saint-Denys Garneau (Louis Portugais), Félix Leclerc et Fred Barry (Claude Jutra); il faut revoir *Félix Leclerc, troubadour* moins pour son portrait du célèbre chansonnier que pour son illustration tout à fait amusante de la supposée «spontanéité» du documentaire traditionnel. Hors série, on retrouve aussi plusieurs portraits de personnes ou de rôles sociaux. Les préoccupations développées dans cette production (histoire, analyse sociale, communication avec le public, etc.) pré-

parent l'avènement du cinéma direct. Formellement, ils diffè-
rent bien peu du reportage pour la télévision, mais à cette époque, précisément, on en est encore à développer l'esthétique et
l'éthique du reportage télévisuel.

Une autre série, *Coup d'œil*, donne l'occasion à Michel
Brault[264] d'aller filmer le congrès annuel (compétitions amica-
les, fêtes) des clubs de raquetteurs se tenant en 1958 à Sherbrooke.
Brault apporte plus de pellicule que requis pour ces trois minutes de commande, se promène la caméra sur l'épaule en plein
milieu de la fête, va chercher le détail humoristique et fait de
sa caméra une participante aux célébrations. Grant McLean, le
directeur de production, n'apprécie ni le ton des images ni le
premier montage de Gilles Groulx[254] et ordonne d'envoyer tout
ce matériel « aux archives ». Il n'ose dire « à la poubelle » ! Mais
Groulx s'obstine à le monter et finalement *Les Raquetteurs* devient
en quelque sorte le manifeste du nouveau cinéma documentaire
avec lequel toute l'équipe française va chercher à s'illustrer. Film
charnière, il marque le début de ce que Gilles Marsolais va appe-
ler « l'aventure du cinéma direct »[47].

L'aventure du cinéma direct et ses retombées

Ainsi nous avons inventé au Québec le cinéma direct. Sous l'influence
de la télévision et du bouleversement stylistique qu'elle amenait, sous
l'influence aussi des Anglais (*Free cinema* et le groupe de Filgate, Koenig et Kroitor), comme sous l'influence des Français (Jean Rouch),
nous avons aperçu une direction nouvelle qui ouvrait véritablement
une porte à notre expression. Le cinéma direct nous venait d'ailleurs
quant à ses prémices.

Nous l'avons fait fleurir et de par là, nous avons établi avec
notre milieu un premier lien vivant et fonctionnel d'artiste où la con-
firmation étrangère jouait un rôle minime. La série Temps présent,
puis les films de Pierre Perrault, puis la production Société nou-
velle/Challenge for Change et enfin les activités du Vidéographe,
nouaient un rapport fécond artiste-milieu dans un champ culturel qui
nous appartient en propre, et sur lequel les normes de l'autre ne
jouaient plus. C'était du cinéma par nous Québécois et pour nous
Québécois. En fait, malgré une situation objective de colonisation,
le cinéma québécois se mit à affirmer une vitalité et une originalité
d'une rare force.

Fernand Dansereau (1974)[102]

Les Raquetteurs de Michel Brault et Gilles Groulx. La neige n'était malheureusement pas au rendez-vous, mais la musique, la bonne humeur, la petite bière et le goût de fêter ensemble ne manquaient pas. Brault y libère la caméra du trépied, la transporte en plein milieu des activités et découvre avec émerveillement les vertus de l'improvisation. (ONF)

Le direct, c'est avant tout une manière différente de faire du documentaire, une « écriture » nouvelle imposée par le contexte et les instruments : la télévision impose un rythme de production beaucoup plus rapide, et pour l'atteindre, il faut inventer de nouveaux appareils (caméra légère, nouveaux magnétophones et son synchrone), rendre les pellicules plus sensibles pour éliminer les éclairages sophistiqués. Chaque tournage devient presque une « session d'études », une école où, sans maîtres, les élèves multiplient les expériences et s'enseignent les uns aux autres, à la mesure des résultats heureux ou malheureux, une nouvelle esthétique. Les nouvelles conditions de tournage changent à leur tour la mentalité des artisans en les rendant plus mobiles… et plus curieux d'expérimenter encore d'autres techniques (bricolage avec des caméras de divers modèles, allongements des temps de développement pour obtenir des effets inédits avec les pellicules existantes, etc.)! Plus disponibles aussi à l'événement; comme le souligne Jacques Leduc : « Tu t'en vas filmer et c'est juste à côté que ça se passe », il faut alors s'adapter rapidement et corriger les trajectoires. Changement d'attitudes aussi : Michel Brault dira : « Le direct, c'est des caméras qui écoutent ! » et Bernard Gosselin : « Le direct, c'est courir après le miracle ; des fois il arrive, le plus souvent pas ! » Cette spirale s'intégrant dans le bouillonnement culturel qui anime alors toute la société, l'aboutissement en est un saut qualitatif du documentaire qu'on appellera désormais « cinéma direct » (après une brève période où l'on parle de « cinéma-vérité »).

Michel Brault filmant la pose des harts dans *Pour la suite du monde*. La caméra mobile au milieu de l'action : condition essentielle pour aller « pêcher » le naturel. (ONF)

En effet, il s'agit maintenant de filmer le plus « directement » et du plus près possible la réalité. Mais pas n'importe quelle réalité : c'est à la rencontre « directe » de personnes que les cinéastes convient. En opposition au documentaire classique, on pourrait dire qu'ils s'intéressent plus aux biographies qu'à la géographie, aux gens qui font l'événement plutôt qu'à l'événement lui-même ; ou alors, ceux-ci n'intéressent que pour leur influence sur les personnes. Ils invitent les « filmés » à prendre la parole plutôt que de parler à leur place, privilégiant ainsi le cinéma de communication à l'expression personnelle « en tant qu'artiste » ; c'est surtout par le montage et la structure d'ensemble des films qu'ils ajoutent leur propre parole. En opposition au cinéma traditionnel, ils cherchent moins à en mettre plein la vue qu'à en mettre « plein la conscience ».

Dès *Les Raquetteurs* de Michel Brault et Gilles Groulx (1958), nous pouvons dégager les caractéristiques principales de ce que sera le meilleur cinéma direct :

— une caméra mobile, au milieu de l'action, faisant du spectateur un participant à celle-ci, et non un observateur neutre qui se contenterait de regarder de loin, au télé-objectif ; immanquablement visible au milieu des gens, la caméra n'est plus « espionne » ou « voyeuse » ; personne ne peut ignorer sa présence ; peut-être composera-t-on un numéro pour elle, peut-être sera-t-on aussi naturel que possible si on a le temps de l'apprivoiser et si le cinéaste a su établir sa sympathie ; de toute façon, elle crée un rapport nouveau entre elle et le filmé ;
— un refus d'idéaliser les gens, de les « maquiller » avant de les filmer, pas plus par de savantes pirouettes techniques (éclairages, angles, mouvements de caméra, etc.) que par la censure du « bon » et du « mauvais goût » ; le suprême défi est de passionner

Malgré l'équipe réduite au minimum, la souplesse et la dextérité des opérateurs, malgré la discrétion du réalisateur, il y a toujours mise en scène (ou mise en place) des intervenants, organisation de l'espace et choix de cadrages. Tournage de *L'Acadie, l'Acadie* de Pierre Perrault et Michel Brault. (ONF)

le spectateur avec ce qu'on considérait jusqu'alors immontrable ou sans intérêt;

— un abandon du commentaire savant ou poétique récité par une belle voix «radio-canadienne» avec un arrière-fond de belle musique, surtout classique; à la place, les bruits ambiants, les paroles des gens avec leurs vrais accents, les références minimales pour une bonne compréhension du sujet; s'il y a commentaire, ce n'est plus une redondance de l'image, mais pour l'apport d'informations complémentaires ou interprétatives;

— un refus du touristique, de l'exotique, du pittoresque clinquant; on veut y montrer les personnes plutôt que les paysages, l'intérieur des maisons plutôt que les façades; la seule géographie intéressante est celle des visages humains; on tâche d'y révéler la vraie vie des ouvriers plutôt que d'admirer leurs outils (Arthur Lamothe, par exemple, parlera plus des *Bûcherons de la Manouane*

Huit témoins de Jacques Godbout, illustrant à son meilleur cette idéologie de «travailleur social bénévole tout en faisant son travail de cinéaste» qui anima une grande partie du cinéma direct. (ONF)

qu'il ne montrera les arbres et les tronçonneuses; Gilles Groulx passe davantage de temps dans la maison des boxeurs et dans la rue que dans les arènes avec *Golden Gloves*);
— un montage par association et juxtaposition de témoignages et d'images, donc par des choix délibérés, ajoute un «commentaire» de la part du réalisateur; cette «parole» doit compléter, et jamais remplacer, celle des intervenants. Tout se passe comme si le réalisateur disait aux spectateurs: voilà, je vous mets en contact avec des gens que j'aime et que je trouve intéressants — si je ne les aimais pas, je n'oserais pas vous en parler — écoutez ce qu'ils ont à dire, essayez de comprendre leur réalité.

Ce cinéma demande beaucoup de curiosité et de disponibilité de la part du cinéaste, car ces films d'enquête n'apportent que rarement les réponses prévues. Beaucoup d'humilité aussi, car si le film est réussi, on admirera bien plus les filmés que ceux qui étaient derrière la caméra, ceux-ci ayant réussi à se faire oublier. Il faut dire que l'expérience antérieure des cinéastes les prédisposait assez à cette attitude: contrairement à la France où les cinéastes de cette génération furent surtout d'ex-critiques, ceux du Québec étaient surtout d'ex-intellectuels (quelques-uns d'ex-techniciens) et plusieurs avaient connu de bien près le «voir-juger-agir» de l'Action catholique. Il n'en exige pas moins de la part du spectateur, car en plus de sa disponibilité et de sa sympathie pour le sujet, il l'oblige à retourner à ce qui fait l'essentiel du cinéma: l'image à observer et à interpréter dans tous ses aspects, le montage avec toutes ses subtilités. À partir du moment où aucun commentaire n'attire son attention sur l'essentiel, il doit lui-même aiguiser son regard pour retrouver le réseau de significations.

Ce cinéma, on l'appelle un temps «cinéma-vérité». Par opposition à tous les mensonges du cinéma traditionnel, l'émerveillement est vif de retrouver du «vrai monde» sur les écrans au lieu des omniprésentes têtes d'acteurs, d'écouter des paroles avec de vrais accents populaires, d'entendre des idées encore inédites sur les écrans animés. Mais on abandonne rapidement la formule quand on se rend compte que «toute vérité n'est pas bonne à dire» ni à entendre, que chacune n'a d'intérêt que pour des groupes restreints, que personne ne peut prétendre à l'infaillibilité, que la démagogie ou le discours moralisateur guettent

La Lutte de Claude Fournier, Claude Jutra, Michel Brault, Marcel Carrière...
Quand les visages dans l'assistance intéressent autant que ce qui se passe dans
l'arène. (ONF)

les mieux intentionnés. Finalement, ce cinéma aura servi avant
tout, comme le souligne Marsolais, à poser le problème de la vérité
et de la crédibilité du cinéma documentaire plutôt qu'à diffuser
des vérités, du moins pour les cinéastes sensibles à ce type de
questionnement. C'est pourquoi on préférera rapidement parler de « cinéma direct » pour éviter tout jugement moralisateur.

C'est dans le cadre de *Temps présent*, série de courts métrages d'une demi-heure pour la télévision que s'élaborent d'abord
les films les plus représentatifs de cet esprit du direct. Signalons
ici surtout *Les Petites Soeurs* de Pierre Patry, *La Lutte* qui marque
le sommet du travail en équipe: Michel Brault, Claude Jutra,
Claude Fournier, Marcel Carrière, etc. (on trouve même le nom
de Roland Barthes au générique, car ce film présente d'une
manière fort amusante sa théorie sur le catch publiée dans ses
Mythologies; on peut y voir aussi la fascination qu'exercent à ce
moment les intellectuels français sur ceux d'ici), *Golden Gloves*
de Gilles Groulx, *Boulevard Saint-Laurent* de Jack Zolov, *Bûche-*

Gilles Groulx et Ronald Jones, le boxeur de *Golden Gloves*. On n'y voit que quelques minutes de boxe, mais on comprend bien les principales références sociologiques des milieux qui produisent les boxeurs. (ONF)

rons de la Manouane d'Arthur Lamothe, *À Saint-Henri le 5 septembre* d'Hubert Aquin et de toute une équipe, dont surtout Jacques Godbout (ce film illustre parfaitement la beauté, mais aussi les limites du «missionnariat» cinématographique). Plus tard, viendront d'autres courts métrages intéressants au moins par leur visée sociale sinon par leur écriture : *Huit témoins* de Jacques Godbout, *Avec tambours et trompettes* de Marcel Carrière, *60 cycles* de Jean-Claude Labrecque, etc.

Quelques-uns seront aussi produits en dehors de l'ONF. En plus des séries produites pour la télévision, signalons surtout *Jeunesse année zéro* (1964) de Louis Portugais, une commande de la Fédération libérale du Québec, mais jamais diffusée parce que les politiciens n'aimaient pas le portrait révélé par l'enquête. *La Visite du général de Gaulle au Québec* fut aussi une commande, du gouvernement du Québec, par l'entremise du producteur officiel, l'Office du film du Québec, à Jean-Claude Labrecque, pour inscrire cet événement de 1967 dans les archives officielles de la province[263]. Évidemment, personne n'avait prévu le tour et

Marie et Alexis Tremblay dans *Le Règne du jour* de Pierre Perrault. Alexis, c'est le « père en poésie » du cinéaste, la voix *off* par excellence pour raconter l'histoire, le narrateur capable de faire passer le fait divers au niveau du mythe, l'homme du verbe qui fonde la *suite du monde*. C'est lui que Perrault recherchera en vain dans tout son cinéma ultérieur. Marie, la seule femme importante dans toute l'œuvre de Perrault, vient compléter, et parfois contredire, le discours de son mari en replaçant la parole dans « la geste » du quotidien. (ONF)

l'importance qu'il prendrait, mais Labrecque à la caméra, assisté de Michel Brault et Bernard Gosselin (tous des as de la caméra portée), sut tout capter de très près. Sans commentaire autre que celui des positions de caméra par rapport à l'action, celui des bruits ambiants et celui du montage (structuré comme un dialogue entre de Gaulle et le peuple québécois), ce très pur cinéma direct restitue admirablement l'atmosphère de la célèbre visite tout en dégageant une interprétation politique subtile. Par ailleurs, ce film illustre mieux que tout autre les limites du genre : vingt ans plus tard, quand je le revois avec des étudiants, son schématisme et son absence de titres ou de commentaires apparaissent comme des barrières énormes : les étudiants ne savent plus trop bien qui était ce de Gaulle et la « libération » qu'il évoque, ni qui sont les personnalités politiques montrées, ni ce que signifient les RIN et croix de Lorraine sur les pancartes des manifestants ; le film doit faire connaître l'événement, mais il faut tout savoir de l'événement si l'on veut comprendre et apprécier le film ! On ne peut toutefois en dire autant, surtout en parlant de qualité, *Du général au particulier*, réalisé par Claude Fournier à partir du même événement.

Avec tambours et trompettes de Marcel Carrière. Comme nos valeureux zouaves pontificaux arrivèrent trop tard pour verser leur sang pour la défense du pape lors de la guerre d'unification de l'Italie, ils le font symboliquement, cent ans plus tard, dans une saynette jouée lors de leur grand rassemblement de 1967. (ONF)

C'est toutefois dans le long métrage, surtout avec la trilogie de Pierre Perrault à l'Île-aux-Coudres[251], *Pour la suite du monde* (coréalisé avec Michel Brault et Marcel Carrière), *Le Règne du jour*[291] et *Les Voitures d'eau*[293], que le direct connaîtra son apogée : une technique exceptionnellement souple sert alors à enregistrer une « parole vécue » que les insulaires jouent avec un naturel désarmant devant la caméra et dont un montage très articulé dégage la quintessence culturelle. Les composantes essentielles de cette culture traditionnelle (proximité de la nature, sens de la fête, cosmologies, visions mythiques et historiques du monde, univers religieux, techniques de travail artisanales, loisirs et autres) s'y trouvent rassemblées en une anthologie qui ne cesse d'émerveiller sociologues et historiens[41]. Il n'existe que peu d'instruments aussi riches que ce microcosme filmé à la disposition de qui veut comprendre le Québec rural et ancestral. Car il s'agit d'un matériau doublement réfléchi: d'abord, Alexis et Marie Tremblay, Louis Harvey et tous les autres racontent un vécu longuement mûri, une Histoire et des histoires en parfaite symbiose; puis s'y ajoute tout le travail du cinéaste. Perrault dépasse le simple reportage, dialogue longuement avec les protagonistes, provoque la « geste » révélatrice (la pêche aux marsouins dans *Pour la suite du monde*, le voyage en France, « barceau » des ancêtres, pour *Le Règne du jour*, la construction d'une goélette pour *Les Voitures d'eau*), et cet ajout fictif, « scénarisé » souvent davantage par les participants que par le cinéaste, permet d'accéder à l'essentiel. Il consacre ensuite des mois à un montage qui reconstitue, dévoile (et parfois refait) les structures cachées de cet univers et en démontre la cohérence[248]. *Pour la suite du monde*, que je tiens pour l'un des deux plus grands films réalisés en ce pays, se méritera d'ailleurs l'honneur d'être la première présence canadienne et québécoise dans la compétition officielle du festival de Cannes (1964). Un jury pancanadien d'une centaine de critiques, historiens et cinéastes l'a classé en 1984 au septième rang des dix meilleurs films canadiens de tout temps (*voir* page 489).

Ce cinéma de Perrault illustre bien la tendance thématique générale du direct. « Traditionnellement, dit Georges Dufaux, le documentaire québécois s'est d'abord intéressé à des situations (*Les Raquetteurs*) pour assez rapidement s'attacher davantage à des personnages (*Le Règne du jour*). » En effet, l'inventaire culturel du direct, c'est davantage dans les « albums de familles » de Groulx, Lamothe ou Perrault, qu'on le retrouve, plutôt que dans des enquêtes sur le travail, la famille, la vie de quartier... (certains se feront une spécialité de ces sujets à la période suivante). Si le sport provoque plusieurs documents, c'est tout simplement en tant que situation privilégiée où des personnes laissent aller leur spontanéité, leurs passions, et n'en révèlent que mieux leurs visages « non maquillés ». Dans l'ensemble, les films s'intéressent au présent avant tout et posent la question de l'avenir, de la *suite du monde*, même ceux qui regardent le passé (ce sera l'inverse dans la décennie suivante, *voir* page 352). Reflet à la fois de la situation générale et de celle des femmes dans le milieu du cinéma, on ne trouve que bien peu de portraits de femmes dans tout ce direct; il est sans doute significatif que les trois seuls que la mémoire repère spontanément sont les *Petites Soeurs* de Patry, la strip-teaseuse de *Boulevard Saint-Laurent* de Zolov et la grand-mère Marie Tremblay chez Perrault!

Monique Fortier, monteuse de plusieurs films de Perrault, Gosselin, Arcand (*Le Déclin...*) et d'autres. Qui pourra jamais mesurer ce que les monteurs ont ajouté de clarté, de cohérence, d'émotion et de continuité au discours du direct? (ONF)

L'histoire n'attribue généralement les films qu'aux réalisateurs. Si, dans tout le direct, ils en furent les véritables maîtres d'œuvre, il faut néanmoins reconnaître l'essentielle contribution des cameramans: Michel Brault, Bernard Gosselin, Guy Borremans, Georges Dufaux, Jean-Claude Labrecque... que nous retrouverons d'ailleurs bientôt presque tous comme réalisateurs. Si nous tenons pour vrai que «les images montrent, le montage démontre» (André Bazin), il nous faut souligner aussi l'importance énorme qu'eurent les monteurs[115] de l'époque, à commencer par Gilles Groulx, mais aussi Werner Nold, Monique Fortier,

Yves Leduc, etc. ; sans compter que les Perrault, Jutra ou Labrecque n'ont jamais ménagé leurs heures devant la Moviola. Ceux-là et tous les autres artisans peuvent s'enorgueillir de la flopée de prix recueillis dans tous les festivals importants.

Par sa dynamique propre, le cinéma direct tel que pratiqué à l'ONF poussait les créateurs vers la fiction[74]. Dans la mesure même où il creuse bien son sujet et reste honnête avec son matériau documentaire, tout cinéaste qui refuse de se faire « documenteur », selon le bon mot d'Agnès Varda, en perçoit rapidement les limites : tel événement important se déroule hors champ ; tel témoin essentiel passe mal l'écran, n'est pas très photogénique ou bafouille ; la technique (son, éclairage) rend mal telle ambiance. Sans compter que sa propre expression en tant qu'auteur (et en tant qu'artiste) se voit limitée et qu'après quelques années à inventorier par l'image la culture existante, le désir surgit inévitablement d'inventer d'autres images, d'ajouter son propre mot au discours en train de se bâtir. En paraphrasant Fernand Dansereau[102], on peut dire que c'est dans la mesure où l'on s'imagine bien pour se connaître qu'on découvre le goût de s'imaginer autre pour se libérer.

Autour de 1963, presque tous les « ténors » du direct veulent passer, au moins provisoirement, à la fiction. La plupart se lancent dans l'aventure bien aléatoire de la production en industrie privée, car l'ONF ne permet officiellement la fiction qu'à quelques-uns. Et encore là, les premiers films se font malgré les règles de la maison et les directives des cadres décideurs dans une quasi-guérilla ou clandestinité. (Des *Raquetteurs* (1958) jusqu'à *L'Émotion dissonante* (1985), il y eut à chaque époque quantité de films faits « contre » les patrons qui devinrent ensuite les plus glorieux fleurons de la maison !)

Assez curieusement, c'est par le biais de courts métrages sur le vécu féminin que se réalisent la plupart des premières œuvres de fiction. En 1964, une série de quatre films, tous réalisés par des hommes (!), tente de faire le point sur les problèmes de « La femme hors du foyer » : *Caroline* de Clément Perron et Georges Dufaux, *Fabienne sans son Jules* de Jacques Godbout, *Il y eut un soir, il y eut un matin* de Pierre Patry et *Solange dans nos campagnes* de Gilles Carle. Michel Brault réalise la même année le sketch canadien de la coproduction internationale sur les ado-

Claude et Barbara (Claude Godbout et Barbara Ulrich) dans *Le Chat dans le sac* de Gilles Groulx. « Il faut faire table rase, repartir à zéro, réapprendre ce qu'est un champ, une rivière, le soleil, la neige… », dit Claude. « Il vaut mieux aller à New York si on veut apprendre la vie et s'adapter au monde moderne », dit Barbara. Tous les grands thèmes des jeunes cinémas nationaux des années 60 se retrouvent dans ce film. (ONF)

lescentes *La Fleur de l'âge*. Enfin, signalons *Ça n'est pas le temps des romans* (1966) de Fernand Dansereau : cette fois, il s'agit de la femme au foyer !

Transgressions des normes, les œuvres de fiction sont aussi le plus souvent transgressions de la forme. La fiction y est « pollinisée » par le direct, selon le mot de Marsolais ; souvent à un tel point que le spectateur s'y trompe. C'est ce qui se passe avec *Le Chat dans le sac* (1964) de Gilles Groulx[254-73], que tout cinéphile peu préoccupé de technique classe spontanément dans le direct (un minimum de connaissances techniques fait toutefois remarquer toutes les ficelles de la fiction). En fait, Groulx a tellement bien assimilé l'esprit que nous avons décrit plus haut et les méthodes du direct que tous ses films, même ceux de fiction deviennent des témoignages parmi les plus authentiques du vécu de l'époque. Ajoutons à cela un ton légèrement frondeur, plein de références et de citations à la manière de Godard, une pensée politique articulée et on comprend que tous les jeunes de 20 ans encore aux études reconnaissaient facilement leur *alter ego* dans les Claude et Barbara du *Chat*. Lui, 23 ans, « Canadien français, donc je me cherche », journaliste pigiste et surtout chômeur, « révolté ? oui, révolutionnaire ? j'sais pas », et elle, 20 ans, juive et anglophone de Westmount, étudiante à l'École nationale de théâtre (où Brecht a la cote d'amour !), vivent les derniers moments

Guy L'Écuyer dans *La Vie heureuse de Léopold Z* de Gilles Carle. Seule la fiction permet d'approfondir l'illustration de l'imaginaire du « monde ordinaire » célébré par le cinéma direct, affirme le réalisateur. N'empêche que c'est surtout le tournage « à la manière du direct » qui donne sa vérité au film. (ONF)

d'un amour éphémère, discutent de nationalisme, de féminisme, d'éducation, du Tiers-monde, de l'information, du cinéma…, et assument finalement, chacun à sa façon, son identité propre et ses projets. Avec ces personnages provocateurs, le cinéma passait d'« expression de culture, à instrument de culture », selon les termes de Groulx.

La transgression y est moins évidente, mais le spectacle y gagne avec cet autre long métrage produit à l'Office, et le premier de Gilles Carle[256], *La Vie heureuse de Léopold Z* (1965) où l'on constate déjà son désir d'éclater dans toutes les directions, ce que tout son cinéma ultérieur illustrera. Depuis quelques années, Carle se sent à l'étroit dans les réalités du documentaire, n'en apprécie guère la discipline et la rigueur intellectuelle qu'il requiert et a toujours le goût d'y ajouter quelque blague ou commentaire humoristique (*voir: Percé on the Rocks*). Avec *Léopold Z*, il transforme sa commande d'un court métrage documentaire sur le déneigement à Montréal en une fiction sur les déneigeurs, puis sur un déneigeur à qui il invente, au gré de sa fantaisie, une famille, un milieu social, des relations, des rêves; et tout cela se passe un 24 décembre, à peine quelques heures avant la messe de minuit (son titre de travail était «Minuit, chrétiens»). Il suffit alors de dépenser tout le budget avec les scènes d'intérieur pour obtenir une rallonge afin de filmer un minimun de neige, sujet oblige! Et le tour est joué, nous avons en main un long métrage de fiction[73]. Voilà comment la vieille tradition du braconnage sert à créer une oeuvre intéressante! Quelques notes sociologiques aux accents vraisemblables, un brin d'humour dans le scénario et une interprétation tout à fait sympathique de Guy L'Écuyer donnent à ce film un ton qui a conquis d'emblée le public. Comme *Le Chat dans le sac* de Groulx, ce film de Carle tient du même esprit d'observation lucide du milieu canadien-français. Ils témoignent d'une des meilleures époques de l'Office, celle où, selon le mot d'André Paquet: «Une certaine liberté aidant, les gros budgets de courts métrages ont été utilisés pour la production de longs métrages à petit budget.»

Cette même année, Arthur Lamothe[266] s'essaie, lui aussi, à la fiction et exprime son attrait pour les grands espaces vierges, sa fascination pour le mythe des forces primitives, de l'énergie vitale et des personnages surhumains avec une gentille et fort naïve histoire de constructeur de barrages coincé dans son problème de couple. *La Neige a fondu sur la Manicouagan*[73], dit un fort beau titre, mais rien n'indique dans le film que le couple intellectuel-société, car c'est symboliquement de lui qu'il s'agit avant tout, a su parvenir à un accord satisfaisant.

Avec *Le Festin des morts*[73] (produit dans la légalité (!), au budget, fantastique pour l'époque, de 400 000 $; première à Radio-Canada le 30 mai 1965), Fernand Dansereau[257] voulait tout juste respecter la vérité historique par la reconstitution d'épisodes de l'aventure missionnaire jésuite au XVIIe siècle. Mais dans une lecture contemporaine, transparaît surtout le drame très réel de certains intellectuels... et cinéastes, incapables de se situer dans le bouillonnement culturel de la Révolution tranquille: le jeune missionnaire jésuite de 1650, récemment arrivé de sa France natale et tellement «civilisée», doutant de sa vocation, vivant une difficulté de communication autant avec les femmes qu'avec ses collègues et tous ces Amérindiens «à convertir», dresse un portrait très juste des jeunes intellectuels perplexes de 1960 qui

Jean-Guy Sabourin dans *Le Festin des morts* de Fernand Dansereau. À travers cette reconstitution de l'aventure missionnaire jésuite au XVIIe siècle, aventure essentiellement marquée par un choc culturel à tous points de vue, on peut très facilement lire le questionnement des valeurs et le cheminement intérieur des intellectuels progressistes au moment de la Révolution tranquille. Il est assez amusant de réaliser ici que l'Amérindien, alibi ou prétexte, ne renvoie pas au passé, mais au contraire, qu'il porte des valeurs d'avenir. (ONF)

ont troqué le catéchisme et le duplessisme pour une vision libertaire du monde, mais qui ne s'y sentent pas complètement à l'aise et qui n'ont pas encore trouvé le meilleur langage pour transmettre la «bonne nouvelle» à leurs concitoyens.

À la fin de la période, à la suite des succès de critique des films de Perrault et Groulx, et respectant le désir des cinéastes d'approfondir davantage leurs sujets, l'Office ne produit presque uniquement que des longs métrages.

Parmi ceux-ci, on retrouve encore quelques purs «directs»: *Gros Morne* de Jacques Giraldeau qui, à cause de son effet miroir et de sa lucidité implacable, choque les habitants de ce petit village gaspésien et provoque un large débat dans les médias, *Les*

Acadiens de la dispersion de Léonard Forest (qui n'annonce pas l'Acadie que Brault et Perrault iront découvrir quelques années plus tard), *L'École des autres* de Michel Régnier (indispensable pour comprendre la relation école-classes sociales) et *St-Jérôme* de Fernand Dansereau, où transparaît déjà l'esprit de Société nouvelle (*voir* page 236).

Or, on tente déjà quelques pures fictions. Dans *YUL 871* (1967)[73], Jacques Godbout[267] essaie de retrouver à la fois la tendresse de *La Peau douce* de Truffaut et la désinvolture du *Mépris* de Godard; mais la pauvreté du scénario le réduit au niveau du mélodrame naïf. Même naïveté dans *Le Grand Rock* de Raymond Garceau, fable assez superficielle, malgré sa volonté de réalisme, contre la société de consommation et son incitation à la violence. Jean Pierre Lefebvre, un «jeune» de la nouvelle génération qui n'est pas passé par l'école du documentaire, livre aussi son plaidoyer contre la violence avec *Jusqu'au cœur* (1968), mais c'est davantage l'aspect expérimental de la forme qui séduit (jeu des couleurs et du noir et blanc, interprétation de Robert Charlebois et de Mouffe, cadrages impressionnistes, montage a-linéaire); ici aussi on sent trop l'influence non critiquée et plus ou moins bien assimilée de Godard mêlée aux audaces formelles à la manière du jeune cinéma tchécoslovaque de Milos Forman.

Toutefois, dans le sillage du *Chat dans le sac,* la mode stylistique commande surtout le mélange direct-fiction ou la fiction «à la manière» du direct[67]. On compte, au fond, presque autant de formes différentes que de films, car la mode et le désir portent davantage à l'expérimentation formelle qu'à la rigueur de la scénarisation. Avec *C'est pas la faute à Jacques Cartier* (1967), Georges Dufaux et Clément Perron ironisent sur la contemplation toujours trop sérieuse de l'histoire et lui préfèrent les «belles menteries du présent». Marcel Carrière de son côté regarde sérieusement *St-Denis dans le temps* avec cette victoire, unique et provisoire, des patriotes de 1837, mais ne réussit pas à en tirer une leçon valable pour le présent. Jacques Godbout se désole avec *Kid sentiment* (1967) de voir la jeunesse si conformiste dans sa morale, ses habitudes et sa musique et il voudrait bien la faire passer de «réactionnaire» à «révolutionnaire», mais, impossible! seuls le présent et la musique des Beatles comptent. Même jeunesse qui ne rêve pas assez dans *Mon amie Pierrette* de Jean

Charles Denner et Andrée Lachapelle dans *YUL 871* de Jacques Godbout: un cinéaste de l'ONF de retour de Saint-Henri retrouve son monde familier... (ONF)

Pierre Lefebvre[268] et qui se satisfait d'un avenir sans ambition. Claude Jutra avec *Wow* offre de son côté à neuf jeunes de projeter à l'écran leurs rêves profonds ; ici encore, tout est conformisme, individualisme et banalité. Avec *Où êtes-vous donc?* (1968), titre officiel, mais auquel il faudrait ajouter *bande de câlisses* pour respecter le voeu du réalisateur, Gilles Groulx poursuit sa quête de compagnons de lutte contre la violence sociale, les putasseries du monde du spectacle, la société de consommation et ses artifices ; pauvre lui, il n'a pas beaucoup de chance ! Avec *De mère en fille* (1967), Anne Claire Poirier, la première réalisatrice francophone de l'ONF, préfigure la nouvelle conscience féminine qui débouchera dans le féminisme des années 70. Pour *Tout l'temps, tout l'temps, tout l'temps* (1969) (ici encore, le titre complet serait *Nous autres, on mange d'la marde tout l'temps...*), Fernand Dansereau offre sa compétence technique et les ressources de l'ONF à des citoyens ordinaires, chômeurs ou assistés sociaux, pour réaliser un psychodrame sur leur condition ; l'aventure n'aboutit qu'à un mélodrame larmoyant, simple reflet d'une réalité, et qui ne convainc personne.

Au point de vue thématique, ce cinéma d'«hésitation formelle» se révèle tout aussi... «hésitant»! Sans en dégager toutes les conséquences, Jean Pierre Lefebvre, encore simple critique à *Objectif*, avait bien diagnostiqué que cette «crise du langage» était une «crise de conscience» (Lefebvre prenait le mot dans son sens de connaissance et de lucidité, mais son sens moral conviendrait tout aussi bien). Malgré une immense bonne volonté, Groulx, Dansereau et Régnier réussissent mal à articuler leurs idéologies de «travailleur social bénévole» ou de militant politique en milieu ouvrier et à se libérer d'un ton prêcheur. Perron, Dufaux, Godbout, Jutra, Lefebvre poursuivent leur autopsychanalyse tout en jouant à l'animateur culturel qui veut libérer la société de tous les tabous. Anne Claire Poirier n'expose encore qu'un très timide féminisme. Dans l'ensemble, nous y retrouvons les mêmes caractéristiques (esthétique, ton, sujets, thèmes) que dans la production indépendante (*voir* page 179 et suivantes). Il est d'ailleurs souvent réalisé par les mêmes équipes et, dans presque tous les cas, par des gens de la même génération et des mêmes études classiques. Une seule différence parfois, mais pas toujours significative : la réalisation du cinéma d'auteur

dans le secteur privé tiendra davantage compte d'exigences commerciales.

Pas de deux de Norman McLaren, un des plus extraordinaires films d'animation. La technique des multiples dédoublements des personnages semble maintenant banale devant les innombrables possibilités offertes par l'ordinateur,
mais la qualité de la danse et de la musique, l'émotion soulevée et la valeur
poétique de cette réflexion sur le couple restent inégalées. (ONF)

Le secteur de l'animation demeure marqué à cette période
par la personnalité de McLaren[245] qui y réalise, entre autres,
deux de ses plus grandes œuvres : *Il était une chaise* (avec la collaboration de Claude Jutra) et *Pas de deux* qui, à une virtuosité technique éblouissante, allient une profonde réflexion sur le couple.
Dans ce secteur aussi, mais sans douleur cette fois, il y a en 1966
séparation en deux équipes distinctes, anglaise et française. René

Jodoin prend la direction de la section française et va chercher des jeunes Québécois qui, thématiquement comme techniquement, se dégageront de l'influence de McLaren pour ouvrir de nouvelles avenues (Pierre Hébert, Bernard Longpré, Laurent Coderre, Francine Desbiens...). Ce n'est toutefois qu'après 1968 que la section prendra son véritable envol.

b) le Service de cinéphotographie — l'Office du film du Québec

L'organisme provincial ne connaît que peu de changements à cette période si ce n'est que son nom devient en 1961 l'Office du film de la province de Québec (OFQ). Il continue son rôle de diffuseur de l'information gouvernementale et de distributeur de contrats au nom des ministères intéressés, favorisant ainsi la survie de plusieurs petites compagnies indépendantes. Ses films touristiques ou didactiques sont produits selon les règles du genre, mais bien peu brillent par leur originalité. Peu valori-

La Visite du général de Gaulle au Québec de Jean-Claude Labrecque: le meilleur film pour faire comprendre comment un montage peut devenir parole politique. (Coll. Cinémathèque québécoise)

sant pour un créateur, ce travail de commandite n'en contribue pas moins à la survie « alimentaire » ; sauf pour quelques permanents de l'ONF, tous les cinéastes québécois ont goûté de ce pain un jour ou l'autre.

De toute cette production, l'histoire du cinéma retient surtout *La Visite du général de Gaulle au Québec* de Jean-Claude Labrecque, dont nous avons déjà parlé (*voir* page 155). Il ne faut cependant pas oublier que ces films connaissent une très large diffusion grâce aux écoles et aux ambassades et consulats.

B. La production commerciale et les indépendants

Fondées pour la production des mélos de 1950, la plupart des compagnies de cinéma disparaissent dès la fin de l'aventure, quand la télévision met un terme au rêve hollywoodien.

Par ailleurs, plusieurs petites compagnies avaient été créées pour satisfaire aux besoins de la télévision. Le mouvement s'accentue autour de 1960 quand Radio-Canada confie la réalisation de séries à l'entreprise privée (par exemple, *Au pays de Neufve-France* à Crawley Films) et quand les agences de publicité se mettent à produire localement davantage de messages (qui étaient jusqu'alors produits presque uniquement à Toronto ou aux États-Unis et traduits pour le Québec... à Toronto !). Les compagnies sont le plus souvent fondées par des réalisateurs qui se créent ainsi des structures de travail propices à l'obtention de contrats ou à la production de leurs propres films. Les ministères du gouvernement du Québec seront aussi des commanditaires importants de ces petites compagnies.

Ainsi, Claude Fournier, avec Les Films Claude Fournier, réalise pour la télé les séries *20 ans express* et *100 000 000 de jeunes*. Hors série, il produit aussi *On sait où entrer, Tony, mais c'est les notes* (1966) sur le jeune chanteur vedette Tony Roman, qui lui vaut bien des louanges dans de nombreux festivals (même si on le compare trop souvent au *Lonely Boy* de Koenig et Kroitor).

Les frères André et Pierre Lamy achètent les droits de traduction et d'adaptation de la populaire série américaine *Candid Camera* et réalisent ensuite pendant trois ans une émission hebdomadaire des *Insolences d'une caméra* pour Radio-Canada (toujours au même poste, Alain Stanké la reprend à l'automne 1986).

C'est ainsi qu'Onyx[256], leur compagnie, peut se structurer et s'équiper, ce qui favorise par la suite l'obtention de gros contrats de publicité. Après son départ de l'ONF en 1966, Gilles Carle en devient le réalisateur vedette et il y réalise, en plus de centaines de messages publicitaires, des moyens métrages de variétés pour Radio-Canada (*Place à Olivier Guimond, Jeux de Jérolas*) et diverses autres commandites.

Au même moment, Denis Héroux, Jean-Claude Labrecque, Jean Pierre Lefebvre, Jean-Paul Ladouceur et d'autres fondent aussi des compagnies qui portent leur nom. Denys Arcand, Jean Dansereau, Bernard Gosselin et Gilles Groulx fondent Les Cinéastes associés. Pierre Patry, Roger Blais et Jean-Claude Lord forment le noyau initial de Coopératio[73], qui, comme son nom l'indique, adopte une formule de regroupement de talents, de services et... de dollars (chaque participant à un film y investit et retirera une part proportionnelle des bénéfices). En 1965, Arthur Lamothe constitue sa Société générale cinématographique. Michel Brault ne fonde pas de compagnie, mais il a déjà commencé sa carrière d'éternel pigiste, passant du privé à l'ONF au gré des productions et des demandes de ses amis.

À peu près tous les cinéastes (sauf quelques permanents de l'ONF) font donc partie de l'un ou l'autre de ces regroupements ou y travaillent à la pige. Toutefois, nous avons encore quelques-uns de ces indépendants solitaires qui, de façon artisanale, mais en toute liberté et dans tous les formats possibles, réalisent leurs rêves à défaut d'œuvres significatives: Jean-Paul Bernier (*La Terre à boire*), René Bail (*Les Désoeuvrés*), Guy Borremans (*La Femme image*), Jean Martimbeau (*La Douzième Heure*), Camil Adam (*Manette*), etc.

On l'aura sans doute remarqué, presque tous ceux que nous venons d'évoquer dans les paragraphes précédents sont les mêmes qui ont participé à la naissance du cinéma direct de l'Office national du film. En effet, dès 1962, presque tous les meilleurs quittent la sécurité du fonctionnaire pour affronter de nouvelles exigences et jouir d'une plus grande liberté. Après le direct, dont ils ont expérimenté à la fois la valeur et les limites, comme je l'ai précédemment souligné, ils veulent tâter de la fiction et du long métrage pour les salles, ce que ne permet pas la politique du moment à l'Office. Disons tout de suite que la plupart

Mariette Lévesque dans *Manette* de Camil Adam. Produit de peine et de misère, ce mauvais mélodrame ne connaît qu'une brève sortie à l'Élysée deux ans après sa production. Sa « vedette », pendant quelques années starlette de la télévision, n'occupait déjà plus les manchettes des journaux à potins et le public se faisait plus exigeant pour la production locale. (Coll. Cinémathèque québécoise)

y retourneront, comme pigistes, pour des contrats plus ou moins longs et pour le genre précis de films qu'ils veulent réaliser.

Le destin de ces petites compagnies sera très varié : plusieurs dureront le temps d'un seul film ou d'une seule série, d'autres fusionneront ou seront « avalées » par un concurrent plus fort ou plus chanceux (Fournier et Héroux fusionnent et sont achetés ensuite par Onyx), certaines réussiront à s'imposer dans le secteur de la publicité et à produire « par la bande » quelques fictions pour le réseau des salles (Onyx), presque toutes resteront modestes et bien peu résisteront après le départ du réalisateur vedette qui décrochait de bons contrats et qu'un concurrent a su attirer. L'aide gouvernementale ne venant qu'en 1968 (*voir* plus loin, la section sur la SDICC), certaines des plus dynamiques (Coopératio) n'auront pas réussi à durer assez longtemps pour profiter de cette manne fédérale.

Le Révolutionnaire de Jean Pierre Lefebvre. Il décrit avec un peu d'humour et passablement de cynisme la mentalité de ce petit monde d'intellectuels où l'on veut bien faire la révolution, mais à la condition qu'on n'y manque de rien et qu'on ne s'y gèle pas les pieds! (Coll. Cinémathèque québécoise)

Signalons aussi que toute cette production favorise la création ou l'extension de compagnies de services : laboratoires, location d'appareils ou d'éclairages, studios de montage et/ou de postsynchronisation, studios de doublage (surtout pour la télévision). C'est ainsi que se met en place toute l'infrastructure technique qu'utiliseront les producteurs du cinéma commercial d'après 1969.

De toute cette production publicitaire, de séries télévisées ou de commandite industrielle, nous ne pouvons dire que peu de chose, sinon qu'elle allait chercher ses symboles accrocheurs dans la culture populaire, qu'elle utilisait les comédiens au sommet du vedettariat créé par la télévision ou la chanson (à qui elle fournissait beaucoup de travail bien payé) et qu'elle était généralement considérée comme très efficace. Tous les plus de trente ans se souviennent des messages publicitaires avec Olivier Guimond: «Lui, y connaît ça!»

Quant aux œuvres personnelles, longs ou courts métrages dans lesquels les cinéastes ont plus cherché l'expression personnelle que le divertissement ou la communication avec le public, il faut dire d'abord que presque toutes intéressent davantage le sociologue que le cinéphile. Comme dans les œuvres de fiction de la période précédente, bien peu brillent par leur invention cinématographique! Par ailleurs, fruits de créateurs qui avaient fait leurs classes dans le cinéma direct, elles en illustrent bien l'influence (pas toujours heureuse) au niveau technique comme

Claude Gauthier et Pauline Julien (petit rôle en passant) dans *Entre la mer et l'eau douce* de Michel Brault: une partie de la jeunesse (et du cinéma) est bel et bien «arrivée en ville», mais la campagne n'est pas sortie de sa tête pour autant. (Coll. Cinémathèque québécoise)

dans l'approche documentaire des sujets[138].

Au mieux, cela donne *Entre la mer et l'eau douce* (1966) de Michel Brault[264], œuvre de fiction complémentaire à *Pour la suite du monde* et qui met sur écran les jeunes adultes qui y étaient absents. Le titre même vient de l'autre film coréalisé avec Perrault et il exprime symboliquement très bien autant la position du réalisateur-scénariste que celle des protagonistes du film. Ou *À tout prendre*[73] (1963) de Claude Jutra[252], autopsychanalyse très personnelle de jeune intellectuel déchiré. Ce film prouve mal la vertu de l'improvisation des dialogues au cinéma, mais son ton de confidence, sa sincérité, la crise des valeurs qu'il révèle lui attirent beaucoup de sympathie. Vingt ans plus tard, on le trouve plutôt ennuyeux, mais on en sourit comme on sourit de tous les beaux « péchés » et mensonges de jeunesse.

Ou encore, parmi les plus intéressants, les quatre premiers longs métrages de Jean Pierre Lefebvre[249] : *Le Révolutionnaire*[73] (1965), *Patricia et Jean-Baptiste* (1966), *Il ne faut pas mourir pour ça* (1967) et *Jusqu'au cœur* (1968). Le premier tient de la « séance » de collégiens et hésite entre le sérieux et le canular ; de tous les films de Lefebvre, c'est celui qui plaît le plus aux étudiants de cégeps des années 80, car ils y retrouvent encore leurs indécisions et leurs audaces de langage. Dans le deuxième, le réalisateur se met lui-même sur écran dans un rôle qui s'apparente aux personnages habituels de Gilles Carle et il réussit assez bien sa caricature du Canadien français qui pense et vit « petit », sans trop de complexes devant la visiteuse française ; on apprécie la lucidité du Lefebvre scénariste, mais son personnage de Jean-Baptiste fait par trop irréaliste et caricatural (repris dix-huit ans plus tard dans *Le Jour S...*, mais joué cette fois par le comédien Pierre Curzi, ce personnage, intellectuellement maniéré, n'a pas encore réussi à sortir de ses problèmes d'adolescent, ce qui devient plutôt agaçant). Le troisième décrit une journée d'un Abel (heureusement sans Caïn, car il subirait fatalement le même sort que son homonyme biblique !), personnage plutôt falot, mais d'une tendresse à attirer toutes les sympathies (repris dix ans plus tard dans *Le Vieux Pays où Rimbaud est mort*, ce personnage anachronique ne suscite guère d'intérêt). En plein paroxysme de la guerre du Viêt-nam, le plaidoyer contre la violence de *Jusqu'au cœur*, malgré son côté brouillon et ses tics godardiens, malgré l'interprétation terne et plutôt désagréable de Robert Charlebois (assez grande vedette à l'époque), reçut un accueil passablement chaleureux. Lefebvre a alors su plaire par son ton frondeur, dénonciateur, iconoclaste, mordant, anarchiste, « grande gueule », brillant ; la jeune génération a reconnu en lui un porte-parole efficace. Il poursuivait aussi, parallèlement, une activité de critique[123] sur le même ton (à *Objectif*) et tout cela en a fait le porte-étendard de sa génération.

Ou encore *Isabel* (1968) de Paul Almond. Fils de pasteur protestant et anglophone en Gaspésie, Almond y vit une enfance doublement minoritaire (milieu catholique et francophone). De la même génération que les Brault, Carle, Perrault... il est d'abord

Donald et Daniel Pilon, Andrée Lachapelle (à partir de la droite) dans *Le Viol d'une jeune fille douce* de Gilles Carle. Ce film marque le début de la carrière des frères Pilon, acteurs fétiches de Carle à cause de leur « naturel » et parce que, selon le réalisateur, quand Donald Pilon tient une carabine, c'est comme John Wayne : il n'a pas l'air d'un acteur jouant un rôle, mais d'un vrai Québécois en chasse... (Photogramme du film, coll. Cinémathèque québécoise)

réalisateur de télévision à Toronto, puis cinéaste anglophone à Montréal (mais marié alors à Geneviève Bujold, à qui il confie les premiers rôles de ses films). Ce sont surtout les problématiques du milieu québécois qui l'intéressent et lui fournissent les sujets et l'atmosphère de ses premiers longs métrages. Parce qu'il tourne en anglais, Almond ne se retrouve généralement pas dans les listes de cinéastes québécois ; il doit y figurer au moins pour ses films de la période 1968-1972. Histoire d'une jeune fille revenant en Gaspésie lors du décès de sa mère, *Isabel*, par son introspection psychosociologique et son atmosphère, se rattache au courant québécois de l'époque.

Ou finalement *Le Viol d'une jeune fille douce* (1968) de Gilles Carle[256]. Dans ce film brouillon, touffu et mal structuré, Carle développe son humour tendre, souvent « gros », mais parfois subtil, son ironie, son sens de la caricature sociale, sa vision panoramique « en largeur » (plutôt qu'en profondeur et en *zoom in*) de l'espace sociologique québécois, toutes ces qualités qui caractériseront ses meilleures œuvres de la période suivante.

Au pire, cela fournit au musée des horreurs *Amenita pestilens* (1963) de René Bonnière, histoire un peu fantastique où de mystérieux champignons (nommés par le titre) recèlent le même mystère et les mêmes troubles de croissance que les boutons sur le visage de l'adolescence... (mais Geneviève Bujold y révèle déjà son immense talent). Ou *Caïn* (1965) de Pierre Patry[73], transposition libre et plus que naïve du drame biblique écrite d'après un roman inédit — il le restera — de Réal Giguère (déjà une grande vedette de la télévision) et mettant en scène Réal-soi-même. Ou du même auteur, *La Corde au cou*, drame morbide de jalousie destructrice et suicidaire d'après un roman de Claude Jasmin. Ou *Manette, ou la folle et les dieux de carton* (1965, mais ne sera distribué qu'en 1968) de Camil Adam, film tout autant déboussolé que la jeune fille dont il dresse le portrait. Ou encore, de trois cinéastes de la nouvelle génération : *Délivrez-nous du mal* de Jean-Claude Lord, qui ne se sent manifestement pas à l'aise dans cette histoire sordide d'homosexuel suicidaire (aussi d'après un roman de Claude Jasmin) ; *Pas de vacances pour les idoles* (1965) où Denis Héroux[73], avec une historiette sur un chanteur populaire, s'excerce déjà au racolage qui deviendra bientôt sa marque de commerce ; et *Carnaval en chute libre* de Guy Bouchard, un mélo dont le seul mérite est d'avoir été réalisé à Chicoutimi dans des conditions de pionniers.

Entre le meilleur et le pire, pour l'intérêt des historiens, psychologues et sociologues, notons quelques titres plus significatifs. *Seul ou avec d'autres* (1962) de Denis Héroux, Denys Arcand et Stéphane Venne (alors qu'ils sont étudiants à l'Université de Montréal), illustre bien l'ambivalence des milieux étudiants : les « cinéastes » composent un scénario naïf, genre roman Harlequin avec étudiante à émanciper, blagues simplistes, alors qu'à côté d'eux, souvent dans les mêmes facultés, des collègues écrivent *Parti pris*, d'autres commencent à se regrouper sous le nom FLQ (Front de libération du Québec) et à choisir les cibles des bombes. Autre film sur le milieu étudiant, et plus intéressant, *Trouble-fête*, est réalisé en 1964 par Pierre Patry avec la collaboration de Jean-Claude Lord qui fournit le canevas et l'orientation principale du scénario. On y trouve un assez bon reflet de l'esprit de

Lucien Hamelin et Yves Corbeil dans *Trouble-fête* de Pierre Patry : les finissants dans les collèges classiques au début des années 60, l'univers des jeunes Montréalais face à l'effritement des valeurs traditionnelles et à un désir effréné de liberté. (Coll. Cinémathèque québécoise)

cette petite minorité de « révoltés » contre la discipline, l'étroitesse intellectuelle, le conformisme, le rigorisme des autorités religieuses dans les collèges classiques. Le désir de spectaculaire amène toutefois Patry et Lord à tomber dans le mélo plus ou moins morbide et dans une finale « sacrificielle » tout à fait irréaliste. Enfin, *Poussière sur la ville* (1965) d'Arthur Lamothe, renseigne moins sur son sujet présumé, le drame personnel d'un couple détruit par l'oppression sociale dans une petite ville minière, que sur l'impuissance du cinéaste à cerner efficacement ce type de sujet. À trop vouloir « fictionner », Lamothe a gommé tout l'aspect « documentaire » qui aurait pu donner de la consistance à son histoire et il est tombé, lui aussi, dans le mélodrame avec comme finale le suicide sacrificiel !

C. Constantes et thématiques dans le cinéma de fiction

L'analyste relève assez facilement une relative unité de ton, d'esthétique et de thématique dans toute la production de cette période. Les longs métrages de fiction réalisés à l'ONF n'offrent pas de différences notables d'avec ceux produits dans l'industrie privée. Dans les deux réseaux — plusieurs réalisateurs se promènent allègrement de l'un à l'autre, comme nous l'avons déjà signalé — on vise avant tout le « cinéma d'auteur ». Les indépendants souhaitent davantage opérer des percées dans la distribution commerciale, et certains y réussissent un peu, mais ni les Jutra, Patry, Lefebvre ou Brault ne s'illusionnent sur la valeur marchande de leurs images.

Mentionnons d'abord que, sauf pour de rares exceptions, tous les scénarios sont originaux et généralement écrits par les réalisateurs. Souvent, ils ne sont rédigés que de façon fort sommaire avant le début du tournage. À la manière de Godard, qui en a influencé plusieurs, on fait confiance à l'inspiration subite au moment de crier « moteur » ! Chacun veut plus ou moins raconter sa propre histoire ou bien ses petites histoires. Ce qui nous permet d'affirmer que les films sont le fruit d'une réflexion à l'état brut, quasi spontanée, en prise immédiate sur le vécu des cinéastes, « une réflexion déterminée par le vécu », dit Groulx. De là toute sa prégnance, mais aussi ses ambiguïtés. Car si l'improvisation était une valeur dans le direct, elle limitait ici la qualité de la fiction. Dans le documentaire, n'importe qui ayant quelques idées (ou un peu de front, tout simplement) peut se croire cinéaste, mais pas avec la fiction, car c'est un métier très spécialisé que d'écrire des scénarios et des dialogues, aucun technicien ou aucun comédien si géniaux fussent-ils ne peuvent les fabriquer instantanément.

Le vécu des cinéastes, c'est à Montréal qu'il se déroule. Rien d'étonnant alors dans le fait que dans presque tous les films, nous sommes en milieu urbain et la majorité des personnages principaux sont des «gens de la ville». La migration annoncée dans le cinéma de 1950 semble bel et bien achevée. Ce qui n'empêche pas le Claude du *Chat dans le sac* et bien d'autres personnages à sa suite d'aller chercher à la campagne non seulement la solitude pour sa «retraite fermée d'orientation», comme on disait dans les collèges, mais aussi un nouveau contact avec la nature et tous les êtres, un lieu de ressourcement. Car si la campagne n'est plus un milieu de vie, elle est devenue le lieu fondamental de la quête des origines et des mythes, ces relations du temps premier d'où doivent surgir toute explication du monde et toute vérité. Toute l'œuvre de Pierre Perrault, surtout la trilogie à l'Île-aux-Coudres, est exploration de ces mythes fondateurs; le titre du premier film, *Pour la suite du monde*, en exprime par ailleurs très bien la visée qui n'est pas simplement de comprendre le passé, mais d'orienter l'avenir. Même recherche dans *Entre la mer et l'eau douce* de Brault, *Le Révolutionnaire* de Lefebvre, *Le Grand Rock* de Raymond Garceau, *St-Denis dans le temps* de Carrière. Profonde transformation, donc, que cette vision de la campagne, et qui marquera encore davantage la période après 1969.

Autre caractéristique intéressante et qui s'apparente au même détour par le mythe, les réalisateurs-scénaristes, qui sont presque tous au milieu de la trentaine, font vivre la majorité de leurs «histoires» par des jeunes de vingt ans environ, au moment de leur entrée à l'âge adulte[52]. Les films sont remplis de rites d'initiation (première baise, entrée à l'université, mariages, voyages, anniversaires, nuits de Noël, premier spectacle à la télé ou premier rôle au théâtre, etc.) et, dans ce temps premier d'un cinéma québécois nouveau, se veulent eux-mêmes rites initiatiques. On s'amuse beaucoup quand on considère sous cet aspect tous les films de Groulx et de Lefebvre (celui-ci est à peu près

Robert Charlebois et Mouffe dans *Jusqu'au cœur* de Jean Pierre Lefebvre : l'errance intérieure d'une jeunesse qui, même si elle se permet toutes les audaces esthétiques, reste au fond bien sage. (ONF)

le seul à avoir l'âge de ses personnages), *Trouble-fête* de Patry, *Wow* de Jutra, *Amenita pestilens* de Bonnière, *Entre la mer et l'eau douce* de Brault, *Kid sentiment* de Godbout, etc. À ces jeunes, en majorité étudiants, artistes ou intellectuels (les quelques jeunes travailleurs intéressent surtout par leur marginalité de chômeurs ou de jeunes délinquants), les auteurs font vivre avant tout une « errance » (sans l'expliciter, Dominique Noguez avait utilisé ce terme dès 1969 pour titrer un article de *Vie des arts* (n° 55) sur Jutra, Carle, Garceau, Lefebvre, Owen et Ransen) . Elle est physique dans les films de Groulx, Patry, Brault, Jutra et Lamothe dont on voit les personnages arpenter les trottoirs et parcourir bien des kilomètres sans objectif précis. Cette errance est surtout psychologique et éthique : refusant les balises traditionnelles, rejetant tous les « directeurs de conscience », tournant le dos à *Notre maître le passé* (c'était le titre de l'obligatoire manuel d'histoire de Lionel Groulx dans les collèges), car oublier l'histoire favorise la réappropriation du mythe, la plupart des jeunes « héros » parviennent mal à s'orienter vers de nouvelles valeurs et vivent, comme disait justement le titre du film de Brault, « entre la mer et l'eau douce ». Le voyage vers le mythe ne fournit pas tous les tremplins espérés ; au bout de la route, il n'y a le plus souvent que la solitude, l'impasse, la force de « la loi et l'ordre », parfois la mort plus ou moins stupide. Dans l'ensemble, ces longs métrages composèrent beaucoup de traits justes au portrait de cette jeunesse en mouvement dans la Révolution tranquille, mais sous l'aspect de leur écriture cinématographique, ils révélèrent avant tout « l'impossibilité de faire un film de jeunes qui ne soit pas un film sur l'impossibilité de faire un film sur les jeunes... » (Dominique Noguez.)

On retrouve cette même problématique d'errance intérieure quand les cinéastes créent des personnages de leur âge, quand ils se situent plus proches de la confession, du double ou de la transposition dans un autre univers que de l'attribution à un personnage extérieur de ses phantasmes. C'est patent avec le Claude d'*À tout prendre* (Jutra), avec le jeune médecin et surtout sa femme de *Poussière sur la ville* (Lamothe), avec le jeune jésuite du *Festin des morts* (Dansereau), avec le Jean de *Caïn* (Patry), avec l'Abel d'*Il ne faut pas mourir pour ça* (Lefebvre). Sans trop exagérer cet aspect narcissique, on peut dire que, fascinés par les miroirs européens qu'ils viennent de découvrir (nouvelle vague française, films d'Antonioni, psychanalyse, marxisme), les intellectuels québécois s'y contemplent avec passablement de complaisance. Quelques années auparavant, la majorité des cinéastes avaient découvert en même temps le direct et les quartiers populaires, un milieu autre que le leur. La fiction les a ramenés vers leur appartenance première : les milieux bourgeois, d'artistes, journalistes, intellectuels, professionnels. De *Huit témoins* à *YUL 871* (aucun des huit « témoins » n'aurait évidemment pu comprendre ce titre !) pour Godbout, de *Golden Gloves* au *Chat dans le sac* pour Groulx, des *Bûcherons de la Manouane* à *Poussière sur la ville* pour Lamothe, des *Petites sœurs* à *Trouble-fête* pour Patry... il n'y avait pas que simple glissement de genre : les cinéastes parlaient maintenant de leur monde à eux, de leur milieu, de leurs petits frères ou de leurs collègues d'université, de leurs amis, plutôt que de partir à la découverte d'univers différents.

C'est probablement ce qui explique pourquoi le ton n'est pas souvent à la rigolade ; il est même d'un incroyable et dramatique sérieux. L'errance ne porte pas à rire ! (Sauf pour Carle qui a déjà, avec *Léopold Z*, trouvé le type de personnages et l'humour qui caractérisent l'ensemble de son œuvre.) Et ce n'est pas drôle d'être cinéaste au Québec en 1965 quand le public dédaigne son œuvre ! Il y a toujours un côté mélodramatique dans les problèmes de couple, de communication, de crises de conscience, de frustrations dans le travail, de mésadaptation sociale, d'échecs artistiques, de chômage intellectuel, d'incompréhension de la part du milieu, etc. Symboliquement, il faut y voir le désarroi des élites traditionnelles (où les cinéastes comptent surtout leurs « confrères de classe » ou leurs amis) contestées dans leur autorité intellectuelle, en perte de crédibilité, de prestige social et de confiance en soi, mal à l'aise devant l'éclosion des nouvelles valeurs qu'elles-mêmes ont d'ailleurs contribué à faire émerger. Comme allant de soi dans ce milieu d'intellectuels que l'on traitera bientôt de « petits-bourgeois », le mélodrame penche davantage du côté de l'absurde que du romantisme (les mélos de l'autre période font aujourd'hui rire, ceux de celle-ci dépriment). Paradoxalement, c'est ce cinéma de fiction des années 60 qui évoquerait plus une période de « grande noirceur », non celui de l'ère duplessiste ; pourtant, le Québec est censé se libérer alors des carcans ancestraux et laisser éclater de nouveaux dynamismes. Faut-il y voir une coupure entre le monde du cinéma et la réalité ambiante ?

Je crois malheureusement que ce fut le cas pour plusieurs, qui ne surent renouveler leur approche du « monde ordinaire »

Réal Giguère dans *Caïn* de Pierre Patry. La transposition du célèbre mythe tombe trop rapidement dans le mélodrame et la tentative de psychanalyse du milieu tourne court. (ONF)

après les succès du direct et qui s'enfermèrent dans de petits cénacles « entre artistes », entre « professionnels » où il est si facile de bien se comprendre et de bien admirer mutuellement ses petites trouvailles. Pour le meilleur et pour le pire, à peu près personne ne songeait au grand public en imaginant ses scénarios. Et si ce public ordinaire rechigne ou ne vient que de temps en temps pour supporter « nos jeunes talents », tant pis pour lui qui est « trop aliéné par le cinéma hollywoodien »! Rappelons-le, l'exploitation commerciale connaît à ce moment-là sa plus forte décroissance dans toute l'Amérique du Nord. Le public, qui se délecte à la télévision de téléromans, de séries américaines aux fins toujours heureuses, vient de moins en moins dans les salles et quand il s'y risque, c'est pour des valeurs sûres comme les *Docteur Jivago, Sound of Music, 2 001, odyssée de l'espace, Zorba le*

Claude Jutra dans *À tout prendre*. C'est, au moment de sa sortie, la confession intime (en partie codée pour les seuls proches) d'un « enfant du siècle ». En 1987, on peut y lire, bien au-delà de l'allégorie des séquences finales, presque toute la vie et la carrière du réalisateur. (Coll. Cinémathèque québécoise)

Grec, les James Bond, les de Funès, les « Angélique », les Elvis Presley, les films allemands d'« éducation sexuelle » (*sic*), etc. On peut penser qu'il était fort naïf d'espérer le convertir comme ça, tout d'un coup, avec quelques films, à des rythmes différents, une esthétique et des thématiques nouvelles où il n'y a plus de héros, plus d'histoire, plus d'action, plus de belles finales, seulement des problèmes (très réels), des ambiances grisâtres (la majorité des cinéastes ne peuvent se payer que de la pellicule noir et blanc, d'autres en font un choix esthétique), des longues conversations, des dépressions nerveuses et des échecs, des frustrations d'étudiants paumés ou d'homosexuels qui s'assument mal ! Même les vedettes appréciées à la télévision n'attiraient plus, car elles apparaissaient généralement dans des personnages antipathiques ou des contre-rôles. D'ailleurs, pour conserver sa « pureté » de cinéma d'auteur, les réalisateurs-scénaristes n'ont pas beaucoup cherché à utiliser les comédiens vedettes, ceux-ci attirant l'attention sur eux-mêmes plutôt que sur les personnages.

En parallèle avec la créativité joyeuse de la chanson populaire et celle des Vigneault, Ferland, Gauthier et compagnie, avec la poésie des Miron ou Chamberland, avec le roman des Thé-

Le Labyrinthe à l'Expo 67. On faisait la queue pendant des heures pour venir y admirer un spectacle sur écrans multiples. L'amateur de cinéma fut comblé dans cette exposition universelle qui lui donnait à admirer ce qui était à la fine pointe des technologies nouvelles sur grand écran. (ONF)

riault ou Ferron, avec la mythologie créée autour de l'Exposition universelle de Montréal en 1967, l'univers du cinéma québécois n'avait rien pour séduire! Même le public habituel de l'Élysée ou de l'Empire, qui se délectait des Bergman, Godard, Truffaut, Forman, Kobayashi, et autres, n'accourait que par petites grappes quand un film québécois était à l'affiche. Seuls ceux pour qui l'effet miroir jouait à fond, ceux qui savaient y reconnaître une psychanalyse de l'homme d'ici, ceux qui, à l'instar de Gilles Groulx, « ne considéraient pas le cinéma comme un spectacle, mais comme un moyen de réflexion » et ceux que passionnaient les cinémas différents y trouvaient un réel profit.

Il est sûr que le public québécois verra toujours différemment son cinéma et qu'il continuera à l'évaluer à l'aune du produit hollywoodien; qu'on entendra probablement toujours des réflexions comme celle-ci : « C'est très bon, ou pas mal, POUR UN FILM QUÉBÉCOIS ! » Exploiter cette différence peut d'ailleurs parfois devenir un atout important. Mais ce sera par étapes, au prix de quelques concessions (au vedettariat, entre autres) que tout en restant de qualité, le cinéma d'auteur parviendra à élargir son public. C'est ce que les années 60 auront fait comprendre aux Carle, Jutra, Brault, Arcand, Lord et autres.

« Pauvre, moribond... et libre » , dit Monique Fortier du secteur privé de cette époque[74]. Jugement tout à fait pertinent. Libre parce que pauvre, selon la mystique artistique habituelle (que les Carle, Héroux, Fournier... récuseront aussitôt que les millions de la Société de développement de l'industrie cinématographique canadienne promise par le gouvernement fédéral (*voir* page 260) deviendront disponibles!), et par là d'infinies possibilités d'expression personnelles (d'un cinéma d'auteur). Leur indépendance esthétique, les cinéastes du privé la doivent à leur indépendance économique : les premières œuvres de Jutra et de Lefebvre, presque tous les films de Coopératio, sont financés par les épargnes des uns, les emprunts personnels des autres, la collaboration d'amis, le bénévolat des techniciens, l'emprunt plus ou moins clandestin d'équipements de l'ONF et l'indulgence des laboratoires devant les retards de paiements. Il n'y avait en fait que l'Union des artistes qui ne collaborait pas; les réalisateurs interviewés en 1966 par *Objectif* se plaignent de ses tarifs « exorbitants » pour les comédiens (75 $ par jour, 115 $ si une diffusion à la télévision est prévue, 130 $ si le film doit être projeté ailleurs qu'au Québec; pour l'époque, c'était considérable, la plupart des réalisateurs n'en gagnaient pas plus en une semaine!); «il n'y a que l'ONF qui peut payer ça sans faire faillite», dit Gilles Groulx. Mais «moribond» aussi parce que pauvre, et désirant le rester en refusant toute concession «commerciale». Et malheureusement, les films refléteront trop souvent une «sensibilité de moribond», ce qui n'est pas la meilleure recette pour attirer le public.

Signalons enfin, pour clore cette section sur la production, qu'au début de cette période, plusieurs cinéastes d'ici vont travailler à l'étranger[47]: Michel Brault et Claude Jutra avec les propagandistes du «cinéma-vérité» en France (surtout Jean Rouch) et Claude Fournier chez les Américains. Des liens se créent ainsi qui contribuent à mieux faire connaître les produits locaux et à favoriser davantage le mouvement des idées. L'Exposition universelle de Montréal, en 1967, jouera un peu le même rôle en donnant l'occasion à plusieurs d'expérimenter de nouveaux éléments de langage (formats différents, écrans multiples...), car presque tous les pavillons canadiens, et la majorité des pavillons étrangers, offrent des expériences cinématographiques originales (5 000 films y auraient été projetés, disait la publicité).

Distribution

Les ciné-clubs, qui vivent leur âge d'or, et la télévision sont les principaux responsables de la création de plusieurs petites compagnies nouvelles se spécialisant surtout dans le film étranger (comprendre: non américain). Plusieurs salles même de Famous Players se mettent au «film parlant français», ce qui favorise son extension, en même temps que cela diminue l'emprise de France-Film[14-37].

D'autre part, le *Divorcement Act* américain, qui interdit l'intégration verticale complète (production, distribution et exploitation) aux compagnies américaines en 1949, amène certains changements aux pratiques de diffusion: les salles n'étant plus obligées d'exploiter les films de la compagnie propriétaire, elles peuvent davantage se tourner vers des produits venant d'autres horizons. Ceci est important surtout en dehors des grands centres, dans les petites villes où l'on ne retrouve souvent qu'une salle.

L'influence du Festival international du film de Montréal (FIFM)[202] se fait sentir là aussi, car celui-ci révèle tout un ensemble d'œuvres originales et inédites au Québec et même en Amérique. L'engouement qu'elles suscitent crée ainsi une nouvelle demande à laquelle, heureusement, quelques compagnies de distribution savent s'ajuster.

La période 1957-1968 voit donc la naissance de plusieurs compagnies qui, avec celles que les ciné-clubs avaient provoquées dans les années précédentes, distribuent davantage de films différents. Mentionnons ici Atlas Films, Cine-Art Distributing Company, Cinépix, Faroun, Criterion, Prima, Select Films[62]. Fait plus réjouissant encore, les catalogues deviennent de plus en plus internationaux et diversifiés. La plupart offrent à la fois le film de divertissement aux écoles et organismes divers, et le film d'art ou de qualité aux ciné-clubs et salles spécialisées (en 16 mm surtout, mais aussi en 35 mm). On peut en trouver un bon exemple dans le mémoire cité à la section suivante (*voir* page 191) et dans les pages publicitaires des revues *Séquences* et *Objectif* ainsi que, dans les *Recueil des films*.

Mentionnons enfin qu'en avril 1964 est légalement constituée, à Montréal, l'Association canadienne des distributeurs indépendants de films d'expression française (ACDIF), maintenant devenue l'Association québécoise des distributeurs de films (AQDF), pour une défense plus efficace contre le puissant Montreal Film Board (devenu depuis 1976 l'Association canadienne des distributeurs de films) qui regroupe les représentants locaux des *Majors* (les grandes compagnies américaines : Paramount, Columbia, Warner Bros., United Artist, Universal, et quelques compagnies pancanadiennes). Tant que le marché parallèle demeurait insignifiant, ceux-ci ne s'en occupaient guère, mais son extension, en proportion de la diminution du secteur commercial lucratif, suscita bientôt l'envie : en plus du produit américain, ils voulaient maintenant accaparer aussi tout le produit européen. Cette lutte ne connaîtra sa conclusion (provisoire?) qu'à l'automne de 1986 (*voir* page 380)[163].

Exploitation

A. Exploitation commerciale

Commencée dès 1953, l'année suivant l'apparition de la télévision, la baisse de la clientèle cinématographique se poursuit régulièrement jusqu'en 1963 : elle a alors chuté de 58 millions à 22 millions, chiffre qui se maintiendra avec de légers hauts et bas jusqu'en 1972, avec un plancher de 19 millions en 1969, au moment de l'arrivée massive de la télé couleur. L'âge d'or de l'exploitation commerciale est bel et bien terminé ! Le nombre de salles a aussi diminué d'environ un tiers : les 451 salles de 1954 ne sont plus qu'environ 320 en 1966, et il faudra l'arrivée des multisalles, au milieu des années 70, pour voir remonter ce nombre[37].

La télévision, la montée d'autres formes de loisirs (par

Une salle de quartier typique à la fin des années 50, avec ses programmes doubles de films doublés. (Photo Camille Casavant, coll. Cinémathèque québécoise)

exemple, les salles de quilles — qui connaissent une incroyable popularité autour de 1960, parce que les jeunes s'y retrouvent massivement —, le camping, les multiples activités de plein air...) et la baisse de la qualité moyenne du cinéma hollywoodien expliquent pour une bonne part cet abandon des salles. Quand on feuillette les catalogues ou les *Recueil des films*[16], on reste surpris du petit nombre de films de cette époque qui ont résisté à l'épreuve du temps, à part, bien sûr, les œuvres destinées dès leur production aux publics spécialisés. Les exploitants font flèche de tout bois pour contrer la tendance : provoquant sans cesse la censure, ils l'amènent à accepter de mois en mois quelques millimètres de plus de nudité ; la publicité se fait plus racoleuse, promettant toujours plus que ce que le film offre ; on voit même des titres comme *Soeur Angelica* devenir *J'ai péché*[2]! Il faudrait ajouter aussi leur retard à comprendre les nouvelles exigences du public : plus jeune, plus instruit, plus cinéphile, il accepte de moins en moins le mépris dans lequel le tiennent les exploitants en ne lui fournissant que des versions anglaises ou édulcorées des films qui l'intéressent (les salles les plus importantes du réseau commercial sont toujours contrôlées à Toronto). Le *Mémoire* du Comité de culture cinématographique de l'Office catholique national des techniques de diffusion[164] à la Commission Laurendeau-Dunton (sur le bilinguisme et le biculturalisme au Canada), en 1965, montre bien jusqu'où va ce mépris. Nous en citons ici un long extrait qui décrit clairement la situation linguistique prévalant dans l'exploitation et le malaise ressenti par plusieurs. Dans les listes de films, particulièrement dans la dernière, où l'on retrouve des titres japonais, grecs, italiens, indiens, polonais, espagnols, russes, etc., le lecteur pourra aussi noter la qualité de la nouvelle distribution plus universelle.

> Or, nous constatons que, dans les cinémas du Québec, pour une population à forte majorité de langue française, trop de cinémas présentent uniquement des films en langue anglaise. Cette situation nous paraît anormale.
>
> Nous savons que tous les films de langue anglaise qui passent en France sont présentés soit doublés (en version française) soit accompagnés de sous-titres français. Il en va ainsi en Belgique (pays bilingue) où les films étrangers (même français) présentés dans les provinces flamandes ont des sous-titres flamands. Et au Caire, les films américains reçoivent des sous-titres français et arabes.

Au Québec, c'est le contraire qui est vrai; c'est l'invraisemblable qui a cours. Nous avons vu des films français présentés uniquement en anglais (version anglaise); des films français présentés uniquement avec des sous-titres anglais; des films étrangers (autres que français et anglais) présentés uniquement avec des sous-titres anglais. Ainsi les Canadiens français, chez eux, doivent se plier aux volontés et aux caprices des grands propriétaires des salles de cinéma.

Étayons nos affirmations par des exemples précis. Tout d'abord il faut relever les films français qui sont sortis en primeur au Québec dans une version doublée en anglais: *Vie privée*, *Le Monde du silence*, *La Fayette*, *La Mort de Belle*, *Meurtre en 45 tours*, *Les Vacances de M. Hulot*, *Madame Sans-Gêne*, *Lucrèce Borgia*, *Le Comte de Monte-Cristo* (Autant-Lara), *Voulez-vous danser avec moi?*, *Faibles Femmes*, *La Française et l'Amour*, *Les Aventures d'Arsène Lupin*, *Le Ciel et la Boue*, *La Femme et le Pantin*, *La Loi*, *Le Monde sans soleil*, *Les Félins*, etc.

Tout le monde sait que des films, comme *Goldfinger* et *Marnie* ne sont pas présentés en primeur en langue française à Toronto.

Relevons des films français présentés uniquement avec des sous-titres anglais — sans doute pour satisfaire la minorité anglaise du Québec: *Les Parapluies de Cherbourg*, *Le crime ne paie pas*, *Le Mépris*, *Le Doulos*, *La Baie des anges*, *La Vie à l'envers*, *Un singe en hiver*, *L'Amant de cinq jours*, *À bout de souffle*, *L'Année dernière à Marienbad*, *Le Farceur*, *Tu ne tueras point*, *L'Arme à gauche*, *Symphonie pour un massacre*, *De l'amour*, *Les Amants*, *Pas question le samedi*, etc. Qu'arriverait-il si pour satisfaire la majorité française du Québec des films comme *Goldfinger* et *Marnie* étaient présentés ici en primeur avec des sous-titres français?

On peut se demander pourquoi certains films français ont d'abord été présentés avec des sous-titres anglais et plus tard sans sous-titres. Sans doute pour plaire à la clientèle anglaise et lui permettre de profiter d'un nouveau film dès son arrivée au Québec. Mentionnons dans cette catégorie: *L'Amour à vingt ans*, *Les Dimanches de Ville d'Avray*, *La Belle Américaine*, *Le Gendarme de Saint-Tropez*, *Les Sept Péchés capitaux*, *Mélodie en sous-sol*, *La Peau douce*.

Voilà comment nous est communiquée une partie du cinéma français au Québec: par le truchement de l'anglais. Ce n'est pas normal dans une province canadienne où la majorité est canadienne-française.

Cette tendance à l'anglicisation par le cinéma se poursuit naturellement avec les films étrangers autres que ceux de langue française et de langue anglaise. Il faut noter que tous les films d'Ingmar Bergman venus au Québec étaient sous-titrés en anglais. Ici, nous pourrions établir une liste interminable. Contentons-nous de relever les films suivants dont certains sont des chefs-d'œuvre: *Pater Panchali*, *Aparajito*, *Le Monde d'Apu*, *Electra*, *Yojimbo*, *Sanjuro*, *Il posto*, *Umberto D*, *Cendres et diamants*, *Les Sept Samouraïs*, *Ugetsu*, *La Dame au petit chien*, *La Prière du soldat*, *La Route pour l'éternité*, *La Fille en noir*, *Ikiru*, *Le Mari*

de la femme à barbe, Le Lit conjugal, La Femme insecte, Viridiana, Les Cama-
rades, La Maîtresse, etc.

Un tel état de choses apparaît humiliant pour la population majoritaire du Québec. Il faut que l'état intervienne résolument pour faire cesser cette anomalie.

Toutefois, nous savons que nous dépendons le plus souvent des Américains pour nos approvisionnements en films. En fait, les Américains achètent des films étrangers pour toute l'Amérique du Nord et nous sommes leurs tributaires pour notre consommation en films. Il serait temps de briser cette puissance et d'acquérir une plus grande indépendance en ce domaine. Il appartient au gouvernement canadien de sauvegarder la culture et les intérêts de ses citoyens. Nous laisserons-nous indéfiniment imposer des versions anglaises au cœur même du Québec?

Seuls les cinéphiles mordus se rendirent voir ou revoir le film de Perrault en salle commerciale, car il avait déjà été lancé simultanément, le 4 août 1963, à la télévision de Radio-Canada et au Festival de Montréal. Ce fut pourtant une des rares occasions, pour le public ordinaire, de voir sur grand écran les admirables images de Michel Brault. (ONF)

Pour qui connaît l'histoire du cinéma, les titres de films cités dans le texte précédent résument presque tous les grands courants du cinéma au début des années 60. Il peut s'étonner qu'une exploitation contrôlée en grande partie par des Américains et des Ontariens ait offert une programmation issue d'horizons si divers et si impressionnante. Mais ne nous y trompons pas. Cette période, peut-être la meilleure en ce qui concerne l'internationalisme des choix, ne fut le fait que d'un tout petit nombre de salles fonctionnant selon le mode commercial, surtout deux (l'Élysée et l'Empire) et, à l'occasion, les Seville, Snowdon, Kent, Orpheum, Loews, System, Place Ville-Marie (au début de la décennie); plus tard s'ajouteront le Verdi de Roland Smith et le Festival.

Autre caractéristique importante, la majorité de ces films sont présentés en version originale avec sous-titres. Même si ceux-ci empruntent le plus souvent l'anglais (c'est avant tout pour le marché américain qu'on a tiré les copies), les cinéphiles les préfèrent quand même aux doublages. Dans le grand réseau commercial, les films doublés sont évidemment la norme et toutes les copies viennent de France (les sous-titrées en français aussi). Quelques petites compagnies locales tentent de percer ce marché de la traduction, mais en ces années-là, elles doivent se contenter de quelques émissions de télévision.

B. Exploitation parallèle

Même si le réseau des salles paroissiales et le circuit organisé de l'ONF arrivent à leur déclin et se transforment radicalement (ils n'offrent plus que des projections occasionnelles), nous pouvons parler malgré tout d'un âge d'or de l'exploitation parallèle.

Nous le devons surtout aux ciné-clubs, qui atteignent leur apogée entre 1960 et 1965. Selon *Séquences*, on en dénombre au moins 345 faisant partie de regroupements divers en milieux étudiants et ils rassemblent plus de 40 000 participants[175]. Il faudrait en ajouter encore plusieurs dizaines, en milieux étudiants ou autres, qui poursuivent indépendamment leur chemin, car là où il n'existe pas de structure organisée, on projette souvent les mêmes films. Plus importante que celle du nombre, c'est l'augmentation de la qualité des programmations qu'il faut souligner:

de moins en moins d'auteurs ou de courants sont censurés, plusieurs cinématographies nationales inédites y apparaissent maintenant (Japon, Inde, etc.); le néo-réalisme italien n'est plus le cinéma idéal!

Le succès des ciné-clubs est sans doute la première cause de leur déclin: en effet, mieux ils réussissaient, plus ils préparaient des spectateurs intéressés à un cinéma de qualité pour le réseau commercial et, plus celui-ci s'organisait, plus il drainait le public cinéphile avec ses films récents et plus disponibles, ses meilleures conditions de projection, son plus grand choix. Aussi, le monde de l'éducation, qui donnait le ton, subit alors une mutation profonde: le clergé, qui assurait d'une année à l'autre la continuité des organismes, s'en retire et il ne se trouve que fort peu de bénévoles pour prendre sa place. De leur côté, les étudiants, avec les nouvelles structures de programmes et la fin du régime pensionnaire, passent moins de temps à l'école, y trouvent moins d'occasions de lier connaissance avec d'autres, participent de moins en moins aux activités parascolaires (les « parascos », comme on disait). L'organisation scolaire elle-même convient mal aux activités complémentaires. Dans les cégeps (créés en 1967), par exemple, là où la population étudiante de 17 à 20 ans constitue le niveau le plus intéressant potentiellement pour un ciné-club, aucun ne réussit à survivre plus d'un an ou deux après le départ de ses enthousiastes fondateurs. Même si les associations étudiantes (qui ont, elles aussi, quelque peine à se maintenir!) peuvent assurer une certaine permanence, on y manque généralement de bénévoles pour l'organisation. Dans les universités, le nom et les séances demeurent, mais il ne s'agit le plus souvent que de projections, sans information préalable et sans discussions, des films que l'on retrouve dans les cinémas de répertoire, et qui n'offrent que l'avantage du moindre coût.

La Cinémathèque canadienne

Émanation de personnes très actives dans les ciné-clubs de la décennie précédente, la première cinémathèque[142] complète (conservation, diffusion, documentation, recherche) est fondée en 1963 sous le nom de Connaissance du cinéma. Guy L. Côté, cinéaste à l'ONF et collectionneur privé, en est le principal insti-

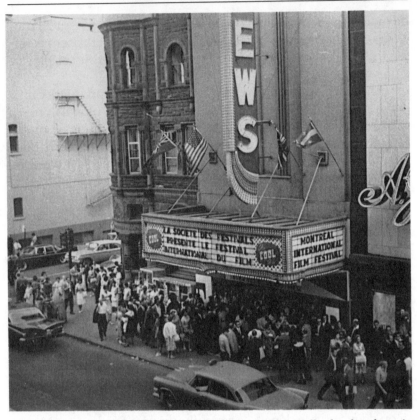

La marquise du Loews au moment du Festival. Cette salle de plus de trois mille places affichait complet pour presque toutes les séances. (Photo André Le Coz, coll. Cinémathèque québécoise)

gateur avec Rock Demers, Jacques Giraldeau, Avram Garmaise, Talbot Johnson, Roland Brunet, etc.; il fournit une bonne partie du trésor initial, devient le premier président. Michel Patenaude, critique à *Objectif*, est secrétaire. Dès l'année suivante, elle devient la Cinémathèque canadienne et en 1966, elle est reconnue officiellement par la Fédération internationale des archives du film. Organisme privé, elle appartient à ses membres (des personnes ayant tous des liens évidents avec le cinéma) qui lui fournissent d'ailleurs la plus grande partie de sa richesse principale (dépôts de films, d'appareils et de documents divers, revues, livres, affiches, photographies, scénarios et autres), mais elle est subventionnée par l'État pour son fonctionnement et pour le reste de ses acquisitions. En plus de réunir rapidement une importante

collection de films et d'appareils[134], elle prend la relève des ciné-
clubs pour la diffusion des grands classiques et du cinéma marginal et, mieux que ces derniers, elle peut organiser des rétrospectives d'auteurs, de courants ou de thèmes qui sont fort appréciées.

Le Festival international du film de Montréal et le Festival du cinéma canadien

À l'été de 1960 a lieu le premier Festival international du film
de Montréal[202], non compétitif et non limitatif. Ses principaux
organisateurs, Pierre Juneau et Guy L. Côté, cadre et cinéaste
à l'ONF, et Roch Demers, sont des anciens des ciné-clubs et de
la critique.

Le premier objectif est de faire voir aux cinéphiles québécois, dès leur sortie et dans de bonnes conditions, tous ces films
primés dans les festivals européens dont la majorité, ou bien res-
teraient inconnus en terre d'Amérique, ou bien n'arriveraient
que plusieurs années plus tard par les ciné-clubs. Sans s'aligner
directement sur ceux de Cannes et de Venise, il en partage les
visées de promotion d'un cinéma de qualité, différent et sortant
des cadres habituels fixés par la grande industrie. D'une façon
plus « relations publiques » et avec plus d'éclat que les ciné-clubs,
les organisateurs espèrent provoquer des événements qui force-
ront les distributeurs à s'intéresser à un cinéma plus international et les exploitants à prendre davantage de risques. L'objectif
ultime est de retrouver dans les salles commerciales, étalés tout
au long de l'année, tous ces films qui font les beaux jours des
festivaliers. Profitant de l'arrivée récente d'un nouveau régime
politique « libéral » et de son ouverture au monde des arts, ils
estiment aussi le moment propice à une transformation radicale
de la censure.

Tous ces objectifs se réaliseront, et même peut-être mieux
qu'on ne l'escomptait. Le dernier surtout. En effet, *Hiroshima,
mon amour* d'Alain Resnais, le film vedette de tous les festivals
en 1960, projeté intégralement au Festival, donc apprécié dans
son intégrité par les cinéphiles les plus « militants », se voit amputé
de 14 minutes par le Bureau de censure avant son visa de sortie

en salle commerciale. Campagne de presse, dénonciations, manifestations contre cette censure rétrograde ne changeront pas sa décision, mais provoqueront à court terme la création d'une commission d'enquête (la Commission Régis, *voir* page 206) qui, elle, saura exercer les influences nécessaires.

Dans la foulée du travail déjà effectué par les ciné-clubs, on peut dire que le Festival sera l'agent le plus officiel et le plus efficace de l'internationalisation de notre exploitation, commerciale tout autant que parallèle. Il misera avant tout sur les grandes vedettes de l'heure (Godard, Antonioni, Satyajit Ray, Truffaut, Kaneto Shindo...), mais aussi, trop peu selon certains, sur le jeune cinéma. Par son orientation vers le cinéma le plus dynamique (la nouvelle vague française, les jeunes cinémas nationaux d'Europe de l'Est ou d'ailleurs, les auteurs très personnels), il favorisera l'émergence d'une production locale pareillement orientée (surtout après 1963) et le surgissement d'une critique plus personnelle et plus engagée.

Bûcherons de la Manouane d'Arthur Lamothe. En lui attribuant son prix du court métrage, le Festival du cinéma canadien consacre l'importance du cinéma direct. (Coll. Cinémathèque québécoise)

Cela deviendra plus évident quand, dans son cadre et profitant des mêmes structures d'organisation, se tient à partir de 1963 le Festival du cinéma canadien, compétitif cette fois-ci. En plus de célébrer l'émergence du cinéma local, ce festival veut l'exposer aux regards critiques venus d'ailleurs, ceux des cinéastes étrangers invités à accompagner leurs films et ceux des critiques des revues européennes que l'on attire à cette occasion. À remarquer ici que l'on parle bien de cinéma « canadien », et non québécois : bien que nationalistes pour la plupart et plutôt sympathiques aux idées de gauche, les cinéastes se définissent encore comme « Canadiens français » (ce qui est déjà marquer toute une différence avec les « Canadians »). Ce n'est qu'à partir de 1968 que le terme « Québécois » se généralisera.

Dès la première année, le jury (international, car on profite de la présence des invités étrangers) montre ses préférences en attribuant ses grands prix, dans la catégorie long métrage à *À tout prendre* de Claude Jutra, et dans la catégorie court métrage à *Bûcherons de la Manouane* d'Arthur Lamothe ; un prix du jury est accordé à *Pour la suite du monde* de Pierre Perrault et Michel Brault. Bien qu'il faille souligner le peu de choix qu'il avait (dans le long métrage, il n'y avait que les deux primés et, sauf pour le film de Lamothe, ce n'était pas une bonne année pour le court métrage), on peut dire qu'il valorise ainsi le cinéma non conventionnel, à la fois par son esthétique (direct ou fiction à la manière du direct) et ses thèmes culturels. Les choix des années suivantes seront généralement du même ordre (*voir* annexe 4, page 486). Ces prix seront très satisfaisants pour l'ego des cinéastes qui peuvent s'enorgueillir de l'estime de leurs pairs, mais ils leur cacheront toujours leur divorce d'avec le public général et une partie de la critique locale. C'est là que commence, selon moi, cet immense malentendu, persistant encore dans les années 80 (sauf pour de rares exceptions comme *Les Plouffe* ou *Le Déclin de l'empire américain*), et que personne ne tente d'expliquer.

Présentés dans un cadre « cinéphilique », soumis aux seuls jugements des connaisseurs et esthètes, confrontés par la suite aux enthousiastes regroupements dans les ciné-clubs, les films furent classés, cela allait de soi, comme produits culturels spéciaux, à part, dans une catégorie différente des films habituels de divertissement. Les cinéastes eux-mêmes invitaient le public à adopter un regard différent. Sans trop s'en apercevoir, sans toujours le vouloir, c'est pour ce public choisi, valorisant, compréhensif et prenant son plaisir à comparer *Le Chat dans le sac* avec les films de Godard ou d'Antonioni, que les réalisateurs travaillent (malgré beaucoup de prétentions contraires chez certains). Sans l'avouer clairement, mais cela transparaît dans les interviews, ils refusent de tenir compte de cet autre public qui compare leurs films au James Bond ou Angélique vu la veille!

Cette appréciation des collègues, des intellectuels, des cinéastes et critiques étrangers fut merveilleuse, mais elle a aussi orienté presque tout le cinéma québécois de fiction de cette décennie dans une voie qu'il faut bien qualifier d'élitiste et de marginale. Ce cinéma d'auteur, réservé à un public restreint et marginal, doit exister et il se révèle souvent fort stimulant, mais il ne doit pas prétendre représenter tout le cinéma. À la suite de ces louanges dithyrambiques reçues de la critique européenne (surtout de gauche, puisqu'elle était la seule invitée), plusieurs y ont cru et se sont pris pour Godard ou Fellini.

Cette critique (française surtout), que le Festival a provoquée, eut l'immense mérite de faire connaître à l'étranger à la fois l'émergence du cinéma québécois et la montée du nouveau nationalisme qu'il reflète. Mais nous croyons qu'elle fut trop condescendante, trop polie, trop indulgente (l'indulgence cache souvent une forme de mépris), un brin colonisatrice. En plus de contribuer à créer le malentendu dont nous avons parlé plus haut, elle a faussé les rapports que les cinéastes québécois entretenaient avec la critique locale (comment Pierre Perrault peut-il continuer à lire Alain Pontaut du *Devoir* qui n'apprécie pas trop ses paroles filmées quand Louis Marcorelles du *Monde* y voit le summum de l'art cinématographique? Comment Gilles Groulx peut-il tenir compte des réticences de *Séquences* quand Cannes lui fait un «triomphe»?). Elle faussait également les attentes du public européen en général, qui n'a encore jamais fait un succès, même moyen, à un film québécois, malgré leurs prix et leur (encombrante?) présence à Cannes. Il est des domaines où les «ennemis» sont parfois plus utiles que les amis.

Critique

C'est avec les années 60 que les quotidiens offrent enfin aux lecteurs une critique sérieuse, dépassant l'anecdotique ou le reportage des principaux événements. Avec Alain Pontaut ou Jean Basile au *Devoir*, Michelle Favreau à *La Presse*, le ton se fait plus incisif, le niveau proprement cinématographique est abordé d'une manière un peu plus pertinente, quelques controverses passionnées sont soulevées. Avec eux surtout, la vie du cinéma québécois se taille une place dans l'actualité culturelle. Quelques revues culturelles ou engagées lui consacrent soit une chronique régulière, soit des dossiers épisodiques avec beaucoup de substance (*Vie étudiante, Maintenant, Parti pris, Liberté* (dont il faut signaler le numéro spécial en 1966), *Sept-jours, Culture vivante, Relations, Vie des arts...*). Ici encore, nous croyons que c'est dans ces lieux non cinématographiques que se fit la critique la plus percutante et la plus libre, non dans les revues de cinéma.

Séquences est toujours là, effectue à peu près le même travail d'animation des ciné-clubs et de diffusion d'informations jusqu'au milieu de la décennie. Jusqu'en 1962, seule la critique esthétique (et souvent moralisatrice, orientée par *Le Film idéal* de Pie XII), appliquée aux valeurs sûres du cinéma international, semble l'intéresser. Ce n'est qu'à partir de cette année-là que ses lecteurs commencent à apprendre qu'il se produit aussi quelques images au Québec! Après 1962, critiques de films, articles historiques, nouvelles diverses (à propos des festivals, par exemple) renseignent de plus en plus au sujet du cinéma « canadien » (il faudra attendre les années 80 pour qu'on parle de « cinéma québécois » dans *Séquences*), mais le ton n'est pas toujours sympathique, car on y a la comparaison trop facile avec les « chefs-d'œuvre » du cinéma mondial. Elle n'en constitue pas moins la meilleure source d'informations sur cette période. Son apport pour faire connaître les classiques, les Japonais, les Russes, n'est pas négligeable.

Séquences et *Objectif* sont les deux seules revues de cinéma à cette époque. Il est d'ailleurs d'usage, dans certains milieux, de dater l'apparition de la « vraie » critique avec *Objectif*[123], première revue « libre ». Réputation surfaite qu'une récente relecture de toute la collection a confirmé : sauf pour quelques articles et les six derniers des 38 numéros, la critique est prétentieuse, élitiste, souvent ennuyeuse et décrochée de la réalité québécoise.

Relisons l'éditorial du premier numéro (octobre 1960), signé par Robert Daudelin et Michel Patenaude :

> Nous sommes nés avec *Citizen Kane*, quelques-uns avant, avec *La Grande Illusion* ou *La Chienne*, quelques-uns même avec *Gold Rush* ou *La Passion de Jeanne D'Arc*. Mais nous sommes tous les mêmes ; nés de Chaplin, de Renoir ou de Welles, nous sommes tous les mêmes inclassables.
>
> Plaçant notre foi en Rossellini, Hitchcock, Hawks ou Bresson, nous sommes les croyants ou tout au moins les néophytes dont le regard n'est que mouvements, rythmes, plans...
>
> C'est de cette foi qu'est né *Objectif 60*. De cette foi qui organise les festivals, de cette foi qui fait vieillir les abonnés du *System*, de cette foi qui fonde les ciné-clubs... de cette foi qui anime tous ceux pour qui l'écran, plus qu'un paysage, est un univers qu'il n'est pas besoin d'inventer.
>
> *Objectif 60* se veut entièrement dédié au cinéma, au vrai cinéma, à celui à qui trop souvent on voile la face.
>
> *Objectif 60* se veut honnête, libre des contingences qui ont toujours tué l'amour et qui ont couronné l'incompétence qui règne dans nos journaux.
>
> *Objectif 60* se veut ouvert à tous ceux qui aiment l'écran et qui veulent le dire bien haut.
>
> *Objectif 60* vivra-t-il ? La réponse ne tient qu'à vous. Pour nous, la tâche est acceptée et nous ne sommes pas prêts de lâcher. Si nous commençons modestement, c'est que nous voulons grandir. Si nous n'avons que 36 pages, c'est que nous en voulons bientôt 40. Si notre présentation est humble, c'est que nous souhaitons constamment l'améliorer.
>
> Certains nous ont permis de naître : les nombreux collaborateurs bénévoles qui nous ont assuré de leur aide constante, les courageux annonceurs qui n'ont pas craint de nous confier leur nom, enfin, tous ceux qui nous ont demandé ce premier numéro. Nous permettrez-vous de vivre ?
>
> *Objectif 60* c'est vous, c'est chacun de ceux qui croient au cinéma.

Objectif se fait remarquer dès ses premiers numéros par son ton légèrement frondeur et ses attaques contre la censure. Mais le niveau de critique ne dépasse guère celui de *Séquences* (plusieurs rédacteurs en sont d'ailleurs des rescapés ou, de toute façon, des anciens des ciné-clubs et des stages de cinéma de la

objectif

revue indépendante de Cinéma

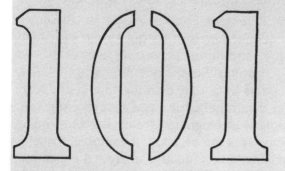

QUESTIONS SUR
LE CINEMA
CANADIEN

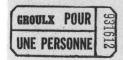

GROULX POUR
UNE PERSONNE
931612

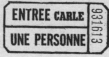

ENTREE CABLE
UNE PERSONNE
931613

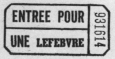

ENTREE POUR
UNE LEFEBVRE
931614

ENTREI
UNE PE

mai-juin 1966 / 75¢

L'«indépendance», comme tous les Québécois savent la définir, est une notion bien relative...

Commission diocésaine : Robert Daudelin, Jacques Lamoureux, Jean Pierre Lefebvre et Jacques Leduc... ; à lire le premier éditorial, on constate qu'ils en avaient bien assimilé le langage !). La cinéphilie s'appuie pareillement sur la notion de chef-d'œuvre et se rallie bientôt à celle du cinéma d'auteur promue par les

Cahiers du cinéma à Paris. Les idoles se nomment Antonioni, Godard, Nicholas Ray, Resnais, Truffaut, Bergman... Parmi les Québécois, Groulx et Lamothe sont pratiquement les seuls à remporter l'adhésion ; mais à quelle descente aux enfers ont eu droit *À tout prendre* ou *Le Festin des morts* ! La seule différence avec la critique française réside dans l'enthousiaste anticléricalisme de certains rédacteurs à l'athéisme tout neuf, réaction qui les fait tomber à bras raccourcis sur *Séquences* et ses œuvres !

Libre, *Objectif* ? Rarement. En plus de cet assujettissement aux jugements de la critique française en ce qui concerne le cinéma étranger (admiration inconditionnelle pour les maîtres du western ou Hitchcock...), on ne s'éloigne que rarement de l'éloge pour les films des copains du comité de rédaction (Leduc admirant Lefebvre, Hébert admirant Leduc...) ou pour ceux qui s'inscrivent dans la même ligne idéologique (Groulx, Lamothe) quand on se tourne vers le cinéma québécois. Par exemple, il y est à peine question du cinéma direct (aucune analyse d'ensemble), on n'y discute jamais l'écriture et les thématiques de la production locale de longs métrages, on ne s'y interroge jamais sur la situation et les goûts du public, on ne trouve pas le temps, en sept ans, d'accorder un article à Pierre Perrault ; il faut attendre les derniers numéros, les six de 1966 et 1967 consacrés uniquement au cinéma d'ici et aux « 101 questions » posées à 11 cinéastes sur un de leurs films, pour en savoir un peu plus long sur Coopératio et les conditions de travail de plusieurs cinéastes marquants. Dans ces six derniers numéros, la perspective est tellement transformée qu'il s'agit, à toutes fins utiles, d'une nouvelle revue.

Moment important de l'histoire de la critique au Québec, *Objectif* le fut certes, mais pas plus que *Séquences*, et dans un milieu beaucoup plus restreint. Vingt ans plus tard, nous percevons combien elle fut tributaire du langage, des modes et des préjugés de l'époque. Elle fut surtout le porte-parole de cette première génération de cinéphiles à s'affranchir des modèles de pensée centralisés sur les visées religieuses et à vouloir ouvrir le Québec au meilleur cinéma mondial. Si elle eut un peu d'influence sur quelques créateurs, en plus de ceux qui y écrivaient, elle ne toucha qu'un micromilieu, qu'elle contribua d'ailleurs, comme la condescendante critique française, à couper du public général.

En terminant cette section sur la critique, signalons la publication des premiers livres et brochures consacrés uniquement à l'histoire du cinéma d'ici. En 1967, le ministère des Affaires culturelles de Québec commandite *Vingt ans de cinéma au Canada français* de Robert Daudelin[18] et la Cinémathèque publie *Comment faire ou ne pas faire un film canadien* d'André Paquet[127], avec la collaboration de nombreux cinéastes. Cette même année, *Premier Plan* (en France) consacre son numéro 45 au *Jeune cinéma canadien* de René Prédal[59]. En 1968, Gilles Marsolais[49] livre *Le Cinéma canadien*. Oeuvres de pionniers qui n'avaient pas accès aux principales sources de documentation (il faut en vérifier à peu près toutes les informations fournies), ces écrits sont aujourd'hui dépassés, mais on les relit avec plaisir pour comprendre la sensibilité de l'époque (entre autres points : un mépris suffisant pour la production de 1944-1953, éloge quasi inconditionnel pour les indépendants contemporains, absence de toute critique envers le direct).

Législation

A. À Québec

Les diverses manifestations contre la censure d'*Hiroshima, mon amour*, plusieurs articles de journaux et de revues (*Objectif, Cité-libre, Maintenant*) amènent le gouvernement Lesage à vouloir modifier cette loi de la censure « des vues animées » qui apparaît anachronique à presque tout le monde.

Une première modification, très mineure, est apportée le 9 juin 1961, pour autoriser les enfants d'au moins 10 ans à entrer dans les salles commerciales pour les représentations « avant six heures du soir », à condition qu'on y présente des films spécialement approuvés à cet effet. Suzanne Gignac, institutrice, et Robert-Claude Bérubé, prêtre et professeur, tous deux bien connus dans le mouvement des ciné-clubs sont nommés censeurs à temps partiel pour l'attribution de ces visas spéciaux.

Pour la solution du problème de la censure proprement dite, le gouvernement commence, comme d'habitude en pareils cas, par le faire étudier en nommant, par un arrêté en conseil du 6 juillet 1961, un Comité provisoire pour l'étude de la censure du cinéma dans la province de Québec. Il est composé de Fernand Cadieux, Claude Sylvestre, André Lussier, Georges Dufresne et Louis-Marie Régis (un père dominicain de grande réputation, professeur de philosophie à l'Université de Montréal et animateur d'émissions religieuses à Radio-Canada), président. Son rapport (connu sous le nom de Rapport Régis[179]) est remis le 21 février 1962 et est considéré comme de la « dynamite » à l'Assemblée nationale.

En effet, alors que le gouvernement attendait comme recommandations quelques modifications mineures, il se voit invité à tout bouleverser. Le jugement du comité sur le Bureau de censure ne manque pas de mordant :

> Un seul jugement permet de décrire et la pratique de cette institution et l'esprit dont elle s'inspire : c'est un système archaïque que le comité croit irrécupérable.

Il n'est donc pas surprenant qu'il en recommande l'abolition complète et son remplacement par un organisme animé d'un tout autre esprit :

> Le comité propose donc que toute la question dite du Bureau de la Censure soit ré-examinée en tenant compte des critères suivants :
> 1. Traiter le cinéma au même titre que n'importe lequel des autres arts contemporains.
> 2. Favoriser la politique de libre circulation des œuvres et des idées.
> 3. Abolir le bureau actuel ou renouveler complètement cette institution de telle façon qu'elle puisse rapidement acquérir l'autorité intellectuelle nécessaire pour faire du bon travail.
> 4. Référer aux procédures légales usuelles les cas susceptibles de tomber sous le coup du Code criminel.
> 5. S'engager résolument dans une voie positive où les spectateurs ne soient plus traités comme des enfants, des vicieux dangereux ou des anormaux.

Avec un philosophe comme président, avec des cinéphiles comme membres, on comprend que le Comité ne s'en tienne pas aux stricts plans légal et politique de la question. Il ne leur accorde d'ailleurs que peu d'importance, situant plutôt ses recommandations dans une perspective d'éducation à la liberté et dans une morale de la maturité psychologique; leur langage, même, est tout autre que juridique:

> Conclusions:
>
> 1) Telle qu'appliquée actuellement, la Loi des vues animées est nuisible à l'éducation morale parce qu'elle se SUBSTITUE aux véritables éducateurs que sont les parents et les guides spirituels des consciences alors que la loi a pour but d'éclairer les éducateurs mais non de les remplacer.
>
> 2) Telle qu'appliquée actuellement, la Loi des vues animées est encore nuisible à l'éducation morale de notre population parce qu'elle prend les décisions morales à leur place, et que, ce faisant, elle se SUBSTITUE à la conscience personnelle et habitue les individus à vivre dans l'inconscience de leurs devoirs de liberté ou à se révolter contre cet auxiliaire de leur liberté qui au lieu de les éclairer les ligote.
>
> 3) Une loi positive humaine n'étant éducatrice que dans la mesure où elle éclaire un choix à faire, une décision à prendre, la Loi des vues animées ne sera vraiment une loi morale, i.e., auxiliatrice de la liberté individuelle, que:
>
> a) si elle est un instrument d'INFORMATION sur le contenu des films, leur valeur culturelle, artistique, les dangers de chocs émotifs ou moraux que présentent certains d'entre eux;
>
> b) si elle est un instrument de CLASSIFICATION des spectateurs selon leur degré de MATURITÉ normale;
>
> c) si elle est un instrument de signalement, pour les autorités gouvernementales, des films qui seraient un danger imminent pour l'ordre public, soit à cause de leur caractère pornographique, soit à cause de leur caractère subversif.
>
> Comme la liberté morale ne couvre qu'une partie des forces psychologiques qui se trouvent dans l'homme, i.e. les forces CONSCIENTES, et que demeure tout le domaine des forces inconscientes dont le dynamisme est incontestable et de plus en plus connu ou exploré, cette étude sur la liberté morale et la censure est suivie d'un travail sur la Loi de censure et les forces inconscientes qui se trouvent dans chaque homme.

Suivent dans le rapport une analyse psychoesthétique sur l'influence du cinéma sur divers groupes d'âges et une longue série de recommandations. Parmi les principales: abandon complet de la censure des films et de la publicité, attribution de visas d'exploitation selon une classification des publics, composition différente du Bureau de censure (lequel devrait d'ailleurs changer de nom), nouvelles dispositions financières pour des relations plus harmonieuses avec les distributeurs, droit d'appel des décisions, permis pour les représentations en plein air (ciné-parcs).

Le Parlement sera toutefois beaucoup moins rapide à changer la loi que le Comité ne l'avait été à remettre son rapport. Il faudra attendre 1967, d'autres études (!) et une maturation de l'opinion publique pour qu'il transforme enfin sa Loi des vues animées en Loi sur le cinéma.

Au moins, les principales recommandations du Rapport Régis y sont adoptées : classification des films et attribution d'un visa d'exploitation par groupes d'âge (18 ans, 14 ans, tous). Dans l'esprit de la loi, cette autorisation ne signifie pas que le film est « bon » pour tel groupe : seulement qu'il ne peut faire de tort aux personnes « normales » faisant partie de ce groupe ! De plus, on accepte ou rejette les films dans leur intégralité : le Bureau ne peut plus faire de coupures (c'est la fin du règne des ciseaux !) ; cela n'empêche toutefois pas un distributeur qui s'est vu refuser un film de faire lui-même des coupures et de présenter sa nouvelle version ; le cas se produira très souvent. On peut maintenant ouvrir des ciné-parcs (jusqu'alors interdits, parce qu'ils étaient, selon la boutade populaire, des *sin-pits*). Le Bureau se nommera de « surveillance » au lieu de « censure » et il y a réorganisation des opérations financières et une nouvelle grille de tarification. Ainsi, la nouvelle loi répondait à la principale attente du public général : assurer une meilleure qualité de choix aux adultes tout en garantissant la protection des enfants.

Entre temps, quelques gestes avaient déjà été posés dans le sens de la libéralisation. Au début de 1963, les fameux critères de 1931 avaient été définitivement écartés et l'on renonçait à en édicter de nouveaux. Le consensus social, les normes acceptables du milieu, le bon sens des « surveillants » commandent maintenant les jugements. Le 29 avril, André Guérin occupait le poste de président du Bureau, en même temps que de directeur de l'Office du film du Québec. Avec lui, la nomination au poste de censeur cessait d'être récompense politique à des amis du parti au pouvoir ou à des candidats défaits. Sous sa direction, les vannes du permis s'ouvraient de plus en plus grandes et les ciseaux « tailladaient » de moins en moins de films. Sauf pour quelques affaires discutables, ses décisions étaient appréciées à la fois par le milieu cinématographique et par le public en général. De fait, sauf pour quelques cas douteux — l'interdiction de *High* (Larry

André Guérin, l'homme de la « censure » depuis un quart de siècle, à la satisfaction, sinon de tous les gouvernements, du moins du milieu cinématographique en général. (Régie du cinéma)

Kent) en 1967, les problèmes qu'ont connus *I, a Woman* en 1968 et *Quiet Days in Clichy* en 1970, films acceptés par le Bureau, mais interdits par la suite sur le territoire de la ville de Montréal — il faudra attendre 1982 et les luttes féministes contre la pornographie pour entendre de nouveau parler sérieusement de censure. Autre geste encourageant, la responsabilité du Bureau de surveillance passe du procureur général (ministre de la Justice) au secrétaire de la Province (remplissant alors les fonctions aujourd'hui dévolues au ministre des Affaires culturelles); cela indique une approche plus souple et plus culturelle.

B. À Ottawa

C'est à un tout autre niveau que le gouvernement fédéral s'intéresse au cinéma. À la suite des timides succès de certains films dans le réseau commercial, mais du rapide plafonnement de ces tentatives industrielles à cause des faibles capitaux de production ; et à la suite des nombreux mémoires et pressions du milieu cinématographique, il adopte en 1964 le principe de la création d'un fonds d'emprunt en vue d'encourager et de soutenir une industrie de longs métrages de fiction destinés aux salles commerciales. Il s'agit en somme d'aider financièrement les petites maisons locales à concurrencer les multinationales sur leur propre terrain.

Ce n'est toutefois que le 10 mars 1967 qu'est sanctionnée la Loi sur la Société de développement de l'industrie cinématographique canadienne[147] (en anglais : Canadian Film Development Corporation). Et il faudra attendre encore plus d'un an avant qu'en soit nommé le personnel et achevée l'organisation, et que ne commencent vraiment les opérations (première réunion du conseil le 2 avril 1968). Voici l'extrait de la loi[63] qui en définit les «objets et pouvoirs» :

> 10. (1) La Société a pour objet de favoriser et d'encourager le développement d'une industrie du long métrage au Canada et, à cette fin, elle peut, sans restreindre la généralité de ce qui précède,
>
> a) faire des placements dans des productions de longs métrages canadiens réalisés individuellement, en contrepartie d'une participation aux bénéfices qui en découlent ;
>
> b) consentir des prêts aux producteurs de longs métrages canadiens réalisés individuellement et exiger un intérêt sur ces prêts ;
>
> c) accorder des récompenses pour les réussites remarquables dans la production de longs métrages canadiens ;
>
> d) accorder aux cinéastes et techniciens du film qui résident au Canada des subventions pour les aider à accroître leur compétence technique ; et
>
> e) conseiller et aider les producteurs de longs métrages canadiens, en ce qui concerne la distribution de ces films et les tâches administratives liées à la production de longs métrages.

Suivent les considérations habituelles quant à la composition de la Société (membres), son organisation, son financement et son pouvoir d'édicter des règlements. La Société (familièrement appelée la SDICC) a donc tous les pouvoirs financiers d'une grande banque, sans devoir rendre des comptes à des actionnaires ; son mandat, vague et vaste, lui permet presque n'importe quoi. Nous verrons dans la prochaine partie qu'il fut souvent rempli de façon fort discutable.

L'Église et le cinéma

C'est surtout par le biais des ciné-clubs que l'influence de l'Église[173] québécoise sur le cinéma perdure, puisqu'ils prolifèrent dans les écoles et collèges contrôlés par des religieux ou religieuses. La réforme de l'enseignement, la chute des ciné-clubs à la fin de cette période et un nouveau climat social plus tolérant feront à peu près disparaître cette influence sur les jeunes. Dans bien des milieux cléricaux, on continue à percevoir le cinéma « de façon générale comme un dissolvant de la moralité » (J. d'Anjou, s.j.), mais presque partout, les mentalités évoluent rapidement.

De même, les fameuses cotes morales[16] publiées dans les journaux se transforment radicalement en 1968, parallèlement à la mise en application de la nouvelle classification du Bureau de surveillance. Le système des cotes (« enfants », « adultes », « à déconseiller » ou « à proscrire ») est abandonné pour laisser place à une « appréciation morale » des films (que plusieurs journaux continuent de publier, certains jusque dans les années 70). Une nouvelle mentalité commençait à se répandre à l'Office des communications sociales, mais la transformation des cotes s'imposait à cause de leur nature même.

En voulant signaler les détails « nocifs » de certains films, elles devenaient une des meilleures sources de publicité ! Cotant, par exemple *Les Amants* de Louis Malle « à proscrire » parce que « ce film immoral constitue une idéalisation de l'amour adultère et comporte des scènes d'alcôve inacceptables », elles lui en assuraient sûrement quelques dizaines de milliers de spectateurs supplémentaires, moins séduits par la nouvelle vague française que par les « scènes d'alcôve inacceptables » ! Ou bien disant d'*Onibaba* de Kaneto Shindo : « Cet étalage brutal et éhonté de mœurs bestiales et d'images licencieuses constitue un spectacle dégradant. À proscrire », ou de *I, a Woman* (Mac Ahlberg) « Le film se réduit à une description très réaliste des expériences sexuelles d'une jeune nymphomane. Il contient des passages très suggestifs et des scènes de nudité », c'était amener beaucoup de spectateurs aux cinémas japonais et suédois, même avec sous-titres! Que de belles promesses, malheureusement pas toujours remplies, les lecteurs de *La Presse* ou du *Devoir* trouvaient ainsi dans leur édition du samedi!

Ces transformations ramènent les interventions cléricales à un rôle discret d'information qui rejoint une clientèle mal définie. Sauf pour des initiatives individuelles (envolées tonitruantes du père Marcel-Marie Desmarais à Montréal et de Mgr Raymond Lavoie à Québec contre quelques films de la période « sexée » de 1969-1972, procès intenté en 1982 à Famous Players par Mgr Lavoie de Québec au sujet des films *Salo* (de Pasolini) et *Caligula et Messaline* (porno minable), suivi d'un règlement hors cour en 1983 dans lequel l'exploitant Famous Players s'engageait à ne plus projeter ces films dans ses salles), nous n'assisterons plus à des actions marquantes de l'Église du Québec en matière de cinéma après 1968.

Éducation cinématographique

Il n'y a toujours pas d'école de cinéma au Québec... C'est à l'ONF surtout, et un peu dans les petites compagnies, que les nouveaux cinéastes peuvent acquérir quelques connaissances techniques au contact des vétérans.

Comme dans la période précédente, le principal travail d'éducation cinématographique se fait, au moins jusqu'en 1965, par les ciné-clubs. Quand ceux-ci ne sont plus, malgré leur nom, que de simples lieux de projection des mêmes films qu'en salles commerciales, avec simplement un peu de retard et à un coût moindre, personne ne reprend leur rôle éducatif à une aussi grande échelle.

En 1961, Radio-Canada met à l'affiche du samedi après-midi *Images en tête* qui se veut le ciné-club des jeunes. Pendant presque dix ans, on y présentera des films valables, les mêmes classiques qui font les belles soirées des ciné-clubs. Mais c'est aussi un laboratoire du cinéma amateur en 8 mm, avec ses chroniques, ses conseils techniques, ses concours. Les jeunes artisans, isolés ou groupés en fédérations, y trouvent des appuis précieux.

Au début des années 60, beaucoup de mémoires soumis à la Commission royale d'enquête sur l'enseignement (qui a provoqué la grande réforme de tout le système d'éducation québécois) réclament l'instauration de l'éducation cinématographique à tous les niveaux, avec un même objectif : former des spectateurs pour le «bon cinéma» (même si l'expression ne recoupe pas exactement les mêmes films pour les rédacteurs de *Séquences* et d'*Objectif*). La publication de son rapport (Rapport Parent[177]) suscite en 1964 beaucoup d'espoir : dans la vaste réforme que la Commission propose, elle inclut l'éducation cinématographique comme obligatoire à certains niveaux et comme matière optionnelle à d'autres, au même titre que l'enseignement des matières essentielles. Elle recommande aussi d'accélérer la formation de professeurs en ce domaine et de créer, à l'intention des écoles une cinémathèque comprenant les grands chefs-d'œuvre du cinéma mondial. Cette belle page restera toujours lettre morte.

Quelques écoles privées, plus autonomes dans certains domaines, innovent en inscrivant des cours de cinéma à l'horaire (Collège Saint-Viateur, Collège Grasset), mais cela reste expérimental. Le département d'histoire de l'art de l'Université de Montréal veut aussi se moderniser et propose quelques cours sous la direction de Jean Mitry. Mais il faudra attendre les cégeps, après 1967, pour voir se mettre en place les premiers enseignements vraiment structurés (quoiqu'il ne s'agisse pas encore d'écoles de cinéma).

Associations professionnelles et syndicalisme

C'est la période principale pour la fondation des associations professionnelles[60-61].

L'origine de la première, l'Association des propriétaires de théâtres du Québec (aujourd'hui : Association des propriétaires de cinémas du Québec inc.) remonte à 1932. Deux associations non cinématographiques déjà existantes ont une incidence très importante sur le cinéma : l'Union des artistes (UDA), fondée en 1937, syndicat qui regroupe tous les comédiens et musiciens, et la Société des auteurs, recherchistes, documentalistes et compositeurs (SARDEC), fondée en 1945 et constituée en syndicat professionnel en 1949, qui défend les intérêts des scénaristes.

L'Association professionnelle des cinéastes devient, en 1963, le premier regroupement bien structuré à faire entendre la voix des professionnels du cinéma. En font surtout partie les réalisateurs et diverses catégories de techniciens. Elle produit plusieurs mémoires importants avant de s'éteindre, au début des années 70, après s'être fractionnée en divers autres regroupements (de producteurs, réalisateurs, syndicats, etc.).

En 1964, est fondée l'Association canadienne des distributeurs indépendants de films d'expression française (ACDIF) (*voir* page 189).

À leur tour, les producteurs (ils sont nombreux à se rassembler à ce moment-là) fondent leur Association des producteurs de films du Québec en 1966, pour discipliner un peu l'industrie naissante et se doter d'une voix officielle dans les relations avec les organismes gouvernementaux.

Un premier syndicat se crée en mai 1968 pour regrouper, en une seule unité de négociation, les membres de tous les métiers (du technicien de laboratoire au producteur) représentés à l'Office national du film : le Syndicat général du cinéma et de la télévision, section ONF (SCGT-ONF).

Généralement très dynamiques, ces associations de cinéastes et de techniciens interviennent dans tous les débats concernant le cinéma. Elles revendiquent déjà une politique générale et un engagement de l'État québécois dans le secteur de la production accompagnés de mesures réglementant la distribution. Elles n'obtiendront gain de cause qu'avec la loi de 1975. On y constate une vision quasi identique du cinéma, une certaine unanimité de pensée par rapport aux grands débats ; il faut dire que, durant cette période d'organisation et d'effervescence, bien des personnes, parmi les plus actives de la profession, se retrouvent membres de plusieurs associations à la fois[168].

QUATRIÈME PARTIE

VERS LA MATURITÉ
1969-1987

Les années 60 se terminent au Québec dans une joyeuse confusion. Les mouvements nationalistes issus de la Révolution tranquille trouvent une certaine unité dans une fusion avec le Parti québécois de René Lévesque en 1969, mais celui-ci ne réussit pas à rallier les militants plus à gauche et quelques-uns de ceux-ci, agissant sous l'étendard du Front de libération du Québec (FLQ), déclencheront les désormais célèbres événements d'Octobre en 1970. La réforme de l'éducation a produit de si bons fruits que les nouvelles institutions à peine mises en place, les étudiants les occupent et revendiquent de nouveaux pouvoirs : ils ont cru au beau discours de démocratie de leurs aînés ! Tant avec le gouvernement fédéral dirigé par Pierre Elliott Trudeau à Ottawa qu'avec le gouvernement provincial de Robert Bourassa, nous assistons à une augmentation importante du rôle joué par l'État dans la vie économique. Il est de plus en plus perçu comme un instrument privilégié de développement et devient un intervenant actif (par la création de sociétés d'État de toutes sortes), levier indispensable pour les uns, stimulateur d'initiatives pour les autres. On voit de plus en plus les gens compter sur lui pour tout, il devient l'État providence. Les cinéastes qui demandent son intervention depuis dix ans se verront enfin récompensés par la création d'organismes d'aide aux deux paliers de gouvernement.

Parallèlement à l'évolution sociale et politique, et en parfaite relation de *feed-back*, toute la culture est en train de se transformer à la fois sous l'effet de facteurs endogènes (déchristianisation, scolarisation rapide, féminisme, syndicalime, nationalisme, extension de la télé privée) et exogènes (retombées de Mai 68 en France, mouvement hippie américain, luttes de libération et contrecoups en Amérique Latine, notamment au

Les Champions
Le Combat des Chefs

Les connaissez-vous vraiment ?
Voici en parallèle leur histoire et leur vie
Un duel politique qui incarne le destin d'un peuple... ou de deux !

Une réalisation de Donald Brittain
Une production de l'Office national du film du Canada

Les deux « acteurs » les plus photographiés des vingt dernières années. Mais leurs relations avec le cinéma ne se limitèrent pas à être les points de mire préférés des documentaristes. C'est sous le gouvernement Trudeau que la SDICC fut mise en place et le premier ministre se plaisait à assister aux premières. René Lévesque avait été narrateur dans *À la croisée des chemins* de Jean-Marie Poitevin en 1943, critique à Radio-Canada autour de 1950 et c'est son gouvernement qui encouragea le plus l'industrie locale. (Ciné-fiche ONF)

Chili). Le théâtre et les spectacles de variétés se mettent au rythme de l'animation du moment et on y voit apparaître de nouveaux auteurs comme Michel Tremblay, Jean Barbeau et Michel Garneau, Le Grand Cirque Ordinaire (troupe spécialisée dans l'impro-

Action : The October Crisis of 1970 (Les Événements d'octobre) de Robin Spry. Des Québécois francophones auraient bien voulu faire ce film sur les célèbres événements, mais se sont vu refuser le mandat sous prétexte de « non-objectivité appréhendée ». Le film de Spry illustre bien jusqu'où peut aller la compréhension d'un intellectuel anglophone progressiste mais frustre les intellectuels francophones. (ONF)

visation) et toute une nouvelle génération de comédiens et d'artistes de variétés, dont Yvon Deschamps et Robert Charlebois, qui transposent avec humour les préoccupations que le cinéma direct avait propagées quelques années auparavant, se font iconoclastes.

Le cinéma ne reste pas à l'écart de ces mouvements. Bien au contraire, il y puise une grande partie de ses thèmes et quelques-uns de ses scénarios, en emprunte les vedettes. Les cinéastes sont pour la plupart à l'avant-garde des groupes les plus turbulents : dans le réseau commercial, Denis Héroux et Claude Fournier se lancent à corps perdus interposés dans la joyeuse révolution sexuelle tandis que plusieurs autres, à l'Office national du film surtout, essaient de définir des projets de Société nouvelle. De nouvelles législations, l'arrivée d'une nouvelle génération de cinéastes, une atmosphère favorable contribuent alors à une transformation majeure et à une extension de tous les secteurs de l'industrie.

À la fin de 1970, les événements d'Octobre[219] refroidissent bien des enthousiasmes et provoquent surtout la résurgence d'une censure (et de son complément quasi inévitable, l'auto-censure) que l'on croyait tombée en désuétude. Mais, en Amérique du Nord, les crises politiques ou sociales obéissant aux lois de la mode, dont la première impose que tout doit se démoder très vite, la crise elle-même deviendra donc rapidement sujet de film, et de film très critique.

Culturellement, la nouvelle décennie sera surtout une phase de « stabilisation tranquille ». Tant au cinéma qu'au théâtre, dans la littérature que dans la chanson et les variétés, on assiste à la consolidation des carrières des vedettes nouvellement révélées.

À la fin de 1976, le nationaliste Parti québécois prend le pouvoir à Québec[26]. L'espoir de voir surgir un nouveau cinéma national renaît, d'autant plus que les nouveaux dirigeants politiques héritent d'une toute nouvelle Loi du cinéma (votée le 19 juin 1975) que leurs prédécesseurs n'ont pas eu le temps de mettre en application. Mais l'espoir ici encore ne fera pas long feu, car tout l'Occident entre alors dans la plus grande crise économique qu'il ait connue depuis les années 30 et le gouvernement du Québec ne trouve au fond de ses tiroirs que quelques millions de dollars pour relancer l'industrie du rêve. Le gouvernement d'Ottawa de son côté propose des mesures fiscales extrêmement avantageuses (abattement d'impôts pour les investissements dans les productions cinématographiques) et favorise ainsi une relance fulgurante de l'investissement privé. Mais presque tous ces dollars ne servent qu'à des productions réalisées selon le modèle hollywoodien le plus pur, ce qui n'encourage pas le cinéma québécois dans ses velléités de refléter prioritairement la culture du Québec. Le cinéma canadien anglophone profite toutefois largement de ces avantages ; Toronto déclasse alors Montréal comme premier centre de production au Canada. Le principal effet de ces mesures fiscales, qui donnent aux producteurs le pouvoir quasi exclusif sur le choix et la définition des scénarios, est de provoquer une inflation galopante dans les budgets : il faut de plus en plus de millions pour payer les prestigieux *castings* internationaux (avec lesquels on espère exporter le produit), les équipes de plus en plus grosses, les tournages plus longs, les effets plus spectaculaires.

Mais là aussi, les modes passent vite, d'autant plus vite que la majorité des productions entreprises sous ce régime se révèlent des fiascos dans les salles, de sorte qu'au début des années 80, sauf pour quelques productions de prestige (genre *Les Plouffe* de Gilles Carle ou *Bonheur d'occasion* de Claude Fournier) ou pour des entreprises à visée internationale qui n'ont rien de canadien ou de québécois (genre *Atlantic City* ou *Porky's*), ces deux genres accaparant presque tout l'argent disponible — et ce sont avant tout les producteurs qui en profitent — il est devenu extrêmement difficile de trouver un financement adéquat pour des réalisations de qualité. Le fossé s'élargit alors entre le cinéma dit « de producteur » et celui dit « d'auteur », l'un à prétention commerciale surtout, l'autre à visée culturelle.

La décennie de 1970 s'achève sur la focalisation de presque toutes les énergies intellectuelles et artistiques dans le débat sur l'indépendance politique du Québec. Le référendum promis par le Parti québécois a lieu en 1980, après une longue campagne d'opinions où s'affrontent, en général de manière très civilisée, rêveurs et réalistes, artistes et économistes, sentimentaux et intellectuels, tous présents dans un camp comme dans l'autre! La bataille se joue un peu à coups de chiffres de macro-économie, beaucoup à coups de chantage au coût de la vie, et surtout à l'aide de symboles des plus émotifs (de la majesté de « nos » Montagnes Rocheuses à la liberté-égalité-fraternité des « petites patries »). Comme d'habitude, les poètes ont dû laisser le terrain aux réalistes et aux « terroristes » du discours politique. On imagine facilement dans quel camp s'engagèrent les Perrault, Jutra, Brault, Godbout…, et presque tout ce qui existe de plus significatif dans le monde des arts. La déception n'en sera que plus vive et explique en partie le désengagement désabusé de la majorité des cinéastes devant les luttes collectives et le retour, ces dernières années, vers les problématiques individuelles, vers les « bibittes intimes ».

Depuis le début de la présente décennie, tout le marché de la diffusion dans les pays développés subit une transformation radicale avec l'implantation de la télévision payante, puis l'arrivée massive des magnétoscopes domestiques et les clubs-vidéo[114]. Le nombre de spectateurs dans les salles chute presque partout (sauf pour les superproductions de Spielberg ou de Stallone) et beaucoup doivent fermer. Les spectateurs qui restent sont de plus en plus jeunes — on calcule qu'au moins 80% ont entre 12 et 30 ans — et la production hollywoodienne cherche avant tout à adapter ses produits à ce marché. Bien que tous les analystes reconnaissent qu'une nouvelle ère vient de débuter, personne encore ne peut prédire quels seront à moyen et long termes les effets de ces nouvelles formes de diffusion sur la production. D'autre part, les revenus générés par la location de vidéocassettes préenregistrées et les droits de télé payante grimpent en flèche. Au Québec, après quelques années de retard sur les États-Unis, la progression de cette révolution est fulgurante : en 1987, déjà 42% des foyers ont acheté un magnétoscope domestique et les revenus des clubs de location égalent ceux des salles de cinéma.

Au moment où je mets la dernière main au manuscrit de ce livre, les gouvernements canadien et américain viennent de signer un traité de libre-échange global entre les deux pays, traité qui reste toutefois conditionnel à l'approbation des Communes et du Congrès et dont les modalités sectorielles seront ultérieurement définies. Officiellement, tout le domaine culturel est exclu et les intervenants canadiens du cinéma s'en réjouissent, car ils réclament plutôt des mesures protectionnistes, ayant pu constater que ce « libre »-échange existe depuis toujours et qu'il ne profite qu'aux compagnies américaines, les *Majors* ayant jusqu'ici considéré le Canada comme un *domestic market* et agi en conséquence, sans jamais octroyer la contrepartie aux Canadiens (non en vertu de lois, mais parce que les financiers américains sont naturellement protectionnistes et parce que le public américain reste le plus borné de toute la planète et le plus réfractaire à tout produit culturel d'outre-frontières). Depuis 1983, le Québec avait commencé à réagir ; l'Ontario l'accompagne maintenant, réalisant qu'elle a plus à perdre que le Québec sous le rapport de l'identité nationale, car il n'y a pas que la langue qui garantit certaines frontières et assure un domaine propre. Le Québec est la seule province canadienne où des émissions de télévision produites localement (*Le Temps d'une paix, La*

Bonne Aventure, Lance et compte) surpassent les séries populaires américaines (*Dallas, Dynasty* et compagnie) dans les cotes d'écoute et où les films locaux sont vus par un pourcentage aussi élevé de la population.

Production

A. Les organismes gouvernementaux

a) l'Office national du film

Déjà hautement renommé pour ses documentaires (surtout sous la forme du direct) et ses petites merveilles d'animation, l'Office maintient sa réputation dans ces deux genres[111]. Par besoin de multiplier les approches du réel, d'approfondir ses sujets et de mieux se démarquer du reportage télévisé, le documentaire se fait maintenant surtout par le long métrage[104]. Politique nouvelle (à la période précédente, *Le Festin des morts* de Fernand Dansereau ou *YUL 871* de Jacques Godbout avaient été réalisés hors série), l'Office dévie une partie de ses ressources dans la fiction de type commercial, ce qui lui fait gagner de nouveaux fleurons. À plus d'un titre, il jouera encore à cette période, et jusqu'en 1980 au moins, le rôle de locomotive de l'industrie canadienne et québécoise[145].

L'ONF moderne, en bordure de l'autoroute métropolitaine : un immense complexe, presque autosuffisant, une véritable Cité du cinéma. (ONF)

Le Pays de la terre sans arbre ou le Mouchouânipi de Pierre Perrault. Serge André Crête, l'archéologue à qui on joue le tour classique de « planter » un objet tout rouillé exprès pour le lui faire découvrir. Faut-il y voir un Perrault s'autocritiquant ? Dans les documentaires, il y a souvent de ces faits « plantés » pour être découverts par les cinéastes... (ONF)

Dans le documentaire, les « vétérans » du direct des années 60 (les sourciers de l'archaïque) poursuivent une carrière qui, bien qu'enlisée dans un certain académisme, n'en reste pas moins très féconde et continue d'ajouter des pages, pas toujours brillantes mais incontestablement utiles, au grand album de la sociographie filmique québécoise[96].

> *Il est incontestable que les pays prennent naissance dans la mémoire et que la mémoire ne manque pas d'imagination.*
>
> Pierre Perrault

Toujours historiographe de la *suite du monde*, Pierre Perrault[315] ajoute d'abord deux volets complémentaires à sa magnifique trilogie de l'Île-aux-Coudres, *Un pays sans bon sens*[292] en 1970 et *L'Acadie, l'Acadie* (coréalisé avec Michel Brault) en 1971. Ensemble, les cinq longs métrages illustrent la prise de possession symbolique du « pays Québec » par les intellectuels nationa-

Jean Carignan dans *La Veillée des veillées* de Bernard Gosselin : la grande fête folklorique internationale où on peut se comparer sans se désoler. (ONF)

listes des années 60. Puis il poursuit sa quête des mythes fondateurs avec une série sur l'Abitibi (*Un royaume vous attend* (avec Bernard Gosselin) et *Le Retour à la terre* en 1976, *C'était un Québécois en Bretagne, madame* en 1977 et *Gens d'Abitibi* (avec Gosselin) en 1980) et avec un doublé sur les Amérindiens (*Le Goût de la farine* (avec Gosselin) en 1976 et *Le Pays de la terre sans arbre ou le Mouchouânipi*[99] en 1980). En 1982, il amène Stéphane-Albert Boulais, un professeur de cinéma dans la trentaine, à la chasse de *La Bête lumineuse*[290], cet orignal qui remplace le marsouin pour, comme disait Alexis Tremblay, « donner le plus de passion à l'homme ». Mais la magie n'opère pas. En 1983, il part avec Boulais encore à Saint-Malo, à la redécouverte de Jacques

Cartier, l'«empremier» fondamental, dans *Voiles bas et en travers*. En 1984, avec le dramaturge-poète Michel Garneau comme mentor (et joyeux «menteur» cinématographique; je ne résiste pas au jeu de mot, facile, mais tellement révélateur du cinéma de Perrault!), il refait en voilier, comme pour se replonger dans le rite initiatique, le voyage que Cartier avait fait, de Saint-Malo à Québec, 450 ans plus tôt (*La Grande Allure* sorti en 1986). Et le voilà revenu sur les côtes de Charlevoix, là où toute son aventure cinématographique avait commencé il y a vingt-cinq ans[105]. La fin d'un cycle? Probablement, car ni Hauris Lalancette (son guide en Abitibi), ni les Amérindiens amis, ni Boulais, ni Garneau, dont l'imagination pallie quand la mémoire fait défaut, n'ont su développer la «parole vécue» comme les Alexis Tremblay ou Louis Harvey dans les premiers films et la quête mythique d'un Menaud moderne ne semble mener nulle part. Tous ces films de la dernière décennie déçoivent autant par le peu d'inspiration cinématographique (abus de l'interview en gros plans fixes, aucune recherche visuelle) qu'ils agacent par un discours politique simplificateur. On y donne beaucoup à entendre, peu à voir et à goûter, pas suffisamment à comprendre et à interpréter. On y sent trop que Perrault, ou plutôt ses «acteurs» provoquent artificiellement les situations de parole, que les intervenants ne lui disent généralement que ce qu'il veut enfermer dans son magnétophone; qu'en somme, le réalisateur ne propose que son propre discours, utilisant ses «personnages» comme alibis. Alexis Tremblay lui dirait sûrement qu'il se raconte de «belles chouennes!» D'autre part, les sorties de films et quelques attaques de la critique ont provoqué Perrault à produire plusieurs textes importants où sa pensée poétique et politique s'articule admirablement et où il se révèle un des analystes les plus perspicaces de la vie culturelle québécoise (notamment dans *De la parole aux actes*[56]), en même temps qu'un des plus importants poètes de sa génération. Léopold Tremblay disait de Grand Louis Harvey: «C'est le meilleur dans la pêche à marsouin... pour en parler!»; Perrault, c'est le meilleur dans le cinéma direct... «pour en parler!». Ne serait-ce que pour ces textes, qu'il faut considérer comme faisant partie des films — et qu'on souhaiterait souvent voir inscrits directement dans les films, soit sous forme de cartons comme dans *Un pays sans bon sens*, soit avec la voix de

La Casa de Michel Régnier. Le « travelogue » nouveau genre, là où on cherche moins l'exotique ou le pittoresque que le geste humain tout simple et significatif sur le plan social. (ONF)

Perrault lui-même en commentaire *off* — il faut que Perrault continue son œuvre dérangeante[194].

D'abord cameraman pour beaucoup de films du direct, notamment de Pierre Perrault avec qui il signe la réalisation de quelques films, Bernard Gosselin devient réalisateur à part entière à cette période, sans toutefois cesser de faire la photographie pour les films de collègues. Sauf une rapide incursion dans la fiction pour diriger en 1970 *Le Martien de Noël*, un gentil conte pour enfants, il se consacre uniquement au documentaire. On lui doit surtout de chaleureux portraits d'artisans dans la série *La Belle Ouvrage* (certains sont cosignés par Léo Plamondon) ou hors série, entre autres *César et son canot d'écorce* et *Le Discours de l'armoire*. Tous les musiciens, sans doute, lui sauront gré d'avoir su capter et conserver les sons de *La Veillée des veillées*, cette extraordinaire rencontre internationale de musiciens folkloriques en 1975, ou encore cette « musicobiographie » de l'exceptionnel *Jean Carignan, violoneux*. En 1986, il réalise *L'Anticoste* pour célébrer la réappropriation par les Québécois de cette île du Saint-Laurent qui avait longtemps appartenu à des étrangers. Gosselin, qui a pourtant une réputation de joyeux luron, n'ose jamais « lâcher son fou » avec sa caméra; il se contente trop souvent d'une caméra utilitaire (l'interview en gros plan fixe, démonstration technique froide) ou d'un montage très classique, ce qui reste surprenant pour un réalisateur-cameraman, mais la fidélité aux faits et la précision technique sauront satisfaire anthropologues et historiens.

Directeur de photographie et travaillant souvent, lui aussi, pour des collègues, la plupart du temps dans le film de fiction, Georges Dufaux[259] réalise à l'Office une abondante production documentaire. On retiendra, en particulier, ces portraits sympathiques de personnes faisant partie du « monde ordinaire » : les gens âgés dans *Les Jardins d'hiver* et *Au bout de mon âge*, les écoliers du secondaire dans la série *Les Enfants des normes* en 1978, une partie de ces mêmes écoliers, six ans plus tard, dans *Les Enfants des normes post-scriptum*, des ouvriers chinois dans *Gui Dao*, des pêcheurs dans *10 jours... 48 heures*, etc. La sociologie surtout retiendra ces œuvres valables, mais esthétiquement conventionnelles. On peut dire la même chose des films du vétéran Guy-L. Côté qui, après deux documents très percutants dans les milieux religieux, *Tranquillement, pas vite* sur la pratique religieuse en 1970 (dont une partie est tournée en pleine crise d'Octobre) et *Les Deux Côtés de la médaille* sur des « missionnaires » en Bolivie, s'intéresse, lui aussi, à l'âge d'or avec *Blanche et Claire, Rose et monsieur Charbonneau, Monsieur Journault* et *Les Vieux Amis* et, finalement, à la coopération internationale avec *Azzel, Dominga* et *Marastoon — La maison d'accueil*. Michel Régnier poursuit une œuvre marginale du même ordre avec des problèmes de coopération et d'information internationale (une série en Asie, *La Casa* en Équateur), après avoir réalisé, dans le cadre de Société nouvelle, les longues séries *Urbanose* et *Urba 2 000*.

Permanent à l'ONF comme les documentaristes qui précèdent, Jacques Godbout est à retenir surtout pour ses enquêtes cinématographiques sur le monde de l'information : *Derrière l'image, Feu l'objectivité, Distorsions, Un monologue Nord-Sud*, et sur

Maurice Lefebvre, le sociologue « missionnaire » québécois assassiné par des militaires dans les rues de La Paz en 1971, au moment du coup d'État d'Hugo Banzer, dans *Les Deux Côtés de la médaille* de Guy L. Côté. Après *À la croisée des chemins*, c'est le seul autre essai d'analyse filmique de l'action à l'étranger des Québécois partis comme « missionnaires », un sujet que l'on connaît encore mal. (ONF)

quelques lignes de force de la culture québécoise : *Aimez-vous les chiens ?*, *Deux épisodes dans la vie d'Hubert Aquin*, *Comme en Californie*, *Québec Soft* et *En dernier recours — Le terrorisme ici*. Au début des années 70, il avait réalisé la comédie musicale *IXE-13* à partir

Derrière l'image

Une production de
l'Office national du film du Canada
16mm Couleur
Durée: 113 minutes 55 secondes

**Les informations télévisées:
une imposture?**

Distribué par l'Office national du film du Canada

Que l'on soit d'accord ou non avec les films essais de Jacques Godbout, il faut reconnaître qu'il n'a pas son pareil pour contester certaines évidences et dénoncer les préjugés. (Ciné-fiche ONF)

d'un feuilleton populaire des années 50; les talents combinés du groupe d'humoristes Les Cyniques, de la chanteuse Louise Forestier et du compositeur François Dompierre (un des meilleurs compositeurs de musique de films du Québec) fournissaient quelques bons moments, mais le film a vieilli très vite. Puis *La*

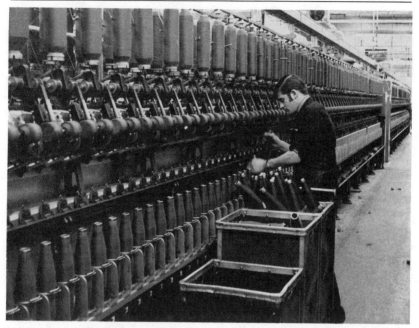

On est au coton de Denys Arcand, premier cas de censure totale pendant plusieurs années. Il y était question de conditions de travail difficiles (bruit, chaleur), d'insécurité, d'exploitation des travailleuses, de fermetures d'usines, de gros profits par les propriétaires. (ONF)

Gammick se voulait transposition québécoise populaire du film noir américain, avec thèse sociologique à l'appui (même dans la pègre, les Canadiens français pensent petit et manquent de confiance!); l'entreprise tourna court, s'apparentant plutôt à la parodie du genre. Godbout poursuit parallèlement une carrière de romancier, d'essayiste et de critique littéraire dont, personnellement, je préfère la liberté imaginaire à celle du cinéaste, mais il faut reconnaître que ses films dépassent le reportage journalistique pour accéder à l'essai utile à la science politique et à l'histoire du journalisme.

De la même génération par l'esprit, mais un peu plus jeune, Denys Arcand réalise en 1969 *On est au coton* avec Gérald Godin, son ami aux idées pareillement socialistes, journaliste et futur député péquiste, sur l'industrie du textile. Il provoque avec ce film un des deux plus célèbres cas de censure de toute l'histoire de l'Office. Le film ne « sortira » officiellement qu'en 1976, après qu'une évolution technique dans l'industrie du textile l'a rendu obsolète, mais de nombreuses copies pirates sur support vidéo auront permis à tous les intéressés de le voir et de le discuter peu après sa fabrication! Arcand commence alors la production de films de fiction dans l'industrie privée (*voir* page 287) mais n'abandonne pas pour autant le documentaire. En 1972, la commande d'un portrait de Maurice Duplessis, dans la série des *Quatre Grands* de Pierre Maheu (*voir* page 240), lui donne l'occasion d'une analyse percutante des mœurs et des mentalités politiques québécoises; au prix de quelques coupures mineures et de l'effacement de quelques noms (révélés publiquement lors de la sortie du film), *Québec: Duplessis et après...* échappe au coffre-fort de la censure. En 1981, il donne, avec *Le Confort et l'Indifférence*, une réflexion profonde et «machiavélienne» (le penseur y est cité par un comédien en costume d'époque) sur le référendum de 1980 par lequel les Québécois ont dit non au projet d'indépendance politique, un modèle cinématographique d'analyse politique et du film d'essai[224]. Pigiste, il revient à l'ONF en 1986 pour tourner en coproduction avec le secteur privé son *Déclin de l'empire américain*, la fiction qui, un an après sa sortie, est en voie de devenir le plus grand succès à la fois critique et financier de tout le cinéma québécois et l'inévitable point de comparaison[272].

Jean-Claude Labrecque alterne lui aussi du documentaire, produit par l'ONF (sauf *Les Montagnais* et *Le Dernier des Coureurs des bois* qu'il a lui-même produits, et *Québec fête, juin 1975* pour l'Office du film du Québec), à la fiction dans l'industrie privée (*voir* pages 287 et 292). Alors que dans la fiction il s'intéresse surtout au passé, dans son œuvre documentaire il s'occupe presque uniquement du présent. Il est avant tout le photographe des grands événements. Sa grande préoccupation: la poésie qu'il recueille en anthologie dans *La Nuit de la poésie 27 mars 1970*, reprise dix ans plus tard pour en marquer l'évolution dans *La Nuit de la poésie 28 mars 1980* et dans *Paroles du Québec* (produit par Radio-Québec); ou bien il réalise les portraits chaleureux de *Claude Gauvreau, poète* et de *Marie Uguay*. Mais il y a aussi les sports et cet événement riche en possibilités spectaculaires que furent les *Jeux de la XXIe Olympiade* (auquel on pourrait appliquer la même critique qu'à *La Visite du général de Gaulle au Québec* (*voir* page 156) qui lui donnèrent aussi l'occasion de réaliser *On s'pratique... c'est pour les Olympiques* et *...26 fois de suite*. C'est dans ces documen-

Claude Gauvreau – Poète

Existe-t-il un autre pays où les poètes trouvent un cinéaste assez passionné pour fixer sur pellicule leurs visages et quelques-unes de leurs plus belles paroles? (ONF)

taires que s'exprime le mieux le talent de cinéaste-journaliste de Labrecque.

Même Gilles Carle revient à la « maison mère » en 1982 pour y réaliser un honnête, mais peu inspiré *Jouer sa vie* sur les échecs. Pour célébrer les 25 ans de l'équipe française, l'Office lui confie en 1984, avec Werner Nold, la réalisation d'une antho-

Jeux de la XXIᵉ Olympiade de Jean-Claude Labrecque (premier responsable), Jean Beaudin et Marcel Carrière. Comme les Jeux, le film officiel atteignit un sommet dans la démesure : 168 collaborateurs, 30 équipes image-son, 330 000 pieds de pellicule 16 mm. Seul le budget d'un million de dollars resta modeste ! Pour une grande partie, Labrecque donna l'écran à des perdants et fit un film « à hauteur d'homme » tout à fait dans l'esprit du direct. Sans insistance, mais très clairement, l'ensemble manifeste toutefois un antisoviétisme assez primaire et fait, pendant presque tout le dernier quart, le panégyrique du bel et flamboyant Américain terrassant le méchant Russe (le décathlonien Bruce Jenner triomphant du champion en titre Nicholas Avilov). On n'y apprend même pas que les Soviétiques furent les grands gagnants de ces Jeux ! (ONF)

logie d'extraits des meilleurs films ; dans *Cinéma, cinéma*, Carle se met en scène comme commentateur, choisit uniquement les extraits les plus spectaculaires et les plus humoristiques et compose un portrait parfois amusant, mais parfaitement infidèle de ce qui a représenté le meilleur de l'Office (extraits non représentatifs des films, absence quasi totale des femmes, ignorance de Société nouvelle, etc.). En 1985, en coproduction cette fois avec l'ACPAV, il signe un *Ô Picasso* en grande partie désordonné, superficiel, truffé de blagues pour les copains.

Signalons ici quelques documents produits par l'équipe anglaise, mais qui furent rapidement traduits et largement diffusés au Québec. L'ONF se devait de produire au moins un film sur les événements d'Octobre : c'est Robin Spry qui obtint le mandat (refusé à un francophone) et qui livra un très honnête *Action : The October Crisis of 1970 (Les Événements d'octobre 1970)* ; on y trouve le point de vue d'un intellectuel humaniste de gauche et bien informé ; mais il y manque une véritable interprétation politique

Ô Picasso de Gilles Carle : pour profiter de l'engouement suscité par une grande exposition au musée des Beaux-Arts. Les quelques minutes d'animation de Pierre Hébert pour illustrer le processus créateur chez Picasso constituent les meilleurs moments de ce long métrage. (ONF)

incarnée dans le vécu québécois. Je retiens aussi *Les enfants de Soljenitsyne... y a pas à dire, font du bruit à Paris* de Michael Rubbo, *Le Journal de madame Wollock* de Gilles Blais, *If You Love This Planet* de Terry Nash (gagnant d'un Oscar et victime provisoire d'une interdiction de diffusion aux États-Unis sous prétexte de propagande politique contraire aux intérêts du peuple américain) et *Flamenco at 5:15* de Cynthia Scott (aussi gagnant d'un Oscar), *The Champions (Le Combat des chefs)* de Donald Brittain, *Not a Love Story — A Film About Pornography (C'est surtout pas de l'amour)* de Bonnie Klein, *La Justice en procès : l'affaire Morgentaler* de Paul Cowan, *L'Avortement, histoire secrète* de Gail Singer.

Plus ambitieux, quelques nouveaux venus se joignent aux « vétérans » qui ne veulent plus se contenter de décrire la société mais, suivant des idéologies de gauche plus ou moins bien définies, ils veulent la transformer. Eux aussi veulent travailler à *la suite du monde*, mais pas pour la suite de n'importe quel monde. En 1968, les producteurs Robert Forget et Fernand Dansereau réunissent un petit Groupe de recherches sociales, qui se veut l'équivalent dans l'équipe française de *Challenge For Change*, programme de l'équipe anglaise. Dans ce cadre sont produits *L'École des autres*, long métrage de Michel Régnier sur la pédagogie en *milieux défavorisés et St-Jérôme*, long métrage de Fernand Dansereau (avec 27 courts métrages «satellites» qui le complètent). L'année suivante, le programme se poursuit sous la direction de Robert Forget et prend le nom de Société nouvelle. Il est, dit Louise Carrière qui a consacré un mémoire universitaire[160] à son sujet, «né d'une convergence d'intérêts entre le gouvernement, l'ONF, les milieux populaires et certains cinéastes, tous d'accord à la fin des années 60 pour réaliser des changements sociaux».

Democracy on Trial: the Morgentaler Affair (La Justice en procès: l'affaire Morgentaler) de Paul Cowan. On aime les belles causes (avortement, écologie, antinucléaire, pornographie, etc.) chez les anglo-Québécois, mais personne n'a encore eu l'idée de jeter un regard critique sur son propre groupe. (ONF)

Debout sur leurs terres de Maurice Bulbulian. C'est la volonté de créer des outils d'animation sociale pour aider les Inuit et les Amérindiens à se prendre en main, qui fut à l'origine de *Challenge for Change* et de Société nouvelle. (ONF)

Voici comment un document interne le présente :

> Société nouvelle est un programme expérimental mis sur pied en 1969 pour une période initiale de cinq ans dans le cadre d'une collaboration entre l'ONF et différents ministères et agences du gouvernement canadien. (...)
>
> Le gouvernement voyait en lui un moyen d'accélérer la compréhension et l'acceptation du changement dans une société en évolution.
>
> S.N. avait pour mandat de mettre en œuvre des projets chevauchant les compétences des ministères et susceptibles de contribuer à la solution de problèmes sociaux grâce à l'utilisation de moyens audio-visuels.
>
> Le programme S.N. considère que l'homme est un être en quête de transformation plus que d'adaptation. Il se fonde sur la constatation qu'à une situation problématique correspond un ensemble de représentations et de comportements qui en sont le reflet.
>
> Rejoignant les individus dans leur milieu, le programme vise la plus totale prise de conscience de la réalité et le pouvoir de la transformer en provoquant chez chacun une attitude critique qui engage à l'action.
>
> Il lui semble en effet que la réalité ne peut être modifiée que si tout individu découvre qu'elle peut l'être, et surtout qu'elle peut l'être par lui. Le programme S.N. peut ainsi jouer un rôle de catalyseur du changement social, dans le sens d'une prise en main des citoyens par eux-mêmes.

Avant sa dissolution, en 1979, le programme aura produit 56 films et quelques documents vidéo, fourni une aide à la fondation du Vidéographe (centre de création et de difffusion du vidéo qui fut une expérience marquante dans la magnétoscopie de type communautaire au début de la décennie). Pour Société nouvelle, l'intégration de la production et de la distribution est un élément clé de l'intervention. On apporte donc un soin tout à fait spécial à la diffusion des films dans les milieux précis (les «publics cibles») pour lesquels on les a réalisés (animation sociale, enquêtes, échanges avec les protagonistes, etc.). Pour mieux assurer cet objectif, les cinéastes se déplacent beaucoup pour aller rencontrer le public et publient *Médium-média*, une revue à parution irrégulière, pour fournir des informations sur le programme et fournir des outils complémentaires sur des thèmes précis: l'intervention sociale, la radio communautaire, la presse, la vidéosphère, le cinéma des femmes.

Claude Lachapelle et sa nouvelle « blonde » dans *Le Bonhomme* de Pierre Maheu. Pendant un an, le réalisateur et son « personnage » se sont promenés pour discuter de Dieu — c'est lui le Bonhomme — de la famille, des communes, des nouvelles spiritualités, de l'écologie, du naturisme, de l'amour... (ONF)

Richesse des autres de Maurice Bulbulian et Michel Gauthier. Des mineurs québécois racontent leur vie et vont la comparer avec celles des camarades chi-
liens; ils applaudiront avec eux au formidable élan de fierté nationale suscité
par le socialisme d'Allende (nous sommes en 1972). Mais au retour, ils n'en
continueront pas moins de penser que la «société nouvelle» n'est pas pour
eux, qu'ils ne sont pas capables de prendre en main leur industrie, que c'est
le gouvernement qui doit créer les jobs... (ONF)

Parmi les films importants du programme illustrant le large
éventail des sujets, signalons *Dans nos forêts* de Maurice Bulbulian, sur les travailleurs forestiers (1971), *Sur vivre* d'Yves Dion,
sur les handicapés paralysés cérébraux (1971), *Le Bonhomme* de
Pierre Maheu, sur les nouvelles cultures et mystiques (1972), *Chez
nous, c'est chez nous* (1972) et *De grâce et d'embarras* (1979) de Marcel Carrière sur les problèmes de régions rurales marginales, *Un
soleil pas comme ailleurs* de Léonard Forest sur le réveil acadien
(1972), *Chasseurs cris de Mistassini* de Boyce Richardson et Tony
Ianuzielo (1974), les séries *Urbanose* et *Urba 2 000* de Michel Régnier
sur les problèmes de la vie urbaine (1972-1974), et la série *En tant
que femmes* dont nous reparlerons dans la section Les femmes
derrière la caméra (*voir* page 307).

Soulignons ici que les autres films des Bulbulian (surtout
Richesse des autres, coréalisé avec Michel Gauthier, *Salvador Allende
Gossens: un témoignage*, *Les Gars du tabac*, *Tierra y Libertad*, *Debout*

sur leurs terres, Sur nos propres forces), Dion (*Raison d'être, La Surditude, L'Homme renversé*), ou Maheu (*L'Interdit*) à l'extérieur du programme en partagent à peu près entièrement l'esprit. C'est d'ailleurs aussi dans cet esprit que Maheu, avant de réaliser ses films, avait été l'initiateur de la série des portraits des quatres grandes «idoles» des Québécois (*On est loin du soleil* sur le Frère André et *Je chante à cheval avec Willie Lamothe* de Jacques Leduc, *Québec: Duplessis et après...* d'Arcand et *Peut-être Maurice Richard* de Gilles Gascon.)

On retrouve ce même idéal de faire du film un outil de conscientisation et d'animation sociale, ou du moins de juste reflet sociologique, chez presque toute la génération des documentaristes commençant leur carrière à ce moment. Plusieurs films seront tributaires des modes politiques du moment et des vagues idéologiques de l'heure, mais tous témoignent efficacement des préoccupations du milieu. On retiendra surtout: *La Fiction nucléaire* de Jean Chabot, *La Loi de la ville* de Michel Bouchard, *Le Soleil a pas d'chance* de Robert Favreau, *Ratopolis* de Gilles Thérien, *Des armes et les hommes* et *Les Vrais Perdants* d'André Melançon, *La Vraie Vie* de Jacques Vallée, *Les Adeptes* et *Les Illusions tranquilles* de Gilles Blais, *Madame, vous avez rien* et *Le Travail piégé* de Dagmar Gueissaz.

Cette génération réalise aussi un éventail très diversifié de documents orientés vers une meilleure connaissance de l'histoire, des arts et de la culture traditionnelle (la série *Les Arts sacrés au Québec, La Journée d'un curé de campagne* de François Brault; *Le Reel du pendu, Dompteurs de vents* et *Zarico* d'André Gladu, *Le Combat d'Onésime Tremblay* de Jean-Thomas Bédard). Elle intègre de plus en plus les minorités à l'«album» et oriente vers une compréhension plus profonde de l'étranger, chez lui ou immigré au Québec (*Les Borges, Il n'y a pas d'oubli, Mémoires d'une enfant des Andes* de Marilú Mallet; *Beyrouth! À défaut d'être mort, Haïti, Québec* et *Rends-moi mon pays* de Tahani Rached; *20 ans après* et *Carnets du Maroc: Mémoire à rebours* de Jacques Bensimon; *La Familia Latina* de German Gutierrez; à noter que ces films sont généralement l'oeuvre de néo-Québécois).

Les Bulbulian, Gladu, François Brault, Favreau, Melançon ou Gilles Blais forment une nouvelle génération de documentaristes, mais dans l'ensemble, ils n'innovent formellement

Images de Chine de Marcel Carrière. En plus de Carrière, Michel Régnier et Georges Dufaux sont allés tourner en Chine, pendant et après la Révolution culturelle. À voir, non pas tant pour ce que l'on apprend de la Chine que pour connaître la sensibilité culturelle du milieu québécois envers ce pays fascinant. (ONF)

que fort peu par rapport aux aînés. Il n'en va pas de même pour Fernand Bélanger qui, pour présenter la réalité à plusieurs niveaux, mélange allègrement direct et fiction, parfois dans le même plan, rend évidente sa mise en scène en faisant intervenir des comédiens dans la réalité à filmer, organise son montage pour brouiller les cartes et questionner. Sa création d'images-chocs, sa manie de trop élargir ses sujets, son goût pour la provocation, ses répétitions inutiles et son attachement à des thèmes à la mode donnent toutefois à ses films un aspect brouillon, un peu adolescent racoleur. À la longue, cela devient recette trop facile ; le manque de clarté du propos ou, à d'autres moments, trop de naïveté ne peuvent faire illusion longtemps et tombent parfois carrément dans le mépris du spectateur (*De la tourbe et du restant, L'Émotion dissonante, Passiflora*). De son côté, Diane Beaudry réussit assez bien son mélange direct-fiction pour faire de *L'Ordinateur en tête* un agréable instrument d'animation sociale.

Ces films prises de conscience, cette production documentaire qui se veut outil de changement social, ce souci de donner

Le Soleil a pas d'chance de Robert Favreau. Quand le Carnaval de Québec est mis en cause et que sont gentiment illustrés les rêves des Duchesses... Le film provoque de grands remous pendant une saison et la direction du Carnaval veut même le faire interdire. Mais rien ne change par la suite et ne subsiste que l'intéressant témoignage sur les rêves brisés. (ONF)

la parole aux premiers intéressés, ne se réalisent toutefois pas sans heurts avec ceux qui détenaient jusque-là le pouvoir de décision sur les grandes orientations. Commentant le fait que la production de l'Office convient mal à la télévision de type traditionnel, James de B. Domville, commissaire de 1978 à 1984, employait une jolie formule (c'est nous qui soulignons):

> L'ONF s'intéresse aux grands dossiers (*issue oriented*) alors que normalement un réseau de télévision s'intéresse aux événements eux-mêmes (*event oriented*). Quand nous sommes bons, nous faisons un travail d'«essayistes» par rapport à un travail de journalistes. (*La Presse*, 8 mai 1982)

Que voilà un intéressant commentaire, doivent songer les trouble-fête Leduc, Arcand et Groulx qui, pour avoir justement joué à l'essayiste, ont subi la censure dans le cas de *Cap d'Espoir* et *On est au coton* (réalisés en 1969 et finalement sortis en 1976), et *24 heures ou plus* (1972, sorti en 1977)! À propos de ce dernier film, la position du commissaire d'alors, l'unilingue Sydney Newman (au bilingue Roberge ont succédé des unilingues anglophones de 1964 à 1975), était très claire : « L'ONF doit défendre le capitalisme et l'unité nationale du Canada... Je maintiens que si le film *24 heures ou plus* était distribué dans sa forme présente, la majorité des Canadiens qui appuient le système démocratique ne pourraient l'accepter de la part de l'ONF. » Tout le monde avait déjà bien compris le mandat de défendre l'unité canadienne, mais sans doute était-ce la première fois que s'ajoutait aussi clairement celui de défendre le capitalisme ! Lequel n'était d'ailleurs pas si menacé que ça, car si le film de Groulx rassemble et expose avec beaucoup de cohérence quelques événements clés ayant agité le Québec à l'automne de 1971 (sous une autre forme, Groulx y fait ce que son Claude du *Chat dans le sac* faisait avec ses coupures de journaux), même s'il interprète admirablement ces faits et devient l'un des meilleurs « essais » à avoir été faits au Québec, il n'en reste pas moins assez timide et vague dans sa proposition de « changer le système ». Seules la peur et la paranoïa héritées d'Octobre 70 et conservées dans certains milieux de dirigeants permettent de comprendre cette censure. *Cap d'espoir* de Jacques Leduc était plus anodin avec sa façon de rapporter le cri de rage et d'impuissance de jeunes se sentant peu concernés par les beaux projets de la Révolution tranquille et qui n'en profitaient pas ; la raison officielle de la censure parlait ici de « mauvais goût. »

Ces trois titres sont les principales vedettes du chapitre sur la censure à l'ONF. Ce ne fut que pour eux qu'elle se manifesta aussi directement et ouvertement (ils ne seront « libérés » que lorsqu'André Lamy, commissaire de 1975 à 1978, aura jugé qu'ils ont perdu leur aspect percutant et n'intéressent plus que les historiens). D'habitude, cela se passe plus subtilement : rumeurs qui obligent discrètement le réalisateur à atténuer les effets dans son montage final (autocensure), délais de postproduction pour des produits douteux, coupures de petits détails (effacement de noms dans la bande sonore de *Québec : Duplessis et après...*), interdiction de diffusion à la télévision (*Un pays sans bon sens* de Perrault), tirage d'un très petit nombre de copies de sorte que le film ne se trouve jamais à la disposition des usagers, délais de sortie (bien que prêt depuis plusieurs mois, *Gens d'Abi-*

L'Émotion dissonante de Fernand Bélanger. L'univers des jeunes dans une société qui leur donne tout, mais ne leur demande pas ce qu'ils veulent. (Photo Alain Gauthier, coll. Cinémathèque québécoise)

tibi de Perrault a dû attendre que le référendum de 1980 soit passé), quasi-absence de publicité, mise en marché déficiente. Mais cela ne suffirait pas à écrire un long chapitre sur la censure à l'ONF. Selon nous, la principale censure provient du fait qu'avec les années 70, et surtout 80, les plus importants budgets sont accordés à la fiction plutôt qu'aux essais sociaux, qui ne sont plus réalisés qu'au compte-gouttes.

    Durant la troisième période, la production de fiction avait été marginale à l'Office, presque une façon de satisfaire les «caprices» de quelques réalisateurs. Elle devient, avec les années 70, le principal lieu d'expression de plusieurs créateurs importants (ils s'y frotteront presque tous). Une partie, à visée uniquement

Image typique de campagne électorale des « vieux partis » dans *Québec: Duplessis et après...* de Denys Arcand: dans l'esprit du meilleur « direct », c'est moins l'ancien premier ministre qui intéressa le réalisateur que la persistance de son esprit dans les mœurs politiques de 1970. (ONF)

culturelle, se destine en partant au réseau communautaire; l'autre partie tâche de rester culturelle, mais elle vise la grande distribution commerciale.

Parmi ceux qui travaillent dans une perspective culturelle et sans trop se soucier de la rentabilité financière, Gilles Groulx réalise en 1969 *Entre tu et vous* dans le même esprit de contestation de la vie quotidienne que ses longs métrages précédents. En 1982 vient finalement *Au pays de Zom*, un opéra à structure narrative moderne et à musique très contemporaine pour raconter les états d'âme et la mauvaise conscience d'un riche homme d'affaires aux prétentions artistiques. On peut presque considérer ce film comme le testament de Groulx, car réduit à une quasi-inactivité depuis cinq ans à la suite d'un très grave accident d'automobile, il a pratiquement quitté le cinéma.

Avec *On est loin du soleil*, Jacques Leduc[247] transforme en 1970 sa commande du portrait du Frère André pour la série des *Quatre Grands* en une fiction qui, à travers six personnages surtout, explicite les facettes essentielles du guérisseur mystique et trace, en même temps, les grands traits de la société qui produit

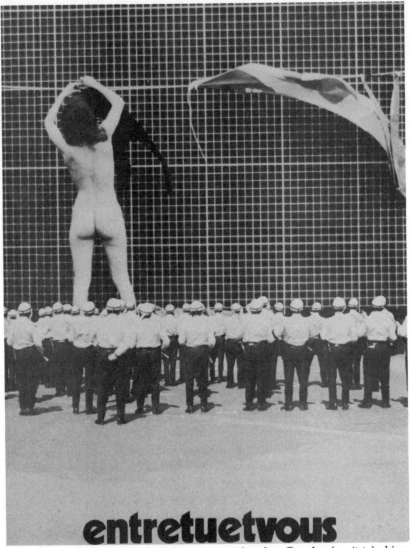

Entre tu et vous de Gilles Groulx. Dans sa recherche, Groulx réussit très bien à lier avant-garde esthétique et avant-garde politique, mais au Québec, ce cinéma n'est à l'avant-garde de personne et ne cherche pas beaucoup à se donner des disciples. (Ciné-fiche ONF)

et assure la permanence de tels phénomènes. Il réalise ensuite un très beau poème sur l'attente amoureuse avec *Tendresse ordinaire* (1973). Après les longues années consacrées à sa *Chronique de la vie quotidienne* (série documentaire de 269 minutes), il mélange

On est loin du soleil de Jacques Leduc. Réaliser un film sur le Frère André et ne le montrer que quelques secondes au prégénérique... (ONF)

fiction et documentaire en 1982 dans *Albédo*, portrait du photographe David Marvin (suicidé en 1975) avec en arrière-plan la dégradation et la mort du quartier que le photographe avait célébré. Même « écriture » en 1984 pour *Le Dernier Glacier* (coréalisé avec Roger Frappier) pour raconter la fermeture de la ville minière de Schefferville et que je considère l'un des plus réussis dans le genre. Il revient au direct en 1988 avec *Charade chinoise* où des témoignages vécus viennent corroborer et développer de façon magistrale les intuitions fondamentales avancées par le *Déclin...* d'Arcand.

Tout au début de la période, le programme Premières œuvres[232] destiné à la relève et dirigé par Jean Pierre Lefebvre permet à Jean Chabot de réaliser *Mon enfance à Montréal* ; à Yvan Patry : *Un jour sans évidence ou ainsi soient-ils* ; à Michel Audy : *Jean-François-Xavier de* ; à André Théberge : *Question de vie* ; ces films ont une sortie éclair en 1971 au Verdi. Oeuvres très personnelles, cinéma d'auteur un peu maniéré, ces films n'ouvrent pas pour leurs auteurs les portes de la grande carrière. Ils demeurent tous dans le cinéma, mais avec des hauts et des bas : Chabot tente, dans l'industrie privée, de bouleverser l'esthétique du film

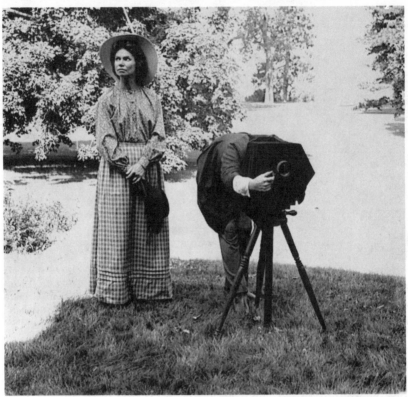

J.A. Martin photographe de Jean Beaudin. Une interprétation toute en nuance, un scénario bien construit, une photographie d'une beauté plastique, un sujet très moderne — l'indépendance d'une femme — et une atmosphère intimiste rendent ce film très convaincant. (ONF)

policier avec *Une nuit en Amérique* qui tarde à sortir et fait pétard mouillé; il revient à l'ONF pour *La Fiction nucléaire* (documentaire) et après un emploi de fonctionnaire à l'Institut québécois, fait avec Yolaine Rouleau, dans le privé, *Le Futur intérieur*. Patry se dirige ensuite vers l'enseignement du cinéma, milite politiquement avec l'extrême-gauche et réalise maintenant des reportages d'informations politiques sur les groupes révolutionnaires en Amérique Centrale. Audy poursuit à Trois-Rivières une carrière marginale dans des conditions artisanales. Théberge, qui est demeuré à l'ONF pour réaliser *Les Allées de la terre* et quelques courts métrages, est passé dans le privé où il n'a rien signé de notable et travaille maintenant comme fonctionnaire à la Société générale du cinéma. En somme, quatre talents certains, mais qui

Jacques Gagnon et Jean Duceppe dans *Mon oncle Antoine* de Claude Jutra, un très grand succès d'estime populaire. Dans cette psychosociographie à la manière du direct, un thème universel (la découverte du monde adulte par un adolescent), une superbe qualité de l'image, une interprétation fort chaleureuse, la vérité de la reconstitution et quelques séquences très chargées d'émotion font oublier un scénario mal équilibré, un ton quelque peu mélodramatique, un nombre considérable de clichés et de facilités. (ONF)

n'ont jamais abouti.

Presque dans le même esprit et avec les mêmes défauts que ces premières œuvres, Jean Beaudin[278], qui avait fait jusque-là des courts métrages didactiques, entame en 1970 sa vraie carrière avec *Stop* sur l'incommunicabilité du couple (et qui reste plutôt incommuniquable pour le spectateur!). Après une rapide incursion dans le privé avec *Le Diable est parmi nous*, qui veut profiter de la mode suscitée par *The Exorcist*, il revient « faire ses classes » pour la fiction à l'ONF avec des courts métrages réussis (*Cher Théo, Trois fois passera…, Par une belle nuit d'hiver*). Puis il devient une des gloires de l'Office avec *J.A. Martin photographe* qui vaut à Monique Mercure le Grand Prix d'interprétation à Cannes (en 1977). Il collabore ensuite au film olympique et revient en 1979 avec *Cordélia*, et en 1984 avec *Mario*, qui obtiennent un honnête succès en salles commerciales. Enfin, il quitte l'ONF pour diriger *Le Matou*, la superproduction de Justine Héroux, en 1985.

Françoise Durocher, waitress d'André Brassard. À cause de son humour au second degré, on ne l'a guère apprécié dans le milieu décrit. Le portrait n'en reste pas moins juste et chaleureux. (ONF)

Deux ans plus tard, c'est Francis Mankiewicz qui profite de ce côté école de cinéma de l'ONF pour réaliser son premier long métrage, *Le Temps d'une chasse*[288]. Et c'est la révélation d'un authentique talent, confirmé ensuite dans le secteur privé (avec *Les Bons Débarras*)[93].

Quelques vieux routiers de la maison profitent de la vague. Raymond Garceau termine sa carrière dans la fiction, mais il ne connaîtra la gloire ni avec *Vive la France* lancé à la télévision, ni avec *Et du fils*. Pas plus d'ailleurs que Jacques Godbout avec ses *IXE-13* et *La Gammick* ou Thomas Vamos avec *L'Exil* et *La Fleur aux dents* (interprété par Claude Jutra). Le scénariste Clément Perron (à qui on doit l'idée et le scénario de *Mon oncle Antoine*) réalise ses propres scénarios : *Taureau* (1973) et *Partis pour la gloire* (1975) pour raconter sa Beauce natale d'aujourd'hui et d'hier (au moment de la conscription lors de la Deuxième Guerre mondiale). Marcel Carrière, qui fut d'abord preneur de son, mais à qui on doit plusieurs succès du direct dont *Avec tambours et trompettes* et *Chez nous, c'est chez nous,* transpose son humour gentil et son sens de la comédie sociale (à la manière de la comédie italienne) dans *O.K... Laliberté* (1973) et *Ti-Mine, Bernie pis la gang* (1976). Claude Jutra réalise *Mon oncle Antoine*[272-281] en 1971 sur un scénario de Perron et avec Michel Brault à la caméra; les patrons croient peu à ce film, auquel ils ont pourtant accordé 450 000$, puisqu'ils en retardent la sortie; mais après qu'il eut raflé presque tous les prix au Canadian Film Award de Toronto en 1971, il remporte un succès moyen en salles et atteint finalement la renommée en obtenant un record de cote d'écoute à la télévision de Radio-Canada. En 1984, un jury pancanadien d'une centaine de critiques, professeurs et cinéastes le nommaient meilleur film canadien jamais réalisé. Anne Claire Poirier réalise aussi quelques fictions percutantes, surtout *Le Temps de l'avant* et *Mourir à tue-tête*; sa *Quarantaine* est moins réussie, mais nous en parlerons plus longuement dans la section sur le cinéma des femmes (*voir* page 307).

Au cours de la période, mais surtout au début, l'Office produit aussi toute une série de courts et moyens métrages de fiction, non pas tant comme exercices de débutants que comme un genre propre. En plus de ceux de Beaudin et de Théberge déjà évoqués, signalons ceux d'André Forcier: *Night Cap*; d'André Melançon, pour les enfants et à visée pédagogique: «*Les Oreilles*» *mènent l'enquête, Le Violon de Gaston, Les Tacots*; de Marcel Carrière: *Le Grand Voyage*; d'André Brassard: *Françoise Durocher, waitress*; de Robert Awad: *L'Affaire Bronswik* (avec André Leduc) et *Amuse-gueule* (ces deux films font une large part à l'animation);de Gilles Carle: *L'Âge de la machine*[278]; de Diane Létourneau, *Une guerre dans mon jardin* (reconstitution partielle d'un fait vécu, et récit des participants). En 1987, le cadre général d'une série sur la bioéthique donne à divers auteurs chevronnés (Robert Favreau, Jean Beaudin, Gilles Blais, Diane Létourneau, Yves Dion, etc.) l'occasion de scénariser en moins de vingt minutes des illustrations dramatiques de problèmes comme l'euthanasie, le pouvoir médical, la vérité à révéler aux malades, l'abandon de gens âgés en milieux hospitaliers, etc.

À partir de 1982 et en vue à la fois de trouver de nouvelles sources de revenus, d'utiliser plus rationnellement ses ressources en personnel et en techniques, et de diversifier sa production, l'Office recommence à coproduire plus souvent avec Radio-Canada (ce qu'il n'avait que très rarement fait après 1960)

L'Âge de la machine de Gilles Carle. Agréable « p'tite vue », culturelle et divertissante. À part *Bernadette...* et *Les Plouffe*, sûrement un des meilleurs films de Carle, surtout dans sa période « épocrite ». (ONF)

et collabore même avec le secteur privé. D'ailleurs, depuis l'instauration, en juillet 1983, du Fonds de développement de la production d'émissions canadiennes de Téléfilm Canada (*voir* page 269), on retrouve souvent les trois types d'investisseurs au générique. Avec la télévision, cela donne surtout des séries documentaires comme *La Guerre* et *La Défense du Canada* de Gwynne Dyer ou *Prendre la route* (plusieurs réalisateurs); mais aussi des séries dramatiques prestigieuses comme *Empire, inc.* (trois des six épisodes sont dirigés par Denys Arcand). Avec le secteur privé, dans la majorité des cas, il s'agit de productions moyennes (environ 1 300 000$) et l'Office reste financièrement minoritaire : *Les Beaux Souvenirs* de Francis Mankiewicz (qui, malgré un scénario de Ducharme, ne renouvelle pas l'enchantement des *Bons Débarras*), *La Dame en couleurs* de Claude Jutra, *Ô Picasso* de Gilles Carle (investissement majoritaire), *Anne Trister* de Léa Pool (*id.*), *Pouvoir intime* d'Yves Simoneau, *Le Déclin de l'empire américain* de Denys Arcand, *Un zoo la nuit* de Jean-Claude Lauzon. La majorité de ces films n'aurait pu être réalisée sans l'initiative ou le soutien essentiel de l'Office. Il s'engage aussi dans de grosses aventures mixtes (à la fois films pour salles

Balablok de Bretislav Pojar. L'admirable fable sur la découverte des différences et partant, sur le racisme et toutes les formes de ségrégation. (ONF)

et séries télévisées) comme *Bonheur d'occasion* de Claude Fournier et *Le Crime d'Ovide Plouffe* de Gilles Carle et Denys Arcand.

Le cinéma d'animation[5-90], marqué dans les deux décennies précédentes par la personnalité de McLaren, qui a pris en

Le Paysagiste de Jacques Drouin. L'écran d'épingles au service de la découverte de paysages intérieurs et de l'illustration du processus créateur. (ONF)

1984 une retraite bien méritée et est décédé le 27 janvier 1987, profite désormais de la maturité de plusieurs artistes et apporte à l'Office la majorité de ses titres de gloire : des palmes à Cannes couronnent *Balablok* de Bretislav Pojar, *Zikkaron* de Laurent Coderre, *La Faim* de Peter Foldès ; des Oscars soulignent à Hollywood la qualité de *Château de sable* de Co Hoedeman, *Livraison spéciale* de John Weldon et Eunice Macaulay et *Chaque enfant* d'Eugene Fedorenko et il ne se passe presque jamais une année sans qu'un film ou deux obtiennent une nomination dans l'une ou l'autre de ces manifestations prestigieuses. Des centaines de prix dans à peu près tous les festivals de la planète soulignent continuellement la qualité de l'animation *made in* ONF. Elle vient non seulement de l'exploitation astucieuse de matériaux aussi divers que le sable, les perles, le linoléum, etc., en plus, évidemment, des techniques traditionnelles du dessin, de l'écran d'épingles, des marionnettes, du grattage de pellicule, du collage ; mais aussi d'une visée sociale, philosophique ou même politique. On n'oublie pas à l'ONF que les films d'animation peuvent aussi porter une vision du monde et un univers symbolique, diffuser un

Souvenirs de guerre de Pierre Hébert, qui développe les techniques de Len Lye et de McLaren pour faire du cinéma d'animation plus directement politique. (ONF)

système de valeurs. Pierre Hébert surtout, avec *Père Noël, Père Noël, Souvenirs de guerre, Étienne et Sara,* représente ce courant qui veut habituer les spectateurs à regarder et analyser les films d'animation comme n'importe quels films. Les messages sont assez universels pour que l'essentiel puisse être saisi par tous les peuples. Le fait que, à côté des Québécois et des Canadiens Gervais, Awad, Hébert, Longpré, Drouin, Leduc, Coderre, Desbiens, Tunis, etc., les studios rassemblent des Hollandais comme Hoedeman ou Driessen, un Indien comme Ishu Patel, un Tchèque comme Pojar, une Américaine comme Caroline Leaf et combien d'autres, pour une collaboration permanente ou occasionnelle, favorise beaucoup cette universalité.

La presque totalité des films d'animation du Québec concourant dans les festivals est produite par l'Office (nous exceptons évidemment ces milliers de messages publicitaires animés produits chaque année). Toutefois, il faut signaler ici que Frédéric Back de Radio-Canada a gagné aussi son Oscar pour *Crac* (1982) après avoir obtenu une nomination pour *Tout rien,* et qu'il remporte beaucoup de prix dans les festivals.

Le 29 juin 1976, l'Office signe un accord de coproduction

Tierra y Libertad de Maurice Bulbulian. La liberté de tournage et de diffusion est officiellement la même au Mexique et au Québec, mais quand des Québécois vont y filmer dans l'esprit de Société nouvelle, ça ne se passe pas aussi bien. (ONF)

avec le Secrétariat de l'éducation publique du Mexique. Comme l'indique un communiqué officiel :

> Les projets de films portent sur les thèmes suivants : les problèmes entourant la disparition et la marginalisation des cultures indiennes sur le territoire des Amériques ; l'apport, du point de vue culturel, technologique et scientifique de ces mêmes cultures indiennes, en relation avec l'ensemble des populations de ce même territoire, et enfin les rapports entre la vie quotidienne et l'affirmation culturelle des populations de nos pays respectifs face à l'*american way of life*.

Équipes de tournages internationales intégrées, une vingtaine d'heures de films projetées, grande liberté de mouvement dans les deux pays : projet magnifique qui devrait amener à une prise de conscience tout à fait nouvelle des problèmes séculaires. Trois films sont réalisés au Mexique : *Ethnocide* du Mexicain Paul Leduc, *Tierra y Libertad* de Maurice Bulbulian et *Première question sur le bonheur* de Gilles Groulx. Le programme est abandonné avant que des Mexicains ne viennent tourner au Québec. La raison officielle est le manque de fonds, mais il faudrait plutôt considérer l'orientation politique prise par le programme, orientation qui évoque pour nous Société nouvelle, mais en plus radical! Car dans ces trois films, les réalisateurs vont directement à la source politique des problèmes culturels et fuient tout maquillage exotique. Je ne pense pas non plus que le gouvernement mexicain, qui s'attendait à de beaux documentaires anthropologiques, se soit senti à l'aise avec ces étrangers qui venaient enquêter sur les problèmes locaux et les montraient avec beaucoup de franchise. En tant que Québécois, je trouve dommage que les Mexicains du programme n'aient pas eu l'occasion de venir nous présenter un regard différent sur nos propres minorités amérindiennes!

Coup de théâtre en novembre 1982 : le Rapport du Comité d'étude de la politique culturelle fédérale (Rapport Applebaum-Hébert)[152] recommande laconiquement : « L'Office national du film doit être transformé en centre de recherche avancé et de formation artistique et scientifique pour la production de films et de vidéos. » Ce qui veut presque dire la fermeture des sections de création et la transformation de l'institution en une sorte d'école spécialisée de cinéma. La principale raison de cette recommandation est que les frais administratifs accaparent une trop grande partie des budgets, lesquels seraient mieux employés dans le financement de l'entreprise privée. Mais on parle aussi de lourdeur bureaucratique et du peu d'inspiration de l'ensemble des films. Il faut bien admettre que ce reproche est souvent mérité et qu'il sort bien peu de films intéressants pour le nombre d'employés permanents de l'Office au début des années 80. À l'intérieur de l'organisme, le Rapport a l'effet d'un coup de massue, bien que personne n'en soit tellement surpris : la présence de Denis Héroux comme principal « expert » conseiller au sein du comité d'étude, son dédain bien connu de tout ce qui sort de l'Office, son rejet habituel du cinéma à visée culturelle, son amitié pour plusieurs personnalités du Parti libéral au pouvoir, son projet de Cité du cinéma qui nécessitait tous les fonds gouvernementaux disponibles et qui voulait d'ailleurs intégrer une partie des équipements de l'Office (son associé pour ce projet est Serge Losique qui livre à ce moment-là dans les journaux une longue diatribe tout aussi mensongère que vitriolique contre l'ONF), tout cela ne pouvait qu'infléchir les recommandations

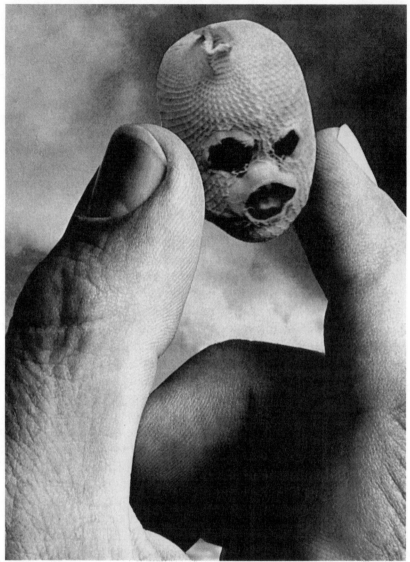

L'affiche de Pierre Guimond pour *En dernier recours — Le terrorisme ici* de Jacques Godbout, en 1987, qui illustre bien le mordant retrouvé à l'ONF. (ONF)

dans ce sens. Le coup d'émotion passé, le rapport a cependant un effet salutaire : il hâte la réorganisation de certains secteurs, provoque de nouvelles orientations, entraîne une réduction de l'appareil administratif, soulève un renouveau de fierté chez les cinéastes[91]. Devant les réactions courroucées de tout le milieu cinématographique, le Parlement crée un autre comité pour réétudier la question. Puis viennent les élections de septembre 1984, un nouveau parti au pouvoir, le Parti conservateur, des personnes différentes dans le dossier, de nouvelles études pour une politique culturelle... Et en septembre 1986, le Rapport Sauvageau-Caplan[181], portant sur l'ensemble des politiques fédérales de radiodiffusion, louange l'ONF pour son dynamisme et en recommande le renforcement! Il faut dire que les coproductions avec l'entreprise privée et avec Radio-Canada ont modifié considérablement l'image globale et réactivé le dynamisme de plusieurs artisans. En 1988, avec les nombreux prix remportés par *Le Déclin* d'Arcand, avec le retour à des films tout aussi utiles que percutants (les derniers Leduc, Dion, la série sur la bioéthique, etc.), l'image est à son zénith.

b) *l'Office du film du Québec*

L'Office québécois poursuit jusqu'en 1975 sa politique de «faire faire» (producteur au sens strict) et ses commandes portent surtout sur des documents pédagogiques, de la propagande touristique, du métrage d'archives. Bien peu de ces films offrent un intérêt qui dépasse l'utilisation immédiate.

Avec la loi de 1975, cependant, qui prétend tout réorganiser, l'Office est intégré dans une Direction générale du cinéma et de l'audiovisuel (DGCA) aux pouvoirs très (trop) vastes. Le nouvel organisme met toutefois beaucoup de temps à se structurer, voit ses juridictions contestées et en partie mises en veilleuse, cohabite mal avec l'Institut, même si leurs champs d'application sont en principe tout à fait distincts[14]. Ce qui a comme principale conséquence que les ministères recommencent à se doter d'unités de production pour répondre à leurs besoins immédiats, surtout le puissant ministère de l'Éducation avec sa Direction générale des moyens d'enseignement (DGME) qui, en plus de sa production interne, place elle-même ses commandes à l'extérieur. Le Rapport Fournier[163] parle à juste titre de «l'incohérence des interventions de l'État parce que l'étalement, les chevauchements et les contradictions des juridictions conduisent à une série de conflits et confirment le fait que, particulièrement dans les domaines du cinéma et de la vidéo, la main droite de l'État ignore souvent ce que fait sa main gauche : l'une soutient une industrie que l'autre concurrence par d'autres voies, l'autre fausse ici les règles dont l'une exige ailleurs un scrupuleux respect. » Comme ce moment correspond à l'arrivée de la crise économique, on comprend que la DGCA, avec de moins en moins de commandites à octroyer, voit s'effriter ses pouvoirs. Personne ne fut donc surpris de son démembrement en 1981 et de son remplacement par une plus modeste Direction générale des moyens de communication (rattachée au ministère des Communications) dont le Service de production de documents audiovisuels (SPDA) s'occupe en théorie aussi bien des commandites à l'entreprise privée que des réalisations internes. Il ne semble toutefois pas, même dans la réorganisation de 1983, que l'on ait trouvé à Québec la formule qui satisferait fonctionnaires et entreprise privée.

c) la Société de développement de l'industrie cinématographique canadienne (SDICC) — Téléfilm Canada

Dépendant du ministère des Communications du gouvernement d'Ottawa, la SDICC[147] occupe des bureaux à Montréal, Toronto et Vancouver (plus tard, elle intégrera aussi les bureaux internationaux de l'ONF à Los Angeles, Paris et Londres). Tel que défini par la loi (*voir* page 210), son mandat fort général laisse place à beaucoup d'interprétation et d'initiatives (aide à l'écriture de scénarios, financement intérimaire, traités de coproduction, actions sur la diffusion, etc.).

Au début de ses activités, en 1969, elle « récompense » d'abord, par des « primes à la qualité » d'un montant d'environ 12 000$, des cinéastes qui ont produit des œuvres intéressantes dans les années précédentes. Certains, parmi les Québécois, en profitent : Gilles Carle pour *Le Viol d'une jeune fille douce*, Michel Brault pour *Entre la mer et l'eau douce*, Arthur Lamothe pour *Poussière sur la ville* et Jean Pierre Lefebvre pour *Il ne faut pas mourir pour ça* et *Patricia et Jean-Baptiste*. Puis elle fait flèche de tout bois : conçue surtout pour aider au développement d'une industrie lourde du long métrage destiné aux salles commerciales, elle regarde peu à la qualité ; seule la réputation commerciale des demandeurs ou la séduction des scénarios comptent. Elle entend

Tiens-toi bien après les oreilles à papa de Jean Bissonnette. La réunion du scénariste le plus comique de la télévision (Gilles Richer), de la plus grande vedette
du petit écran (Dominique Michel) et du monologuiste le plus populaire (Yvon
Deschamps), le mélange de plaisanteries sur la politique et la religion et d'un
style tout à fait télévisuel , voilà qui s'est avéré une formule très payante. (Coll.
Cinémathèque québécoise)

faire fructifier au maximum son capital de départ de dix millions
de dollars. Sa préférence porte sur les films à budgets modiques
pour aider davantage de créateurs. Dans l'espoir de rentrées rapides de bénéfices, elle investit même dans des produits aussi culturellement douteux que les films « de fesses » de Denis Héroux,
Claude Fournier, Roger Fournier, John Sone, et autres. Et effectivement, plusieurs de ces films remboursent rapidement l'investissement initial et génèrent des profits nets (*Deux femmes en or*
de Claude Fournier, *L'Initiation* de Denis Héroux, *Tiens-toi bien
après les oreilles à papa* de Jean Bissonnette, *Les Mâles* de Gilles
Carle, *Les Colombes* de Jean-Claude Lord...). Malgré la petitesse
du marché francophone, ce sont d'ailleurs les films québécois
qui, pendant les sept premières années, sont les plus rentables
pour la Société (62 % des recettes); c'est seulement à partir de
1975-1976 que l'on parle de rentrées importantes pour les pro-

Il y avait, bien sûr, plusieurs minutes de nudité et quelques blagues épicées dans le film de Fournier. Mais ce qui fit surtout son succès, ce fut la présence des meilleurs comiques de l'époque, y compris Michel Chartrand qui campait un juge sourd et peu loquace… (Publicité)

duits anglophones. D'autre part, soulignons ici que la Société ne s'est pas laissé aveugler par les perspectives de profits : si les Carle, Héroux ou Lord pouvaient endosser tous les espoirs, elle ne pouvait s'attendre aux mêmes profits avec les Lefebvre, Labrecque, Harel, Forcier, Audy, Frappier, Jutra… habitués à des publics plus restreints. À partir de 1972-1973, elle commandite aussi un programme de premières œuvres avec budget maximum de 115 000$ (plus tard, de 200 000$) dont elle fournit 60%. De plus, elle subventionne un important, mais peu productif, programme de création de scénarios (par exemple, en 1970-1971, on consacre 450 000$ à 45 projets, dont seulement 7 deviennent des films).

Au début, donc, n'importe quel projet un peu cohérent ou séducteur obtient la participation de la SDICC. Mais malgré le succès en salles de certains films (*Deux femmes en or* y couvre presque vingt fois son coût de production), l'organisation de l'industrie fait en sorte que seuls les exploitants et les distributeurs en profitent. Selon le modèle courant, la recette-guichet

se répartit comme suit: une fois la taxe d'amusement de 10%
enlevée, l'exploitant conserve 50 à 60%, le distributeur, 10 à 15%
et le producteur ne peut espérer au mieux que 15 à 20%; ce qui
signifie qu'un film doit rapporter au moins cinq fois ses coûts
de production et de lancement pour simplement atteindre le seuil
de rentabilité. Pour le film à faible budget, même ce mince espoir
n'est pas permis, comme Jean Pierre Lefebvre l'a appris avec
Q-Bec my Love en 1970 qui, après avoir coûté 25 000$ et rapporté
140 000$ dans le circuit de Famous Players, ne lui a rapporté,
à lui, que 7 000$. Les producteurs se retrouvent donc au bout
de la chaîne — et même à cette extrémité, la SDICC occupe la dernière place: les contrats varient, mais en général, les investisseurs publics ne sont remboursés qu'après que les investisseurs
privés ont recouvré la totalité ou la majeure partie de leur mise
— et ne font que peu de profits (en 1985-1986, la première tran-
che de revenus est partagée à raison de 80% pour le privé et 20%
pour les sociétés publiques). Même si plusieurs films remboursent une partie ou la totalité de l'investissement, la Société ne
récupère durant les premières années que moins de 10% de son
capital. Au moment de sa réorganisation, en 1983, elle aura investi
52 400 000$ et récupéré 8 900 000$, soit 17% (ce qui, malgré tout,
se compare avantageusement avec le système d'avance sur recette
en France où, selon le dernier Larousse, seulement 10% des films
remboursent la totalité). Elle ne peut donc survivre que si le gouvernement ajoute continuellement de l'argent frais.

Après quelques années, moins riche que prévue, la Société
resserre ses critères et se fait plus parcimonieuse. C'est alors que
le plus mauvais choix possible est fait par ses administrateurs
(sous la présidence de Gratien Gélinas) qui ne pensent qu'à brève
échéance: par une série de mesures (nécessité d'un scénario
rigide, imposition de garanties préalables de distribution et
d'exploitation, privilèges aux grosses maisons de production),
ils imposent ici, bêtement, sans transpositions ni ajustements,
le modèle hollywoodien. Dans un texte qui se révèle encore plus
vrai en 1987 qu'au moment de sa rédaction en 1974, Fernand
Dansereau[102] a très bien résumé l'impact fondamental que ce
choix allait avoir sur le cinéma québécois:

Les fonctionnaires d'un pays colonisé ne sont pas moins colonisés que la population. Les premiers administrateurs de la SDICC ne surent chercher autre chose que la reconnaissance de l'autre. Les critères qu'ils établirent dès le départ, pour l'aide qu'ils proposaient de nous accorder, visaient à nous faire réussir dans les schémas empruntés ailleurs. Ainsi, on nous imposa le scénario rigide et précis d'autrefois, que notre expérience du direct avait invalidé et qui à son tour invalidait le direct.

Nous sommes tombés dans le piège. En tant que groupe, la collectivité des cinéastes s'est laissée assimiler. Au début, rien n'était clair. Sur la lancée des succès établis en direct, les premiers films produits sous le règne de la SDICC étaient en gros définis par les cinéastes. Nous réussissions à transférer dans le modèle étriqué qu'on nous proposait un élan créateur apparemment irrésistible. Le public qui était fier de voir enfin l'étiquette québécoise sur les marquises des salles commerciales, a marché. Une vitalité remarquable s'est affirmée, autant dans l'originalité des films que dans l'appétit du spectateur. Et cela en dépit des efforts des fonctionnaires qui cherchaient à canaliser ces énergies vers les exigences du succès international. Car si les films étaient rentables pour les distributeurs/exploitants, ils ne l'étaient pas nécessairement pour les maisons de production.

Très tôt alors les règles du commerce devaient enlever l'initiative au cinéaste. Le producteur devait remplacer celui-ci comme définisseur de film. Les premiers longs métrages avaient créé comme par accident des vedettes. Ces vedettes devenaient obligatoires. (...)

À travers les comités de lecture et d'approbation, il devint clair assez tôt que l'aide ne serait accordée qu'à ceux qui sauraient s'inscrire dans le courant majeur du cinéma américain. À la SDICC, on rêvait du «grand film canadien» comme autrefois la littérature chez nous rêvait du «grand roman».

Un autre facteur contribuait à infléchir notre trajectoire. La SDICC nous imposait comme condition *sine qua non* de cette aide, l'obligation d'une entente préalable de distribution avec le réseau des distributeurs et exploitants de salles commerciales. Ce couloir étroit vers le commerce nous aliénait encore plus. Non seulement nous divertissait-il du lien ténu que nous commencions à bâtir avec notre milieu, mais il nous asservissait aux règles économiques de l'autre. (*Note de l'auteur: ne pas oublier ici que distributeurs et exploitants principaux sont de propriété étrangère.*) Très tôt l'influence du modèle français, qui dans une certaine mesure nous tiraillait par rapport au modèle américain, et nous permettait un certain jeu, devait disparaître pour ne laisser subsister que l'exigence du modèle économique américain. (...)

Mais le coût des films ne pouvait être amorti dans le seul marché québécois. Le vernis international devenait nécessaire et nous conviait à l'imitation. (...)

Le producteur faisait du packaging: telle vedette, tel thème, tel style; il trouvait les cinéastes correspondants. (...)

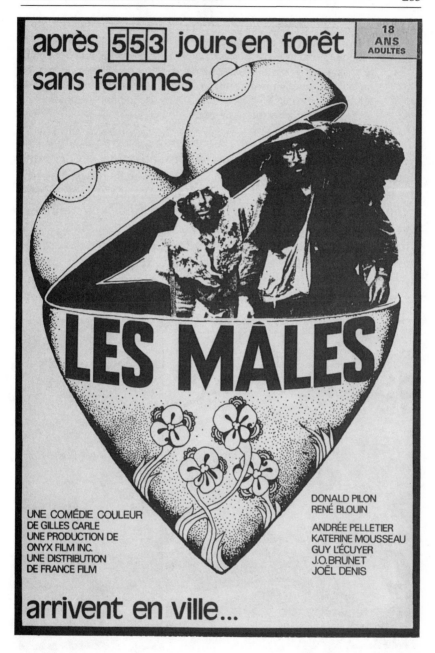

Comment résister à une telle publicité? Ce film de Carle fut important pour donner de la crédibilité à la jeune industrie où les réalisateurs restaient les principales personnes à définir les films. (Publicité)

Mais commerce oblige. Bientôt ce fut au tour du producteur d'être évincé. Car au producteur comme définisseur de projet succède maintenant le distributeur/exploitant. C'est lui qui en 1974 fait le packaging. À partir des premières vedettes établies en cinéma, en faisant de larges emprunts aux vedettes encore mieux établies par la télévision, il conçoit de nouveaux produits cinématographiques où le cinéaste n'a plus guère de place.

Le plus mauvais choix, disons-nous. Non seulement fut-il économiquement une mauvaise affaire : en quinze ans, comme nous l'avons signalé plus haut, la SDICC n'a jamais réussi à atteindre le seuil de rentabilité et a gaspillé des millions en pure perte, toujours dans l'attente du succès « à l'américaine » qui renflouerait la caisse. Au début, elle misait délibérément sur la quantité plutôt que sur la qualité. Elle prétendait jouer le jeu de la grande industrie, mais si elle avait dû obéir aux règles du jeu au lieu de compter sur le renouvellement automatique des crédits gouvernementaux, elle n'aurait pu tenir le coup six mois, tellement

Quelques arpents de neige de Denis Héroux : les débuts de ce cinéma de « producteur à l'américaine » qui nie toute perspective de cinéma « d'auteur », mais qui n'en est pas plus rentable économiquement. (Coll. Cinémathèque québécoise)

ses choix se révélaient en grande partie désastreux. Au même moment, par exemple, où elle misait des centaines de milliers de dollars dans *L'Amour humain, 7 fois par jour* ou *Quelques arpents de neige* de Héroux, dans *Fleur bleue* de Larry Kent, *Les Chats bottés* de Claude Fournier ou *Je t'aime* de Pierre Duceppe (sûrement à cause de Jeanne Moreau dans la distribution!), elle refusait d'abord, pour n'accorder ensuite qu'un maigre montant de 130 000$ au film *Les Ordres*! On n'y aurait probablement pas aidé *Mon oncle Antoine*, et sûrement pas *Mourir à tue-tête*! Culturellement, ces mauvais choix eurent des conséquences désastreuses puisqu'ils contribuèrent à dégoûter toute une partie du public du cinéma local et à créer un préjugé défavorable que même les plus séduisantes productions arrivent encore difficilement à surmonter. D'autant plus qu'en livrant aux producteurs le vrai pou-

Jules le magnifique de Michel Moreau. Comme pour se faire pardonner tous ses placements quétaines, la SDICC investit quelques dollars dans des films de Moreau et de Lamothe: ce fut sans doute une de ses plus sages décisions. (Photo Jean-Claude Boudreau, Éducfilm)

voir de définition du produit, la SDICC enlevait aux réalisateurs et scénaristes le goût de l'authentique création et le risque de l'imagination (quelle liberté reste-t-il à un scénariste quand il doit composer des scènes pour Burt Lancaster ou Carole Laure, et pour personne d'autre?).

Bien sûr, dans les rapports annuels du Président, on parle continuellement d'« amélioration de la qualité »; mais si cela veut dire parfois « augmentation du contenu canadien », cela signifie surtout plus « commercial », avec davantage de sujets au goût du public, de vedettes à la mode et surtout internationales. Traduire : il faut aller chercher des réalisateurs étrangers, Jean-Paul Belmondo ou des acteurs américains, oblitérer toute référence au Canada dans l'image, pour que le public américain, ou celui de France — visé en priorité — se sente bien chez lui! On comprend alors qu'elle embarque à fond dans le jeu de la coproduction[182] internationale, dont elle organise les accords et qu'elle administre au nom du gouvernement canadien (il en existe avec la France, l'Italie, la Belgique, l'Espagne, l'Allemagne de l'Ouest, le Royaume-Uni et Israël; il n'en existe pas avec les États-Unis dont le gouvernement ne participe pas à cette industrie). Denis Héroux a toujours bien compris ce jeu (dont il fut d'ailleurs un des principaux à en définir les règles), surtout quand il produisit *Atlantic City, Quest for Fire* et *À nous deux*. C'était sous la présidence de Michel Vennat (1978-1981), un avocat qui s'avouait plutôt ignorant du cinéma et qui voulait accentuer l'orientation *business* de l'organisme, laissant le mandat culturel à l'ONF (*La Presse*, 3 février 1979). En contrepartie, on commençait en 1977-1978 à concéder quelques miettes à des documentaires (*Innu Asi* et *N'tesi Nana Shepen* d'Arthur Lamothe, *Jules le Magnifique* de Michel Moreau, *D'abord ménagères* de Luce Guilbeault, etc.), surtout à cause de la réputation de leurs auteurs.

D'ailleurs, ce jeu financier n'est possible que si l'on a un vrai pouvoir de décision à tous les niveaux de l'industrie; or la SDICC n'a jamais abordé sérieusement le problème du contrôle étranger de la distribution et des salles. Dès les débuts de son mandat, elle invita les distributeurs et exploitants à investir dans la production, dans l'espoir d'une meilleure mise en marché des films ainsi réalisés. Seuls Famous Players et quelques distributeurs québécois mineurs s'engagèrent quelque peu. Dans le contexte du nationalisme économique du gouvernement Trudeau, elle prononça de temps en temps de vagues menaces de contingentement et fit appel à la bonne volonté de tout le monde, mais elle retraita dès que les *Majors* américains froncèrent les sourcils. Puis elle se satisfit de vagues promesses (jamais tenues) pour justifier son inaction. Parallèlement, elle prenait quelques mesures pour aider la mise en marché des films : kiosques au festival de Cannes, subventions à tous les festivals canadiens (prise en charge, depuis 1984, du Bureau des festivals), diffusion directe de films en 1975-1976 et 1976-1977 avec le Nouveau Réseau, assistance au sous-titrage codé pour la télévision.

Pouvait-elle faire d'autres choix ? On peut penser que oui. Quand on songe que presque tous les grands succès canadiens sur le plan culturel et financier (*La Vraie Nature de Bernadette, Les Ordres, Mon oncle Antoine, Apprenticeship of Duddy Kravitz, Mourir à tue-tête*, etc.) furent des œuvres personnelles, engagées et ne se conformant pas au modèle américain, on peut imaginer que si l'on avait décidé d'une orientation culturelle dès le début (au lieu de chercher le profit immédiat avec des navets qui ont dégoûté le public du cinéma d'ici) et que si, parallèlement, on avait changé les règles du jeu de la diffusion, notre cinéma attirerait peut-être au moins le public des films européens, si ce n'est celui des films de nos voisins.

À l'été de 1983, devant la nécessité d'une évolution pour s'ajuster au nouveau marché de la télé payante (qui en est à ses premiers mois) et de la vidéoscopie domestique, espérant du même coup régler une partie des problèmes de la télé conventionnelle et contrebalancer l'influence américaine (surtout au Canada anglais), le ministre fédéral des Communications, Francis Fox, annonçait l'octroi du Fonds de développement de la production d'émissions canadiennes[91] au budget assez impressionnant de 250 000 000$ pour cinq ans et géré par la SDICC. Ce Fonds est mis à la disposition de toutes les productions d'émissions « de qualité », quels que soient le support ou le genre (on parle de dramatiques, d'émissions pour enfants et de variétés, ce qui peut tout comprendre !), respectant les critères de contenu canadien définis par la SDICC et qu'un télédiffuseur conventionnel s'engage à diffuser à une heure de grande écoute (entre 19 et 23 heures) au cours des deux années suivant sa production. Selon

Anne Trister de Léa Pool. « Supporter les très bons projets culturels », dit André Lamy de Téléfilm Canada. Pour beaucoup, ce film est le produit québécois idéal : ça se passe en milieu d'artistes, les personnages sont beaux et relative-ment riches, le langage est recherché et intelligent, l'actrice est à la mode, la musique d'accompagnement est *rock*, l'esthétique est d'allure moderne ; la jeune critique, qui vient de découvrir Duras, le louangera... (ONF)

André Lamy, le directeur général de la SDICC, « il est question de supporter les très bons projets culturels. » Il peut fournir jusqu'à un tiers du budget et s'efforce d'encourager les télévisions à faire produire davantage par l'entreprise privée. Il doit aussi s'effor-cer d'inventer de nouveaux modèles de mise en marché, tant sur le plan local qu'international. Quelques mois plus tard, en février 1984, la SDICC changeait de nom et devenait Téléfilm Canada[149] à la fois pour marquer le changement de mandat et pour s'adapter aux nouvelles réalités.

Quatre ans après le début des opérations, après l'injec-tion de dizaines de millions et l'énoncé de nouvelles règles du jeu en 1986 en ce qui a trait au long métrage destiné aux salles commerciales (et un fonds spécial de 30 millions de dollars par an pour eux), quelle évaluation en faire ? Il est peut-être un peu tôt pour juger, mais il nous semble qu'on y reproduit presque les mêmes erreurs qu'au début des années 70, avec la seule différence qu'on ne se confine pas à la production de longs métrages de fiction. Mais les séries de variétés (sur support vidéo) telles *Variétés Michel Jasmin, Juste pour rire, À première vue, Tapis rouge, Légendes du monde, Samedi de rire, Avec Céline Dion,* ou *Lautrec 85,* les téléromans tels *À plein temps* ou *Un amour de quartier* n'épatent ni la critique ni le grand public! En fin de compte, il n'en sort rien de mieux ni de plus original que ce que les télévisions conventionnelles produisent depuis toujours, la seule différence étant que tout cela coûte beaucoup plus cher (jusqu'à l'entrée en ondes de la chaîne Quatre Saisons, en septembre 1986, ce sont presque uniquement les télédiffuseurs publics qui achètent ces produits déjà financés en grande partie par un autre organisme public; pour le nouveau venu, qui profite abondamment de ces aubaines, cela ressemble presque à des cadeaux). Des critiques à peu près identiques peuvent s'appliquer à la majorité des films destinés aux salles (souvent doublés d'une minisérie pour la télé), tels *Le Crime d'Ovide Plouffe, Louisiane* ou *Le Matou,* ou à ces « dramatiques » produites uniquement pour la télévision, qui sont souvent financés jusqu'à 49% de leur budget. Dans tout ça, se glissent, bien sûr, des œuvres intéressantes : *Sonatine* de Micheline Lanctôt, *La Guerre des tuques* d'André Melançon et toute la série *Contes pour tous* du producteur Rock Demers, *Jacques et Novembre* de François Bouvier et Jean Beaudry, *La Femme de l'hôtel* et *Anne Trister* de Léa Pool, *Le Déclin...* d'Arcand, la série *Lance et compte,* réalisée par Jean-Claude Lord, qui obtient un succès extraordinaire à l'automne 1986, etc. Mais on y trouve avant tout la volonté de jouer le jeu à la manière hollywoodienne, ce qui ne nous semble pas la meilleure voie de la rentabilité culturelle.

En terminant cette section, signalons que les francophones, ce qui signifie, à toutes fins utiles, les cinéastes du Québec, ont toujours obtenu de la SDICC plus que ce qu'ils représentent en proportion de la population canadienne. Dans le Fonds de 1983, il est même spécifié que le tiers des sommes disponibles doit être consacré à des émissions en français.

d) *l'Institut québécois du cinéma — la Société générale du cinéma*

Créé par la Loi du cinéma de 1975 (*voir* page 434), l'Institut reçoit comme mandat de « répartir, en veillant à la liberté de création

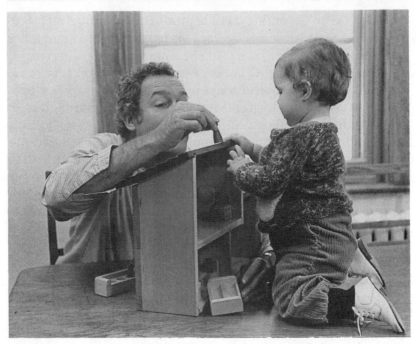

Premières pages du journal d'Isabelle de Michel Moreau (sur la photo) : le film didactique qui ne peut se faire qu'avec l'aide de l'État. (Photo Pierre Gaudard, Éducfilm)

et d'expression ainsi qu'à la liberté de choix des consommateurs, les fonds que l'État destine au secteur privé pour mettre en œuvre la politique cinématographique définie suivant la présente loi. » Il poursuit donc à peu près les mêmes objectifs et fonctionne à peu près selon les mêmes règles que la SDICC, avec des moyens plus limités toutefois et embrassant un champ plus large puisqu'il s'occupe aussi du documentaire et du court métrage, qu'il octroie des subventions à la distribution et même à l'exploitation, qu'il soutient un important programme de scénarisation, qu'il aide à la diffusion de la culture (revues, recherches, bourses de perfectionnement ou de voyages, projets spéciaux). On veut y collaborer à créer une industrie forte, mais en affirmant « le caractère hautement culturel du cinéma promu. » Il faut dire qu'à Québec, les cinéastes auront toujours priorité sur les fonctionnaires pour la définition des politiques, ce qui est une chance, mais entraîne en contrepartie des jeux de coulisses pas toujours favorables aux meilleurs (comme partout ailleurs dans le mer-

Elvis Gratton de Pierre Falardeau et Julien Poulin (sur la photo). Quand une idéologie mal définie aboutit à la grosse satire et à la formulation de messages simplistes... (ACPAV)

veilleux monde du cinéma subventionné, le copinage et le *lobbying* compte souvent plus que la compétence).

Organisme parallèle, la Direction générale du cinéma et de l'audiovisuel[14] doit veiller, en plus de ses autres mandats, à orienter la production des ministères vers l'industrie privée. Sur papier, les mandats sont clairs, mais dans la réalité, c'est la pagaille et c'est pourquoi la mise en place se révèle ardue, d'autant plus qu'une élection apporte en 1976 un changement de parti au pouvoir. Ce n'est qu'en 1977, et avec un budget de quatre millions de dollars, que l'Institut démarre vraiment ses opérations[163].

Un peu comme aux débuts de la SDICC, l'Institut commence aussi en subventionnant à peu près n'importe quoi, mais avec de faibles sommes à chaque fois, ce qui mécontente tout le monde : les grosses productions parce que l'aide de 150 000 $ paraît insuffisante, les petites parce qu'elles font là un gaspillage à cause duquel elles se font refuser les miettes demandées. Une différence majeure toutefois : on y a le préjugé antiaméricain très tenace et on n'aide ici que ce qui est très québécois (à l'outrance même parfois) ou bien certaines recherches de type formel (mélan-

Luc Matte, Denis Lacroix et Guy Thauvette dans *Visage pâle* de Claude Gagnon :
un film des années 80, mais composé dans cet esprit du « film à messages »
qui avait caractérisé les années 60. (Yoshimura-Gagnon)

ges direct-fiction, par exemple) ; dans les deux cas, un cinéma
plutôt opposé au modèle hollywoodien. Le moins qu'on puisse
dire, c'est que ce cinéma typiquement québécois selon les fonctionnaires de l'Institut n'a pas encore contribué à combler le fossé
entre le cinéastes et le public !

Après quelques années l'Institut trouve un mode de fonctionnement qui satisfait, en général, le milieu du cinéma. Les
uns y trouvent le complément nécessaire, même petit, pour bou-
cler un budget déjà alimenté par la SDICC et autres investisseurs ;
les autres en reçoivent la seule forme d'aide publique disponible. En 1980-1981, en collaboration avec Radio-Québec, il fournit
même à douze jeunes et moins jeunes cinéastes l'occasion de
réaliser un court métrage de fiction avec un budget « normal »
(entre 120 000 et 150 000$) ; cela donne, entre autres, *Désiré* de
Francine Langlois, *Les Bleus... la nuit* de Daniel Rancourt, *Piwi*
de Jean-Claude Lauzon, *Elvis Gratton* (le premier des trois) de
Pierre Falardeau et Julien Poulin, *Voyage de nuit* de Roger Frappier, *On n'est pas sorti du bois* d'Alain Chartrand. Dans l'ensem-

ble, l'expérience s'est avérée heureuse, mais comme il n'existe aucune structure de diffusion autre que la télévision pour ce type de produits, on voit mal l'intérêt de le développer. Il recommence l'année suivante, cette fois avec Radio-Canada, pour six films.

C'est donc moins pour lui qu'à cause de ce qu'est devenue la DGCA et des incongruités de la loi de 1975 que le gouvernement sent le besoin en 1981 de réécrire la loi et de modifier les structures[14]. Avec la loi de 1983, l'Institut devient un simple conseiller pour le ministre, chargé de définir la politique du cinéma et d'en surveiller l'application ; il est formé de représentants des principales associations cinématographiques reconnues. Le rôle de l'ancien Institut est maintenant assumé par la Société générale du cinéma dont le mandat est défini comme suit :

1. de reconnaître les œuvres qu'elle indique comme films québécois suivant les normes reconnues par l'Institut en vertu de l'article 39 ;

2. de promouvoir ou d'aider financièrement la création cinématographique et la production de films reconnus comme films québécois ;

3. de promouvoir ou d'aider financièrement la distribution et l'exploitation de films au Québec ainsi que le développement des industries techniques ;

4. de promouvoir ou d'aider financièrement le cinéma québécois en favorisant sa représentation dans les festivals et autres manifestations cinématographiques et de promouvoir la culture cinématographique au Québec ;

5. d'encourager la participation des entreprises de télévision à la production et à la diffusion de films québécois ;

6. d'encourager ou d'aider financièrement la formation, la recherche, le développement et l'innovation dans le domaine du cinéma.

Très rapidement cette fois-ci, la Société[91-218] crée une organisation sophistiquée pour assurer un meilleur suivi et une meilleure assistance aux projets. En théorie, elle ne fait qu'appliquer les décisions prises à l'Institut, mais comme c'est elle qui manipule l'argent, tout le monde sent bientôt que c'est là que se prennent les vraies décisions. Elle bénéficie d'un budget plus important que l'ancien Institut (environ 10 000 000$) qu'elle répartit entre tous les secteurs (scénarisation, préproduction, production, promotion, etc.). Certains choix paraissent discutables

Derrière l'image de Jacques Godbout : pour aller voir qui tient les caméras, qui détermine les cadrages, qui choisit l'ordre des nouvelles, qui décide ce que verra ou ne verra pas tel groupe de spectateurs. (ONF)

(investissements importants dans *Night Magic* de Lewis Furey ou *Toby* de Jean-Claude Lord), mais dans l'ensemble, après trois ans d'activités, elle bénéficie d'une évaluation très positive dans le milieu du cinéma, car chacun y trouve son compte. En 1986, elle crée le Prix de la Société générale du cinéma destiné à souligner l'excellence de deux longs métrages québécois et qui consiste en une prime à la qualité de 100 000$ attribuable automatiquement au prochain long métrage des réalisateurs récompensés ; André Melançon pour *La Guerre des tuques*, Jean Beaudry et François Bouvier pour *Jacques et Novembre* sont les premiers lauréats ; Jean et Serge Gagné pour *La Couleur encerclée* et Denys Arcand pour *Le Déclin de l'empire américain* ; Jean-Claude Labrecque pour *Le Frère André* et Jean-Claude Lauzon pour *Un zoo la nuit* en 1988.

e) *Radio-Canada, Radio-Québec et les autres...*

Radio-Canada, Radio-Québec et les chaînes de télévision privées contribuent toujours en grande partie à la vitalité des compagnies de production, puisque celles-ci tirent 45% de leurs revenus de la fabrication de messages publicitaires. Plusieurs, parmi les meilleurs créateurs (Carle, Arcand, Mankiewicz, Spry, Yves Simoneau, etc.), y trouvent de quoi assurer leur gagne-pain

Damase Breton, cordonnier de Léo Plamondon, dans la série *La Belle Ouvrage* coproduite par Radio-Canada et l'ONF : ce cinéma du patrimoine culturel et « muséologique » garde son intérêt alors que bien des succès populaires sont disparus à tout jamais. (ONF)

entre deux réalisations. Toutefois, ce marché, conquis de haute lutte au cours des années 60, s'effrite quelque peu autour de 1980 à cause, d'une part, de la crise économique qui fait couper beaucoup de budgets publicitaires et, d'autre part, comme l'explique le Rapport Fournier, à cause « de la relocalisation, à l'Ouest, des

Les Plouffe de Gilles Carle : probablement la plus intéressante des coproductions télévision-cinéma. (Coll. Cinémathèque québécoise)

centres de décision de l'économie canadienne, ce qui a entraîné dans son sillage sociétés commanditaires et agences de publicité. » Mais tout ce qui est lié de près ou de loin au marché du pétrole en subit rapidement les contrecoups : quand, au milieu de la décennie, il s'effondre et que l'activité économique revient vers le centre du pays, Montréal reprend petit à petit le terrain perdu et gagne même de nouveaux territoires.

Les producteurs de cinéma blâment aussi les chaînes de télé de ne pas acheter assez de productions extérieures. Ils affirment pouvoir produire à moindres frais des oeuvres de meilleure qualité. Il faut dire que les syndicats à l'intérieur de ces maisons voient d'un très mauvais oeil l'octroi de contrats à l'extérieur. Radio-Canada et Radio-Québec y vont quand même de plusieurs commandes, surtout ces dernières années, émissions qui leur reviennent effectivement moins cher que s'ils les produisaient eux-mêmes, mais comme la plupart sont produites avec l'aide de Téléfilm Canada et même de la Société générale, elles coûtent, en définitive, beaucoup plus cher en fonds publics ! Ils achètent aussi les droits de diffusion d'un bon nombre de films — à peu près toute la production de courts comme de longs métrages s'y retrouve à court terme — chez les indépendants (Télé-Métropole et son réseau, presque rien), mais, se plaignent les producteurs, ils ne veulent jamais les payer à leur juste valeur : en 1983, par exemple, Radio-Canada n'accepte jamais de payer plus de 30 000$ la demi-heure à un indépendant, alors qu'une seule heure du téléroman *Le Temps d'une paix* lui coûte 300 000$. À ce compte-là, beaucoup de producteurs souhaiteraient le simple équivalent comme participation à la production (cela représenterait entre 250 000$ et 600 000$ pour un long métrage) ! Les producteurs estiment aussi que les télévisions ne déboursent jamais assez pour les droits de télévision des films nationaux existants. En général, depuis 1980, celles-ci (Radio-Canada et Radio-Québec uniquement) donnent, en moyenne, entre 25 000$ et 50 000$, ce qui représente environ le double de ce qu'elles offrent pour un film étranger ordinaire ; c'est un moindre mal, concèdent les producteurs, mais ce n'est pas encore suffisant[189].

Ces dernières années, la participation des réseaux dans des miniséries prestigieuses comme *Les Plouffe, Les Fils de la liberté, Maria Chapdelaine, Louisiane, Le Matou...* dont la plupart connaissent aussi une exploitation en salles dans un format abrégé, suscite beaucoup d'espoirs (le fameux Rapport Applebaum-Hébert recommandait d'ailleurs à Radio-Canada de faire produire davantage à l'extérieur ; et le récent Rapport Sauvageau-Caplan l'incite à collaborer davantage avec l'ONF), mais la plupart des cinéastes estiment que seules les grosses compagnies auront encore accès à ce marché lucratif. Il est vrai que ce sont surtout les grosses et moyennes compagnies, les ICC et Cinévidéo des Héroux, SDA, Prisma, Via le monde, qui profitent actuellement de ce marché (ce sont elles qui ont poussé à sa création), mais plusieurs petits indépendants (Lamothe, Moreau, l'ACPAV, etc.) savent aussi en profiter.

Beaucoup craignent également de voir se reproduire le même modèle avec la télévision payante. Au moment de leur lancement, les compagnies promettaient des centaines de millions de dollars d'investissement pour de nouveaux produits locaux, comme Home Box Office le fait aux États-Unis. Mais les promoteurs avaient vu trop grand en lançant deux chaînes dans chaque langue, alors que le marché ne peut en faire vivre qu'une, et encore pas très confortablement ; les coûts d'exploitation se révélèrent trop élevés pour permettre des investissements dans la production. Finalement, le seul apport positif de la télé payante aura été d'accélérer la diffusion des films locaux et, de cette façon, d'augmenter un peu le revenu des distributeurs.

Mentionnons aussi, pour clore ces sections sur les organismes gouvernementaux, que le Conseil des arts (fédéral) contribue à la production avec des bourses de travail ou de spécialisation. Plusieurs jeunes artisans y ont trouvé comment mener à terme certains projets peu rentables (une bourse fournissant de quoi acheter de la pellicule, l'assurance-chômage payant les « salaires » de l'équipe — quand elle n'est pas simplement bénévole —, l'aide artisanale de l'ONF contribuant aux frais de laboratoire et de postproduction).

B. Production commerciale et coproductions

Lorsqu'en mai 1969 sort *Valérie*[298] de Denis Héroux, mélodrame tout à fait dans la ligne des films « pognés » des années 60, mais comportant de la nudité et quelques scènes érotiques un peu osées, personne ne prévoit qu'il deviendra le prototype d'une série qui attirera enfin les Québécois vers leur cinéma[217].

Une habile campagne de presse, et le slogan « déshabiller la p'tite Québécoise », apportent à *Valérie*, dès sa sortie, un énorme succès et font de Danielle Ouimet, jusque-là une inconnue toute « neuve » (elle n'avait fait que de brèves figurations à la télévision privée), la star numéro un du Québec. Ce petit film en noir et blanc, produit pour seulement 85 000$, génère un revenu de 2 000 000$ et est vendu par la suite dans une quarantaine de pays. Depuis *La Petite Aurore, l'enfant martyre*, c'est le premier film à rejoindre en salles un très large public. Héroux y comprend toute l'importance du marketing : jouant la carte du *star-system*, flattant les fiertés nationalistes, cherchant le scandale avec l'érotisme et un peu d'anticléricalisme, tout en s'abritant derrière les études sociologiques de Vance Packard (*sic*), il recrute les meilleurs publicitaires et se fait lui-même fort charmeur lors d'innombrables interviews et débats dans les médias, notamment

La première séquence de *Valérie* de Denis Héroux : les seins nus, le miroir —
très important, le miroir — pour lancer l'invitation de se «libérer» à toutes les
filles du Québec. (Coll. Cinémathèque québécoise)

avec les féministes (entre autres, accrochages avec Lise Payette,
alors animatrice vedette à Radio-Canada). Quelques mois plus
tard, reprenant la même fructueuse recette, mais cette fois-ci avec
des couleurs éclatantes et plus de sophistication (il dispose d'un

Red de Gilles Carle: le métissage ethnique (Amérindiens et Blancs) devient le symbole du métissage culturel de tous les Québécois. (Coll. Cinémathèque québécoise)

meilleur budget), il revient avec *L'Initiation,* un autre mélodrame érotique mettant en vedette un beau séducteur français professeur d'université. C'est le troisième plus gros succès financier de l'histoire du cinéma québécois (il a coûté 180 000$ et rapporté 2 500 000$).

Utilisant d'autres recettes du film populaire, le beau mâle, l'action et la violence, mais avec quand même quelques seins et fesses nus en concession à la mode, *Red* de Gilles Carle sort en mars 1970 et obtient aussi un assez bon succès. Le même mois, Jean Pierre Lefebvre élargit son public habituel avec son anti-porno politique *Q-Bec my love* (on ne s'y déshabille pas, on s'y rhabille! tout en causant de viol politique: la pauvre Q-Bec subit les derniers outrages de Peter Ottawa!). En mai, Claude Fournier fait rigoler tout le Québec avec ses *Deux femmes en or* (interprétées par Monique Mercure et Louise Turcot) qui apportent au producteur la plus grosse recette: 2 000 000 de spectateurs ont déboursé plus de 4 000 000$ pour voir ce film qui n'avait coûté que 218 000$.

Et voilà qu'était enfin créé tout un engouement pour le film québécois[52]. Suivent en cascade, dans la même veine érotico-mélo, avec quelques grosses farces «épaisses» dans certains cas: *L'Amour humain*[279] et *7 fois par jour* de Héroux, *Viens mon amour* et *Y a plus de trou à Percé* (*sic*) de John Sone, *Après-ski* de Roger Cardinal (d'après un petit roman érotique circulant sous le manteau et fort populaire dans les écoles secondaires!), *Les Mâles* de Gilles Carle, *Les Chats bottés* de Claude Fournier, *Pile ou face* de Roger Fournier, *Fleur bleue* de Larry Kent et *Finalement* de Richard Martin. La plupart sont produits par Cinépix d'André Link. Voilà en quoi se résume la «vague» érotique qui, au fond, se termina dès 1971; son importance vient moins du nombre de films que de l'image qu'elle créa et de son influence[239].

Parallèlement sortent quelques mélos parfaitement anachroniques (*Danger pour la société* de Jean Martimbeau, *Le Soleil des autres* de Jean Faucher) et quelques films d'auteurs qui ne remplissent pas autant les salles, mais connaissent d'honnêtes succès dans leur genre (*L'Acte du cœur* de Paul Almond, *La Chambre blanche* et *Les Maudits Sauvages* de Jean Pierre Lefebvre, *Le Martien de Noël* (un film pour enfants) de Bernard Gosselin).

Les raisons de ces succès? Elles sont multiples et pas faciles à catégoriser: une évolution générale des mœurs avait mis les thèmes sexuels à la mode (le succès de la diffusion de quelques films suédois et japonais osés avait modéré les contraintes de la censure), on pouvait maintenant traiter ces thèmes de façon décontractée et souvent à la blague (ce qui est tout le contraire de la pornographie, pensons aux *Mâles* de Gilles Carle); un brin de violence et des scènes d'action «à l'américaine» par-ci, un soupçon de nationalisme par-là, quelques curés ou bonnes sœurs un peu ridicules, une petite visite dans le confessionnal ou une récitation du chapelet pour agrémenter l'ensemble. Le public aimait aussi retrouver ses vedettes de la télévision dans des rôles inusités, ou encore s'apercevoir que le coin de sa rue, ses Laurentides, ses églises ou ses parcs pouvaient aussi servir de décors pour des films; il appréciait le fait de pouvoir rire à son aise de son boss anglophone, de son curé vieux jeu, de ses voisins quétaines ou de laisser libre cours à quelques phantasmes inavoués. Un politicologue suggérerait sans doute aussi que le désenchantement politique suivant les élections et les Événements d'octobre 70 entraînait les gens vers des divertissements exutoires et compensatoires...

Louise Marleau et Jacques Riberolles dans *L'Amour humain*. Denis Héroux y cherche un effet de scandale avec son affaire de cœur et de soutane, mais ne l'obtient pas, car son scénario — risible — demeure déconcertant de mièvrerie. (Coll. Cinémathèque québécoise)

Quelles qu'en soient les raisons, le cinéma québécois s'impose dans les salles commerciales au point d'occuper jusqu'à environ 10% du temps-écran (en 1983, selon les dernières statistiques disponibles, il n'en occupe plus qu'environ 3%). Il réussit même à endiguer la baisse, continue depuis 1953, de la clientèle des salles[240]. Plusieurs films (*Valérie, L'Initiation, Deux femmes en or, Les Mâles*) font aussi leur petit tour du monde (mais pour des raisons fort éloignées de l'esthétique). Toutefois, le cinéma québécois ne parvient pas à franchir les frontières provinciales du Canada : si Montréal accueille favorablement les films de Toronto, le public canadien hors Québec ne veut rien entendre des *Red, Mon oncle Antoine*, etc., malgré les brassées de prix qu'ils recueillent régulièrement aux Canadian Film Awards (maintenant : Genie Awards) de Toronto. À un autre niveau, on assiste à cette période à la naissance de compagnies de production avec infrastructure forte : Cinévidéo des frères Denis et Claude Héroux, Carle-Lamy

Anne Lauriault dans *Q-Bec my love* de Jean Pierre Lefebvre : sous le regard bienveillant des grandes idoles québécoises, l'héroïne décape l'histoire de ses « vérités » et « rêve de nous voir rêver ». (Coll. Cinémathèque québécoise)

de Gilles Carle et Pierre Lamy, Les Productions mutuelles de Pierre David, Prisma de Guy Dufaux et Claude Godbout, etc.

Mais le succès de ce cinéma pour consommation rapide n'allait pas durer très longtemps. Nous avons vu dans la section précédente comment la SDICC a alors transformé les modèles d'action et favorisé la médiocrité. Pour profiter de l'engouement suscité par les tout premiers films, plusieurs producteurs peu scrupuleux sortirent rapidement des films bâclés et fort peu respectueux de l'intelligence du public (ceux de Héroux, Fournier, Cardinal, Martin, Kent...). Même un Jean Pierre Lefebvre antipornocrate fit alors preuve de beaucoup de naïveté en montrant les fesses de sa Q-Bec et en demandant au spectateur de regarder son âme (*Q-Bec my love*)! Gilles Groulx fit preuve d'encore plus de naïveté en lançant son *Entre tu et vous* rue Sainte-Catherine et en espérant que les spectateurs, séduits par la nudité des personnages dans certaines scènes (nudité bien évidente dans la publicité) goberaient avec plus de facilité son message politique !

Une fois la mode des « films de fesses » passée en 1971, après que les derniers de la série ont commencé à dégoûter une partie du public du cinéma québécois et à lui créer une réputation de vulgarité qui perdure encore, celle des comédies légères, avec vedettes de la télé (Dominique Michel) ou du spectacle (Yvon Deschamps, les Cyniques, Pierre Labelle), lui succède : *Tiens-toi bien après les oreilles à papa*[295] de Jean Bissonnette, *Le p'tit vient vite* de Louis-Georges Carrier, *J'ai mon voyage* et *Y a toujours moyen de moyenner* de Denis Héroux, *IXE-13* de Jacques Godbout, *L'Apparition* de Roger Cardinal, *Les Aventures d'une jeune veuve* de Roger Fournier, etc.[217] Elle est accompagnée d'un certain nombre de mélodrames de plus ou moins grande qualité, accueillis parfois très favorablement par le public (*Les Colombes* de Jean-Claude Lord, *Quelques arpents de neige* de Héroux, *Les Beaux Dimanches* de Richard Martin), mais dont un certain nombre, par leur insignifiance, éloignent une autre partie du public (*La Maison des amants* de Jean-Paul Sassy, *Je t'aime* de Pierre Duceppe, *Pas de jeu sans soleil* de Claude Bérubé, *Valse à trois* de Fernand Rivard, *Chanson pour Julie* de Jacques Vallée, *Sensations* de Robert Séguin). Dans le sillage de la mode américaine lancée par *The Exorcist,* nous avons même nos « horreurs sataniques » avec *Le diable est parmi nous* de Jean Beaudin (film qui ne laissait absolument pas prévoir *J.A. Martin photographe* ou *Cordélia* !) et *The Pix (La Lunule)* de Harvey Hart. Marcel Lefebvre s'essaie même au « western moderne » avec un *Mustang* qui réunit une pléiade de comédiens de tous milieux, de Luce Guilbeault à Willie Lamothe ! Le coût moyen de ces films est de 335 000$, à peu près le même que dans la production française de l'époque, selon le Centre national de la cinématographie de France.

Parallèlement, et jusqu'en 1976, il y a les « valeurs sûres » qui réalisent alors certaines de leurs meilleures œuvres et gardent l'affection du public (au moins de leur public). Ces créateurs possèdent maintenant plus de métier et bénéficient du fait qu'après les premières années, la SDICC impose de meilleurs critères de discernement. Ils jouissent aussi d'un appui quasi inconditionnel de la critique (sauf Héroux qui a le don d'exaspérer tout le monde) et des médias en général. Le public accepte aussi plus facilement la diversification des genres. C'est pourquoi les années 1972-1976 seront une sorte d'âge d'or pour plusieurs qui

Micheline Lanctôt dans *La Vraie Nature de Bernadette* de Gilles Carle : quand les gens de la ville voient la campagne comme le lieu du mythe, c'est-à-dire du temps premier où l'on peut reprendre la vie à la base et retrouver les valeurs fondamentales. (Photo Bruno Massenet, Les Productions Carle-Lamy)

travaillaient dans le secteur privé, comme ce le fut pour d'autres à l'ONF (*voir* pages 249-251). Surtout pour Gilles Carle[256] avec son humour à son meilleur dans *La Vraie Nature de Bernadette*[277] et *La Mort d'un bûcheron*; il réussit toutefois moins bien *Les Corps célestes* et *La Tête de Normande St-Onge*. Pour Jean-Claude Lord qui devient le Costa-Gavras local avec ses thrillers sociopoliti-ques *Bingo*[276], *Parlez-nous d'amour* et *Panique*. Pour Denys Arcand[161] avec *La Maudite Galette*[283], *Réjeanne Padovani*[285] et *Gina*[282]. Pour Jean Pierre Lefebvre avec *Les Dernières Fiançailles*[286] et *L'Amour blessé*. Pour Jean-Claude Labrecque avec *Les Smattes* et *Les Vautours*. Pour Michel Brault avec *Les Ordres*[287]. Pour André Brassard avec *Il était une fois dans l'Est*[274]. Pour André For-cier avec *Bar salon* et *L'Eau chaude, l'eau frette*. Pour Claude Four-nier avec *Je suis loin de toi, mignonne* (que sauve le talent de Domi-

L'allégorie politique sur Octobre 70 à la manière de Costa-Gavras, le genre de film qui reste comme «l'histoire officieuse» du pays. (Publicité)

Il était une fois dans l'Est d'André Brassard: tout l'esprit et l'atmosphère du théâtre de Michel Tremblay en 101 minutes de film. (Coll. Cinémathèque québécoise)

nique Michel et de Denise Filiatrault). Claude Jutra, pour sa part, malgré le succès de *Mon oncle Antoine*[281], ne réussit à imposer ni devant le public ni devant la critique *Kamouraska* (production de plus d'un million, la plus coûteuse de l'époque, adaptation du roman à très grand succès d'Anne Hébert et bénéficiant en plus d'une Geneviève Bujold alors au faîte de sa carrière de comédienne; film re-monté, en 1984, en une durée de quatre heures pour la télévision, il est plus consistant du point de vue de l'action et des personnages, mais y perd la chaleur de l'image de Michel Brault); même chose deux ans plus tard avec *Pour le meilleur et pour le pire* (dont il fut à la fois scénariste, réalisateur et principal acteur).

Tous ces films sont de cinéastes sensiblement de la même génération, ayant presque tous débuté dans les années 60, la plupart à l'ONF ou à Radio-Canada. On comprend alors pourquoi même quand ils veulent simplement amuser et divertir, les réalisateurs les plus intéressants sortent mal des psychosociographies à la manière du direct et qu'ils ne choisissent pas toujours des héros très séduisants. Même certains «contes de Noël» s'achèvent dans l'ambiguïté ou un désespoir que le public n'apprécie

Frédérique Collin et Céline Lomez dans *Gina* de Denys Arcand : par le biais du viol, une grille d'interprétation des relations patronales-ouvrières, du fédéralisme canadien et de la situation des cinéastes dans les organismes publics. En prime, l'art parfait de la citation : dans une partie de l'anecdote, les comédiens reprennent fidèlement les situations et les paroles d'*On est au coton* (alors censuré). (Photo Bruno Massenet, coll. Cinémathèque québécoise)

pas toujours (*Mon oncle Antoine, Les Corps célestes, Noël et Juliette, Night Cap...*).

Entre 1976 et 1980, l'argent se fait de plus en plus rare et il devient difficile d'aller chercher cette portion des budgets non comblée par l'aide gouvernementale (qui peut aller jusqu'à 80 %)[213-219]. La production privée chute considérablement. On ne peut guère signaler, de productions « normales », que *Panique* et *Éclair au chocolat* de Jean-Claude Lord (l'échec financier cuisant de ce dernier film entraîne une quasi-éclipse de Lord qu'on ne retrouve, pendant cinq ans, qu'au générique de commandes très commerciales et sans intérêt comme *Visiting Hour* ou *Toby*; mais la récente série télévisée *Lance et compte*, qu'il n'a pas écrite, mais qu'il marque de son style, nous fait regretter son absence des plateaux de cinéma); *Le Soleil se lève en retard* d'André Brassard, *Le Vieux Pays où Rimbaud est mort* de Jean Pierre Lefebvre,

August Schellenberg dans *L'Affaire Coffin* de Jean-Claude Labrecque : le film n'est pas très réussi, mais ce « cadavre » ressorti du placard a relancé dans les journaux — avec Jacques Hébert comme principal héraut — une gigantesque discussion sur l'erreur judiciaire. Il se voulait aussi un règlement de compte avec la période duplessiste. Le hasard fit que la même année sortit *Cordélia* de Jean Beaudin, qui avait un thème semblable. (Les films René Malo)

Comme les six doigts de la main d'André Melançon, *Les Servantes du bon Dieu* de Diane Létourneau. La dernière invention d'Ottawa (bientôt imitée par Québec), le système des abris fiscaux (*tax shelter*), qui permet à n'importe quel citoyen de déduire de son revenu imposable la totalité d'un investissement dans un film, vient consacrer le pouvoir des producteurs : les décisions se prennent maintenant entre investisseurs professionnels et producteurs-gestionnaires, les cinéastes étant le plus souvent écartés des discussions. Cette approche sert beaucoup le cinéma canadien, encore que bien peu de films intéressants aient été produits selon ce modèle, mais ne séduit que fort peu les investisseurs québécois.

Un nouvel espoir renaît en 1980[82]. Cette année-là sortent normalement en salles *L'Affaire Coffin* de Jean-Claude Labrecque, *Fantastica* de Gilles Carle, *Suzanne* de Robin Spry, *Les Bons Débarras*[93] de Francis Mankiewicz, *L'Homme à tout faire* de Micheline Lanctôt, *Ça peut pas être l'hiver, on n'a même pas eu d'été* de Louise Carré. Grâce au programme d'aide à l'exploitation de l'Institut québécois, le Ouimetoscope consacre plusieurs mois à des primeurs comme *Les Grands Enfants* de Paul Tana, *La Cuisine rouge* de Paule Baillargeon et Frédérique Collin, *Plusieurs tombent en amour* de Guy Simoneau, *Vie d'ange* de Pierre Harel. De qualité parfois douteuse, ces films n'en provoquent pas moins des événements qui raniment des espérances.

Après un maigre 1981 — n'atteignirent les écrans que *Les Plouffe* de Gilles Carle et *Les Beaux Souvenirs* de Francis Mankiewicz — les années qui suivent signifient le retour aux années de vaches grasses. Parmi les œuvres à petit et à moyen budget, les « vétérans » tournent en remarquable continuité avec leur œuvre antérieure : *Les Fleurs sauvages* et *Le Jour S...* de Jean Pierre Lefebvre, *Doux Aveux* de Fernand Dansereau (maintenant recyclé dans le téléroman historique à Radio-Canada), *Les Années de rêves* de Jean-Claude Labrecque, *Rien qu'un jeu* de Brigitte Sauriol, *Sonatine* de Micheline Lanctôt, *Au clair de la lune* d'André Forcier, *La Dame en couleurs* de Claude Jutra, *La Guerre des tuques* (le film le plus rentable en 1984-1985), *Bach et bottine* et *Le Lys cassé* d'André Melançon[270], *Qui a tiré sur nos histoires d'amour?* de Louise Carré, *Le Déclin de l'empire américain*[272] de Denys Arcand[319]. Des nouveaux venus bataillent ferme pour se faire une place : Robert Ménard avec *Une journée en taxi* et *Exit*, Yves Simoneau avec *Pourquoi l'étrange monsieur Zolock s'intéressait-il tant à la bande dessinée?*, *Les Yeux rouges*, *Pouvoir intime* et *Les Fous de Bassan* (ces deux derniers longs métrages sortis la même année 1986); Claude Gagnon (qui a tourné préalablement au Japon *Keiko*) avec *Larose, Pierrot et la Luce* et *Visage pâle*; Léa Pool avec *La Femme de l'hôtel* et *Anne Trister*; Bruno Carrière avec *Lucien Brouillard*; Jean-Claude Lauzon avec *Un zoo la nuit*. Ajoutons-leur ceux du même ordre réalisés à l'ONF par Beaudin et Poirier et quelques-uns produits à très petit budget par des indépendants, et nous obtenons un éventail assez intéressant. Ces fims coûtent presque tous entre un et deux millions de dollars et les organismes publics en fournis-

Dix ans après *Les Dernières Fiançailles*, Jean Pierre Lefebvre retrouve la même tendresse avec *Les Fleurs sauvages* qui traite des relations d'une mère (Marthe Nadeau) avec sa fille (Michèle Magny). (Photo Gilles Corbeil, coll. Cinémathèque québécoise)

sent la plus grande part. Prenons comme exemple significatif le cas du *Déclin...* d'Arcand, coproduction de l'ONF et du secteur « privé » : le financement se répartit comme suit : sur un budget total de 1 885 000$, l'ONF investit 764 000$, Téléfilm Canada 791 000$ (investisseur majoritaire), la Société générale du cinéma du Québec 245 000$, Radio-Canada 40 000$ et la compagnie de René Malo, le coproducteur « privé » en l'occurrence, 45 000$. Comme le budget comprend les frais administratifs de 82 000$ de la compagnie de Malo, son salaire de 40 000$ et celui de son associé 30 000$, on se demande vraiment si on peut encore parler d'investissements privés ! Ce cas représente peut-être un extrême, mais si nous avions accès à tous les chiffres des compagnies, et surtout celles des grosses coproductions, selon Denis Héroux, en tenant compte aussi des abris fiscaux et de tous ces « faux frais » comptabilisés ailleurs par des fonctionnaires complaisants, nous retrouverions sans doute bien des combines aussi douteuses que parfaitement légales, mais fort coûteuses à l'État !

Mais ces années sont surtout celles des superproductions

Mireille Deyglun et Pierre Chagnon dans *Bonheur d'occasion* de Claude Fournier: l'histoire de Florentine Lacasse et de Jean Lévesque au moment de la
Deuxième Guerre ne peut avoir d'intérêt que par la reconstitution d'une époque ou par l'émotion que ce spectacle peut susciter. L'atmosphère du roman
de Gabrielle Roy était plus réussie que celle du film qu'on en a tiré. Sans doute
aurait-il valu mieux resserrer le montage de la version « salles » et laisser tomber la mini-série télévisée. (Photo Attila Dory, Ciné 360)

et des grosses aventures conjointes avec la télévision. La majorité des films ont des budgets entre cinq et dix fois supérieurs
à ceux que nous venons de citer. La formule utilisée par Héroux
pour *Les Plouffe* (long métrage pour salles et série de six heures
pour la télé, collaboration au financement (un peu plus de six
millions de dollars) de l'IQC, de la SDICC, de Radio-Canada, de
Famous Players, des investisseurs privés et des commanditaires
de prestige comme Alcan ou la Banque Royale) se révèle facilement imitable et cela donne *Maria Chapdelaine* et *Le Crime d'Ovide
Plouffe* de Gilles Carle (les deux derniers épisodes, sur un total
de six, qui constituent la version salle, sont réalisés par Denys
Arcand), *Bonheur d'occasion* de Claude Fournier, *Le Matou* de Jean
Beaudin, et pour le marché international surtout, *Au nom de tous*

Au nom de tous les miens, de Robert Enrico : l'exemple presque parfait de la coproduction apatride et insipide financée en partie par la SDICC et les ventes à la
télévision. (Photo Piroska Mihalka, coll. Cinémathèque québécoise)

les miens de Robert Enrico (d'après le best-seller de Martin Gray),
Louisiana de Philippe de Broca (tourné aux États-Unis) ainsi que
Le Sang des autres de Claude Chabrol. Ce type de production
entraîne inévitablement une inflation dans les budgets : il faut
des équipes de plus en plus nombreuses, payer de plus en plus
cher pour les scénarios (Roger Lemelin s'étant fait payer 250 000$
pour sa suite des *Plouffe*, Yves Beauchemin déclare qu'il veut
davantage pour les droits de son *Matou* : il obtient 300 000$, ce
qui représente le coût d'un long métrage de Jean Pierre Lefebvre !), les frais de financement pour la préproduction s'élèvent
constamment.

      Depuis dix ans, nous sommes aussi entrés dans l'ère de
la grande coproduction internationale, seule façon, selon certains
gestionnaires, de rentabiliser la production québécoise[182]. Il y
avait bien eu, au milieu de la décennie de 1970, *Kamouraska, Le
Vieux Pays où Rimbaud est mort* et quelques autres productions avec
participation étrangère[87]. Après 1975, les projets se multiplient,
les budgets atteignent des records. Selon Denis Héroux, ces aventures conjointes sont très rentables ; il déclare à *Perspectives* : « Sur

Hold-up d'Alexandre Arcady : le cinéma idéal, selon Denis Héroux, son coproducteur québécois. Mais qui s'intéresserait à un film algérien, par exemple, qui raconterait une banale histoire de gangster, avec Belmondo dans le rôle principal, filmé de telle façon que le spectateur ne pense jamais que ce fut tourné en Algérie ? Ce sens de l'absurde n'a pas encore pénétré l'esprit de certains producteurs. (Alliance Vivafilm)

quinze films, il peut y en avoir dix qui font des profits, trois qui ont fait leurs frais et deux qui n'ont pas récupéré » (13 février 1982). Mais au-delà de ces avantages, il n'y a que bien peu de profit pour le cinéma québécois : sa participation étant généralement minoritaire, les sujets sont définis presque uniquement par les partenaires étrangers et scénarisés chez eux ; les producteurs ignorent les réalisateurs d'ici au profit de Français ou autres,

Caffè Italia, Montréal de Paul Tana : la volonté de construire des ponts entre les différentes « petites patries » de Montréal. Mais aussi l'histoire dans son implacable vérité : qui savait que Ville Émard, un quartier du sud-ouest de Montréal, avait eu son groupe fasciste ? (Photo Bernard Fugères, Cinéma Libre)

symboles de prestige international (Chabrol, Lelouch, Scola, Malle, Cornaud, Risi, Annaud, etc.). Ce n'est pas non plus, comme certains le prétendaient, l'occasion pour les scénaristes et réalisateurs québécois d'améliorer leur compétence en se frottant à des collègues renommés, puisqu'ils furent presque systématiquement écartés ; seuls les producteurs eurent cette chance. Il est assez difficile, en effet, de voir des avantages pour le cinéma québécois dans des films comme *Atlantic City* de Louis Malle ou *Quest for Fire* de Jean-Jacques Annaud, même si Denis Héroux, en tant que producteur, en retira l'honneur de participer à la soirée de remise des Oscars. Et je ne parle pas des *Una giornata particolare* d'Ettore Scola ou *Caro papa* de Dino Risi; ni des *Blood Relatives* et *Violette Nozière* de Chabrol, *La Menace* de Cornaud, *Hold-Up* d'Arcady, etc. Comme j'oublie ces objets de consommation éphémères, produits par des Québécois, mais qui n'ont rien de national, tournés en anglais pour le marché américain : *Lucky Star*, *Porky's* (et ses suites...), *City on Fire*, *Visiting Hour*, *Ticket to Heaven*, *Scanners*, etc. À notre connaissance, aucun de ces films n'a remporté un réel succès au Québec, même parmi les amateurs de produits hollywoodiens. Sur le marché américain, par ailleurs, il semble que l'aventure soit rentable : « 6 000 salles aux États-Unis projettent des films canadiens », titrait le magazine *Les Affaires* du 1er mai 1982 (il s'agissait surtout d'*Atlantic City*, mis en nomination pour les Oscars cette année-là, et de *Quest for Fire*); et tous considèrent avec envie les 175 000 000 $ rapportés par le premier des *Porky's* (dont la production n'avait coûté que 600 000 $) et les 75 000 000 $ de *Meatballs* (qui avait été produit pour 1 600 000 $). Au fait, avec ces films, des Québécois ne font que produire, à moindres frais, et parfois subventionné par l'État canadien, du produit américain pour les Américains! Héroux affirme s'en tirer aussi très bien avec le marché français. Poussons jusqu'à l'absurdité et imaginons ce qu'auraient été *Mon oncle Antoine* ou *Le Déclin de l'empire américain* produits par ces financiers : Burt Lancaster ou Yves Montand auraient remplacé Jean Duceppe dans le film de Jutra; Nick Nolte ou Depardieu aurait hérité du rôle de Rémy Girard dans celui d'Arcand; on ne verrait plus Dominique Michel, mais Jane Fonda ou Nicole Garcia; les deux films auraient été tournés en anglais, etc. L'idée est tellement ridicule que l'on comprend mal comment certains fonctionnaires l'assument si facilement! Et pourtant...

C. Les indépendants et les artisans

À côté de ces productions commerciales réalisées par de grosses et moyennes maisons (Onyx, Cinépix, Films Mutuels, Cinévidéo, ICC, Astral, Carle-Lamy, Prisma, etc.), et qui font les man-

Au clair de la lune d'André Forcier : personnages marginaux, humour noir, sur-réalisme. Les uns aiment, les autres pas... (Cinéma Libre)

chettes dans la métropole, il y a toujours le travail modeste, pres-que *underground*, de plusieurs petites compagnies survivant grâce à l'obstination de leurs animateurs à créer un cinéma répondant à leur passion de dire et de montrer.

Il convient de signaler ici avant tout l'Association coopérative de productions audio-visuelles (ACPAV)[112], créée en 1971, qui fournit à une nouvelle génération de cinéastes l'occasion de faire leurs débuts, et pour certains, presque toutes leurs réalisations jusqu'à maintenant. Comme pour la génération précédente des Groulx, Carle, Perrault..., une vision du cinéma, une esthétique et une série de thèmes les unissent. Ces jeunes qui ont 25 ans en 1970 et qui n'ont pas connu les luttes des années 60, mais qui furent les premiers à avoir pu fréquenter systématiquement la Cinémathèque et à suivre quelques cours de cinéma, croient à un cinéma nouveau qui bouscule les règles hollywoodiennes. Ils revendiquent une esthétique moderne et une écriture cinématographique à la manière de Godard et des «post-soixante-huitards» français (dans le même esprit que les premières œuvres des Théberge, Chabot ou Patry à l'ONF). Certains veulent lier avant-garde esthétique et avant-garde politique. Refusant toute concession au commerce, la plupart ne cherchent pas vraiment à s'insérer dans l'exploitation habituelle. Sous l'aspect thématique, ce sont surtout les marginaux et les cultures marginales ou alternatives qui les intéressent; un peu la politique aussi. Il y a un côté plus que sympathique, que la critique n'a pas manqué de souligner, dans ces premières œuvres-brouillons que sont *Noël et Juliette* de Michel Bouchard, *L'Infonie inachevée* de Roger Frappier, *Tu brûles, tu brûles* et *Ti-Cul Tougas* de Jean-Guy Noël, *Isis au 8* et *La Piastre* d'Alain Chartrand, *La Vie rêvée* de Mireille Dansereau, *Bulldozer* de Pierre Harel, *Une nuit en Amérique* de Jean Chabot, et dans les courts métrages de Paul Tana, Brigitte Sauriol, François Labonté, François Dupuis..., mais il y a aussi un aspect «intellectuel prétentieux» qui veut faire œuvre très personnelle en ignorant le public ordinaire, et celui-ci ne le leur pardonne pas aussi facilement que les critiques. Les films se situent tellement en contrepartie du modèle hollywoodien, qu'ils ne réussissent à attirer la faveur populaire ni du jeune public contre-culturel qu'ils visent surtout, ni du public traditionnel. Dix ou quinze ans plus tard, les défauts de ces films n'en paraissent que plus évidents: le complexe avant-gardisme thématique ne ressemble plus qu'à de la paresse intellectuelle de crise d'adolescence et les constructions formelles qu'à un maniérisme inarticulé. Malheureusement, les productions récentes de cette génération (qui a maintenant atteint la quarantaine, et dont la plupart des cinéastes ne sont plus liés à l'ACPAV), ne marquent guère de progrès. Sur la lancée des premiers succès critiques, les Frappier, Forcier, Chabot, Bouchard, Sauriol, Chartrand..., furent le groupe le plus gâté de subventions, bourses, aides de toutes sortes, emplois dans les organismes gouvernementaux, mais bien peu ont vraiment prouvé qu'ils avaient un talent suffisant pour enrichir la profession. Il y a toujours un petit côté inachevé dans ce que réalisent, à l'ACPAV ou avec sa collaboration, ou encore de façon tout à fait indépendante, Brigitte Sauriol (*L'Absence, Rien qu'un jeu*), André Forcier[258] (*Bar salon, L'Eau chaude, l'eau frette, Au clair de la lune*), Jean Chabot et Yolaine Rouleau (*Le Futur intérieur*), Bruno Carrière (*Lucien Brouillard*), Mireille Dansereau (*L'Arrache-cœur*), Jean-Guy Noël (*Contrecœur*), Hughes Migneault (*15 nov., Le Québec est au monde* et *Le Choix d'un peuple* sont des documentaires politiques qui ne brillent ni par l'originalité de leurs images ni par leur interprétation politique), Paul Tana (ses courts métrages, *Les Grands Enfants, Caffè Italia*), Yvan Dubuc (*Les Limites du ciel*). Je ne mentionne ici que les longs métrages, mais la plupart réalisèrent aussi des courts métrages de fiction et des documentaires dans le même esprit. *Les Grands Enfants* (c'était aussi le titre de travail du premier long métrage de Forcier qui allait devenir *Le Retour de l'Immaculée-Conception*) serait un bon titre pour une étude sur cette génération de l'ACPAV.

Parallèlement, on compte plusieurs dizaines de petites compagnies, structures légales dont se dotent des réalisateurs entreprenants avant tout pour produire leur œuvre propre. Elles offrent l'avantage de la totale liberté, la possibilité de toutes les initiatives et expérimentations possibles (pour les contenus comme pour les formes), mais leur morcellement rend leur existence toujours précaire et ne leur donne, en général, que peu de crédibilité devant les organismes qui accordent les subventions. Selon Nicole Boivert, alors présidente de la Société générale, il y avait, en 1984, 208 de ces petites maisons de production, dont 130 agréées par la SGC, ce qui était nettement trop et qui nécessitait un regroupement pour un peu plus de rentabilité. On leur doit toutefois une part essentielle du meilleur cinéma québécois. Signalons ici surtout Les Ateliers audio-visuels du Québec où Arthur Lamothe produit ses incomparables séries sur les Amérindiens (*Carcajou et le péril blanc, Innu Asi — La terre de l'homme* et *Mémoire*

MÉMOIRE BATTANTE
un film d'Arthur Lamothe

THUNDER DRUM
a film by Arthur Lamothe

Mémoire battante d'Arthur Lamothe. Point d'orgue des séries sur les Amérindiens, ce film introduit magistralement à une critique du cinéma ethnographique tout en instruisant le procès des relations entre les cultures dans l'histoire du Québec. (Cinéma Libre)

battante); et Sophie Bissonnette, Martin Duckworth et Joyce Rock *Une histoire de femmes*; Éducfilm de Michel Moreau pour ses documentaires et séries sur les handicapés et autres « exclus » ; Informaction de Nathalie Barton (alias Morgane Laliberté), Gérard Le Chêne (alias Alain d'Aix) et Jean-Claude Burger qui produisent des films d'information politique internationale, dont *La Danse avec l'aveugle*, *Mercenaires en quête d'auteurs*, *Zone de turbulence* ; Nanouk de Michel Brault et André Gladu surtout pour la longue série rapaillant *Le Son des Français d'Amérique* (le folklore chanté, raconté et dansé) ; Cinak avec laquelle Jean-Pierre Lefebvre produit surtout ses propres films, mais aussi quelques-uns de ses copains ; Les Productions La Fête de Rock Demers pour sa série des *Contes pour tous* ; La maison des quatre qui a surtout produit des longs métrages de Louise Carré et de Iolande Rossignol ; Les Films d'aventure sociale du Québec avec *Belle Famille* de Serge Giguère et *Depuis que le monde est monde* de Sylvie Van Brabant, Serge Giguère et Louise Dugal ; Via le monde de Daniel Bertolino et François Floquet, qui commence très modestement avec des « explorations » exotiques, vendues à la télévision, et qui produit maintenant des séries prestigieuses dont *Le Paradis des chefs*, *Légendes du monde* et le très coûteux et très controversé *Défi mondial* ; Vent d'Est pour *La maladie, c'est les compagnies* de Richard Boutet, *La Turlute des années dures* de Richard Boutet et Pascal Gélinas ; à Québec, Cénatos pour *C'est comme une peine d'amour* de Suzanne Guy ; Richard Lavoie qui poursuit son travail documentaire, etc. Sans compter les très indépendants à qui on doit quelques-unes des œuvres les plus intéressantes des dernières années, dont *Jacques et Novembre* de François Bouvier et Jean Beaudry, *Quel numéro what number?* de Sophie Bissonnette, *Celui qui voit les heures* de Pierre Goupil. Et même quelques-uns qui se payent le luxe d'un long métrage de fiction qui ne sortira jamais en salles et que seuls quelques privilégiés (?) verront dans une presque clandestinité : *L'Île jaune* de Jean Cousineau, *M'en revenant par les épinettes* de François Brault...

Ce n'est pas qu'à Montréal ou Québec que les jeunes artisans prennent des initiatives. Entre 1976 et 1980 surtout se manifeste une formidable éclosion de créativité dans presque toutes les régions du Québec. Les télévisions publiques ont aidé du mieux qu'elles pouvaient ces nouveaux talents en achetant et diffusant leurs films, mais cela n'était pas suffisant pour leur garantir un gagne-pain. De sorte qu'on en entend beaucoup moins

Depuis que le monde est monde de Sylvie Van Brabant et Serge Giguère: comment continuer à faire de la naissance un geste d'amour par delà les froides techniques des salles d'accouchement moderne... Le genre de film pas nécessairement destiné à la grande diffusion commerciale, mais qui fait merveille dans des petits groupes. (Les Films du Crépuscule)

Jacques et Novembre de Jean Beaudry (sur la photo) et François Bouvier. Au moment où le coût moyen d'un long métrage dépasse le million de dollars, Beaudry et Bouvier, font pour moins de 50 000 $, une des œuvres québécoises les plus achevées des années 80. Un film résolument moderne, tant par son esthétique, que par son approche originale de ce thème universel qu'est la mort prématurée d'un homme de trente ans. (Cinéma Libre)

parler depuis. Ce cinéma qui redécouvrait en régions ce que les créateurs du cinéma direct avaient élaboré à Montréal au tournant de 1960, n'a pas apporté de grandes surprises techniques ou formelles, mais les historiens régionaux pourront compter sur lui pour de bonnes archives sonores et visuelles du pays. Signalons surtout ici, parmi les films qui nous sont parvenus à travers les festivals et autres manifestations, les *Comme des chiens en pacage*

Hiver bleu d'André Blanchard. L'autoportrait d'une génération qui se découvre en même temps qu'elle découvre son milieu et le goût d'agir pour le transformer. (Photo François Ruph, Les Films du Crépuscule)

de Richard Desjardins et Robert Monderie, *L' Hiver bleu* d'André Blanchard, *Noranda* de Daniel Corvec et Robert Monderie et *La Fuite* de Robert Cornellier, venant d'Abitibi, sûrement la région la plus animée, *Deux pouces en haut de la carte* de Jacques Augustin et Daniel LeSaunier, de Baie-Comeau, *Une forêt pour vivre* des citoyens d'Esprit-Saint (près de Rimouski).

En plus de ces indépendants qui produisent plus ou moins professionnellement dans des conditions artisanales, il faut aussi souligner la créativité de tous ces membres de l'Association pour le jeune cinéma québécois (plus de 600 personnes et 9 groupes en 1987) qui, avec le format Super 8 surtout veulent « promouvoir l'accessibilité cinématographique à tous les citoyens. » L'Association organise des stages d'apprentissage technique lors de fins de semaines, publie irrégulièrement un bulletin d'information et se charge du Festival du Super 8. Ces artisans ne gagneront probablement jamais de prix à Cannes ou à Hollywood, et nous ne connaîtrons jamais leur nom sauf exception, mais ils font aussi partie de l'histoire du cinéma au Québec.

Mourir à tue-tête d'Anne Claire Poirier: le cri des femmes de tous âges et de tous pays devant toutes les formes de viol. Rarement avons-nous vu traitement cinématographique si bien adapté à son sujet. (ONF)

D. Les femmes derrière la caméra

Déjà, nous avons pu remarquer des noms de femmes dans tous les secteurs de production de cette quatrième période. Il convient toutefois d'en faire une section particulière, parce que c'est durant cette période que s'est effectué un véritable déblocage[15].

Avant 1970, à l'exception des pionnières déjà mentionnées, il n'y eut guère qu'Anne Claire Poirier[271] à occuper un poste de commande derrière la caméra. Ceci dit, nous n'oublions pas le rôle clé que certaines scriptes, régisseuses ou monteuses ont joué dans la qualité de bon nombre de productions. Nous n'oublions pas non plus que beaucoup de femmes furent plus que des «fidèles collaboratrices» de leur compagnon (qu'aurait été le cinéma de Jean Pierre Lefebvre sans Marguerite Duparc? qu'aurait fait Denis Héroux sans Justine? comment départager la responsabilité de l'un et de l'autre dans ces «tandems» qui signent conjointement des films, par exemple, Fernand Dansereau et Iolande Rossignol, Yolaine Rouleau et Jean Chabot, Arthur et Nicole Lamothe, Michel Moreau et Édith Fournier, Gérard Le

Quel numéro what number? de Sophie Bissonnette : le film constat bien ancré dans son sujet, mais impuissant à décoller vers la recherche de solutions ; la contestation sans « annonciation ». (Ciné-fiche Cinéma Libre)

Chêne et Nathalie Barton, Danyèle Patenaude et Roger Cantin, Danielle Lacourse et Yvan Patry ?). Évidemment, je ne mentionne ici que les cas où l'on retrouve le nom du partenaire au générique !

Mais la grande révolution se passe quand en 1971 se crée à l'ONF le programme *En tant que femmes* dans le cadre de Société nouvelle. Il est né des pressions de groupes féministes désireux de se doter d'outils d'animation pour mieux préparer l'Année internationale de la femme de 1975. Non seulement ce programme engendre la production de six films couvrant divers aspects du vécu féminin expliqué aux femmes et aux hommes, et tous intéressants à plus d'un point de vue (*J'me marie, j'me marie pas* de Mireille Dansereau, *À qui appartient ce gage?* de Susan Gibbard, *Souris, tu m'inquiètes* d'Aimée Danis, *Les Filles, c'est pas pareil* d'Hélène Girard, *Les Filles du Roy* et *Le Temps de l'avant* d'Anne Claire Poirier, qui agit aussi comme productrice de l'ensemble du programme), mais il fut aussi une véritable école de cinéma au cours de laquelle plusieurs femmes purent s'apprivoiser aux divers métiers techniques et à la direction de production (il serait possible au Québec de monter des grosses productions avec des femmes à tous les postes). Sans compter que l'esprit qui anima *En tant que femmes* se poursuivit dans la majorité des films réalisés par des femmes à l'ONF : *Quelques féministes américaines* de Luce Guilbeault et Nicole Brossard, *Fuir* et *La P'tite Violence* d'Hélène Girard, *L'Ordinateur en tête* et *Histoire à suivre* de Diane Beaudry, *Madame, vous avez rien* et *Le Travail piégé* de Dagmar Gueissaz Teufel, *Une guerre dans mon jardin* de Diane Létourneau (collaboratrice de Georges Dufaux pour sa série sur l'âge d'or), *Sonia* de Paule Baillargeon, etc. Le « Studio D » de leurs consœurs anglophones (mais la solidarité des femmes dépasse les frontières linguistiques) partage les mêmes orientations. Le studio d'animation profite aussi de la présence de Suzanne Gervais (*Climats, Trève*…), de Francine Desbiens (*Dernier envol*…), de Viviane Elnécavé (*Luna, Luna, Luna*…).

C'est donc à l'ONF que la première présence massive des femmes derrière la caméra se manifesta. Mais il s'en révéla bientôt des dizaines d'autres dans diverses compagnies privées plus ou moins importantes[135]. En plus de celles que nous avons déjà citées dans la section précédente, mentionnons ici Sylvie Groulx et Francine Allaire (*Le Grand Remue-ménage*, produit par l'ACPAV), Diane Létourneau (*Les Servantes du bon Dieu* et *Le Plus Beau Jour de ma vie*…), Iolande Rossignol (*Thetford au milieu de notre vie* (avec Fernand Dansereau), *Rencontre avec une femme remarquable : Laure*

Ça peut pas être l'hiver, on n'a même pas eu d'été de Louise Carré. Quand on devient veuve à cinquante-sept ans, après avoir consacré toute sa vie adulte au mari et à l'éducation des enfants, et qu'il faut réinventer un genre de vie, refaire un noyau de relations... (Photo Takashi Seida, La Maison des quatre)

Gaudreault, et *Contes des mille et un jours, ou Jean Desprez*), Sophie Bissonnette (*Une histoire de femmes, Quel numéro, what number?*), Tahani Rached (*Les Voleurs de job*), Denyse Benoit (*La Belle Appa-rence, Le Dernier Havre*), Louise Carré (*Ça peut pas être l'hiver, on n'a même pas eu d'été* et *Qui a tiré sur nos histoires d'amour?*), Paule Baillargeon (*Anastasie, oh ma chérie, La Cuisine rouge* (avec Frédérique Collin) et toute l'équipe de Vidéo Femmes à Québec. Quelques-unes avaient travaillé devant la caméra: Luce Guilbeault, Paule Baillargeon, Frédérique Collin, Micheline Lanctôt. D'autres sortaient de l'ombre qu'avait portée sur elle des maris ou compagnons trop visibles ou bien avaient réussi à gravir les échelons des diverses promotions; d'autres arrivaient toutes fraîches des universités et écoles de cinéma européennes. Nous ne saurions toutes les nommer car ici, déjà en 1980, un numéro spécial de *Copie Zéro* en dénombrait 48 (et il s'en est ajouté depuis) qui avaient plusieurs œuvres importantes à leur actif.

Nous n'en sommes encore qu'aux débuts de ce cinéma des femmes[136]. Jusqu'à maintenant, il s'est surtout exprimé sous forme de documentaires. Au point de vue formel, il ne nous apparaît pas encore évident qu'il puisse exister une «écriture féminine», mais en ce qui concerne le contenu, il manifeste une originalité certaine. Il est normal, à cette étape-ci, qu'il aborde avant tout des sujets concernant au premier chef le vécu féminin. En liaison avec les mouvements féministes, il en partage les mêmes préoccupations. C'est ainsi qu'avant 1975, on y traite de l'histoire des femmes, du droit à la contraception et à l'avortement, du travail à l'extérieur ou a l'intérieur de la maison, du mariage, des garderies, de l'éducation des enfants, etc. Après 1975, toujours en liaison avec le mouvement féministe, y puisant son dynamisme en même temps qu'il l'exprime, il approfondit la question du sexisme (*Le Grand Remue-ménage* de Sylvie Groulx et Francine Allaire), celle de l'avortement (*Le Temps de l'avant* d'Anne Claire Poirier et *C'est comme une peine d'amour* de Suzanne Guy), celle du viol (*Mourir à tue-tête* d'Anne Claire Poirier), ou celle de la pornographie (*Not a Love Story — A Film About Pornography* (*C'est surtout pas de l'amour*) de Bonnie Klein). Ces deux derniers, non prévus d'abord pour la diffusion en salles commerciales, y connaissent toutefois un succès remarquable (plus de 115 000 entrées dans le cas de *Mourir à tue-tête*, qui n'est pas une fiction traditionnelle du tout, plus de 100 000 dans le cas de *Not a Love Story* (dans ses deux versions), ce qui ne s'était jamais vu pour un documentaire). Allant dans le même sens que le cinéma québécois dans son ensemble, les années 80 le voient davantage bran-

Linda Lee Tracey et la réalisatrice Bonnie Klein dans *Not a Love Story (C'est surtout pas de l'amour)*: un film enquête sur la pornographie qui, avec quelques minutes d'images chocs et une heure de discussion intellectuelle de haut calibre va chercher beaucoup de spectateurs dans les salles commerciales. (ONF)

davantage branché sur des problèmes intimes et individuels, plutôt que collectifs ainsi que sur le problème de la communication : *Ça peut pas être l'hiver, on n'a même pas eu d'été* et *Qui a tiré sur nos histoires d'amour?* de Louise Carré, *Sonatine* de Micheline Lanctôt, le *Film d'Ariane* de Josée Beaudet, *Journal inachevé* de Marilú Mallet, *Le Futur intérieur* de Yolaine Rouleau et Jean Chabot, *La Femme de l'hôtel* et *Anne Trister* de Léa Pool, *Beyrouth, à défaut d'être mort* de Tahani Rached, *Une guerre dans mon jardin* de Diane Létourneau, *Les Bleus au cœur* de Suzanne Guy, etc.

Déjà, plusieurs d'entre elles sont passées à la seconde étape qui est de faire des films, tout simplement (comme en Europe les Cavani ou Wertmuller en réalisent) et non des « films de femmes », ou bien de s'insérer normalement dans les équipes habituelles. Malgré tout, il faudra encore beaucoup de temps et d'énergie pour qu'un équilibre satisfaisant soit trouvé et que l'égalité des chances règne.

Luna, luna, luna de Viviane Elnécavé : la présence des femmes a toujours été très importante dans l'animation. (ONF)

E. Les industries techniques — Une Cité du cinéma?

Les industries techniques[151] qui dépendent étroitement de la vitalité de la production (laboratoires, location d'équipements, studios de tournage ou de doublage, etc.) connaissent comme celle-ci des hauts et des bas. Au début de cette période, c'est le paradis pour elles ; il se crée d'ailleurs plusieurs nouvelles maisons : un film n'attend pas l'autre et, en général, il faut tirer plusieurs copies de chacun. Il y a ensuite le creux de 1976-1979 et une reprise depuis ce temps, mais il reste difficile de rentabiliser installations et appareils mis en place lors du boum initial. Dans ce milieu plus que dans tout autre, on a salué la création du Fonds de développement de la production d'émissions canadiennes de 1983, car rapidement, on a vu la télévision commander plus de séries ou de films à l'entreprise privée. On attend aussi avec impatience une véritable reprise économique qui augmenterait les budgets de publicité des compagnies. D'autre part, la nouvelle con-

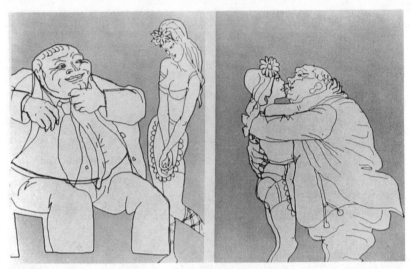

Dès 1973, dans *La Faim*, Peter Foldès utilisait l'ordinateur pour dessiner les centaines d'images assurant la continuité du graphisme entre deux situations. (ONF)

joncture engendrée par la multiplication des tournages sur support vidéo (la publicité, les séries diffusées à la télévision) avec utilisation de l'ordinateur commence à bouleverser tous les laboratoires. L'intrusion massive des vidéos domestiques et son influence sur la diffusion traditionnelle (nombre inférieur de copies de films, fermeture de salles) apporte son contingent de déboires et de nouveaux espoirs, mais c'est actuellement le fouillis dans cette industrie et les laboratoires tardent à s'ajuster (sauf Bellevue Pathé qui s'est fait diffuseur de vidéos).

La seule solution résiderait dans l'extension des compagnies qui dépendent de la diffusion (sous-titrage, doublage, tirage de copies). Mais là aussi, ce n'est pas facile. La télévision fait doubler ici quelques séries, mais pour le cinéma, 93 % du travail se fait en France (en 1982, sur environ 300 longs métrages en français exploités en salles, 275 sont doublés en France) ou à l'étranger (sur 200 films exploités en langue anglaise, 190 ont été doublés ou sous-titrés à l'étranger). Les causes de cette situation? D'abord, la France a fait en 1949 une loi protectionniste qui oblige à doubler ou sous-titrer tout film ou émission de télé pour avoir le droit de les exploiter sur le territoire français. Sa compétence inégalée en ces domaines lui assure la prépondérance sur toute la francophonie. Les studios du Québec ont beau posséder les équipements les plus modernes, ils ne réussissent que rarement à atteindre une qualité égale. Cela paraît scandaleux de penser que le distributeur américain des *Bons Débarras* a fait faire son doublage « en anglais » à Paris plutôt qu'à Montréal ou à Toronto, ou bien que celui de *The Bay Boy*, film canadien subventionné par la SDICC fut fait à Paris plutôt qu'à Montréal, mais cela traduit fort bien la situation réelle. De plus, la qualité d'un doublage dépend du temps qu'on y consacre, donc du budget ; il en coûte généralement environ 45 000$ en France (années 80) ; or les distributeurs demandent aux studios d'ici de se débrouiller avec la moitié de cette somme (pour un sous-titrage, c'est à peu près le même prix dans les deux pays : entre 1 500 et 5 000$). De sorte que les films doublés ici se résument presque uniquement à ceux de la porno douce des circuits spécialisés, ou encore à quelques séries de télévision, qu'on n'a pas besoin de soigner bien fort !

Comme une tradition veut que le tirage des copies doublées se fasse dans le pays du doublage, il y a là encore tout un marché qui échappe en grande partie aux industries d'ici.

Des solutions à ce problème ? D'abord, il n'est pas question d'imposer le même genre de loi protectionniste qu'en France : sauf pour quelques très gros succès, le double doublage enlèverait toute rentabilité à l'exploitation, et on comprend les distributeurs de s'y opposer farouchement. En mai 1983, une première brèche s'ouvrait dans le monopole français : le cinéma canadien et les films réalisés en vertu d'accords de coproduction entre les deux pays « pourraient » être doublés au Canada. C'est encore bien peu, mais cela permet quelques espoirs, car la seule solution efficace réside dans un changement de la loi française. Les mesures incitatives (avantages pécuniaires) apportées par la nouvelle loi québécoise de 1983 auront sans doute quelques effets favorables, mais elles n'atteindront vraiment leur but que si les copies doublées ou sous-titrées au Québec peuvent circuler dans l'ensemble des pays francophones.

Depuis 1968, la vitalité de la production a entraîné la création de nombreuses maisons et compagnies disséminées un peu partout, mais surtout à Montréal. Plusieurs n'ont vécu que le temps d'un film. La majorité voient davantage de rouge que de bleu dans leurs bilans financiers mais survivent grâce à l'obstination et à la passion de créer de leurs cinéastes propriétaires (celles de Jean Pierre Lefebvre, Arthur Lamothe, Jean-Claude Labrecque, l'ACPAV...). Certaines continuent de se débrouiller grâce à la publicité ou aux commandes de la télévision.

Au début de la période, peu après l'éclosion de l'industrie, nous avons assisté à des fusions, regroupements et achats. Ce fut l'époque « darwinienne » où seules survécurent quelques audacieuses compagnies qui savaient travailler à plusieurs niveaux (Cinépix, Carle-Lamy, Les Films mutuels, Onyx, Cinévidéo, qui soit opéraient elles-mêmes comme distributeurs, soit obtenaient des ententes privilégiées). La crise de 1976-1979 (dans la production) les atteignit toutes durement : si nous consultons les divers *Bilan de l'industrie* (1972, 1975, 1979) publiés par *Cinéma Québec* ou *Qui fait quoi?* pour les dernières années, nous retrouvons presque toujours les mêmes noms de personnes, mais dans des maisons et des structures souvent fort différentes. Les petites compagnies survécurent plus facilement (Prisma, Cinak, Ateliers audio-visuels, etc.).

Les coproductions, les abris fiscaux, les tournages de films étrangers relancèrent la grande industrie à partir de 1978 et de nouveaux « gros noms » surgirent : Filmplan (Pierre David), International Cinema Corporation (Denis et Justine Héroux), Astral Bellevue Pathé (Harold Greenberg), qui jouent avec des millions et tentent de reproduire le modèle américain des années 30 et 40. À côté de ces géants, on voit d'une part, quelques aventuriers qui travaillent à de grosses productions et, d'autre part, les mêmes petites maisons qui survivent tant bien que mal entre les courses aux subventions, aux prêts à faible taux d'intérêt, aux maigres retours des distributeurs et aux commandites gouvernementales.

C'est dans ce contexte de 1979 que surgit l'idée d'une Cité du cinéma, très large concept qui signifie le regroupement, sur un même site, de tout un ensemble de services pour la production cinématographique et télévisuelle (studios, salles de montage, de mixage et de doublage, laboratoires, ateliers de décors et de graphisme, technologie de pointe pour effets spéciaux, agences de *casting*, de relations publiques et de publicité, etc.). Un comité explore alors les possibilités d'utilisation de bâtiments et

Le Martien de Noël de Bernard Gosselin. Si une Cité du cinéma devait aider à la production d'aussi gentils contes de Noël, personne n'aurait d'objection, mais la majorité des cinéastes craignent de la voir servir uniquement aux grosses productions internationales. Ce seront elles qui fixeront les tarifs et qui auront la priorité à cause de l'ampleur du travail requis. (Coll. Cinémathèque québécoise)

de terrains inutilisés dans le port de Montréal, à la suite de la relocalisation d'une partie des activités portuaires. Jamais à court de projets coûteux, le maire Jean Drapeau se lance à fond dans ce projet (animé surtout par Denis Héroux et Serge Losique) qui fournirait à la fois une structure de production très centralisée mise à la disposition de toutes les compagnies, de vastes locaux transformables à peu de frais en studios fonctionnels ainsi que la proximité d'une vaste gamme de sites naturels. On pourrait de plus en faire une séduisante attraction touristique! Le projet tourne court parce que le gouvernement fédéral, propriétaire des lieux, choisit plutôt de répondre aux voeux des Montréalais et de leur ouvrir une fenêtre sur le fleuve en démolissant les vieux silos et en y aménageant un vaste parc.

Comme Jean Drapeau n'abandonne pas facilement ses rêves, il revient avec le projet au printemps de 1983, mais en utilisant cette fois le site et les pavillons encore debout de Terre des hommes (l'exposition universelle de 1967 sur les îles Sainte-Hélène et Notre-Dame, un autre de ses rêves) que la municipalité ne parvient pas à rentabiliser. L'idée séduit les gros producteurs et les maisons de services qui espèrent par là une augmentation des coproductions et la venue de productions étrangères, surtout américaines, qui y trouveraient des conditions plus favorables que chez eux (on calcule actuellement qu'il en coûte environ 30 % de moins pour tourner le même film, avec le même *casting*, à Montréal plutôt que dans une grande ville américaine). Mais elle ne suscite pas le même enthousiasme chez les moyens et petits producteurs et chez les artisans qui doutent fortement de pouvoir y trouver leur place et d'en profiter. Ces investissements ne serviraient encore (comme l'aide de la SDICC) qu'à la fabrication de produits dits « internationaux » qui n'ont rien de québécois et n'intéressent que les Américains. Ils seraient soustraits à une production qui ne mise pas d'abord sur le tape-à-l'œil et sur les effets spéciaux ou ne les utilise que rarement. Le seul avantage sérieux résiderait dans la modernisation de tout l'appareillage électronique servant à la production orientée vers la télévision et la vidéoscopie, lesquelles définissent de plus en plus le support de création, les normes et l'« emballage » parce qu'elles deviennent de plus en plus le seul lieu de diffusion rentable pour la presque totalité des films.

Leurs appréhensions se trouvent concrétisées quand, en août 1984, un groupe ayant à sa tête Denis Héroux, Serge Losique (directeur du Festival des films du monde) et le journaliste financier Michel Nadeau signe un protocole avec le ministre fédéral des Communications Francis Fox et que des projets de construction très précis sont prévus dans les prochains mois. Cette annonce hâtive survenait toutefois en pleine campagne électorale et un mois plus tard, un changement de gouvernement se produisait. Comme Héroux travaillait activement pour le parti défait, personne ne s'étonna de voir les nouveaux gouvernants prononcer un moratoire sur le projet et en reprendre l'étude, d'autant plus qu'à cause de manigances politiques de bas étage, ce projet ignorait complètement les organismes gouvernementaux du Québec. Nous en sommes encore là au début de 1988, quoique Mel Hoppenheim, représentant montréalais de Panavision et propriétaire d'un studio, ait acheté un théâtre plus ou

Michèle Magny, Marcel Sabourin et Amulette Garneau dans *Taureau* de Clément Perron : la scène de cuisine typique de la télévision et du cinéma québécois ; la solution de facilité par excellence pour le scénariste qui fait « parler » les personnages au lieu de les faire « agir ». (ONF)

moins abandonné et soit en train d'en faire sa Cité du cinéma, et que deux projets d'envergure, l'un avancé par Harold Greenberg d'Astral Bellevue Pathé et l'autre par la firme d'ingéniérie Lavalin, fassent l'objet d'un lobbying intensif auprès des instances gouvernementales.

En 1948-1949, c'étaient les Paul L'Anglais et Alexandre DeSève qui rêvaient d'un « Hollywood francophone » dans la région de Montréal. Jean Drapeau revient avec ce rêve, à peine transformé, et beaucoup moins francophone, en 1983. Le problème, c'est que dans un cas comme dans l'autre, il arrive à contre-courant de l'histoire de l'activité cinématographique et ne correspond plus aux modèles dominants. Par suite de l'extension fulgurante de la magnétoscopie, des nouvelles façons de procéder des Lucas, Spielberg, Allen, Coppola, l'Hollywood qu'imaginent Drapeau, Héroux et quelques financiers locaux n'existe plus. Il y a souvent, comme ça, dans le cinéma québécois, des rêves qui sont en retard de quelques décennies.

Guy L'Écuyer dans *Le Temps d'une chasse* de Francis Mankiewicz. Le portrait du Québécois est (trop) fidèle. De ce visage, de cette partie du portrait global, on ne rit qu'un moment, et jaune. Jamais personne n'a aimé les messagers de mauvaises nouvelles... (ONF)

F. Constantes dans le cinéma de fiction

> NOUS VOULONS QUE LA COLLECTIVITÉ QUÉBÉCOISE RETROUVE AU CINÉMA UN REFLET D'ELLE-MÊME QUI SOIT JUSTE, DYNAMIQUE ET STIMULANT[155].

Voilà comment se terminait le manifeste *Un autre visage du Québec colonisé* de l'Association professionnelle des cinéastes du Québec, en 1971, manifeste dirigé contre la censure et l'absence de politique cinématographique. Une bien belle phrase, et qui définit sans doute exactement ce que la majorité des cinéastes croyaient (et croient encore, car nous la retrouvons presque inchangée dans bien des manifestes ou discours récents). Peut-être l'ambiguïté fondamentale d'une grande partie de la production québécoise vient-elle de là? En effet, si cela correspond bien à ce que veulent les cinéastes, est-ce bien ce que le « public » lui, désire? Voilà une question qui ne semble pas avoir souvent empêché un scénariste ou un documentariste québécois de dormir.

Le meilleur de la production des périodes précédentes avait précisément consisté à donner aux Québécois des images justes d'eux-mêmes (surtout par le direct). L'accumulation des portraits de personnes ou de groupes, l'analyse des situations et des institutions avaient assez bien rassemblé les pièces importantes pour la définition de l'image nationale. Dans le documentaire comme dans la fiction, et malgré de magnifiques exceptions, nous croyons que le cinéma québécois des quinze dernières années en est encore resté trop souvent à ce plan du « constat », souvent très paresseux d'ailleurs, et qu'il n'a privilégié du miroir que les coins les plus sombres et parfois déformants. S'il s'est amusé un certain temps du portrait de lui-même reflété par les films nationaux (le succès de *Deux femmes en or* et de quelques autres comédies, les panoramiques sociologiques de Gilles Carle, par exemple), le public québécois en est bientôt venu à s'en méfier et à dire : « C'est assez! » Car « le moment le plus tragique dans les relations humaines, dit Anaïs Nin, c'est lorsqu'il nous est donné de voir l'image que l'autre porte en lui de nous-mêmes, et que nous apercevons un être inconnu, ou bien une caricature de nous-mêmes, ou le pire aspect de notre moi grossi et plus grand que nature, ou une distorsion complète. » C'est à peu près la perception qu'une grande partie du public ordinaire en est venu à se faire des miroirs, même non déformants, proposés par les cinéastes.

Les « distorsions » du portrait surgissent bien sûr, avant tout, des choix thématiques des auteurs, mais elles surgissent aussi de plusieurs constantes sur le plan formel, les unes commandant les autres, qu'il faut d'abord dégager.

Fiction et culture vs divertissement. Comme catégorie générale, c'est la fiction qui fut, et de loin, préférée par la majorité des créateurs. Choix pratiquement obligatoire en dehors de l'ONF, puisque les organismes qui subventionnent en font leur priorité et n'accordent que des miettes à tout ce qui ne se destine pas au réseau de la grande exploitation commerciale. Presque tous les genres furent essayés, de la comédie de mœurs au film d'horreur en passant par le porno *soft*, le thriller politique, le policier, le drame psychologique... même si on remarque une nette préférence pour la satire sociale et le mélodrame. On comprend alors pourquoi la description de « situations » prime sur « l'action » dans la majorité des scénarios, un peu comme si l'auteur accepte de raconter une histoire, mais en « racontant » en même temps son milieu, sa famille, son pays. Divertir, oui, mais aussi informer, transmettre une culture, s'exprimer en tant qu'artiste, changer le cinéma. Il s'ensuit que l'aspect divertissement cède bien souvent la place à l'orientation expression culturelle et diffusion d'informations, plus naturelle à celui qui veut faire un cinéma d'auteur. Fernand Dansereau le reconnaissait en 1978 : « J'ai découvert récemment que j'allais au cinéma pour me divertir, alors que lorsque je fais des films, je cherche des problèmes. » Combien de ses collègues ne pourraient-ils pas signer le même aveu ? Car malgré l'influence de la SDICC et son insistance mise sur le modèle hollywoodien de production, il reste que les réalisateurs et scénaristes (ce sont très souvent les mêmes personnes dans le cinéma québécois) sont demeurés dans l'ensemble les principaux à définir la grande majorité des films.

La génération des Groulx, Carle, Dansereau, Godbout, Arcand, Brault, Jutra, Labrecque, Gosselin..., que j'appelle les « fondateurs », a fait son apprentissage de l'expression cinématographique par le documentaire « direct », mais en subissant

Les Corps célestes de Gilles Carle : la comédie à prétention de reconstitution historique ; le réalisateur ne décidant pas s'il veut faire rire ou instruire, il ne réussit à faire ni l'un ni l'autre. (Coll. Cinémathèque québécoise)

parallèlement la séduction de la nouvelle vague française. Ils ne se sont éloignés ni de l'un ni de l'autre en passant à la fiction. Fernand Dansereau a bien reconnu que le rêve de plusieurs était de devenir le « Truffaut de l'Amérique du Nord » ! Pour d'autres, la tendance Godard domina. La génération qui suivit, les Chabot, Forcier, Frappier, Bouchard, Sauriol..., s'était aussi laissée séduire par la nouvelle vague lors des séances de ciné-clubs. Que resta-t-il comme influence principale de ces courants ? Tout d'abord un choix quasi radical du cinéma d'auteur chez la grande majorité de ces créateurs.

<u>Le scénario</u>. Ce choix premier eut comme conséquence directe ce que les créateurs vont appeler la « souplesse du scénario », mais ce que le public et la critique nomment plutôt « carence » ou « paresse » de scénario[204]. Godard à lui tout seul a eu plus d'influence sur tous les auteurs-scénaristes que tous les scénaristes d'Hollywood. Ce sont les moins rigoureux des scénaristes-réalisateurs européens (Godard, Fellini) qui servirent le plus sou-

vent de modèles[84-139]. Encore aujourd'hui, il faut chercher long-temps dans les librairies de Montréal pour trouver les manuels pratiques de scénarisation élaborés par les praticiens américains et on peut douter que plusieurs les aient consultés. On ne compte encore que sur les doigts d'une main ceux qui se disent « scéna-ristes professionnels » au Québec, et encore là, ni les Clément Perron ou Robert Gurik, ni les Jacques Paris ou Marc Gélinas ne peuvent honorablement prétendre au titre à l'égal des Gruault et Carrière. Il faut dire que la volonté de la plupart des réalisa-teurs les plus prolifiques ou à la mode de ne réaliser que leurs propres scénarios (Jean Pierre Lefebvre, Denys Arcand, Jacques Leduc, Claude Jutra, etc.) ou ceux qu'ils écrivent en collabora-tion (Gilles Carle, Jean Beaudin, etc.) ne favorise pas beaucoup l'émergence de ce métier comme spécialisation propre. Comme si les Resnais, Tanner ou Truffaut n'avaient pas assez démontré qu'on peut faire œuvre d'auteur avec des scénarios écrits par d'autres ! Il en résulte que presque dans chaque critique, il faut souligner une ou quelques incohérences de scénario, des erreurs grossières, des maladresses, des facilités qui laissent pantois même les spectateurs les plus naïfs. Trop souvent, on sent comme une impossibilité à faire décoller les sujets, à dépasser le réalisme, à accepter que les comédiens ou un travail de caméra « spectacu-larisent » l'ensemble. J'exclus ici les quelques coproductions, offi-ciellement québécoises, mais scénarisées et dirigées surtout par des étrangers ; quant à celles où les autochtones ont dominé, elles n'ont rien prouvé sur ce plan, car elles tiennent le plus souvent du fourre-tout apatride avec distorsions de sens et hybridité de ton et d'atmosphère.

Les auteurs n'apprécient guère une telle insistance sur les scénarios dans la critique : « Derrière l'accent qu'on met sur le scénario se cache le désaveu de toute une part de notre ciné-matographie. C'est gênant », affirme Jacques Leduc. Bien sûr que c'est « gênant », mais pour qui ? Et tellement imprévisible, ce désa-veu ? Et cette partie de la cinématographie représente-t-elle le meilleur de la production québécoise ? De son côté, Jean Pierre Lefebvre s'excuse en disant qu'« un scénario qui essaie de tout prévoir s'appelle un roman » ; peut-être, mais comment s'appelle un scénario qui ne prévoit presque rien, ni détails d'actions, ni dialogues ? Dans le direct qui enregistre la « parole vécue » des

La Dame en couleurs de Claude Jutra. Une excellente idée au départ, quelques intuitions géniales, mais un scénario mal articulé, incohérent, aux raccords douteux, aux personnages mal définis et avec une finale qui aurait pu ouvrir sur une espérance, mais qui choisit le pessimisme. (Coll. Cinémathèque québécoise)

gens de l'Île-aux-Coudres, de Jean Carignan ou de Jules Arbec, point n'est besoin de réfléchir sur les dialogues, mais il n'en va pas de même s'il faut élaborer une dramatique ou faire évoluer une tension par des répliques bien senties. À la question « Souhaitez-vous improviser des dialogues au cinéma ? » posée par *Copie Zéro* dans son numéro sur les acteurs de cinéma[117], Paule Baillargeon, qui fut du Grand Cirque Ordinaire, troupe théâtrale spécialisée dans l'improvisation, et devenue réalisatrice, répondit : « Je l'ai déjà fait, mais je ne le souhaite plus. Les mots du scénario sont trop importants pour les laisser venir comme ça, à l'improviste. » Et Marcel Sabourin, professeur d'improvisation et aussi scénariste, d'ajouter : « Il n'y a rien que je déteste autant que celui qui me dit : *Tu mettras ça dans tes mots.* C'est choquant parce qu'on nous le demande à cause d'un manque, parce que le scénariste ou le dialoguiste n'est pas allé au bout de son travail. » Peu de scénaristes québécois, surtout s'ils sont aussi réalisateurs, acceptent la nécessité de « cent fois sur le micro-ordinateur remettre le scénario ». La plupart se fient à l'inspiration au moment du tournage pour tout ce qui touche les détails.

Marie Tifo et Charlotte Laurier dans *Les Bons Débarras* de Francis Mankiewicz : l'heureuse rencontre d'un bon directeur d'acteurs et d'un bon dialoguiste, l'écrivain Réjean Ducharme. (Photo Yves Sainte-Marie, Prisma)

Lors d'une interview de Louise Rinfret, la coscénariste de *La Dame en couleurs*, au moment de la parution de la version romancée du scénario, elle avouait candidement qu'« après » la fabrication du film, elle avait inventé des biographies pour ses personnages, developpé leurs caractères, etc. ; elle ne semblait même pas se rendre compte que tout cela aurait dû constituer la première étape de la scénarisation. Et ce film peut précisément servir d'exemple de scénario mal étoffé, mal équilibré, aux raccords douteux.

Les scénarios sont très majoritairement, jusqu'en 1980 environ, des œuvres originales, composés directement pour le grand écran[79]. Très peu de créations pures, toutefois, car la plupart sont le plus souvent inspirés d'événements importants (Octo-

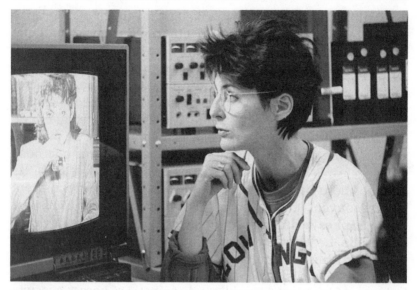

Paule Baillargeon dans *La Femme de l'hôtel* de Léa Pool : le film dans le film où le problème principal est précisément la composition du scénario. (J.A. Lapointe Films inc.)

bre 70...), de faits divers, de thèmes à la mode (la « révolution » sexuelle, le mouvement hippie, l'écologie, le clergé qui défroque, etc.). Là aussi on sent une perpétuation de l'esprit du documentaire. Dans les années 80 surtout, mais il y avait eu auparavant *Kamouraska, Après-ski, IXE-13,* les grands titres de la littérature québécoise fournissent les sujets des productions les plus importantes : *Les Plouffe, Bonheur d'occasion, Maria Chapdelaine, Mario, Le Matou ;* même *Menaud, maître-draveur* est en cours de scénarisation (par Iolande Rossignol). Sauf pour le premier film *Les Plouffe* que Gilles Carle a marqué de son style, on ne peut dire que ces adaptions — reflets de reflets — aient ajouté aux œuvres originales, sinon leur diffusion à un plus large public.

Enfin, signe important, selon nous, de la problématique du scénario, c'est la présence du film dans le film. Dans la période précédente, on retrouvait souvent des « clins d'œil » au spectateur à la manière de Godard (présence du réalisateur, interpellations directes par un acteur ou en voix *off,* effets de montage, etc.) ou bien avec des micros ou des reflets de la caméra filmant dans le champ ; en quelque sorte, une manière de dire aux spectateurs complices : « N'oubliez pas que vous êtes en train de voir un film!» On en retrouve maintenant relativement peu de façon directe. À part *Gina* d'Arcand, orienté sur la censure plutôt que sur le métier même de cinéaste, *Mourir à tue-tête* et *Jacques et Novembre* où il sert d'artifice dramatique, il n'y a que *La Femme de l'hôtel* de Léa Pool et *Celui qui voit les heures* de Goupil où on assiste vraiment à une réflexion sur le processus créateur : et c'est à la fois symptomatique et dramatique, car les deux témoignent de la difficulté de composer un scénario. «Un cinéaste ne peut filmer que son vécu, me dit une jeune cinéaste; or ce que nous vivons, c'est la difficulté de faire des films... » Par ailleurs, les transpositions habituelles avec lesquelles les cinéastes insèrent le plus souvent leur réflexion sur le métier ne manquent pas : photographes malmenés ou même carrément assassinés chez Labrecque, Leduc et Lord, journalistes chez Arcand, peintres ou artistes frustrés chez Jutra...

La langue. S'ajoutant au problème du scénario se pose avec acuité celui de la langue des films[96]. Ce n'est encore que par exception que l'on tourne en anglais, mais on ne pourra l'éviter si l'orientation vers la rentabilité financière se voit confirmée : « À Téléfilm, on estime que passé deux millions de dollars, il faut tourner en anglais, ou avec trop de compromis », dit André Lamy, alors directeur général (1985). Mais avec le français, quel accent adopter ? Comme la presque totalité des films se situent en milieux populaires, doit-on, pour le réalisme, adopter un accent familier, nécessairement régional, que même une grande partie des Québécois ne comprendront qu'à moitié ? Et même s'ils le comprennent, un accent qui correspond à une image d'eux-mêmes qu'ils n'aiment pas ? Durant cette période d'affirmation de soi engendrée par le nationalisme jusqu'au moment du référendum de 1980, et en parallèle avec le théâtre le plus vivant, surtout celui de Michel Tremblay, l'accent populaire des quartiers prolétaires de l'Est de Montréal est devenu, en quelque sorte, la norme difficilement évitable ; phénomène sociologiquement intéressant, certes, mais esthétiquement limitatif. Entre le français châtié des comédiens parisiens ou des hommes politiques de France qui nous rendent visite et le «français québécois» du monde ordinaire, le cinéma parvient mal à se situer. En plus de provoquer nombre de frustrations pour les spectateurs locaux, cela pose problème pour la diffusion internationale des films.

Laure Marsac et Bernard-Pierre Donnadieu dans *Les Fous de Bassan* d'Yves Simoneau. Le roman d'Anne Hébert avait été un immense succès. Pour le tourner, on engagea le talentueux jeune réalisateur, idole de la nouvelle génération, et une excellente équipe. Le succès resta modeste, en partie parce que la scénarisation et le montage furent bâclés et en partie parce qu'on n'a pas résolu le problème des niveaux de langage. Ici, les petites sœurs parlent avec un accent tellement différent du reste de la famille que la vraisemblance disparaît. Résultat: le spectateur décroche. (Alliance Vivafilm)

Casting. La réflexion sur les *castings* des films nous ramène aussi à l'expérience du documentaire des réalisateurs ou à leur volonté de faire du film d'auteur: «Notre cinéma s'est développé avec des gens qui venaient du documentaire; ils connaissaient très bien la matière filmique et très peu la matière dramatique. Du point de vue de la scénarisation, contrairement à ce qui se fait

Jacqueline Barrette, la petite Jessica Barker et Markita Boies dans *Le Lys cassé* d'André Melançon: l'exploration des conflits violents et des émotions extrêmes. (Cinéma Libre)

ailleurs, nous explorons peu les émotions extrêmes et les conflits entre les personnages. » C'est encore Marcel Sabourin qui parle, le comédien qui a joué dans le plus grand nombre de films. Dans le numéro de *Copie Zéro* consacré entièrement aux acteurs[117], d'où nous avons extrait la citation précédente et toutes celles qui suivent, tous les interviewés expriment le malaise de ne pas sentir le cinéma d'ici leur faire confiance. Interviewée par Luce Guilbeault, Marie Tifo (qui a pourtant obtenu les plus beaux rôles féminins des dernières années) constate amèrement : « La condition des acteurs au Québec, c'est triste ! On ne travaille pas pour les acteurs ici, contrairement aux États-Unis par exemple, où on exploite à fond leur talent et où on leur donne le temps de travailler. » Les réalisateurs, se plaignent la plupart des comédiens, ne se sentent pas très à l'aise avec les comédiens (sauf ceux qui leur servirent un peu de « fétiche » : Marcel Sabourin pour Jean Pierre Lefebvre, Donald Pilon pour Gilles Carle, Monique Mercure pour Claude Jutra, Guy L'Écuyer pour André Forcier, etc.). Il est peut-être symptomatique que, contrairement à la tradition européenne, ils ne se définissent jamais comme « met-

Esther Auger et Luce Guilbeault dans *Tendresse ordinaire* de Jacques Leduc. Un film très doux, très tendre et très lent où les actrices doivent retenir continuellement leur jeu et faire «comme si on n'était pas au cinéma». (ONF)

teurs en scène», et que les rares exceptions à tenter une mise en scène au théâtre (Jutra, Mankiewicz) aient été rapidement oubliées. Alors qu'à peu près partout ailleurs on compte sur les acteurs pour vendre le film au public, le cinéma québécois a tendance à ne se fier qu'aux sujets et à l'effet miroir des situations. On peut ne pas aimer l'idée, mais Raymond Cloutier a peut-être raison d'avancer que «tant que ce ne seront pas les acteurs qui feront vendre les films, tant qu'ils ne seront pas en avant-plan de cette industrie, le cinéma d'ici n'aura jamais une plus grande audience que maintenant.» Luce Guilbeault, qui fut de presque tous les films dans les années 70, renchérit: «Dans ce pays où le documentaire nous colle encore aux fesses, le «naturel» est exploité aux dépens d'une vérité créée de toutes pièces, imaginée, travaillée, renouvelée. Et l'éventail des personnages féminins est souvent réduit de la *waitress* vulgaire à la mère fatiguée, en passant par la madone frigide et frigorifiante (...) les réalisateurs d'ici ne réussissent pas à phantasmer sur les acteurs, ils

Jacques Godin, Marie Tifo et Pierre Curzi dans *Pouvoir intime* d'Yves Simoneau. Ce jeune réalisateur, qui veut travailler « à l'américaine », se démarque de presque tous ses collègues québécois : il crée des situations de fortes tensions qu'il fait jouer par des comédiens continuellement « sous pression ». (Les Films René Malo)

ne nous imaginent pas dans des rôles variés. » Ceci nous ramène à la citation d'Anaïs Nin et nous fait réaliser qu'il n'y a rien d'étonnant à ce que le public n'aime pas la caricature de lui-même offerte par les films, puisque les acteurs eux-mêmes, dans beaucoup de cas, n'ont pas aimé la personnifier.

Dans un texte volontairement provocant, Jean-Claude Germain va encore plus loin : « Le cinéma québécois n'aime pas les acteurs. C'est un fait. Il aime les cinéastes. » Et il continue en développant que les narcisses du cinéma d'auteur, qui ne semblent pas plus s'aimer eux-mêmes qu'ils n'aiment le cinéma, veulent faire des non-films, en utilisant des non-acteurs pour, à la limite, des non-spectateurs ! Il ne nomme pas les cibles visées, mais plusieurs personnes se sont assez bien reconnues et lui en voudront longtemps. Paule Baillargeon, qui travaille maintenant autant derrière que devant la caméra, voit la source du problème dans le fait que « souvent les réalisateurs n'aiment pas les comédiens qui manifestent leur intelligence. Ils ont peur de l'auteur qui est en toi. (...) C'est comme si les acteurs et actrices d'ici n'appartenaient pas à l'imaginaire québécois. » Au cinéma plus qu'au théâtre, l'acteur crée la valeur de spectacle du film en plus de porter la crédibilité du personnage. Un *star-system* bien établi est une condition essentielle de survie pour la fiction commerciale. Contrairement aux traditions américaine et européenne où le cinéma préfère les comédiens qui ont une présence physique intense, « spectaculaire », mais qui savent aussi donner de la crédibilité aux personnages (les Eastwood, Stallone, Montand, Depardieu...), le cinéma québécois, le plus souvent, s'est méfié des acteurs trop spectaculaires et a privilégié les « naturels », les meilleurs « caméléons ». Faut-il s'étonner alors de constater que ce sont Marcel Sabourin, Pierre Curzi, Gabriel Arcand, Donald Pilon et Jean Lapointe, excellents acteurs réalistes, mais sans cette aura qui fait rêver les spectateurs, qui furent les plus souvent employés, ou chez les femmes Luce Guilbeault, Louise Marleau, Paule Baillargeon, Hélène Loiselle, Frédérique Collin, Rita Lafontaine? Si sympathiques que soient toutes ces personnes, elles se maintiennent à une certaine distance du public, qui ne peut s'identifier aux personnages. À vrai dire, il n'y eut presque que Jean-Claude Lord à utiliser systématiquement des comédiens « spectaculaires », même pour des rôles secondaires (Jean Duceppe, Claude Michaud, Willie Lamothe, Manda Parent, Roger LeBel) et quelquefois Denys Arcand (Jean Lajeunesse, Claude Blanchard, Dominique Michel, Céline Lomez, Rémy Girard, etc.) et Gilles Carle (Carole Laure, évidemment, qu'il met sur un piédestal, Willie Lamothe qui sait l'amuser). Carle, d'ailleurs, a tendance à trop se fier aux comédiens pour pallier les insuffisances de sa direction ou de ses scénarios; quand il affirme: « Un bon acteur ne crée pas que son rôle mais aussi les comportements sociaux du milieu où il évolue. Et ça, c'est beau à voir. (...) Je serais même tenté de dire, après toutes ces années, que l'acteur y gagne souvent à ne pas connaître d'avance le milieu où son personnage vit. Après tout, être acteur, c'est aussi avoir le don d'imaginer la vie »; il rend peut-être un bel hommage à quelques comédiens amis, mais il indique surtout son indifférence devant le sérieux du travail de scénarisation. Claude Jutra aussi aimait bien les comédiens; on sentait une connivence dans tous ses films, mais sauf *Kamouraska* où Geneviève Bujold trouvait un rôle à sa mesure (et cela dépendait surtout du roman d'Anne Hébert),

Philippe Léotard et Geneviève Bujold dans *Kamouraska* de Claude Jutra. Bujold vit à Hollywood, mais elle affirme que si elle ne joue pas plus souvent au Québec, c'est uniquement parce qu'on ne lui propose pas de rôles intéressants. (Photo Bruno Massenet, coll. Cinémathèque québécoise)

il ne savait pas leur composer de beaux rôles. Au début de cette période, Denis Héroux « créa » Danielle Ouimet dans ses films érotiques, peut-être la seule « star » que le Québec ait jamais produite selon le modèle hollywoodien; mais cinq ans plus tard, le talent faisant défaut, elle disparut. Il n'y eut aussi qu'un passage éclair, dans quelques comédies, pour les Yvon Deschamps, Dominique Michel, Denise Filiatrault et autres comiques. Avec ou sans coproduction, quelques « vedettes » françaises furent quelques fois utilisées (Jacques Riberolles, Jean Lefebvre, Philippe Léotard, etc.) sans ajouter beaucoup au spectacle, et très souvent en enlevant toute crédibilité au personnage.

Pourtant, ceux qui composèrent des rôles forts pour des actrices (surtout) virent leurs efforts grandement récompensés : Monique Mercure gagna le Grand Prix d'interprétation à Cannes pour *J.A. Martin photographe* de Jean Beaudin; Marie Tifo obtint aussi un premier prix à Chicago pour son jeu dans *Les Bons Débarras* de Francis Mankiewicz. Et je ne parle pas de tous les prix aux festivals locaux. Ni de ces films dont le succès populaire tint surtout de la performance des comédiens: *Tiens-toi bien après les oreilles à papa, La Vraie Nature de Bernadette, Les Colombes, Mon oncle Antoine, Les Bons Débarras,* etc. Tout récemment, la nouvelle coqueluche du milieu des réalisateurs, Yves Simoneau, a montré à l'évidence dans *Pouvoir intime* ce que l'on peut obtenir de spectaculaire avec des comédiens comme Jacques Godin et Jean-Louis Millette quand on dirige sa caméra vers les «acteurs-personnages» plutôt que vers la création d'un miroir pour le cinéaste. L'interprétation des Dominique Michel, Rémy Girard, Dorothée Berryman et Yves Jacques a aussi donné au *Déclin...* d'Arcand un de ses meilleurs atouts.

Une 3e voie entre le documentaire et la fiction. Grâce à l'ONF surtout, mais aussi grâce aux commandes ou à l'aide des télévisions à des producteurs indépendants, le documentaire survit tant bien que mal et reste une des voies privilégiées par lesquelles la génération des années 80 tente de se réapproprier le cinéma et le pays, reproduisant *grosso modo* l'aventure de la génération du direct de 1960. Comme les budgets sont de plus en plus élevés, la couleur pratiquement obligatoire, les frais de laboratoires démesurés, la technique à peine plus sophistiquée, mais pratiquée par des équipes de plus en plus grosses (il est effarant de constater la longueur des génériques pour le moindre petit film), chacun trouve plus rarement l'occasion de tourner et d'approfondir sa pratique du métier. C'est pourquoi on n'a pas assisté à une évolution significative du genre; au contraire, malgré quelques réussites, on a l'impression qu'il piétine depuis 10 ans, tant du point de vue formel que du point de vue idéologique (Pierre Perrault est revenu à la recette de *Pour la suite du monde* avec *La Bête lumineuse, Voiles bas et en travers* et *La Grande Allure;* les séries sur le patrimoine n'innovent en rien).

Par ailleurs, à mi-chemin entre le documentaire et la fiction pure, le docu-drame et les mélanges formels attirent tous ceux qui hésitent entre les genres[227]. Les périodes antérieures ont toujours vu diverses formes d'interactions des catégories. Beaucoup de documentaires très traditionnels, à la manière de Grierson, n'étaient que la reprise devant la caméra de gestes préalablement posés et délibérément choisis par le cinéaste. Dès 1958, *Félix Leclerc, troubadour* de Claude Jutra se moquait d'ailleurs gen-

Dominique Michel et Marc Legault dans *Je suis loin de toi mignonne* de Claude Fournier : le genre de film pouvant être racheté par le jeu des acteurs. (Photo Attila Dory, coll. Cinémathèque québécoise)

timent de la mise en scène dans la prétendue « spontanéité » de la prise d'images documentaires). Même pour le « direct » à la Perrault ou à la Lamothe, c'est souvent la part de fiction contenue dans toute scène qui en constitue la meilleure partie : « Toute séquence filmée, reconnaît Lamothe, est une mise en scène. La pire des mises en scène consiste à faire croire au spectateur qu'il n'y a ni cinéaste, ni caméra sur les lieux de tournage. » Pour les années 60, nous avons parlé de « pollinisation » de la fiction par le direct. Avec les années 80, nous assistons à plusieurs types de mélanges : alternance de l'un et l'autre comme dans *Le Futur intérieur* de Jean Chabot et Yolaine Rouleau ; reconstitution biographique avec photographies et jeu interprétatif par des professionnels comme dans *Albédo* de Jacques Leduc ou *Rencontre avec une femme remarquable : Laure Gaudreault* de Iolande Rossignol ; ajout d'un « Machiavel » en costume d'époque pour commenter les images du référendum de 1980 dans *Le Confort et l'Indifférence* de Denys Arcand ou d'un Jésuite du XVIe siècle dans *Mémoire battante* d'Arthur Lamothe ; comédien interviewer et com-

La Bête lumineuse de Pierre Perrault : un documentaire, bien sûr, mais avec des situations et des mises en scène longuement pensées et préparées. Et puis, comment faire abstraction du fait qu'à côté de ces chasseurs épiant, dans le silence, le moindre craquement de branche, il y a l'équipe de tournage qui se déplace pour faire des champs contre-champs, enregistrer les moindres murmures des chasseurs... ? Comment oublier que la seule vérité de cette scène est d'être « représentation » pour la caméra ? (ONF)

mentateur comme dans *Le Million tout-puissant* de Michel Moreau ; reprise d'un événement en un temps ultérieur par les mêmes protagonistes comme dans *Une guerre dans mon jardin* de Diane Létourneau ; intervention de comédiens en avant-plan ou arrière-plan d'événements réels comme dans *Le Dernier Glacier* de Jacques Leduc et Roger Frappier ou dans *L'Émotion dissonante* et *Passiflora* de Fernand Bélanger ; portrait intime comme dans *Journal inachevé* de Marilú Mallet ; l'enquête commentée par la fiction comme dans *Pourquoi l'étrange monsieur Zolock s'intéressait-il tant à la bande dessinée ?* d'Yves Simoneau, interview théorique illustrée par une histoire comme dans *L'Ordinateur en tête* de Diane Beaudry, etc.

Séduisante au premier regard, cette veine présente encore beaucoup de cafouillages : si la partie documentaire est en général bien réussie, même si l'on abuse fréquemment de cette solution de facilité qu'est l'interview-gros plan, le type de fiction adé-

Jacqueline Auger-Laurent dans *Contes des mille et un jours ou Jean Desprez* de Iolande Rossignol. En plus de son témoignage sur sa mère, Auger-Laurent, la célèbre auteure de radio-romans — et de bien d'autres choses — joue pour la caméra des situations du passé. (Photo Roméo Gariépy, La Maison des quatre)

quat ne semble pas tout à fait trouvé (on sent trop souvent le cabotinage, les personnages sont généralement mal définis) ; surtout, on n'établit que rarement des raccords souples entre les genres et l'ensemble, la plupart du temps, sent trop souvent « l'expérimental ». Pierre Hébert est assez critique à ce sujet : « Il y a deux ans, suite à l'*Albédo*, au *Futur intérieur*, etc., on spéculait volontiers sur le développement d'une troisième voie entre le documentaire et la fiction. Je me dis que ce nouveau *genre* est maintenant un peu banalisé, réduit parfois à un simple procédé. Je me referai la même remarque le soir même lors de la projection de *L'Ordinateur en tête* (de Diane Beaudry), où la fiction ne sert qu'à bien *packager* le documentaire, à le rendre plus attrayant plutôt qu'à en approfondir le sens. » (*Format cinéma* 41, 15 avril

1985.) C'est la télévision, coproductrice et principale acheteuse-diffuseuse de presque tous ces documents, qui impose cet « emballage », au grand dam de la majorité des documentaristes, car elle veut à tout prix retenir devant l'écran ce téléspectateur qui, muni de son câblosélecteur à télécommande, a tôt fait de changer de poste à la moindre lenteur méditative ou démonstration trop appuyée. Il nous semble évident, si le genre doit durer, que la recherche doit maintenant s'orienter vers l'approfondissement du sens : c'est seulement de cette façon-là qu'elle fera vraiment évoluer le documentaire qui en a bien besoin s'il veut demeurer une forme d'expression et de communication valable, s'il veut redevenir « essai » plutôt que simple reportage à la manière télévisuelle. Car ce ne sera sûrement pas en utilisant toute la panoplie des gadgets avec ordinateur comme Bertolino l'a fait avec son *Défi mondial* qu'il y parviendra. (Cette série restera sans doute longtemps le meilleur exemple du jouet coûteux et inutile : le public instruit et informé savait déjà que les thèses de Jean-Jacques Servan-Schreiber sur la micro-informatique étaient dépassées, et le public « ordinaire » pour lequel Bertolino voulait les « vulgariser » n'y pouvait rien comprendre et s'en fichait complètement.)

G. Les principaux thèmes

De qui, de quoi parlent les films québécois? La réponse doit se faire multiple, évidemment. Mais il reste assez facile de dégager quelques constantes à ce niveau aussi.

<u>Un cinéma national</u>. Disons d'abord que malgré quelques exceptions et quelques velléités d'internationalisme par le biais des coproductions, le cinéma québécois se veut avant tout « national »[159]. Dans l'ensemble, c'est par son originalité plutôt que par son conformisme aux cinématographies dominantes qu'il espère se faire remarquer à l'étranger. C'est en racontant des histoires typiquement locales qu'il espère intéresser son public. Là résident son principal intérêt, mais aussi ses limites et ses difficultés : comment éviter le régionalisme tout en restant bien ancré dans une culture? comment communiquer au-delà de ses frontières sans utiliser des codes et des symboles autres que simples

L'Homme de la toundra de la série *Innu Asi* d'Arthur Lamothe sur les Amérindiens. C'est le plus « national » que l'on puisse atteindre, mais c'est aussi le produit filmique québécois qui, dans les réseaux parallèles, offre le plus d'intérêt sur le plan international. (Cinéma Libre)

et superficiels? comment susciter la curiosité de l'autre sans se faire racoleur avec des images trop faciles (violence, sexe, mélo)? En cela il ressemble à tous les cinémas des petits pays et n'a pas plus qu'eux trouvé la solution miracle pour convaincre à la fois ses spectateurs nationaux et le public international, les uns et les autres assez rebelles à tout ce qui s'écarte de l'univers délimité par la tradition hollywoodienne. Plus clairement que tout autre, Pierre Perrault[56] s'acharne à poser cette problématique:

> Pourquoi se dire Québécois si c'est de la Molson qu'on boit, à Grenoble qu'on pense, à New York qu'on danse, en Californie qu'on prie, en quadraphonie qu'on chante, du pot qu'on fume et qu'on ne con-

naît même pas la salsepareille dont une meunière faisait du vin qu'on n'oublie pas, ni la saracénie des tourbières, ni la linaigrette des toundras, ni la cladonie des taïgas, ni le pourcil habile à pourfendre les eaux du fleuve, ni le huard tragique à élever le soir au-dessus des événements?

En continuité avec la tradition des années 60, les Perrault, Carle, Gosselin, Brault, Dansereau, et autres, traquent l'originalité de l'authentique et du vrai tout en dénonçant les parades de ceux qui, pour faire moderne ou sous le prétendu prétexte d'internationalisme, se contentent de réaliser de pâles copies de films hollywoodiens, n'imitant en cela que les régionalismes américains ou français.

« Québécois, nous sommes Québécois » (air à la mode). Dépassant de loin son sens d'appartenance géographique (d'abord les citoyens de la ville de Québec, puis ceux sans distinction de la province), le terme a pris à la fin des années 60 une connotation sociopolitique pour démarquer les francophones nationalistes et plus ou moins indépendantistes, excluant les « Canadiens français » fédéralistes et, évidemment, les anglophones et tous les néo-Québécois se rangeant de leur côté[169]. Par réflexe naturel, c'est à ces « Québécois » que le cinéma québécois s'est presque exclusivement intéressé. Dans la continuité du direct (n'oublions pas que c'est le même groupe de cinéastes qui continue à orienter toute la production), des pages s'ajoutent à l'« album » de famille. On réalise encore beaucoup de films pour « saluer la parenté » ou simplement pour la regrouper sur le même écran. Les portraits des *Quatre Grands*, ces rassembleurs des désirs des Québécois, ne sont peut-être pas à la hauteur des modèles et restent pour nous à reprendre, mais personne ne doute du bien-fondé du choix de Maurice Duplessis, Maurice Richard, Willie Lamothe et le Frère André! L'album ne s'élargit que tardivement pour inclure les diverses communautés ethniques. Arthur Lamothe surtout, mais aussi Pierre Perrault, Maurice Bulbulian, Boyce Richardson, etc. avec le documentaire, mais aussi Gilles Carle avec la fiction, y font pénétrer en force les Amérindiens et les Inuit[99]. Mais il faut attendre les années 80 pour retrouver une présence significative des Italiens, des Haïtiens, des Nord-Africains, des Asiatiques, des Latino-Américains, des Grecs, des

Dominique Michel, Régis et René Simard, Jean Lefebvre dans *J'ai mon voyage* de Denis Héroux: la comédie « nationaliste » (nous sommes en 1973) où il est démontré que les Québécois ne peuvent pas facilement se sentir chez eux à l'Ouest de Rigaud. (Coll. Cinémathèque québécoise)

Portugais et autres minorités plus ou moins « visibles ». Et on le doit surtout à des cinéastes eux-mêmes issus de ces minorités ethniques (Mallet, Rached, Bensimon, Tana, Gutierrez, etc.)[120]. Quant aux anglophones, leur présence demeure parcellaire; ils ne font presque pas partie du décor, et on les retrouve fréquemment dans des rôles plus ou moins négatifs (la comédie *Tiens-toi bien après les oreilles à papa* de Jean Bissonnette caricature peut-être à outrance le patron anglophone, mais n'en exprime pas moins le sentiment général). Seuls Paul Almond, avec *Act of the Heart (L'Acte du cœur)*, et Larry Kent avec *The Apprentice (Fleur bleue)*, Donald Brittain, Robin Spry, Gilles Blais et quelques autres documentaristes ont vraiment tenté de mettre en contact les « deux solitudes », mais sans grand succès. Il est assez amusant de noter ici que l'adaptation au cinéma du célèbre roman *Two Solitudes*

Donald Sutherland et Geneviève Bujold dans *Act of the Heart* (*L'acte du cœur*) de Paul Almond. Le film fut tourné en anglais avec quelques mots de français, le doublage se fit à Montréal et les deux versions furent lancées le même soir. Il contient une foule d'invraisemblances, mais n'en constitue pas moins un des meilleurs efforts d'un anglophone pour comprendre les Québécois francophones. (Coll. Cinémathèque québécoise)

de Hugh MacLennan par Lionel Chetwind fut un échec particulièrement remarquable et d'autant plus significatif que par un incroyable manque de sensibilité culturelle (cautionné par la SDICC), les producteurs étaient allés engager le Français Jean-Pierre Aumont pour l'interprétation du principal rôle masculin. Pour connaître l'aspect anglophone du portrait culturel du Québec (surtout de Montréal), il faut voir les films réalisés par les anglophones, notamment Ted Kotcheff (*The Apprenticeship of Duddy Kravitz*)[96]. En un sens, malgré les heureuses et tardives tentatives récentes d'ouverture vers les diverses communautés, on ne peut dire que le cinéma québécois a su refléter, ni dans ses contenus ni dans ses modes de production, la réalité pluriethnique, multiculturelle et multilingue du Québec, trop préoccuppé qu'il était à dessiner le portrait des Québécois « pour les Québécois ». Le cinéma des anglophones au Québec nous appa-

The Peanut Butter Solution (Opération beurre de pinottes) de Michael Rubbo : les « minorités visibles » entrent sur les écrans commerciaux surtout avec les enfants. (Photo Jean Demers, Les Productions La Fête)

raît encore plus imperméable, certains cinéastes ayant passé presque toute leur vie à Montréal sans jamais apprendre assez de français pour une communication simple avec les collègues de l'autre langue. Sans ironie, on peut dire que le mandat de l'ONF, « faire connaître et comprendre le Canada aux Canadiens et aux autres nations », obtient de meilleurs résultats dans sa visée internationale que dans ses efforts pour faire éclater les frontières provinciales.

« Nous le monde ordinaire. » Slogan mobilisateur lors des luttes syndicales au début de la décennie 70, il délimite aussi le principal groupe social intéressant les cinéastes. On retrouve bien peu de professionnels, avocats, médecins, hommes d'affaires, policiers..., dans les films québécois. Ce sont les petites gens, les ouvriers, les gens âgés, les marginaux, les déclassés sociaux, les chômeurs et la classe moyenne que les cinéastes transforment en personnages romanesques. Quelques artistes ou journalistes aussi pour transposer symboliquement les problématiques intimes des cinéastes eux-mêmes. Tous semblent se complaire à répé-

Taureau de Clément Perron : le portrait du « monde ordinaire » de la campagne, qui intéressera vivement sociologues et historiens de l'avenir, mais qui ne sait pas retenir les spectateurs du présent. (ONF)

ter, comme dans la chanson de Robert Charlebois, « j'suis un gars ben ordinaire », comme si c'était le comble de la valeur humaine. La presque totalité des personnages du cinéma québécois se définissent surtout par leur fatalisme, leur soumission, leur exploitation, leur défaitisme, leur immobilisme, leur aliénation... Les Antoine et Jos Poulin de *Mon oncle Antoine*, les Clermont Boudreau et Richard Lavoie des *Ordres*, pour ne citer ici que deux des films les mieux connus, représentent les prototypes cinématographiques des Québécois : instables dans leur travail, frustrés de ne jamais oser aller au bout de leurs désirs, gueulant devant les injustices mais fuyant au lieu de rester pour les corriger, crevant de se soumettre, buvant à l'excès pour se donner le courage d'affronter leurs responsabilités, incapables de communiquer autant entre hommes qu'avec les femmes, etc. « Pour la première fois, un film olympique s'intéresse aux perdants, à ceux qui n'ont pas eu la chance de gagner », dit Gilles Carle à propos de *Jeux de la XXIe Olympiade* de Jean-Claude Labrecque. Constatation pertinente qu'il faut malheureusement appliquer à l'ensemble des films et qui donne à la production prise globalement un arrière-goût amer et peu séduisant. Le réalisme y gagne, mais pas la valeur de spectacle ni la force d'attraction et d'identification du spectateur. « La vieille idéologie du misérabilisme qui a produit

Les Enfants des normes (série) de Georges Dufaux. Dans les années 70, les « fruits » de la réforme et des nouvelles « normes » dans les programmes d'études et dans l'organisation scolaire des grosses polyvalentes. Cinq ans plus tard, Dufaux a retrouvé quelques-uns de ses intervenants dans *Les Enfants des normes post-scriptum*. (ONF)

la gloire ancienne et la ruine récente de la section française de l'ONF», dit Asen Baliksi en 1981. Et pas seulement de l'ONF, devons-nous ajouter, puisque la majorité des réalisateurs dans l'industrie privée se limitent aux mêmes perspectives. D'un côté, on ne peut que louanger un cinéma qui sort des sentiers battus et des personnages stéréotypés pour présenter du «vrai monde» dans de vraies situations de vie, avec de vrais problèmes, face à de vrais antagonismes, aboutissant aux seuls dénouements logiques en regard des prémisses, «un cinéma d'hommes pour les hommes et non pas un cinéma de rêve pour les vacances de la pensée», comme dit Pierre Perrault. Mais d'un autre côté, il ne peut apparaître que malsain de voir «tout» le cinéma ne s'intéresser qu'à cela et oublier pendant ce temps que ces mêmes personnes dont on parle n'aiment rien de mieux que de s'évader dans les rêves des autres, rêves que les Spielberg ou Lelouch fournissent à profusion.

Ce «monde ordinaire» c'est surtout à la «campagne» que les cinéastes aiment aller le rencontrer, comme s'il s'y retrouvait avec plus de pureté ou s'il offrait un meilleur moule pour la création des mythes[226]. Dans cette période comme dans toutes les autres, la ville n'est que rarement un milieu de vie normal, accepté comme tel. Il n'y a pratiquement que Jean-Claude Lord qui s'y situe d'emblée, construisant sa dramatique sur l'opposition ouvriers-hommes de pouvoir, quartiers pauvres-quartiers riches. Faut-il y voir un reflet du peu d'intérêt qu'une ville comme Montréal, enlaidie et banalisée par la mauvaise gestion d'un maire aux goûts quétaines et dispendieux, exerce sur les cinéastes? Probablement! Mais Montréal, comme métropole économique du Québec, est aussi le lieu où se façonne l'histoire bien concrète qui, aux yeux de l'artiste, restera toujours bien moins intéressante que les mythes, lesquels se développent toujours mieux à la campagne.

La jeunesse absente. Si, à la période précédente, les jeunes entre 15 et 25 ans fournissaient les portraits les plus significatifs, ils ne représentent plus maintenant qu'un groupe peu intéressant. On les retrouve encore chez certains cinéastes (Jutra surtout), mais la majorité explicitent surtout leur vécu de la quarantaine, ou, pour les moins âgés, leur jeune trentaine. C'est flagrant chez

« Ton monsieur Bach, il avait des enfants, lui ! Sais-tu combien ?... Vingt ! Vingt-z'enfants ! Puis ça l'empêchait pas de jouer sa musique, puis de s'occuper d'eux autres. Puis lui, il jouait bien, AU MOINS ! » Raymond Legault et Mahée Paiement dans *Bach et Bottine* d'André Melançon. Moins les gens font d'enfants, plus ils aiment en voir au cinéma ou à la télévision... (Photo Jean Demers, Les Productions La Fête)

des auteurs très personnels comme Lefebvre, Leduc, Dansereau ou Perrault qui se livrent entièrement quand ils traitent de leurs sujets ; c'est presque aussi évident chez Arcand, Carle, Jutra et Labrecque qui composent des personnages de leur âge et proches d'eux. Il n'y a à vrai dire que Jean-Claude Lord qui exploite à fond des personnages d'enfants avec ses thrillers politiques qui sont autant de variantes modernes du « massacre des saints innocents » : *Les Colombes*, surtout *Bingo*, et *Panique* apparaissent dix ans après leur sortie comme des prémonitions des problèmes fondamentaux des jeunes dans les années 80. De même, les orphelins (enfants et adolescents) présentés par Jutra dans *Mon oncle Antoine* et *La Dame en couleurs* meurent inutilement et perpétuent la tradition pessimiste inaugurée avec *La Petite Aurore, l'enfant martyre*. Signalons aussi la série documentaire *Les Enfants des normes*, réalisée par Georges Dufaux à l'ONF qui cerne assez bien le malaise de cette partie défavorisée de la jeunesse qui réussit mal dans le domaine scolaire et qui voit rapidement son avenir bouché. Aussi à l'ONF, André Melançon a donné avec *Les Vrais Perdants* un essai assez percutant sur l'exploitation d'enfants doués dans les sports ou les arts au profit de la gloriole des parents. Mais c'est avant tout l'« absence » des jeunes Québécois des écrans qui est significative : le jeu important du monde se fait en dehors d'eux. Au même moment, des dizaines de comédies ou de mélos américains conçus spécialement pour les adolescents viennent coloniser leur imaginaire.

Dans un tout autre registre, on produit aussi quelques films pour enfants. *Le Martien de Noël* de Bernard Gosselin obtient un modeste succès en 1970. André Melançon s'y spécialise : après quelques courts métrages à visée didactique pour l'ONF (*Les Tacots, Le Violon de Gaston*, etc.), il réalise *Comme les six doigts de la main*, prix de la critique en 1978, quelques autres films dans des conditions presque artisanales, commence de façon éclatante la série *Contes pour tous* produite par Rock Demers avec *La Guerre des tuques*, le plus grand succès financier de la saison 1984-1985, ajoute *Bach et Bottine* en 1986, le troisième de la série, après *The Peanut Butter Solution (Opération beurre de pinottes)* de Michael Rubbo, en 1985.

« Déshabiller la Québécoise. » Ce slogan lança la vague des « films de fesses » en 1969 et eut ses deux petites années de gloire[52]. Comme le souligna Gilles Sainte-Marie en 1972[239], « ces films faits de seins et de fesses — ne nous voilons pas la face, c'est ça aussi le cinéma — ont lancé le cinéma ; ils nous appartiennent en propre. Leur succès même est à notre image : ils sont un moment de notre histoire culturelle et de notre attitude envers le cinéma. » Effectivement, passée la période de nécessaire défoulement et de libération des tabous, les films reflétèrent une sexualité plutôt saine, « normale » si on peut évoquer ce terme en contexte nord-américain. Il était maintenant devenu possible d'intégrer sans pudibonderie et sans exhibitionnisme des scènes érotiques comme éléments normaux de dramatisation ou d'évolution d'actions.

Pierre Thériault et Paule Baillargeon, la journaliste, dans *Réjeanne Padovani* de Denys Arcand: quand les femmes ont plus de personnalité que la majorité des personnages masculins. (Coll. Cinémathèque québécoise)

En tant que femmes. Inévitablement, la vague des films érotiques posa le problème de la situation des femmes. En plus du programme dirigé et orienté de façon à faire connaître au public le problème de la situation des femmes, on peut dire que l'ensemble du cinéma fut assez sympathique aux thèmes évoqués. Les femmes réalisatrices surent apporter des témoignages qui posèrent clairement les éléments de la problématique (*voir* pages 307-313). Même s'ils ne surent éviter quelques ambiguïtés parfois agaçantes, des réalisateurs comme Gilles Carle, Jean Beaudin et Francis Mankiewicz n'en composèrent pas moins les portraits de femmes les plus attachants de la cinématographie québécoise: Bernadette de *La Vraie Nature de Bernadette*, Rose-Aimée de *J.A. Martin photographe*, Michelle des *Bons Débarras*, etc. On peut même avancer que la plupart des personnages les plus intéressants de tout le cinéma québécois de cette période furent des femmes. Alors que les hommes sont généralement des perdants, des victimes consentantes, des paumés, des lâches,

Yves Desgagnés et André Lacoste dans *L'Homme renversé* d'Yves Dion. Le premier film québécois où, sans chercher de fausses excuses, l'homme québécois se révèle dans sa vulnérabilité, ses peurs, ses faiblesses. Un premier pas dans une recherche de transparence. (ONF)

des sans éclat, la plupart des rôles féminins, créés par des hommes, représentent des femmes très autonomes, qui maîtrisent les situations et chez qui viennent se réfugier leurs faibles compagnons.

<u>En tant qu'hommes?</u> « Honni soit qui mâle y pense » semble avoir été la règle. L'équivalent de ce que les femmes ont fait pour se connaître reste encore presque complètement à faire. Après un Francis Mankiewicz qui s'y est maladroitement essayé en 1972 avec *Le Temps d'une chasse*, c'est Francine Allaire et Sylvie Groulx, jeunes artisanes à peine sorties de l'université qui, en 1978, apportent la meilleure illustration critique de la « masculinité en crise sans s'en rendre compte » avec *Le Grand Remue-ménage*. On peut aussi analyser *La Bête lumineuse* de Pierre Perrault, *Le Déclin...* d'Arcand ou *Les Limites du ciel* de Dubuc sous cet aspect (bien que ce ne fût nullement leur but), mais ces autres histoires de

« chasse » tournèrent encore plus court que la première. Quant aux films de Gilles Carle et à *Un zoo la nuit* de J.-C. Lauzon, qu'on pourrait être tenté d'évoquer ici, je crois qu'ils ne firent avancer en rien la réflexion et créèrent plutôt encore plus d'ambiguïté. Pour la condition masculine en crise, et consciente de l'être, il n'y a à proprement parler que le très récent *Homme renversé* d'Yves Dion qui s'y attaque sérieusement.

« Notre maître le passé. » La grande majorité des réalisateurs québécois, lors de leurs études classiques, ont étudié l'histoire dans le célèbre manuel de l'abbé Groulx qui portait ce titre. Ils ne l'ont pas oublié. On ne s'étonne donc pas d'en voir un si grand nombre, enfin presque tous à un moment ou l'autre, recourir à des histoires qui se situent dans le passé pour laisser des témoignages très personnels, en même temps que symboliques de telle époque ou de tel événement important. Les années 70 et 80 ont vu l'adaptation de quelques-uns des « monuments » de la littérature (*Kamouraska, Les Plouffe, Maria Chapdelaine, Bonheur d'occasion...*) : il s'agit là d'un phénomène parfaitement normal dans toute cinématographie, et qui réjouit bien des professeurs de littérature. Ces adaptations furent aussi — et c'est là leur principal intérêt — autant d'occasions de faire revivre des époques mal connues des jeunes générations. Elles s'ajoutent à ces transpositions de vécus personnels que sont *Mon oncle Antoine* de Jutra et du scénariste Clément Perron, qui réalisa *Partis pour la gloire* dans le même esprit, *Les Vautours* et *Les Années de rêves* de Jean-Claude Labrecque, *La Quarantaine* d'Anne Claire Poirier, *Le Jour S...* de Jean Pierre Lefebvre, *La Dame en couleurs* de Claude Jutra, etc. Nostalgie, quand tu nous (re)tiens !

L'exploration du passé, c'est toutefois surtout pour la quête des « mythes fondateurs » qu'elle s'effectue : nous avons déjà évoqué en ce sens Pierre Perrault et Arthur Lamothe ; il faut leur ajouter toute cette abondante production « patrimoniale » (artisanat, métiers, chansons et danses). Beaucoup d'autres s'intéressent aussi aux Amérindiens ou à Jacques Cartier, mais le plus souvent ce sont des gens simples, réels comme *Coffin, Cordélia* ou *Laure Gaudreault*, ou imaginaires comme les personnages de *Quelques arpents de neige, Les Corps célestes* ou *J.A. Martin photographe*, au fond pas tellement héroïques, mais tout aussi faciles

Patricia Nolin, Pierre Gobeil, Michelle Rossignol, Monique Mercure, Roger Blay, Pierre Thériault, Benoît Girard, Louise Rémy et Jacques Godin dans *La Quarantaine* d'Anne Claire Poirier. Pour ces gens de la quarantaine, qui se sentent « mis en quarantaine » par les plus jeunes, le regard vers le passé aide moins à comprendre le présent qu'à se complaire dans une certaine nostalgie. Ce film vaut bien tous les *Big Chill*, mais participe de la même paralysie. « Nostalgie, quand tu nous (re)tiens ! » (ONF)

à transformer en mythes, qui fournissent de quoi revoir bien des événements du présent. Il s'agit toutefois moins de la préoccupation de *la suite du monde* que du désir de vaincre l'amnésie pour la jeune génération qui fut presque complètement privée de l'étude de l'histoire ou bien, pour certains, d'opérer une nécessaire catharsis.

Athées par indifférence. Pour un peuple qui vécut l'omniprésence des institutions, personnages et visions religieuses, on aurait pu s'attendre à un grand défoulement à ce niveau aussi. Eh bien, à part quelques sérieuses (*L'Acte du cœur*) ou mélodramatiques (*L'Amour humain*) « affaires de cœur et de soutanes » (Noguez), quelques blagues assez innocentes dans divers films et quelques essais portant directement sur le sujet (*Tranquillement, pas vite* et *Les Deux Côtés de la médaille* de Guy Côté, *Le Bonhomme* de Pierre Maheu, *Les Adeptes* de Gilles Blais, *Le Frère André* de J.-C. Labrec-

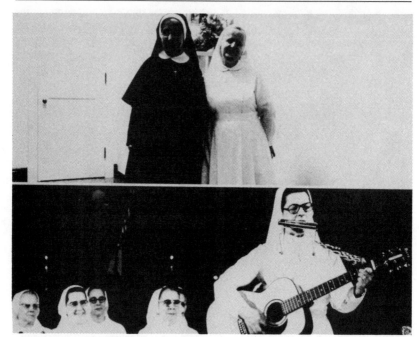

« On fait toutes partie de la Petite histoire… Mais je commence à me demander si elle est si petite que ça… » Ces paroles de la narratrice des *Filles du Roy* d'Anne Claire Poirier semblent avoir inspiré Diane Létourneau pour son portrait des *Servantes du bon Dieu.*

que), tous ces films datant du début de la période (sauf les deux derniers), c'est plutôt la « disparition du sujet » qui témoigne de la déchristianisation rapide de la société québécoise ! Par nécessité, l'ensemble des cinéastes affichèrent un vigoureux anticléricalisme durant la période précédente ; on pourrait dire que les films témoignent maintenant d'un serein athéisme par indifférence. Les films à sujets historiques ne peuvent éviter d'inclure des personnages religieux, et certains films dénoncent encore le trop grand pouvoir historique de l'Église, mais les films au présent peuvent parler de morale (*Le Déclin de l'empire américain*) et même composer toute une symbolique du sacré (*Jacques et Novembre*) sans faire aucune allusion à l'univers religieux.

« Repousser les faux maîtres » Voilà à quoi conviait *Les Ordres* de Michel Brault en 1974. Il n'était pas le premier film à dénoncer ouvertement le pouvoir politique et ses représentants, ni le premier à proposer une interprétation politique des événements

Les Adeptes de Gilles Blais. L'habit fait le moine… mais il ne le fait pas toujours en profondeur! Ces Hare Krishna qui « animaient » la rue Saint-Denis avec leurs incantations (avant d'être remplacés par le Festival de jazz et les vendeurs de drogues) faisaient partie de cette quête spirituelle qui a marqué la fin des années 70, après la disparition des groupes marxistes-léninistes. (ONF)

d'Octobre de 1970[225]. Une grande partie de la production entre 1969 et 1975, documentaire et de fiction, prit comme sujets des événements ou thèmes directement politiques. Gilles Groulx représente le courant le plus radical, surtout avec *24 heures ou plus*, parce qu'il veut synthétiser marxisme et nationalisme tout

« Quand on revient de vie. / On se sent grand et fort. / Alors on se rit / d'avoir eu peur d'la mort. / L'espoir vient de naître, / à nous d'le conserver. / Repousser les faux maîtres, / la voilà la liberté » (chanson de Clermont Boudreau). Claude Gauthier dans *Les Ordres* de Michel Brault. (Photo Daniel Kieffer, Les Productions Prisma)

en opérant une révolution formelle. Tout le cinéma de Pierre Perrault, s'il ne tient pas toujours un discours applicable immédiatement, surtout quand il creuse les mythes fondateurs, n'en constitue pas moins avec sa recherche du pays et de l'« album », l'étape fondamentale du désir de vivre collectivement et fut souvent perçu par le public comme un appui direct au nationalisme du Parti québécois. Perrault se méfie toutefois souverainement des idéologies sociales « importées » : « Avant de faire chanter l'*Internationale* au bébé, il faudrait peut-être le mener à terme. » La grande majorité des cinéastes québécois, sans s'afficher ouvertement nationalistes (sauf pour plusieurs au moment du référendum), s'alignent aussi sur cette option. Plusieurs (Perrault, Dansereau, Jutra, Godbout…) se voient d'ailleurs récompensés par des prix de la Société Saint-Jean-Baptiste ; on voit même Claude Jutra et

Geneviève Bujold refuser en 1972 le titre d'Officier de l'Ordre du Canada. Denys Arcand, qui affirme en 1971: «Il nous faut un Mao Tsé-Toung d'Arvida ou de Magog» (sic), fournit les essais documentaires les plus articulés avec *Québec: Duplessis et après* et *Le Confort et l'Indifférence*[224]; toutes ses fictions, mais particulièrement *Réjeanne Padovani* et *Gina* dévoilent quelques dessous de l'exercice du pouvoir; et *Le Déclin de l'empire américain* s'efforce, assez adroitement, d'établir des liens entre ce vécu le plus «privé» qu'est la vie sexuelle et la vie collective, tout en révélant clairement que ces «faux maîtres» que sont les idéologies importées et les modèles de pensée dogmatiques n'ont plus guère d'impact. Jean-Claude Lord partage ce même désir d'aller voir au-delà des apparences et d'illustrer la «conscience» des tenants du pouvoir dans le monde politique et celui des médias; généralement décriés par les intellectuels et la critique, qui leur opposent la «pureté» des films de Groulx, ses thrillers à la manière de Costa-Gavras, mais avec sujets et *castings* locaux, obtiennent de bons succès populaires (*Les Colombes, Bingo, Parlez-nous d'amour, Panique*). Jean-Claude Labrecque illustre avec ses fictions comment les gens ordinaires vivent les répercussions des décisions politiques prises par d'autres (surtout *Les Smattes* et *Les Années de rêves*); ses *Jeux de la XXIe Olympiade* tentent d'éviter le discours politique, mais le montage en fait un plaidoyer proaméricain qui laisse un goût amer. Jacques Godbout avec ses enquêtes sur le monde de l'information, Michel Brault, Bernard Gosselin et tous ceux qui creusent le patrimoine, Arthur Lamothe avec ses séries sur les Amérindiens, les féministes, et bien d'autres réalisateurs parsèment leurs films de références plus ou moins directes aux pouvoirs. Comme en France, une partie de la critique et des créateurs a connu entre 1970 et 1975 sa période d'extrême-gauche militante, «excommunicatrice», dogmatique, «terroriste»; ce courant a davantage influé sur les conversations entre cinéastes et sur les écrits traitant de cinéma que sur les films et peu témoignent de cette tendance; paradoxalement, si nous excluons *24 heures ou plus* de Groulx, c'est dans deux films consacrés à la musique folklorique ou populaire (celle des «travailleurs») que nous la retrouvons la plus forte: *La Veillée des veillées* de Bernard Gosselin (lui n'était pas marxiste, mais certains musiciens l'étaient), et *La Turlute des années dures* où, cette fois, ce ne sont pas les «chanteurs»

La Turlute des années dures de Pascal Gélinas et Richard Boutet. Comme pour *Les Ordres*, les réalisateurs font un film politique exemplaire : cinquante ans après la Grande Crise, on fait resurgir de la mémoire les chansons qui avaient raconté la misère, mais c'est pour animer les luttes du présent. (Les Films du Crépuscule)

filmés qui tiennent le discours politique, mais les réalisateurs Pascal Gélinas et Richard Boutet. Ces dernières années l'*Elvis Gratton* de Pierre Falardeau et Julien Poulin (trois courts métrages re-montés en long métrage pour les salles) devrait être, nous l'espérons, le dernier survivant de cette idéologie simpliste et aliénante. Après 1976 qui voit le Parti québécois prendre le pouvoir, comme pour se reposer, le cinéma commence doucement à se désintéresser de la politique au présent pour regarder le passé (*voir* page 352). Ce que François Macerola, commissaire de l'ONF, dit de ses collègues en 1985 pourrait, grosso modo, s'appliquer à l'ensemble du cinéma québécois :

> Avec l'arrivée du P.Q. au pouvoir en 1976, la production française (i.e. les francophones de l'Office) s'est crue au pouvoir. Et, par conséquent, elle a perdu son rôle de conscience culturelle cinématographique nationale. Alors nos films se sont branchés du côté du pouvoir plutôt que du côté de l'opposition. Ce que je trouve merveilleux à l'ONF, c'est qu'il doit toujours jouer un rôle d'opposition culturelle. Quand la vogue donne dans tel genre de films, l'Office doit déjà pen-

ser à ce qui va être la vogue dans dix ans. Donc, on s'est peut-être trop laissés aller dans le lit du pouvoir. Cela a donné des films qui étaient plus ou moins bien réussis, tant du point de vue du contenu que de la recherche et de l'esthétique.

Macerola se garde bien de donner des noms ou de mentionner des titres! Et bien des cinéastes n'apprécient guère ce type de réflexions qu'il se permet de temps en temps. Mais le critique ne peut que constater que les grandes crises des années 80 (nationalisme, syndicalisme, réorganisation économique, valeurs, perte du sens du sacré, famille...) et les nouveaux phénomènes de transformation des idéologies (dissidence, éclatement des partis, individualisme, multiplication des gadgets électroniques comme les vidéos domestiques et les micro-ordinateurs...) ne pénètrent que fort lentement dans l'univers du cinéma. Un peu comme s'il se contentait encore et toujours de « dénoncer » sans passer à l'étape d'«annoncer» ce qui doit suivre: «Le cinéma doit à la fois dénoncer les insignifiants et énoncer des signifiants nouveaux», disait Jean Pierre Lefebvre au milieu des années 70. Invité à commenter la dernière production annuelle lors des Rendez-vous du cinéma québécois de 1985, Alain Bergala signalait avec à propos que «les films québécois parlent beaucoup de malheur. Mais on n'y voit jamais le mal. Je me dis que c'est peut-être pour ça que ces gens sont heureux. Du coup, ce sont des films bien-pensants. » Ces phrases suscitèrent alors bien des commentaires, les cinéastes présents n'appréciant guère de se faire traiter de «bien-pensants»! Mais on passa un peu à côté du vrai problème, à savoir que le «malheur» sans «mal», c'est généralement le résultat d'une plus ou moins grande «inconscience», d'une volonté d'en rester au niveau superficiel, le plus facilement montrable, d'une paresse à creuser davantage les sujets, ce qui ferait éclater les problématiques. «À quelque chose, malheur est bon», dit le proverbe; malheureusement, bien peu de scénaristes prolongent leur travail jusqu'à la recherche de ce «quelque chose».

Les bibittes intimes. Depuis 1980, on remarque chez la plupart des cinéastes une volonté d'approfondir les problèmes d'ordre intime. Les réalisatrices féministes avaient donné le ton durant

Un film de Denys Arcand sur le référendum du 20 mai 1980 au Québec

Le film qui choque les fédéralistes et fait rire jaune les nationalistes québécois, mais qu'il faut voir la même semaine que *Le Déclin de l'empire américain*, du même auteur, pour comprendre le « déclin » des idéaux politiques et voir comment l'histoire locale s'inscrit dans la tradition universelle. (Ciné-fiche ONF)

Monique Mercure dans *Qui a tiré sur nos histoires d'amour?* de Louise Carré: saisir ou non le trapèze? s'engager ou non dans une nouvelle vie, dans un autre amour? (Photo Paul-Émile Rioux, La Maison des quatre)

la décennie précédente; quelques-unes racontent maintenant, sans volonté de prosélytisme et sans effort de discours justificateur, des histoires de drames intérieurs survenant à ces femmes maintenant libres des principales contraintes extérieures; Micheline Lanctôt, Paule Baillargeon, Brigitte Sauriol, Louise Carré, Léa Pool, Marilú Mallet... représentent ce courant. Chez les hommes, ce sont aussi des cinéastes de la trentaine ou de la jeune quarantaine qui explorent ce niveau du vécu: Jean Pierre Lefebvre, Jacques Leduc, Jean Chabot, Claude Gagnon, Jean Beaudry et François Bouvier (dont *Jacques et Novembre* est l'un des deux meilleurs films des dix dernières années et représente parfaitement cette tendance), etc. Les Dansereau, Dion, Lamothe, Arcand et Labrecque commencent à joindre le mouvement. Même Pierre Perrault donne plus d'espace intérieur à ses intervenants dans ses dernières œuvres. On remarque même que ce reflux du politique vers l'individuel, des idéologies vers le vécu, du social vers le privé, se double souvent chez les cinéastes de la volonté de mettre sur écran des personnages (fictionnels ou réels) très proches d'eux, des mêmes âge, culture et milieux sociaux. L'autobiographie, transposée ou non, et la confession intime prennent davantage de place. Ils n'y font plus, comme à la période précédente, vivre leurs engagements par des plus jeunes ou des aînés. C'est ce qui fait la force, par exemple, du *Déclin...* d'Arcand, de *Charade chinoise* de Leduc ou de *L'Homme renversé* de Dion. Cette tendance qui ramène vers le cinéma d'auteur ne va pas sans provoquer des critiques acerbes de la part des « ténors » d'un cinéma plus « commercial » ou plus socialement engagé : « Les cinéastes ont une tendance désastreuse à beaucoup s'écouter et à ne pas tenir compte des gens à qui les œuvres s'adressent », reproche Claude Fournier (alors président de l'Institut québécois, et à ce titre un des principaux conseillers du ministre des Affaires culturelles) en 1985 et au même moment François Macerola déclare : « Je suis réticent à l'égard du film d'auteur parce que l'État ne devrait pas subventionner des individus, mais plutôt des œuvres. Avec le cinéma d'auteur, on s'engage dans un programme de subventions pour des individus. Si, au contraire, on veut un cinéma qui parle au monde ordinaire, il va falloir commencer à apprendre à se conter des histoires. (...) Nous sommes capables de nous conter des histoires à la télévision. Exemple : *Le Temps d'une paix*. Au cinéma, on a confondu le cinéma d'auteur avec inhibition, nombrilisme, dilettantisme culturel. Cela a donné des films qui ne racontent rien aux gens, parce que les auteurs étaient refermés sur eux-mêmes. » Évidemment, ni l'un ni l'autre ne nomme ces « mauvais » cinéastes. Le voudrait-on que personne dans le milieu du cinéma ne pourrait écarter ces opinions comme non recevables ; au-delà de leur outrance, elles représentent l'opinion exacte que la majorité des hommes politiques et du public en général porte envers la partie « artistique » (ou « sérieuse », ou « personnelle », ou « intellectuelle », ou « non commerciale », etc.) du cinéma québécois. Dilemme dont on ne sort pas facilement puisque l'épreuve du temps révèle presque à coup sûr que seuls résistent au temps les films d'auteur avec forte vision intérieure, questionnements et témoignages vécus, alors que les « belles histoires » passent rapidement de mode et perdent tout intérêt. Il faudra plus d'un prix à Venise (*Sonatine* de Micheline Lanctôt) ou à Cannes, plus d'un *Anne Trister* ou d'un *Déclin de l'empire américain*, dont les Malo ou Macerola se gargarisent maintenant, pour faire évoluer cette perception. Il faut reconnaître aussi que la majorité des créateurs ayant fait leur apprentissage dans le

Le Déclin de l'empire américain de Denys Arcand : le reflux du collectif vers l'individuel, du public vers le privé, des grandes causes vers le bonheur immédiat. En prime : des blagues à faire grincer des dents les féministes, les gens de Québec, les militants des organismes de coopération internationale... Sans oublier cet « empire américain » qui risque à tout moment de faire exploser la planète. (Photo Bertrand Carrière, Les Films René Malo)

documentaire trouvent difficilement le ton juste pour exprimer des émotions ou créer un climat d'intimité.

La culture utilitaire. Commandées par la télévision, ou achetées après coup par elle pour meubler ses heures creuses, s'inscrivant souvent dans une visée patrimoniale ou dans des programmes didactiques, on trouve aussi plusieurs séries dites « utilitaires » sur divers sujets : les professeurs de français héritent de *Profession : écrivain*, les écologistes de *Connaissance du milieu*, les sociologues des *Enfants des normes*, les étudiants en architecture des *Arts sacrés au Québec*, les urbanistes d'*Urbanose* et *Urba 2 000*, etc. On en produit autant dans le privé qu'à l'ONF, surtout sous forme documentaire, mais parfois, comme la récente série sur la bioéthique, sous forme de courtes fictions. Les premiers à être ennuyés par ce cinéma généralement sans inspiration et sans

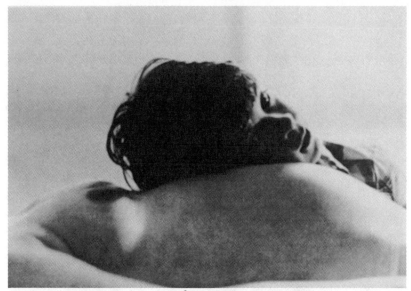

Guillaume et le ventre de sa mère Édith Fournier dans *Une naissance apprivoisée* de Michel Moreau : le film didactique par excellence, qu'on diffuse à la télévision et qui provoque moult discussions dans les maisons, dans les journaux, à la radio et à la télévision. (Photo Pierre Gaudard, Éducfilm)

grand intérêt cinématographique sont bien souvent les cinéastes eux-mêmes. Par ailleurs, au-delà de leur utilisation immédiate, ces séries permettent d'accumuler un grand nombre d'archives visuelles et sonores, possédant en général un bon index, qui enrichissent le patrimoine actuel et pourront plus tard servir pour les montages synthétiques.

Distribution

Le panorama de la distribution commerciale[151] subit à cette période de profondes transformations. Soulignons d'abord que le rôle même du distributeur se transforme : il n'est plus un simple intermédiaire entre le producteur et l'exploitant, mais un partenaire complet, concerné dès le début de l'aventure financière du film. Ce qui n'était qu'exception à l'intérieur même des grands studios devient maintenant pratique courante : même un distributeur québécois achète de plus en plus souvent les droits d'un film européen ou local sur scénario et contribue ainsi à son finan-

Gagnant d'un OSCAR

« La fission de l'atome a tout changé, sauf la façon de penser des hommes. Par conséquent, nous nous acheminons vers une catastrophe sans précédent. »
Albert Einstein

Si cette planète vous tient à cœur

Le gouvernement américain ne prise pas ce genre de cri d'alarme : il fut dénoncé par le Département d'État et interdit un certain temps sur son territoire. (Ciné-fiche ONF)

cement ; à l'autre bout de la chaîne, les contrats avec l'exploitant s'établissent surtout en accordant un pourcentage plutôt qu'un montant fixe ; ainsi, les risques doublent, mais les perspectives de profit également. Rappelons aussi que, selon le fonctionnement habituel, c'est le distributeur qui se charge de l'obtention du visa d'exploitation, qui organise et finance la campagne de presse pour le lancement du film, qui assume les frais de doublage ou de sous-titrage des films en langue étrangère, qui défraie le coût du film-annonce et des photos publicitaires (contrairement à l'Europe où c'est le producteur qui s'en charge), qui négocie le choix d'une salle et le moment du lancement du film, qui paye la publicité dans les journaux. Il en coûte entre 50 000 et 100 000 dollars au distributeur pour lancer adéquatement un film, selon René Malo. Nous n'en sommes pas encore à cette pratique du cinéma hollywoodien où l'on dépense presque autant pour la mise en marché du film que pour la production elle-même, mais un Rock Demers, aujourd'hui producteur mais auparavant distributeur, souligne qu'il consacre autant d'énergie à la distribution qu'à la fabrication de ses films.

Globalement, le Québec demeure un excellent marché pour toutes les catégories de distributeurs[14]. Le public québécois est sans aucun doute le plus ouvert de l'Amérique du Nord et accueille des films de toutes provenances[163]. Comme bien d'autres, il privilégie le cinéma américain dont il constitue le dixième plus important marché mondial, selon les chiffres de 1982, juste après le Mexique, mais devant le Brésil, l'Afrique du Sud, la Suisse... (Depuis 1974, le Canada est le plus important client du cinéma américain, atteignant habituellement plus de 10 % des ventes mondiales totales ; en 1963, il n'en était que le sixième ; le Québec représente environ 20 % du marché canadien.) Pour les *Majors*, la distribution au Québec signifie donc 2 % de leur chiffre d'affaires total, ce qui est d'autant moins à dédaigner que c'est un des rares marchés libres de toutes contraintes, toujours gagné d'avance à n'importe quoi, qui écoute la télévision américaine et pour lequel on n'a presque rien à dépenser en campagne publicitaire.

Toutefois, selon la tradition, le Canada est encore considéré par les industriels américains comme un *domestic market*, et peu ont quelque idée du fait francophone et de la spécificité culturelle du Québec. Dans l'ensemble des grandes villes du Québec, les *Majors* contrôlent encore la totalité du cinéma américain d'exclusivité (*first run*) en langue anglaise et la plus grande partie des films doublés (environ 55 % des films américains, les plus populaires, évidemment, le sont). Par là, ces compagnies encaissent environ la moitié de tous les revenus de distribution (elles-mêmes affirment avoir perçu annuellement environ treize des quelque trente millions au cours des quatre années précédant 1982, mais leurs concurrents parlent plutôt de dix-huit millions). Parce qu'elles contrôlent le produit le plus populaire, elles obligent les exploitants (ceux qu'elles ne contrôlent pas ou auxquels elles ne sont pas directement affiliées) à leur réserver les meilleures salles et les meilleures dates (du début décembre à la mi-janvier, à Pâques et à l'été), même pour des films médiocres et elles imposent des délais stricts pour la mise à l'affiche des films; pour la publicité, elles n'utilisent évidemment que le matériel importé de la « maison-mère » américaine. Elles font affaire presque uniquement avec les grands réseaux de salles, bien qu'affirmant officiellement les traiter toutes également, et désavantagent ainsi les indépendants qui ne peuvent obtenir les films que lorsque ces réseaux n'en veulent plus; enfin, elles ont à leur disposition un nombre habituellement deux fois plus élevé de copies que les autres, copies qui sont d'ailleurs rarement tirées ici.

Avec les années 70, les *Majors* n'occupent plus seuls les meilleurs sièges. Au début de la décennie, la vitalité de la production locale favorise beaucoup le développement ou la création de compagnies de distribution à propriété québécoise, car les films autochtones leur sont presque tous confiés. Les Films mutuels, France-Film et Cinépix, pour ne mentionner ici que les plus importantes, s'occupent avec beaucoup de compétence des films et les cinéastes leur doivent souvent une bonne partie des succès au *box-office*. Ces compagnies remplissent d'ailleurs leurs contrats avec d'autant plus d'empressement qu'elles investissent souvent dans la production. France-Film l'avait fait dès 1944 avec *Le Père Chopin* et tout au long de cette période commerciale; son intérêt est d'autant plus fort en 1970 qu'elle possède en plus le troisième plus grand réseau de salles et a essaimé dans plusieurs villes. Cinépix opère officiellement aux deux niveaux de façon intégrée. Les Films mutuels est une filiale des Productions mutuelles, propriété de Civitas, qui contrôle aussi la chaîne Radio Mutuel, qui se charge de la publicité des films, et autres compagnies[63].

La vitalité de ces compagnies en fait de meilleurs compétiteurs pour aller décrocher les meilleurs contrats pour la distribution du cinéma européen, surtout français. D'autres naissent et prennent de plus en plus d'importance: Les Films René Malo qui, en 1983, achètent Les Films Mutuels, acquièrent ainsi tout un réseau pancanadien et deviennent un des plus gros distributeurs indépendants du Canada; René Malo participe aussi à la

Pellan d'André Gladu: un film admirable, essentiel à tous les cours d'histoire de l'art du Québec, que seuls les petits distributeurs indépendants prennent en charge et dirigent vers le public auquel il est destiné. (Photo Madeleine Pellan, Cinéma Libre)

production de plusieurs films, notamment *L'Homme à tout faire* et *Sonatine* de Micheline Lanctôt, *Le Déclin de l'empire américain* de Denys Arcand. D'autres compagnies de moindre importance sont quand même dans «les grandes ligues» et dépositaires de films européens importants: Les Films LN de Didier Farré, Alliance-Vivafilm de Victor Loewy qui se spécialise en particulier dans le cinéma de répertoire, Cinéma Plus, etc.[91]

Appliquant le principe qu'on n'est jamais mieux servi que par soi-même, plusieurs cinéastes fondent, à un moment ou l'autre, leur propre compagnie. Jean Pierre Lefebvre et Marguerite Duparc fondent Disci (aujourd'hui disparue) pour distribuer surtout les films de leur maison de production Cinak. André Forcier, Jean Dansereau, Bernard Lalonde et François Brault créent Cinéma Libre en 1976, société sans but lucratif, qui se limite d'abord à des films québécois (les leurs et les moins chers, car ils ne peuvent concurrencer les « gros »), et s'intéresse ensuite à un produit international à tendance militante (politique et féministe). Plusieurs artisans et jeunes créateurs forment au même moment Les Films du Crépuscule avec une charte semblable. Ces deux dernières compagnies, qui viennent d'atteindre leurs dix ans et ne subsistent qu'au prix d'un quasi-bénévolat de leurs membres, veulent faire changer les règles du jeu et faire en sorte qu'une partie plus importante de la recette retourne au producteur. Comme elles diffusent surtout dans les circuits parallèles et marginaux et qu'elles ne conservent qu'une part minime de la recette, elles ne peuvent subsister qu'avec l'aide des organismes publics, soit sous forme de contrat de promotion pour tel film nouveau, soit en subventions directes. Leurs catalogues renferment des centaines de titres de longs et courts métrages de réalisateurs québécois dont l'importance culturelle ne se discute plus dont Arthur Lamothe, Fernand Dansereau, André Forcier, Jean Chabot, Paul Tana, et cela seul justifie l'aide de l'État. Il va sans dire que les toutes petites compagnies de production de films non commerciaux, comme les jeunes artisans et les marginaux, négocient directement la vente ou la location de leurs produits. Dans le même esprit que ces cinéastes, l'exploitant de salles de répertoire Roland Smith fonde aussi Les Films SMC avant tout pour assurer un meilleur approvisionnement à sa salle Outremont et pour faire venir ici des films qu'il aime et que personne d'autre n'a pris le risque d'acheter. Le Centre du cinéma parallèle de Claude Chamberlan[200] et Dimitri Eipides (autrefois : Coopérative des cinéastes indépendants) fonctionne un peu sur le même modèle, mais uniquement avec le cinéma dit « indépendant » (*underground*, de recherche formelle, d'avant-garde, de formats non conventionnels, militant) ; il diffuse dans sa propre petite salle et organise le Festival international du nouveau cinéma et de la vidéo.

Pour des marchés plus spécialisés, Faroun de Rock Demers fait œuvre de pionnier en allant chercher la meilleure partie de la production mondiale de films pour enfants et en faisant venir aussi, de 1966 à 1978, les plus intéressants produits d'Afrique, d'Amérique Latine ou d'Europe de l'Est; après la dissolution de Faroun et l'engagement de Demers dans de nouvelles fonctions — il est maintenant producteur — Expédifilm a repris une partie du stock, mais plus personne ne se charge aujourd'hui de ce produit; le réseau scolaire et les salles parallèles en souffrent particulièrement, car presque aucune nouvelle copie 16 mm de films africains ou latino-américains n'est apparue depuis dix ans. Bouchard et associés accapare la plus grande partie du marché du film et du document didactique de toutes sortes, marché auquel s'intéresse maintenant Parlimage, maison qui est d'abord une organisatrice de stages de formation pour divers métiers du cinéma. Organismes de solidarité et centres d'information plus ou moins bien structurés, plus ou moins militants selon les époques et faisant surtout appel au bénévolat, Carrefour international, Cinéma d'information politique et Informaction font la promotion des films de conscientisation internationale et diffusent de l'information alternative. Vidéo Femmes met en circulation ce que son nom indique. Sans oublier ici la section de distribution de l'Office national du film qui manipule probablement beaucoup plus de films et de vidéos que toutes les autres maisons réunies, d'autant plus qu'elle met aussi à la disposition du public une partie de la production sur film de Radio-Canada, et même certains documents de réalisateurs indépendants; en saison estivale, elle se déplace pour aller rencontrer le public là où il se réunit le plus nombreux: Terre des hommes, Vieux Port, Vieux Montréal, Parc Lafontaine. Le Service de diffusion des documents audiovisuels (SDDA) du gouvernement du Québec remplit le même rôle avec les produits de l'ex-Office du film du Québec et de tous les organismes producteurs dans les divers ministères. Plusieurs bibliothèques, surtout celle de Montréal qui conserve sa Cinémathèque bien vivante, mais aussi des bibliothèques centrales de prêts, offrent de plus en plus au public d'importantes collections de films divers sur support vidéo. On peut presque rêver pour bientôt le moment où les classiques du cinéma deviendront aussi facilement accessibles que les livres.

À côté de ces diverses compagnies et institutions, quelques dizaines de petites et moyennes compagnies se disputent les mêmes marchés, vivant les hauts et les bas des bonnes affaires ou des fours, ne subsistant que quelques années ou s'acharnant à durer, comme J. A. Lapointe. Le marché de la télévision, celui du réseau scolaire et des centres de loisirs, celui des salles parallèles et des ciné-clubs (tout cela presque uniquement en 16 mm) fournissent à plusieurs des revenus modestes, mais stables. Selon Victor Loewy et René Malo, il y a d'ailleurs trop de ces petites compagnies et des fusions seraient souhaitables. Remarquons ici que le Québec est la seule de toutes les provinces canadiennes à conserver autant de distributeurs indépendants ; partout ailleurs, les *Majors* les ont presque tous éliminés.

Dès le début de la relance dans la production, plusieurs associations de cinéastes avaient réclamé des gouvernements une aide spéciale pour réglementer toute l'industrie de la distribution et, par là, favoriser la diffusion des films nationaux. Elles rappelaient qu'on ne peut avoir une industrie forte que si on contrôle la distribution. Non seulement parce que c'est le seul moyen d'assurer l'accès aux salles pour la production nationale — l'expérience prouve qu'une fois la mainmise sur la distribution assurée, les *Majors* se désintéressent complètement de la production locale, pour cause de non-rentabilité internationale — mais surtout parce c'est le seul moyen d'amener le réinvestissement d'une partie des profits générés par le cinéma dans l'industrie locale. Elles rappelaient aussi que seuls les petits indépendants ont historiquement travaillé à la diffusion du «film parlant français», se souciant de la dimension culturelle du cinéma, et cela, malgré l'opposition souvent très virulente des *Majors* et qu'ils méritent d'obtenir des conditions favorables à leur développement. En fréquentant beaucoup le cinéma, les Québécois n'entraînent finalement que la création de plusieurs autres films américains, ce qui pourrait changer si une partie des profits générés par le cinéma étranger étaient retenus dans un fonds d'encouragement pour la production locale (comme le Brésil l'a fait dans les années 70). En 1968, avant la grande relance dans la production, tout le milieu du cinéma recommanda au gouvernement la création d'un «organisme sans but lucratif, financé par le ministère des Affaires culturelles et administré par les professionnels du cinéma» qui se chargerait de la promotion de toutes les formes de diffusion du cinéma national. En avril 1969, le Conseil québécois pour la diffusion du cinéma[62] était fondé et recevait les vastes et imprécis mandats suivants :

1) la promotion, la diffusion, la planification du cinéma québécois, tant au Québec qu'à l'étranger ;

2) la fédération, le regroupement et l'entraide des différentes associations de cinéastes québécois ;

3) l'organisation de festivals, journées de cinéma, séances d'étude ou autres manifestations culturelles concernant le cinéma ;

4) généralement, la promotion des entreprises de cinéma québécois, tant au Québec qu'à l'étranger.

Selon les propres voeux des demandeurs, le conseil d'administration du Conseil est composé de deux représentants de chacune des associations suivantes : Association des producteurs de films du Québec, Association des distributeurs indépendants de films d'expression française, Syndicat général du cinéma et de la télévision, Association des réalisateurs de films du Québec : les deux premières aux visées plus économiques, les deux autres aux ambitions plus culturelles. Mais aux yeux de toutes, le Conseil doit mettre l'accent autant sur la publicité que sur l'éducation des nouveaux spectateurs, s'occuper de *toute* la production, qu'elle soit très commerciale ou militante.

Mais les animateurs du Conseil, les « permanents » (dont les principaux furent Robert Daudelin, André Melançon, Lucien Hamelin, Michel Houle), ne l'entendent pas de cette oreille et privilégient bientôt le cinéma à forte coloration culturelle et même politique. On fait beaucoup voir les films de Groulx, de Lamothe, de Lefebvre, d'Arcand... mais bien peu souvent ceux de Denis Héroux ou de Claude Fournier. Par la publication de monographies sur Groulx, Carle, Perrault, Lefebvre, Godbout, Lamothe, Arcand, Dansereau, Brault, Leduc, Jutra et Labrecque (remarquons ici qu'il manque les réalisateurs des films les plus populaires de l'époque : Héroux, Fournier, Bissonnette ; ceux du documentaire plus « à droite » comme Guy-L. Côté ou Marcel Carrière ; ou des vétérans très actifs comme Raymond Garceau ou Jacques Giraldeau) ; par l'organisation de rétrospectives et de soirées diver-

La question est restée sans réponse, autant pour la majorité des cinéastes que pour le public en général.   ⟶

ses avec animation par des professionnels; par des tournées dans presque toutes les régions du Québec, y compris les plus éloignées; par sa collaboration au choix de représentants pour les festivals locaux ou à l'étranger, le Conseil remplit très bien au moins une partie de sa mission. Le point faible demeure toujours le manque d'intérêt pour la promotion du cinéma dit « commercial ». Personne ne s'en soucie vraiment et aucun effort n'est fourni pour sa mise en marché. Les techniciens et la majorité des réalisateurs se réjouissent de cette orientation, mais les producteurs et distributeurs n'apprécient guère de voir leurs rôles méconnus et plus ou moins méprisés. Après 1970, l'orientation de plus en plus politique (marxiste-léniniste, selon la mode de l'époque) donnée aux soirées d'animation et inscrite dans les publications, et la contre-publicité faite aux films trop populaires commercialement font bientôt accuser le Conseil de gauchisme et, en 1975, la majorité des membres du conseil d'administration (les réalisateurs ne tolèrent plus la contestation) réclament une réorientation radicale ou son abandon pur et simple. C'est cette dernière éventualité qui survient au printemps de 1976, alors que le dernier directeur, Lucien Hamelin, est plus ou moins forcé de démissionner et que tous les permanents le suivent, sans qu'on leur nomme de remplaçants. L'aventure prit ainsi fin sans que soient vraiment élucidées, au moins publiquement, les luttes idéologiques que l'organisme faisait naturellement surgir. Le Conseil n'aura jamais été très important et on peut douter qu'il ait exercé une influence importante sur le milieu du cinéma, encore moins sur le public; mais il aura servi de catalyseur aux chicanes internes du milieu du cinéma et restera le meilleur symbole de la division entre cinéastes plus ou moins politiques, plus ou moins culturels, plus ou moins voraces financièrement, plus ou moins engagés dans des causes sociales, plus ou moins avides de gloriole personnelle.

Pour les raisons développées dans la section précédente, la distribution du film québécois devint problématique autour de 1970, tant sur le marché intérieur qu'à l'étranger. Réglons d'abord le cas de la distribution à l'étranger; il y a relativement peu à dire à ce sujet. Quand les distributeurs et producteurs québécois pensent à une diffusion à l'étranger, cela veut dire presque exclusivement en France et d'une façon encore plus limitée, dans les pays francophones. Car on a reconnu depuis longtemps l'impossibilité de percer le marché américain, tout à fait réfractaire aux films doublés ou sous-titrés et qui ne mettent pas ses propres vedettes à l'écran; dans les meilleurs des cas seulement peut-on espérer, comme quelques grands succès français, se placer dans le circuit « art et essai » composé des petites salles de quelques grandes villes, de la télé payante, des universités, musées et autres centres culturels, ce qui peut représenter beaucoup, mais reste insignifiant en comparaison de la place qu'occupent des centaines de produits locaux médiocres (on a beaucoup fait état du succès de *La Guerre des tuques* d'André Melançon pour lequel le producteur Rock Demers avait fait faire un doublage « parfait » et pour lequel il a passé des mois et dépensé des centaines de milliers de dollars en promotion; après un an, les revenus ont à peine dépassé les frais). En France, le cinéma québécois obtient un succès sans réserve… chez les cinéastes et les critiques! Mais le public des salles ordinaires n'accroche pas. La présence dans la compétition officielle, même primée, à Cannes, à Venise ou à Berlin, les dizaines de prix prestigieux remportés dans les « Semaine de la critique » ou « Quinzaine des réalisateurs », ou « Un certain regard », (là où le copinage entre gens du milieu a le plus d'impact) ont beau affirmer l'existence du cinéma québécois dans tous les journaux; Claude Lelouch a beau peser de tout son poids et de ses francs pour lancer *Les Ordres*, Héroux y aller de 300 000$ pour publiciser *Les Plouffe* à Paris (des aventures similaires avaient été tentées avec *Kamouraska*, *Bingo* et autres films à potentiel plus « populaire »); les critiques peuvent bien se faire dithyrambiques, tout cela n'y change rien: le cinéma québécois ne déborde jamais du cercle des « amis du Québec », des cinéphiles mordus, des intellectuels et artistes. Seuls quelques films de Gilles Carle au début de la période, et pour des raisons équivoques qui relèvent plus de l'aspect égrillard que de la valeur filmique, *Les Mâles* et *La Vraie Nature de Bernadette* surtout, obtiennent un modeste succès; et tout récemment, *Le Déclin de l'empire américain* remporte, pour la première fois, un succès populaire sans équivoque. Enfin, pour en terminer avec la distribution à l'étranger, signalons (pour l'humour) que plusieurs films du début de la décennie 70 (*Valérie*, *Deux femmes en or*, *Les Mâles*) connurent leur heure de gloire en… Amérique Latine, doublés ou parfois même en version originale.

Depuis longtemps, le milieu du cinéma demandait à la SDICC de légiférer pour transformer l'ensemble de l'industrie de la distribution pour la rendre plus profitable aux autochtones. À tous les cinéastes, il semblait illogique que la SDICC, qui investissait des dizaines de millions de dollars dans la production, n'en mette pas quelques-uns pour faire sortir les films des tablettes et ne se donne pas le moyen d'en recupérer quelques-uns. Les plus nationalistes réclamaient même l'imposition de quotas. Elle n'osa jamais toucher à l'empire des *Majors*, même si le nationalisme économique du gouvernement Trudeau, alors à son plus fort, lui aurait fourni un contexte favorable. Dans un geste qui devint vite dérisoire, elle choisit plutôt en 1977 de subventionner pendant deux ans, au coût de quelques centaines de milliers de dollars, la tentative systématique de faire connaître le cinéma québécois mal distribué (avec en plus quelques films canadiens anglophones doublés) un peu partout au Canada, car en dehors du Québec, les Canadiens sont presque aussi imperméables au cinéma « national » que les étrangers (le premier film québécois à y percer vraiment fut *La Guerre des tuques*, évidemment doublé, en 1985). Ne voulant pas répéter l'« erreur » du CQDC, elle engage des spécialistes de la mise en marché, Explo Mundo de Pierre Valcour (qui a établi sa valeur de diffuseur avec la série *Les Grands Explorateurs*) et Jacques Bouchard, un expert publicitaire. Avec ce qu'ils nomment Nouveau Réseau[147], ceux-ci organisent des projections un peu partout dans des salles commerciales ordinaires louées pour quelques jours, essaient diverses techniques de marketing, font des projections en présence des réalisateurs pour permettre des échanges avec le public (idée reprise du CQDC), jumellent un film québécois à un film français très populaire pour aguicher avec un beau « programme double » comme c'était la mode jusque dans les années 60. La réponse des cinéphiles est tellement « décevante » qu'elle abolit la troisième année prévue pour le programme. Par la suite, l'effort de la SDICC se ramène, comme c'était le cas depuis sa création, à financer la présence des films canadiens dans les festivals (surtout les plus prestigieux et les plus valorisants pour l'ego des cinéastes et des fonctionnaires qui ont permis à ces films de se faire) et à fournir une aide technique pour la mise en marché des films pour les-

la semaine du cinéma québécois

Couverture du programme-souvenir de la Semaine de 1979 conçu et réalisé par Marie Lafrance et Alain Lamoureux. Quasi absent dans les salles à ce moment-là, le cinéma québécois n'en produisait pas moins des dizaines de courts et moyens métrages largement diffusés par les associations et organismes divers.

quels elle participe à la production. C'est finalement elle qui réussit, mais il lui aura fallu tout son poids et celui du ministre responsable pour convaincre Air Canada et CP Air, les deux plus importantes compagnies aériennes canadiennes, de présenter «aussi» des films canadiens durant les vols internationaux.

Avec la décennie 80, tout le marché de la distribution subit de profonds bouleversements. Tout d'abord, à l'été de 1982, une nouvelle en apparence anodine vient perturber le climat relativement serein des dernières années: la compagnie française Gaumont, dans l'espoir de percer davantage le marché américain s'allie à la Columbia pour former la Triumph. La nouvelle compagnie obtenait évidemment les droits des films contrôlés par la Gaumont pour toute l'Amérique du Nord. Même si Victor Loewy de Vivafilm réussit à obtenir des accords avec la Triumph, à toutes fins utiles, cela signifiait qu'un des *Majors* s'infiltrait dans un marché qui avait été jusqu'alors réservé presque exclusivement aux indépendants (parce que moins intéressant, mais avec le succès de *les Uns et les Autres* de Lelouch ou de *les Dieux sont tombés sur la tête* de Uys, il prenait une autre dimension). Acceptant mal de se contenter des miettes, ceux-ci ripostent vigoureusement et réclament du gouvernement québécois, justement engagé dans une révision en profondeur de sa Loi sur le cinéma, une législation très restrictive en ce domaine. Ils vont jusqu'à revendiquer l'obligation de passer par eux pour la distribution de tout film, ce qui signifierait la fin des opérations pour les filiales des *Majors* établies au Québec. Et c'est en gros ce que recommande *Le cinéma, une question de survie et d'excellence*, le Rapport de la Commission d'étude sur le cinéma et l'audio-visuel (dit aussi Rapport Fournier, du nom de son président Guy Fournier).

La riposte ne se fait pas attendre: chantage, menaces à peine voilées de *boycott* des films ou de représailles sur d'autres produits, *lobbying* intensif tant à Ottawa qu'à Québec et même, signe de l'importance de ce projet de loi, des mémos officiels émanant de la Maison Blanche arrivent sur le bureau du premier ministre du Québec. Le gouvernement québécois recule, mais la loi votée le 23 juin 1983 apparaît finalement aux distributeurs locaux tout à fait acceptable, «en attendant». L'article principal sur ce sujet prévoit que tous les distributeurs qui n'ont pas leur «principal établissement situé au Québec» (et cela veut dire qu'il doit être contrôlé en majorité par des Québécois résidents) ne peuvent désormais obtenir de « permis de distributeur » ordinaire, mais seulement un « permis spécial », et seulement dans les cas où le demandeur « est le producteur du film ou le détenteur des droits mondiaux » et qu'il possédait, le 17 décembre 1982, une licence en règle. Concrètement, cela signifie qu'aucune autre compagnie étrangère (mais ce sont surtout les américaines qui sont visées) ne peut maintenant s'établir et qu'elle doit faire affaire avec les distributeurs locaux ; cela signifie que les *Majors* ne peuvent plus distribuer que les titres dont la compagnie-mère fut productrice ou dont ils ont pu obtenir les droits mondiaux, ce qui exclut à peu près tout ce qui n'est pas américain et même une partie significative de cette production, car Spielberg, par exemple, ne concède plus ses droits à une seule compagnie. De plus, tous les distributeurs devront maintenant investir une partie de leurs revenus (pouvant aller jusqu'à 10 %) dans la production locale. Apparaissant comme une contrepartie aux avantages espérés des autres mesures de loi, cet article n'effraie pas du tout les locaux, mais ne peut être accepté par les *Majors*.

Tout le milieu du cinéma se réjouit de ces articles de loi. Mais il déchante assez vite, car il apparaît rapidement que ces articles ne sont pas près d'être publiés. Comme il est de pratique courante, le gouvernement retarde souvent la promulgation de certains articles de loi — et une loi ne devient effective que lorsqu'elle est promulguée officiellement, il ne suffit pas qu'elle ait été votée — le temps de mettre en place l'organisme et de recruter le personnel qui doit veiller à son application ou encore parce que les règlements concrets en découlant ne sont pas encore écrits et demandent de complexes vérifications juridiques ; il arrive aussi qu'il sente le besoin de consulter le milieu, en audiences publiques, sur ces règlements. C'est ce qui se passe au sujet de ces règlements sur la distribution. D'abord la consultation tarde à venir ; puis quand elle vient, en septembre 1985, elle révèle l'unanimité des responsables de ce dossier sauf, bien entendu, de la part des compagnies américaines et de quelques-uns de leurs valets locaux, qui reprennent leur chantage et leurs menaces de *boycott*. À quels beaux discours sur la liberté n'avons-nous pas alors assisté ! Surtout de la part de ceux qui s'opposent à toute limitation de leurs privilèges au nom de la « liberté de choix des cinéphiles», comme s'ils distribuaient tout le cinéma, alors qu'ils font continuellement en sorte que les écrans n'offrent que du cinéma américain! Ils parlent d'«ouverture au monde», alors qu'ils ne convient qu'à la consommation de leur régionalisme! Avec une inconscience que nous comprenons difficilement, des éditorialistes de *La Presse* (Jean-Guy Dubuc) et du *Devoir* (Michel Nadeau) répètent leurs arguments. De l'autre côté, le ministre Clément Richard qui pilote cette loi ne manque pas de répéter qu'«entre le fort et le faible, c'est la liberté qui opprime et le droit qui affranchit» (Montesquieu) et les distributeurs indépendants affirment qu'eux seuls, comme ils l'ont fait par le passé, peuvent assurer un éventail de choix vraiment internationaux. Finalement, c'est le gouvernement québécois, évoquant la proximité des élections, mais un ministre révélera plus tard que les pressions américaines avaient été très fortes, qui refuse de promulguer les règlements proposés par la Régie du cinéma. Comme il y a changement de parti au pouvoir en décembre 1985, de nouveaux responsables sont chargés du dossier et s'accordent un temps de réflexion.

Compte tenu des circonstances, et à la surprise générale, ce temps n'est pas trop long. Le 22 octobre 1986, Lise Bacon, ministre des Affaires culturelles et Jack Valenti, représentant des *Majors* regroupés dans la Motion Picture Export Association of America (MPEAA), signent une entente qui prévoit essentiellement que les *Majors* (et uniquement ceux qui sont membres en règle de la MPEAA au 1er janvier 1987) ne pourront distribuer au Québec que: a) les films dont ils ont investi 100 % des coûts de production; b) des films de langue anglaise dont ils détiennent les droits mondiaux de diffusion ou dont ils ont investi au moins 50 % de la production, et à moins de détenir également les droits d'un tel film pour les États-Unis, ils ne peuvent le distribuer au Québec; c) des films pour lesquels ils ont obtenu un permis spécial et particulier de la Régie du cinéma. Concrètement, les distributeurs québécois héritent donc de presque tous les films tournés dans une autre langue que l'anglais (on ne connaît que de très rares cas de films français ou italiens produits à 100 % par un *Major*), d'une bonne partie des films de langue anglaise tournés, par exemple, en Australie ou en Grande-Bretagne, et même d'une partie des films américains, les membres de la MPEAA ne contrôlant que 50 % environ des films (mais ce sont les plus importants). En contrepartie, tombent les articles de loi prévoyant l'investissement automatique (pouvant monter jusqu'à 10 %) des revenus de distribution dans la production de films québécois (art. 109), la garantie d'un pourcentage minimum aux exploitants (art. 114) et l'obligation de fournir à tout exploitant qui en fait la demande la copie d'un film qui a déjà été exploité pendant au moins sept jours et qui offre au moins autant que l'autre exploitant (art. 115). Personne ne possédant alors de données complètes sur cette question, il n'est pas sûr que l'entente profite davantage aux Québécois qu'aux Américains, mais les distributeurs d'ici se réjouissent d'avoir obligé les *Majors* à des concessions importantes et compilent leurs données pour la prochaine bataille. De fait, une analyse rigoureuse de cette entente, commandée par Téléfilm Canada à Michel Houle, révèle peu après que son incidence sur le marché est presque nulle, qu'elle n'aurait touché que moins de 4 % des films distribués au Québec par les *Majors* depuis 1984 et que ces films, peu rentables, auraient déplacé moins de 0,2 % du chiffre d'affaires de la distribution vers les compagnies québécoises. Au fond, le seul intérêt de l'entente est la reconnaissance par la MPEAA de la légitimité d'une action gouvernementale en faveur des distributeurs nationaux.

Entre temps, seul point positif, les *Majors* n'avaient pas cherché à étendre leur part du marché et avaient à peu près cédé aux indépendants québécois leurs prétentions sur le film européen, se battant encore vigoureusement pour conserver toute la diffusion du produit anglophone (anglais et australien surtout, qui produisent quelques succès rentables). De même, l'article 83 de la loi qui, essentiellement, impose la présentation de films doublés ou sous-titrés en français et limite considérablement les projections de films de toute autre langue, a pu être promulgué et entrer en vigueur le 8 octobre 1985 sans trop de protestations (alors qu'il avait suscité une opposition farouche en 1983).

Ironiquement, au même moment, le Groupe de travail sur l'industrie cinématographique nommé par le gouvernement fédéral et coprésidé par Marie-Josée Raymond et Stephen Roth remettait au ministre Marcel Masse son rapport[178] qui, à ce sujet, ne se gêne pas pour parler d'« anomalies structurelles ». Rappelant que le cinéma est le seul des moyens de communication de

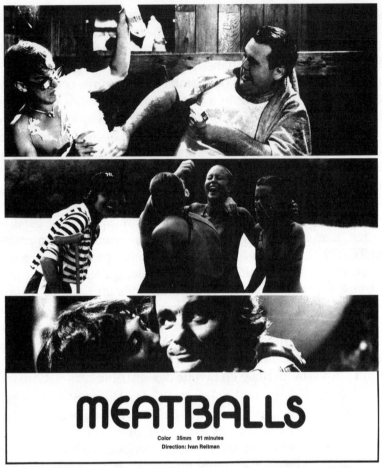

Le premier film « canadien » à vraiment percer dans le grand réseau commercial américain. Mais qui en a vraiment profité, puisque même au Canada, il était distribué et exploité par un *Major* américain (Cinépix)

masse contrôlé de l'extérieur et que le gouvernement laisse agir à sa guise, il recommande :

> d'affirmer dans un énoncé politique clair que la propriété et le contrôle canadiens sur la distribution des films et des vidéos au Canada sont essentiels ; et de prendre en conséquence les mesures législatives et réglementaires appropriées pour réaliser cette politique.

Voilà un retour à la position québécoise de 1982. Le poids de la recommandation n'est toutefois plus le même, car c'est maintenant tout le milieu canadien du cinéma qui l'endosse et les *Majors* ne peuvent plus proférer aussi légèrement leurs menaces de *boy-cott* (ne pas oublier que le Canada est leur plus gros client). Il faut dire que les autres provinces canadiennes ne possèdent pas un secteur indépendant fort comme le Québec et que la mainmise américaine y atteint au moins 90 %. La dépendance des producteurs hors Québec envers eux est telle que s'ils veulent voir leurs films pris en charge par un des *Majors* — et aucune percée n'est possible aux États-Unis sans eux — ils doivent céder aussi les droits pour le Canada. André Link, qui est producteur, mais avant tout distributeur au niveau pancanadien, en a fait la cruelle expérience avec son *Meatballs* qui fut, malgré tout, le troisième plus gros succès financier du cinéma canadien (environ 75 millions de dollars), après *Porky's* (175 millions) et *Quest for Fire* (100 millions). Les Canadiens sont facilement portés à céder ainsi leurs droits, dans l'espoir de voir leurs partenaires promouvoir adéquatement leurs films aux États-Unis, qui restent le marché cinématographique le plus lucratif, là où un seul succès important rend son auteur multimillionnaire. Ce qui n'arrive que très rarement et pour des films s'insérant dans une mode tout à fait circonstanciée (*Meatballs* et les *Porky's* de Greenberg profitent de la vague de comédies légèrement sexées pour adolescents boutonneux). Mais cela devient gênant quand on sait que la production canadienne est financée à environ 80 % en général par des fonds publics qui servent alors à générer de gros profits pour des étrangers (aux États-Unis aussi, la plus grosse partie de la recette va aux exploitants). Des fonctionnaires de la SDICC, puis de Téléfilm Canada avaient beaucoup négocié depuis au moins cinq ans pour imaginer de nouveaux modèles de fonctionnement, mais sans succès. Il semble toutefois que le parlement d'Ottawa soit décidé à légiférer : on annonça d'abord une législation, à l'automne 1986, qui interdirait la concession des droits de distribution des films canadiens, surtout ceux financés par des fonds publics, à des sociétés autres que canadiennes et en février 1987, la ministre Flora MacDonald annonçait pour « d'ici quelques semaines » un projet de loi plus sévère que l'accord Bacon-Valenti, allant tout à fait dans le sens du Rapport Raymond-Roth et englobant le marché des bandes vidéo. Au début de 1988, ce projet n'a pas encore été soumis aux Communes. Dans le traité avec les États-Unis pour le libre-échange économique, le Canada a réussi à écarter des discussions toutes les industries dites culturelles (la question des publications, journaux, revues et livres, celle de la télévision et de la publicité, représente un marché encore plus important que celui de l'industrie cinématographique), mais les *Majors* ne céderont pas facilement de terrain et il est encore impossible de dire comment se définiront les nouvelles règles du jeu.

Autres éléments importants qui transforment très profondément l'industrie de la distribution, l'arrivée de la télé payante (entrée en ondes le 1er février 1983) et la popularité des vidéos domestiques. Pour ce qui est de la télé payante, marché vorace s'il en est, ce fut un bon coup pour les distributeurs puisqu'ils pouvaient lui repasser, en plus des aguichantes nouveautés, tout un stock de copies plus ou moins « tablettées » depuis des années. Son développement ne correspondit toutefois pas aux espoirs soulevés, et personne n'y trouva la fortune, mais la stabilisation des dernières années profita à un peu tout le monde.

Les vidéos domestiques, à partir de 1983, exercent une influence plus profonde. L'exploitation surtout est touchée — les gens voient maintenant autant de films récents en louant des vidéos qu'en fréquentant les salles, les recettes des clubs de location et celles des exploitants sont égales en 1986 — mais les distributeurs doivent aussi s'ajuster à ce nouveau marché. Pour les plus importants, c'est facile : si les gens veulent visionner plus de films à la maison que dans les salles, il s'agit simplement d'acheter aussi ces droits et de leur fournir les copies. Les perspectives de succès du film en vidéocassette influencent même parfois la volonté du distributeur d'acheter ou non certains films. En acquérant les droits pour les salles, on achète maintenant aussi les droits sur la diffusion en vidéos, dont on espère parfois de meilleurs revenus. Les principaux distributeurs québécois s'intéressent à ce nouveau marché dont personne n'a encore pu définir les possibilités.

Enfin, dernier problème important auquel font face les distributeurs, celui du doublage et du sous-titrage. Jusqu'en 1984, l'achat de droits de copies doublées ou sous-titrées pouvait demeurer rentable grâce aux ventes possibles à la télévision de Radio-Canada et de Radio-Québec ; ces copies pouvaient aussi produire des revenus d'appoint grâce à la diffusion parallèle et au réseau scolaire (dans les années 80, le sous-titrage coûte entre 1 500 et 5 000$ et un bon doublage entre 30 000 et 50 000$). Mais ces réseaux ayant alors décidé d'éliminer les projections sous-titrées, les autres lieux de diffusion ne sont plus suffisants pour justifier l'achat de films venant, par exemple, de l'Amérique Latine ou de l'Europe de l'Est, dont la valeur marchande ne justifie pas le doublage, ce qui fait que, malgré les extraordinaires possibilités techniques des dernières années, le public québécois se retrouve plus limité dans ses choix que celui des années 60. Pour beaucoup de films de cinématographies très vivantes (chinoise, turque, yougoslave, coréenne...) vus lors de festivals et dont on souhaiterait une diffusion plus large, au moins par la télévision, la seule possibilité réside dans l'espoir que le marché français aura justifié le doublage, et elle est bien mince.

Exploitation

A. Exploitation commerciale

Mentionnons de nouveau ici qu'il reste très difficile pour l'historien du cinéma de traiter adéquatement et de façon précise de

Un club-vidéo typique: on y offre entre mille et deux mille titres, surtout de films américains récents. La pornographie y est toujours à la mode. (Photo Alain Gauthier, coll. Cinémathèque québécoise)

ce sujet à cause de l'absence de données officielles vérifiables[151-163]. Bien que la Régie du cinéma (qui a remplacé le Bureau de surveillance) puisse édicter de tels règlements, elle n'a pas encore imposé la billetterie nationale ni obligé les exploitants à livrer des rapports précis sur la fréquentation des salles et les revenus pour tel film en particulier (comme cela se fait en France). Les exploitants doivent mensuellement faire rapport au Bureau de la statistique[37] pour chaque séance en indiquant le titre du film, le nombre d'entrées et la totalité des revenus, mais au nom de la confidentialité, celui-ci ne révèle et ne publie que les compilations annuelles. Nous ne disposons en fait que des statistiques officielles qui n'indiquent que le nombre global d'entrées et les revenus bruts, avec les prix moyens d'admission, le nombre d'établissements et d'écrans, le nombre de films visés, etc. Le bulletin *Inter* de l'Office des communications sociales donne le nombre de films projetés en salles commerciales et les classe selon la langue, le pays d'origine et le distributeur, mais cela ne recouvre qu'un aspect de la question. Seuls les exploitants savent, bien entendu, combien de billets ils ont vendus pour tel film et en combien de temps, mais ce sont des chiffres qu'ils ne révèlent qu'au distributeur si le contrat l'exige; tout au plus inscrivent-ils parfois dans leur publicité de tel grand succès : « 300 000 personnes ont déjà vu *Les Uns et les Autres* »; ou bien ils émettent des communiqués du genre : « Un record : plus de 250 000 spectateurs en 12 semaines à Montréal » pour *Le Déclin de l'empire américain*. Il m'arrive souvent, pour un article ou un livre, de demander de telles informations aux premiers intéressés; je ne recueille que chiffres vagues et le plus souvent on me renvoie à quelqu'un d'autre qui évoque le secret d'affaires ou l'absence de chiffres précis. Parfois, ce sera le producteur ou l'un ou l'autre des responsables qui révélera la recette globale de tel film étranger ou local. Autre niveau de difficulté : la mise en relation et l'interprétation des données disponibles; par exemple, dans tel communiqué de presse ou rapport officiel, on apprendra que le cinéma canadien occupe 3 % des écrans et dans tel autre qu'il représente 8,7 % de la recette-guichet : quelles conclusions dégager de ces deux nouvelles? Si la première est juste en ce qui concerne le cinéma québécois, sous-ensemble du cinéma canadien, la seconde l'est-elle également? Et si elles concernent l'année de la sortie de quelques gros succès, qu'en est-il des autres? Peut-on en déduire que, proportionnellement, le cinéma canadien est plus populaire et plus rentable que tous les autres? Le plus souvent, ce sont les rapports de commissions d'enquête ou d'audiences publiques, les études commandées par la SGC, les rapports annuels, qui révèlent les données les plus intéressantes. L'observateur attentif peut aussi analyser les pages publicitaires des grands quotidiens et établir bien des recoupements intéressants : par exemple, le nombre de semaines de projection pour tel film (la revue *Copie Zéro* le fait annuellement, mais sans donner le nom des salles, pour les films québécois, ce qui n'apporte guère de données significatives, une seule soirée réussie au cinéma Outremont réunira plus de spectateurs que quelques semaines dans une petite salle du Berri), la langue utilisée, l'origine des films présentés, etc. ; il peut ainsi rassembler pas mal de ces données économiques ; mais outre le fait qu'elles n'indiquent pas toujours l'essentiel et soient souvent difficiles à interpréter, elles restent toujours sujettes à caution. Cette précaution établie, on peut quand même dégager un certain nombre de conclusions intéressantes.

Après avoir atteint un plancher de 19 millions d'entrées en 1969, l'exploitation connaît une légère hausse dans les années suivantes, jusqu'à 21 millions (grâce surtout au succès de la production québécoise de l'époque). Puis elle se stabilise autour de 20 millions jusqu'au début des années 80. L'entrée en opération des ciné-parcs, à partir de 1969, favorise cette stabilisation, car ils augmentent progressivement leur pourcentage du nombre global de spectateurs pour atteindre un peu plus de 10 % en 1983 (ce qui est considérable, compte tenu du climat (deux bons mois par an seulement) et du fait qu'ils ont rarement accès aux meilleurs films) ; les derniers chiffres disponibles indiquent une baisse pour 1984, baisse qui a dû s'accentuer, car on en a vu plusieurs fermer depuis deux ans. L'arrivée de la télé payante en 1983 et l'introduction massive à partir de cette même année des magnétoscopes domestiques entraînent une baisse vertigineuse (plus de 2 millions pour cette seule année) et on ne retrouve qu'environ 15 millions de spectateurs dans les salles en 1984 (ce qui représente quand même plus que le total des entrées pour tous les sports professionnels réunis, pour les concerts, le théâtre et les

La vague érotique du cinéma québécois, entre 1969 et 1971, ramène une partie du public dans les salles et stabilise l'exploitation pendant quelques années. (Coll. Cinémathèque québécoise)

spectacles). Ce nombre diminue encore légèrement en 1985, mais à l'été 86, les exploitants clament qu'une remontée est amorcée.

Quelles sortes de films vont voir ces spectateurs ? Par certains recoupements, on peut estimer que sur l'ensemble de la période, le cinéma américain aurait fait vendre environ 80 % des sièges, le cinéma français la plus grande partie du reste[183]. Le cinéma québécois va attirer habituellement entre 3 et 4 % du public, avec une pointe de 10 % en 1970-1972 (sans doute gagnée sur le cinéma américain); au gré d'un seul gros succès ou de deux moyens, cet indice peut varier considérablement d'une année à l'autre (par exemple, 500 000 spectateurs pour un film représentent 3 % dans les statistiques). Certaines années, on a pu voir des productions québécoises figurer aux premières places du *box-office*; non seulement les *Valérie*, *Deux femmes en or* et *L'Initiation*, mais aussi *Les Ordres*, *Bingo*, *La Vraie Nature de Bernadette*, *Mourir à tue-tête* et, plus récemment, *Les Plouffe*, *Maria Chapdelaine*, *Mario*, *Bonheur d'occasion*, *La Guerre des tuques*, *Le Crime d'Ovide Plouffe*, *Le Matou*, *Le Déclin de l'empire américain* (le record absolu de la saison 1986-1987); sans compter les *Quest for Fire* et *Porky's*.

Pour les dix dernières années, les salles n'ont réussi à conserver leur clientèle que grâce aux grands succès américains de Spielberg et de Lucas, seuls capables d'attirer massivement le public des jeunes; *E.T.* de Spielberg a, à lui seul, attiré près de 2 millions de spectateurs en 1982-1983, ce qui ne s'était encore jamais vu, les plus gros succès de la dernière décennie, comme *La Cage aux folles* ou *Les Uns et les Autres*, *Les dieux sont tombés sur la tête* et les meilleurs films américains attirant habituellement 500 000 ou 600 000 spectateurs. Il faut dire que dans le cas des grands succès américains pour enfants et adolescents, c'est devenu une technique de marketing que de les sortir d'abord en anglais pendant six mois : la pression sociale est tellement forte que tous accourent voir les *Star Wars*, *Raiders of the Lost Ark* ou *E.T.* dans la version originale; puis, quand la version doublée sort, les jeunes francophones (plus de 80 % du public) qui n'ont pas compris les dialogues, reviennent la voir, parfois à plusieurs reprises.

Les baisses de clientèle ont entraîné la transformation de nombreuses salles et la fermeture de beaucoup d'autres[31]. En 1970, le Québec compte 189 553 fauteuils dans 326 salles (moyenne: 581) qui ne sont utilisés qu'à 13% de leur capacité; en 1985, il n'y a plus que 125 583 fauteuils dans 286 salles/écrans (moyenne: 439) et l'occupation demeure encore à environ 13%. Vers 1975, nous assistons à la transformation en multisalles de plusieurs des grandes salles construites avant 1930. Des 25 salles de plus de 1 000 places, il n'en reste plus que trois, et une seule de plus de 2 000 places (le St-Denis, qui sert autant à des spectacles de variétés qu'au cinéma). Là où on a simplement subdivisé en ajoutant des cloisons, cela a donné des salles à la vision et à l'acoustique exécrables (Champlain, Rivoli, Château, Papineau, Impérial (redevenu salle unique). Là où on a tout reconstruit à l'intérieur et ajouté des étages (Parisien, Loews, Palace), les résultats furent nettement meilleurs, sauf au Berri dont toutes les salles sont affreuses. Ces salles n'en représentent pas moins un secteur économique assez important, car elles emploient 2 500 personnes, gèrent au moins 60 millions de dollars l'an. Au même moment apparaissent les multisalles construites comme telles (Complexe Desjardins, La Cité, Cineplex) qui offrent des conditions de projection de qualité inégale. Les avantages pour les propriétaires de ces multisalles, transformées ou originales, sont multiples: productivité accrue du personnel, coûts d'opération diminués et relativement faibles pour chaque salle, nombre d'entrées minime pour assurer la rentabilité (une seule bonne «locomotive» peut compenser pour plusieurs bides). Ces salles semblent fort rentables, si l'on se fie aux quelques chiffres chichement dévoilés. Cela ne s'accompagne toutefois pas d'avantages équivalents pour les spectateurs, car on n'y projette que le produit hollywoodien habituel et les conditions de projection n'y sont jamais très bonnes. J'ai déjà suggéré que chaque ensemble consacre, au moins occasionnellement si ce n'est de façon permanente, une de ses salles à du cinéma différent (d'Afrique, d'Europe de l'Est, d'Amérique Latine), mais cette suggestion n'a guère trouvé d'écho[223]. Quelques films québécois à faible potentiel commercial ont toutefois trouvé un écran accueillant, surtout au Berri de la compagnie Cineplex Odeon. Ces dernières années, on a pu voir des salles très importantes fermer leurs portes et être démolies ou transformées en toutes sortes d'édifices commerciaux: l'Alouette (devenu le Spectrum), le Capitol (démoli), les deux salles de la Place Ville-Marie, le Seville, le Monkland, l'Avenue, Snowdon, Château, Rivoli, Français (qui fut un temps l'Éros), Granada (devenu Théâtre Denise Pelletier)... Il semble bien que c'en soit fini des salles de quartier ou de celles qui ne sont pas situées dans des centres d'achats ou au centre-ville. Certaines se spécialisent: pour les Chinois, les Grecs, les homosexuels. Les habitants des grandes villes ne souffrent pas trop de ces fermetures, ils ne s'en aperçoivent même pas, le plus souvent, puisque tous les films intéressants trouvent place dans celles qui restent, celles des grands réseaux. Les exploitants indépendants souffrent toutefois davantage de la situation: s'ils ne sont pas obligés de fermer, ils rencontrent beaucoup de difficultés à obtenir des distributeurs de bonnes copies de films récents, car ceux-ci privilégient toujours les grands réseaux en activité dans les centres-villes. La situation est plus dramatique dans les toutes petites villes et villages à salle unique, car pour les citoyens, les fermetures équivalent le plus souvent à l'impossibilité d'assister à du cinéma sur grand écran. Il faut dire qu'en régions la situation s'était davantage détériorée que dans les grandes villes: le distributeur Didier Farré affirmait que « la programmation en province, c'est 50% de films américains, 40% de films de sexe et 10% de films dans le genre Bud Spencer ou les Charlots »; il a suffi de l'accès facile aux « films de sexe » avec les vidéos domestiques pour déstabiliser ce marché déjà fragile[91]. Une étude de Michel Houle[31] évalue en 1985 qu'au moins « 820 000 Québécois ont vu disparaître la possibilité d'assister à des représentations cinématographiques en salles commerciales dans les limites de leur localité »; cela veut dire au moins 13% de la population, et le mouvement ne cesse de s'accentuer. Des régions entières, comme la Gaspésie, se verraient bientôt totalement privées de cinéma en salles. Comme les grands concerts de musique classique ou rock, le cinéma est en train de devenir un phénomène presque essentiellement urbain.

La baisse de fréquentation eut aussi cela de bon qu'elle força les exploitants à s'interroger sur l'état de leurs salles et leur façon d'exercer leur métier. Vers 1980, les cinéphiles mordus et certains distributeurs se plaignaient souvent des piètres conditions de projection (copies dégueulasses, souvent trop usées et rayées, image souvent hors foyer, cadrages inadéquats, sonorisation de boîte de conserve et mal dosée, luminosité inégale, fau-

La qualité de la publicité ne fut pas étrangère au succès de bon nombre de films.

teuils avachis et tout à fait inconfortables, odeurs nauséabondes, couche de coca-cola collante aux pieds, mauvaise climatisation, malpropreté). On veut bien croire que le cinéma coûte trois ou cinq fois moins cher que le théâtre, les concerts, les spectacles rock ou les sports professionnels, mais les spectateurs veulent tout de même en obtenir davantage que s'ils visionnent le même film à la télévision. Avec l'aide de la Société générale du cinéma[148], un important programme de rénovation des salles, en province comme à Montréal, fut mis sur pied. Les résultats sont là : dans beaucoup de salles, cela redevient une fête d'aller au cinéma.

En même temps, les exploitants imaginent de nouvelles stratégies de marketing. C'est ainsi qu'à l'hiver de 1985, on voit dans *La Presse* de grandes annonces demi-pages dites « sociétales » vantant la belle sortie au cinéma, payées par l'Association des propriétaires de cinémas du Québec. Ceux-ci se rendent enfin compte que si la vidéo et la télévision éloignent temporairement du cinéma, à la longue elles en donnent le goût. Au même moment, Cineplex Odeon lance ses mardis à 2,50 $, donc à moitié prix et, par la suite, toutes les autres salles suivent son exemple ; comme ces mardis deviennent une des meilleures journées de la semaine sans aucunement diminuer la recette de la fin de semaine, les exploitants doivent en conclure qu'ils sollicitent par là un nouveau public, constitué surtout d'étudiants.

Dans l'ensemble, jusqu'à 1980 environ, 75 % des salles appartiennent à des intérêts québécois, mais cette statistique est trompeuse, car les 25 % qui restent, situées presque uniquement dans les plus grandes villes, recueillent au moins la moitié de la recette-guichet[168]. Ces dernières salles représentent essentiellement les deux plus grands réseaux pancanadiens : Les Cinémas Unis/Famous Players, de propriété américaine, possession, comme la Paramount, de Gulf and Western, et Cineplex Odeon, de propriété ontarienne (jusqu'alors majoritairement britannique, Odeon était achetée en 1977 par Canadian Theatre Group de Toronto ; puis, en 1984, elle passait entre les mains de Cineplex, également de Toronto ; depuis, la jeune compagnie de Garth Drabinsky, fondée en 1979, connaît un essor fulgurant et vient même de tripler sa taille avec l'achat massif de salles aux États-Unis ; toutefois, la compagnie américaine Universal possède 50 % des actions de Cineplex, mais sans droit de vote). Jusqu'en octobre 1986, seule France-Film, de propriété québécoise, se rapproche un peu de ces deux géants avec ses 24 écrans, mais malgré son investissement majeur au Complexe Desjardins et l'ajout de deux salles au St-Denis, elle n'a jamais réussi à se bâtir une réputation de « bonnes salles » ; elle est alors achetée par Cineplex

Odeon qui contrôle dès lors, à elle seule, avec ses 104 salles et 24 ciné-parcs, presque la moitié de tout le marché québécois. Pour le reste, ce sont de petits propriétaires d'une, deux ou trois salles, incapables de rivaliser aves les grands, qui réussissent tant bien que mal à survivre malgré leurs difficultés à obtenir de bons films. En plus de leurs liens organiques avec des distributeurs majeurs (Cineplex Odeon contrôle Pan-Canadian), les deux compagnies maîtresses jouissent, à cause du volume de leurs transactions, de relations privilégiées avec les autres et obtiennent en priorité les films les plus rentables. Les indépendants les accusent même d'user de tactiques déloyales pour nuire à la concurrence : clauses d'exclusivité, *block booking* même pour des films qu'ils ne programment pas et empêchent les autres d'exploiter ; délimitations arbitraires de territoires d'affaires. Ces deux réseaux possèdent aussi la majorité des nouvelles multisalles, qui sont généralement situées aux meilleurs emplacements dans le centre-ville (par exemple le Parisien, de Famous Players, ou le Berri de Cineplex Odeon). Situation que beaucoup trouvent fort gênante, même les distributeurs de films québécois doivent à toutes fins utiles s'y retrouver s'ils veulent donner le plus de chances possible à leurs produits : et on voit alors *Les Ordres*, *Les Plouffe* ou *Le Déclin de l'empire américain* contribuer à l'enrichissement des voisins ontariens ou américains.

Cet état de la propriété des salles explique en partie la situation linguistique des programmations[31]. *Grosso modo*, on peut dire que la situation du français dans les salles s'est améliorée de 1970 à 1980, puis qu'elle se détériore lentement depuis. Encore là, la vitalité du cinéma québécois a joué un assez grand rôle. Même pour les grandes salles du centre-ville, traditionnellement consacrées au cinéma anglophone, il devenait payant de programmer les films de Héroux ou de Carle (*Red* fut le premier film de langue française présenté au Capitol). Si l'on peut savoir de façon relativement précise combien de films dans telle langue ont reçu des visas d'exploitation, si l'on peut, de façon déjà beaucoup moins précise, calculer la proportion de chaque langue apparaissant à l'écran, il est toutefois impossible d'établir un pourcentage précis de l'anglais et du français relativement au nombre de spectateurs par films vus. On évalue cependant qu'autour de 1975, le français occupa au moins 70 % du temps-écran pour

CINÉMAS CINEPLEX ODEON

BERRI
St-Denis & Ste-Catherine 288-2115

HARRY ET LES HENDERSONS (G)
Dolby Stéréo
1:00 - 3:05 - 5:10 - 7:15 - 9:20
LA STORIA (G)   2:00 - 5:30 - 8:30
LA FISSURE (14 ans)
1:00 - 3:00 - 5:00 - 7:00 - 9:00
POLICE ACADEMY #4 (G)
1:30 - 3:30 - 5:30 - 7:30 - 9:30
LA PETITE BOUTIQUE DES HORREURS (G)
1:15 - 3:15 - 5:15 - 7:15 - 9:15

BONAVENTURE
Place Bonaventure 861-2725

THE BELEIVERS (14 ans)
7:20 - 9:35
GARDENS OF STONE (G)
7:10 - 9:20

BROSSARD
Mail Champlain 465-5906

THE BELEIVERS (14 ans)
7:00 - 9:15
LA FISSURE (14 ans)
7:25 - 9:10
HARRY ET LES HENDERSONS (G)
Dolby Stéréo   7:15 - 9:30

CARREFOUR LAVAL
2330, Aut. des Laurentides 688-3684

ISHTAR (G)
7:20 - 9:35
CREEPSHOW #2 (14 ans)
7:15 - 9:20
THE BELEIVERS (14 ans)
7:05 - 9:30
FRANKENSTEIN 2000 (14 ans)
7:10 - 9:15
A FISSURE (14 ans)
:0 - 9:05
RRY ET LES HENDERSONS (G)
y Stéréo   7:00 - 9:15

PLEXE DESJARDINS
1 28

                    3:00 - 7:00
                    0 - 5:05 - 9:00
                    Dolby Stéréo
          y Sté

LE FAUBOURG
1616, Ste-Catherine O.   932-2121

HARRY AND THE HENDERSONS (G)
Dolby Stéréo THX
12:10 - 2:25 - 4:40 - 7:00 - 9:20
HARRY AND THE HENDERSONS (G)
Dolby Stéréo THX
1:00 - 3:15 - 5:30 - 8:00 - 10:10
SECRET OF MY SUCCESS (G) Dolby Stéréo
12:35 - 2:50 - 5:10 - 7:30 - 9:45
ANGEL HEART (14 ans) Dolby Stéréo
12:45 - 3:00 - 5:15 - 7:35 - 9:50

LONGUEUIL
Place Longueuil 679-7451

SECRET DE MON SUCCÈS (G)
7:00 - 9:15
POLICE ACADEMY #4 (G)
7:30 - 9:30

ODÉON-LAVAL
Centre 2000 - Boul. St-Martin 687-5207

SECRET DE MON SUCCÈS (G)
7:20 - 9:25
POLICE ACADEMY #4 (G)
7:00 - 9:10

PARIS
896, Ste-Catherine o. 875-1882

CREEPSHOW #2 (14 ans)
1:00 - 3:00 - 5:00 - 7:15 - 9:15

PLACE DU CANADA
Via Château Champlain 861-4595

ISHTAR (G)
7:15 - 9:30

PLAZA ALEXIS NIHON
Niveau du Métro Atwater 935-4246

THE BELEIVERS (14 ans) Dobly Stéréo
1:00 - 3:10 - 5:20 - 7:30 - 9:40
THE GATE (14 ans)   7:20 - 9:20
A CHIPMUNK ADVENTURE (
1:00 - 2:20 - 4:00 - 5:40
HOLLYWOOD SHUFFLE (
1:10 - 3:10 - 5:10 - 7:10 - 9

ST-DENIS
1590, rue St-Denis

ANKENSTEIN 2
00 - 5:00 -
          TAL

(Publicité d'un des deux grands réseaux, en 1987) Jamais auparavant n'avions-nous vu une telle concentration de la propriété des salles. Presque toutes les salles « isolées » (de quartier) sont disparues au profit des multisalles dans les centres d'achats et au centre-ville.

l'ensemble du Québec, ce qui fut un sommet. La région de Mont-réal demeure évidemment la région la plus « bilingue », car la pro-duction américaine y est lancée en première exclusivité en même temps que dans toutes les grandes villes du continent et il ne peut s'agir alors que de copies originale. Cela signifie aussi que, si l'on veut obliger les salles à présenter des copies doublées ou sous-titrées en français, il faudra supporter un délai de quelques semaines, comme cela se passe à Paris, ce qui choque certains « cinéphiles » éditorialistes ou jeunes anglophones de l'Ouest de Montréal; mais je n'ai jamais pu comprendre ce que l'on perd à voir un film au mois de novembre plutôt qu'en septembre! Personne ne réussira à me convaincre que les Montréalais vont se précipiter en masse à Cornwall si *Amadeus* ou *Color Purple* devait y sortir quelques semaines plus tôt. Le nombre de projections en anglais y a toujours été supérieur à 50% sauf dans les années 70; en 1984, il était remonté à 54%. À part Montréal, il n'y a que la région de l'Outaouais, dans les villes limitrophes de l'Ontario, à présenter une partie significative des programmes en anglais; de 22% en 1975, ils sont maintenant passés à 60%; l'écart est énorme. Statistiquement, ce sont aussi les deux régions où la fréquentation a le moins diminué; on doit y voir le fait que le public jeune, le plus grand consommateur de films, préfère aller voir les films en anglais (qu'il comprend mal, d'autres statistiques le révèlent) plutôt que d'attendre la version doublée. Seulement 55% des films américains distribués par les *Majors* sont doublés, mais ce sont les plus populaires; et je ne connais aucun cas de film vraiment important qui n'ait pas été disponible, dans l'exploitation régulière, en version doublée. Dans les autres régions, l'anglais a en général perdu du terrain, surtout à cause de la fermeture de nombreuses salles due en partie à la désaffection pour le cinéma, mais aussi aux migrations de populations; en Gaspésie, par exemple, les minorités anglophones ont presque complètement disparu, assimilées ou émigrées, et ne justifient plus l'existence d'une salle. Signalons enfin, que de moins en moins de films sous-titrés sont projetés; les exploitants affirment avoir tenté des dizaines d'essais depuis 20 ans, mais ont maintenant abandonné à cause des salles vides. Même une salle de répertoire comme l'Outremont a dû se rendre à l'évidence en 1984: alternant les versions d'*Il était une fois l'Amérique* de Leone, l'originale avec sous-titres n'avait que des salles vides alors qu'on refusait du monde pour la doublée. D'autre part, anomalie encore et toujours inacceptable, les sous-titres pour les

Une annonce régulière dans les quotidiens autour de 1970; habituellement, on donnait des titres comme *Techniques of Physical Love, Sex is... the Game People Play, Mondo Topless, Girl — o — Graphy* « film sein-tillant et sein-pathique », etc.

projections au Festival des films du monde sont le plus souvent en anglais, et ce n'est pas un problème de copies, car générale-ment, les critiques ont pu voir ces mêmes films quelques mois auparavant à Cannes avec des sous-titres français.

Autre répartition, amusante celle-là, des films exploités : celle des visas accordés par catégories d'âge. Le début de cette période correspond au grand moment de la « libération » sexuelle sur les écrans. De mois en mois, au bon gré de monsieur Guérin du Bureau de surveillance qui se croit très fort pour l'analyse du consensus social, les films montrent de plus en plus de peau et laissent les caresses se faire plus intimes : pendant environ cinq ans, les films visés « 18 ans et plus » représentent environ 35 % de l'ensemble (dans le lot, on trouve quelques films intéressants ainsi cotés pour cause d'ultra-violence, mais pour presque tous, l'érotisme est la raison, et on ne peut parler encore que de por-nographie douce) et selon les exploitants, ils attirent environ 3 des 20 millions d'entrées. 35 % des autres films sont visés pour « 14 ans » et le reste « pour tous ». Après 1975, le public veut en voir de plus en plus, les frontières du non-montrable s'élargis-sent encore et la vraie pornographie s'installe discrètement dans les années 80. En 1982, au moment des préliminaires de la réforme de la Loi du cinéma, plusieurs réclamaient l'adoption d'une catégorie nouvelle de permis pour « salles X ». Toujours au nom du « consensus social », André Guérin se dit d'accord avec une telle mesure. Roland Smith, propriétaire de l'Outremont, ouvre même en 1982 une Salle X (devenue L'Autre Cinéma), mais sans vrais produits X. C'était compter sans les mouvements féministes, dont le principal cheval de bataille des années 80 est la lutte à la violence faite aux femmes manifestée surtout par le viol et la pornographie, les deux étant liés à leurs yeux. Plusieurs organismes de pression masculins se joignent à eux pour signer pétitions, mémoires à la commission parlementaire étudiant le projet de loi, manifestes, lettres aux journaux. Non seulement ils s'opposent tous à la libération de la censure, mais ils réclament en plus l'interdiction de toute violence sexuelle sur les écrans. Le législateur leur donna raison en n'établissant pas de nouveaux permis, mais ne voulut pas durcir la censure, qu'il aime (avec raison) à qualifier de moins sévère au Canada et une des plus libérales du monde ; tout au plus a-t-il ajouté à la formule habituelle voulant que le film soit visé « en autant qu'il ne porte pas atteinte à l'ordre public ou aux bonne mœurs, notamment en ce qu'il n'encourage ni ne soutient la violence sexuelle ». Il faut admettre, non sans ironie, qu'avec un tel texte de loi, la Régie du cinéma (nouveau nom du Bureau de surveillance) peut laisser passer presque n'importe quoi ; il n'est plus besoin de salles X pour diffuser la pornographie très explicite (à condition qu'elle ne déborde pas trop dans le sadisme, la violence, la pédophilie ou la bestialité), n'importe quelle salle peut librement le faire. Et c'est à peu près ce qui se passe après 1982, sauf que le nouveau marché de la vidéo domestique rend presque caduque l'existence de salles spécialisées pour la pornographie, si bien qu'elles perdent les deux tiers de leurs spectateurs d'avant la loi et que plusieurs ferment leurs portes. De sorte que par une « révolution tranquille » dont les Québécois ont le secret, la situation des visas pour 1985 s'établit ainsi : le « visa général » (remplaçant « pour tous ») est accordé à 45 % des films, le « 14 ans, indicatif » à 35 % ; et le « 18 ans » aux 20 % qui restent (les « érotiques » y sont devenus carrément pornographiques et exploités librement dans quelques salles spécialisées). On mesure facilement l'évolution des esprits, quoiqu'il faille tenir compte du fait que les vidéos érotiques représentent

« La guerre, la guerre, c'est pas une raison pour se faire mal... » *La Guerre des tuques* d'André Melançon fit pendant plusieurs mois les beaux jours des clubs-vidéo. (Photo Jean Demers, Les Productions la Fête)

70 % des locations dans les clubs... Pour l'humour, signalons ici que si une copie vidéo d'un film pornographique est diffusée dans un bar, une discothèque, une taverne, un *sex-shop*, elle doit avoir été visée par la Régie, mais il n'est aucun besoin de permis ou de visa pour son usage dans les maisons privées, chambres d'hôtel ou de motel.

Les clubs de location de films sur support vidéo, voilà la plus importante transformation subie par l'exploitation cinématographique depuis les débuts du cinéma. Trois ans après l'arrivée massive des formats VHS et BETA, le chiffre d'affaires des clubs de location égale celui de l'ensemble des salles de cinéma (60 millions de dollars). En plus des films érotiques, ce sont avant tout les grands succès du cinéma américain pour enfants et adolescents qui se maintiennent aux palmarès, suivis des films français les plus populaires. À cause d'eux et à cause aussi de la télé payante qui diffuse la majorité des films en général moins d'un an après leur sortie en salles et parfois seulement après quelques mois (le producteur de *La Guerre des tuques* ayant sous-évalué les possibilités du film dut livrer ses copies à la télé payante et aux clubs-vidéo alors que le film obtenait encore de grosses recettes en salles), il faut de plus en plus prévoir des sorties dans plusieurs salles pour profiter au maximum de la publicité de lancement. D'autre part, il arrive aussi que les distributeurs ne se décident à acheter les droits du film qu'après avoir été convaincus de sa rentabilité sur vidéo. En liant les deux nouveaux modes de diffusion, nous aboutissons au «piratage»: certains clubs n'achètent pas leurs copies, mais les enregistrent à la télé payante, ou même à Radio-Québec, qui diffusent sans interruption publicitaire, et privent ainsi les distributeurs de millions de dollars (c'est pour contrer ce phénomène que le sigle de Radio-Québec apparaît maintenant toutes les vingt minutes pendant quelques secondes dans le coin inférieur droit du téléviseur durant les longs métrages). Nous n'en sommes plus au temps où quelques professeurs de cégep repiquaient, à l'aide de télécinés bricolés, de mauvaises copies de certains vieux classiques, seul moyen de les faire connaître aux étudiants. En plus de cet impact économique, nous pouvons déjà percevoir que les films eux-mêmes sont de plus en plus conçus en vue d'un visionnement sur petit écran plutôt qu'en grande salle. C'est toute l'esthétique du cinéma qui peut ainsi se transformer dans les prochaines années.

B. Exploitation parallèle

Premier point à souligner ici, les ciné-clubs achèvent leur mort lente au cours de cette période et ne sont pas vraiment remplacés, du moins dans leurs activités éducatives. Le réseau de «salles paroissiales» achève lui aussi de s'effriter et de toutes celles qui font encore partie de la liste publiée régulièrement par la Régie du cinéma, il n'en reste que fort peu, surtout après 1980, qui conservent une activité régulière. Elles ont cessé leurs activités pour les mêmes raisons que les salles commerciales en régions.

Il existe encore beaucoup d'organismes qui portent le nom de *ciné-club*, surtout en milieu scolaire, et certains rejoignent des centaines de personnes, mais ils ne sont plus guère que des lieux de présentation du cinéma ordinaire, comme les cinémas de répertoire, où un coût minime compense les délais par rapport aux salles commerciales, délais qui diminuent toujours d'ailleurs. Parmi ceux-ci, un certain nombre, tous en dehors de Montréal, tentent d'aller plus loin et de reprendre, en partie au moins, le genre de fonctionnement des ciné-clubs de la belle époque ou de devenir un peu l'équivalent des cinémas de répertoire de la métropole. Ils se sont regroupés en 1979 sous le nom d'Association des cinémas parallèles[151]. Le nombre de membres varie d'année en année, au gré du bon vouloir des bénévoles qui trouvent temps et énergie à leur consacrer; en 1986, l'association compte une soixantaine de salles membres. Les ciné-clubs les plus chanceux jouissent de structures d'accueil en milieu scolaire, principalement des cégeps et universités, où des permanents à l'animation de la vie étudiante ou des professeurs de cinéma en assurent la continuité. Légalement, ils ont le statut d'organismes à but non lucratif ayant simplement pour but de diffuser du cinéma. Le genre de cinéma n'est pas précisé et, en effet, il varie énormément d'un endroit à un autre; mais une orientation nettement «culturelle» permet de les rassembler dans un même réseau. *Grosso modo*, on y retrouve à peu près la même programmation que dans les cinémas de répertoire de Montréal, avec ici et là des choix plus «commerciaux» que l'exploitant local n'avait pas retenus, ou qui, faute de salle ordinaire, demeureraient inaccessibles aux gens de la localité. Quand d'aventure, les «parallèles» font de bonnes affaires avec, par exemple, un Resnais que l'exploitant local n'avait pas osé programmer, ils se font accuser de «concurrence déloyale» parce que les salles sont le plus souvent fournies par les collèges et universités et que le loyer payé est minime ou inexistant. Ces tensions perdureront sans doute longtemps, mais il faut souhaiter que s'étende ce réseau parallèle, car dans la mesure où l'exploitation commerciale perd du terrain, il pourrait bientôt devenir pour beaucoup de cinéphiles en dehors de Montréal ou de Québec, la seule possibilité de voir du vrai cinéma sur écran; ce réseau deviendrait, en quelque sorte, une extension de la Cinémathèque et, comme les ciné-clubs d'antan, pourrait devenir le principal formateur d'un public pour le cinéma de qualité, ce dont profiteraient par la suite toutes les salles commerciales. Depuis 1982, l'Association publie un bulletin d'information, *Ciné-Bulles*, que Michel Coulombe, alors directeur général, a transformé en revue de cinéma en 1985; elle organise aussi des stages de formation pour les animateurs locaux et s'affirme un interlocuteur valable pour tout ce qui concerne la diffusion parallèle du cinéma.

La Cinémathèque, devenue «québécoise» le 22 juin 1971 par volonté de ses membres, précise, avec le temps, ses man

Le Hibou et le Lemming de Co Hoedeman: sa bande-son est en langue inuit.
On y met l'animation au service des cultures traditionnelles et du folklore.
(ONF)

dats et trouve de meilleurs moyens pour les réaliser[142]. Prioritairement, elle doit se charger du «rapaillage», de l'inventaire
et de la mise à la disposition du public tout le patrimoine cinématographique du Québec (films, *stock-shots*, scénarios, manuscrits, appareils de prise de vues et de projection, documents écrits,
affiches, livres, archives personnelles)[243]. Elle effectue le travail
de restauration de quelques incunables (*À la croisée des chemins*,
Le Gros Bill) et, pour la conservation des films, dont la collection
augmente continuellement en vertu de dépôts de ses membres
québécois ou de sympathisants, d'achats et d'échanges avec
d'autres cinémathèques, elle construit à Boucherville, en ban-

lieue de Montréal, des voûtes à atmosphère et humidité contrôlées, selon les meilleures normes internationales. En même temps que s'affirme cette fonction muséologique, la Cinémathèque se charge aussi, dans les limites de sa juridiction et de ses possibilités financières, de faire connaître à l'étranger les réalisations québécoises et d'offrir aux Québécois une programmation qui les met en contact avec le patrimoine universel. En 1982, après presque vingt ans dans des locaux loués plus ou moins appropriés, elle acquiert finalement sa propre maison enfin dotée d'une salle de projection adéquate. Au même moment, la Bibliothèque nationale du Québec y transfère son Centre de documentation cinématographique, lui permettant ainsi de devenir le plus important centre de référence du cinéma en Amérique. Avec la Loi du cinéma de 1983, elle devient la « cinémathèque reconnue » par le gouvernement du Québec et, à ce titre, se voit chargée de l'application du dépôt légal en matière de films.

Pour la diffusion de la culture cinématographique, la Cinémathèque organise, lors de ses projections régulières (et parfois en surplus) des rétrospectives d'auteurs nationaux ou étrangers, de courants thématiques ou esthétiques, de genres, de moments d'histoire. Elle accueille aussi de telles rétrospectives préparées à l'étranger par des cinémathèques amies en échange des siennes et collabore à la programmation de manifestations diverses en prêtant des éléments de sa collection permanente (spécialisée, en plus du cinéma québécois, dans le film d'animation). Sa salle de projection sert aussi à divers festivals (du Nouveau cinéma, du Super 8, du Film sur l'art, des Films de femmes) et Les Rendez-vous du cinéma québécois y trouvent leur plus naturel lieu de rencontre entre les films, les cinéastes et le public ; on peut aussi la louer à un coût modique pour des visionnements de presse ou autres événements spéciaux. Son centre de documentation ouvre ses portes cinq jours par semaine aux chercheurs et étudiants, et parfois à de simples curieux, que des documentalistes peuvent conseiller ; depuis le début de 1986, il offre aussi la possibilité de visionner individuellement sur support vidéo quelques grands classiques du cinéma local et étranger et il compte élargir son catalogue au fur et à mesure de l'obtention des droits de la part des producteurs et distributeurs. Enfin, la Cinémathèque publie régulièrement une revue d'information : de 1968 à

1978, ce fut *Nouveau cinéma canadien* (*New Canadian Film*); maintenant, c'est *Copie Zéro* avec ses quatre numéros par année : deux annuaires des longs et courts métrages, deux thématiques (tel auteur, le cinéma des femmes, le montage, la vidéo...); et, irrégulièrement, « Les Dossiers de la Cinémathèque » (recherches historiques, documents rares) et divers documents accompagnant certaines rétrospectives.

Nous sommes maintenant à l'heure des cinémas de répertoire. Déjà, Roland Smith, un jeune cinéphile maniaque, avait commencé modestement en 1966 en louant une vieille salle mal située, le Verdi, qu'il conservera jusqu'en 1972, pour y projeter des classiques du cinéma américain, des œuvres de qualité ou « art et essai » trop rapidement disparues de l'affiche, du cinéma alternatif (beaucoup gardent des souvenirs vifs de la projection, suivie de discussions, de films comme *L'Heure des brasiers* de Solanas et Getino ou *Le Chagrin et la Pitié* d'Ophuls). En 1971, il achète l'Outremont après avoir y programmé pendant deux ans le Festival des festivals et y avoir profité au maximum de l'engouement suscité par les westerns spaghetti de Sergio Leone. Il fixe la formule « répertoire » : quelques mois après leur disparition des salles régulières, tous les films de qualité et significatifs y sont projetés, en deux programmes différents chaque soir, et reviennent de temps en temps pendant quelques années, tant que se manifeste l'intérêt pour ce film ou son auteur; le prix d'entrée y est deux à trois fois moindre que dans les salles et on peut aussi y acheter une « ciné-carte » qui coupe encore ces prix de moitié. La formule connaît beaucoup de succès, surtout auprès des étudiants qui préfèrent attendre quelques mois et voir deux ou trois fois plus de films pour le même prix. Elle est bientôt imitée par le Cinema V pour la clientèle anglophone et par le Ouimetoscope (en 1978) dans l'ancien Festival construit sur l'emplacement même de la fameuse salle de Ouimet (*voir* page 29). Smith lui-même tente sans succès la même aventure à Sherbrooke et à Trois-Rivières (ces villes possèdent déjà des cinémas parallèles forts, faisant un travail équivalent), il réussit mieux, à Québec, avec le Cartier (acheté en 1981 et animé du même esprit par Bruno Bégin) et avec deux autres salles à Montréal, L'Autre Cinéma et le Laurier. D'autres entrepreneurs imitent périodiquement la formule, mais s'aperçoivent rapidement que la saturation est déjà atteinte. La formule entre en crise en 1986; les salles se vident à cause de la concurrence des clubs-vidéo et aussi parce que, selon Roland Smith, il ne se produit plus suffisamment de films de qualité pour alimenter ce marché des reprises. En mars 1987, Smith annonce la vente de ses trois salles à une compagnie qui les transformera en édifices commerciaux et s'en va occuper chez Famous Players le poste de directeur général pour le Québec. À Québec aussi, le Cartier est mis en vente.

Le Cinéma parallèle ouvre ses portes en 1978 pour atteindre une partie de la même clientèle, mais avec un produit très différent, les films expérimentaux et d'avant-garde, les formats non conventionnels. Spécialisé dans les grandes rétrospectives, le Conservatoire d'art cinématographique fondé en 1968 par Serge Losique à l'Université Concordia (alors nommée Sir George Williams), cherche toujours une formule originale, entre la Cinémathèque (qu'il veut concurrencer) et la salle de répertoire. En 1985, la salle de projection de la section de distribution de l'Office national du film, sise au centre-ville de Montréal, devient diffuseur public du cinéma canadien et québécois, non seulement celui de la maison, mais aussi celui des indépendants. La même année, Jurgen Pesot rénove l'antique salle Verdi qui avait connu toutes sortes de diffusions marginales depuis 13 ans et qui est située dans un quartier que la rénovation urbaine a maintenant transformé en un village pour « yuppies ». Il la rebaptise Le Milieu et en fait une salle polyvalente, pour spectacles à la mode, vidéos sur grand écran et cinéma plus ou moins marginal. Avec ce foisonnement de salles, et jusqu'en 1987, personne à Montréal et dans les environs ne peut trouver d'excuse valable pour ne pas avoir vu sur grand écran toute œuvre importante. Mais l'avenir s'annonce problématique pour tous les amateurs de cinéma sur grand écran.

Il va sans dire que la télévision reste le principal lieu d'exploitation parallèle du cinéma. Elle a tellement élargi son éventail et sa qualité avec le câble et les canaux payants qu'elle est devenue pour beaucoup la seule manière de connaître les films. Le Rapport Fournier avançait en 1982 qu'en moyenne 43 % de la programmation se composait de films ou de téléséries sur films et que chaque Québécois y regarderait en moyenne un long métrage tous les deux jours[163]. Toutefois, seulement 1 % du temps y est consacré au cinéma québécois. Par ailleurs, des émissions comme *Festival du cinéma canadien* à Radio-Canada ou *Cinéastes à l'écran* à Radio-Québec ont fourni à plusieurs créateurs l'occasion, parfois unique, de faire voir leurs films à un large public. En ce qui concerne le cinéma étranger autre qu'américain ou français, dont la télé a souvent été le seul lieu de diffusion au Québec, le choix s'amenuise depuis 1984, alors qu'à Radio-Canada comme à Radio-Québec, on a pris la décision d'abandonner les projections avec sous-titres et de ne passer que des versions doublées ; décision que l'on peut considérer comme malheureuse, car nombreux sont les films latino-américains ou d'Europe de l'Est, par exemple, dont on ne possède en français que des copies sous-titrées.

L'ère des festivals

Après la mort du Festival international du film de Montréal il faudra attendre dix ans pour que revienne un festival perma-

Les Tacots d'André Melançon. Ce genre de court métrage de l'ONF est abondamment visionné dans les bibliothèques publiques et meuble bien les intermèdes des télévisions plus marginales. (ONF)

nent d'aussi grande envergure. Pourtant la ronde avait commencé beaucoup plus tôt.

En 1969, Serge Losique organise à son Conservatoire d'art cinématographique de l'Université Sir George Williams (aujourd'hui Université Concordia) le premier Festival du film étudiant canadien, qu'on retrouvera au même endroit jusqu'en 1984 et qui fait maintenant partie du Festival des films du monde. Sont en compétition pour les différents prix des films en format 16 mm réalisés à peu près uniquement par des étudiants des universités canadiennes, surtout anglophones. Pour les étudiants plus jeunes, commence en 1979, au Cégep Ahuntsic, le Festival intercollégial du film Super 8 du Québec. L'année suivante, s'y greffe une section « nationale » et rien de moins qu'un Festival international du Super 8. L'ensemble réussit à surmonter l'épreuve du temps; après s'être déroulé en divers lieux, il s'est maintenant établi à la Cinémathèque québécoise.

Devant l'intérêt suscité par l'*underground* américain et les expériences diverses tentées en 16 mm durant les années 60, Dimitri Eipides et la Coopérative des cinéastes indépendants mettent sur pied en 1971 le Festival international du film en 16 mm de Montréal qui accueille toutes ces nouveautés qui, à cause de leurs thèmes, leur durée ou leurs audaces formelles, ne trouvent place dans aucun réseau de diffusion et sont rejetées par les autres festivals[200]. Plus diversifié et un peu moins audacieux (parce que le cinéma marginal l'est moins), il a pris de l'ampleur depuis 1980. Dirigé par Claude Chamberlan, il s'appelle maintenant Festival international du cinéma et de la vidéo.

Encore dans un collège, le Cégep Saint-Laurent, commence en 1973 la Semaine du cinéma québécois. Sans structure permanente et dépendant surtout de bénévoles pour son organisation (selon la maigreur ou l'abondance des subventions), elle parvient malgré tout à présenter presque chaque année une rétrospective intéressante, si possible complète, de la production québécoise. Selon les moyens et le bon vouloir des producteurs et distributeurs, elle offre généralement une ou deux avant-premières de prestige; et, les premières années, la présentation de plusieurs classiques locaux ont permis de mesurer certains traits d'évolution. Dans son cadre ont chaque fois lieu des débats et tables-rondes qui donnent aux créateurs l'occasion de rencontrer leur public et où se dégagent les grandes tendances de la production en même temps que s'érigent de furieux procès contre les institutions et la critique (exemples de sujets : « Les films peuvent-ils ne pas être politiques ? », « Le public est-il à la merci de la critique ? », « L'éthique du documentaire »). À quelques reprises, elle s'est promenée dans quelques villes en dehors de Montréal. Après avoir changé quelques fois de nom et s'être déplacée dans plusieurs salles, la « semaine » s'appelle maintenant Les Rendez-vous du cinéma québécois et se tient à la Cinémathèque durant l'hiver. Pour tout le milieu du cinéma, pour les professeurs et étudiants, pour les critiques, les Rendez-vous sont devenus la vitrine essentielle de la production annuelle.

En 1977, après deux ans d'efforts, l'Association québécoise des critiques de cinéma présente son Festival international du film de la critique québécoise. L'objectif est de faire connaître aux cinéphiles le cinéma nouveau qui s'élabore un peu partout et que l'on retrouve, par exemple, dans les sections parallèles à la compétition officielle à Cannes et dans les autres festivals mondiaux. Les critiques veulent aussi créer un événement qui montrerait aux distributeurs la pertinence de faire des choix plus audacieux. Après un franc succès la première année, le festival des critiques ne réussit pas, l'année suivante, à se distinguer du Festival du nouveau cinéma qui réserve déjà une partie des mêmes films et s'adresse à la même clientèle, et du Festival des films du monde que Serge Losique avait mis sur pied en 1977 également et qui retient le reste des films de qualité. Il n'y a pas de troisième édition.

En effet, avec son Festival des films du monde, le mégalomane Serge Losique ne veut rien de moins que reproduire en Amérique l'équivalent de Cannes. Il a cependant beaucoup de mal à trouver des films valables pour sa compétition officielle, son festival ayant lieu à la fin d'août entre ceux de Cannes et de Venise. Bien qu'il ne recueille que les laissés-pour-compte de ces prestigieux festivals (aucun producteur ou distributeur, même parmi les Québécois, ne semble prêt à privilégier Montréal à Moscou, en juillet, ou à Venise, début septembre), on y retrouve pourtant un certain nombre d'œuvres intéressantes. Les sections qui

Henry Welsh, Luc Moullet, Robert Daudelin (conservateur de la Cinémathè-que et animateur de la rencontre), Yvette Biro et Sophie Bissonnette dressent un bilan de la production de 1985, lors des Rendez-vous de 1986. Depuis 1985, des cinéastes, critiques et distributeurs étrangers sont invités à apporter un regard neuf et à échanger avec les cinéphiles. Mais dès que l'un d'eux se per-met une appréciation quelque peu sévère, on ne l'écoute guère plus que la critique québécoise. (Photo Alain Gauthier, coll. Cinémathèque québécoise)

attirent un vaste public dans les cinq salles du cinéma Parisien et en font un indéniable succès populaire (quoiqu'il faille tou-jours couper d'un bon tiers le nombre de spectateurs avancé lors des bilans) sont la section hors concours, qui affiche les grands gagnants des autres festivals, surtout Cannes, qu'on n'a pas encore vus à Montréal (auxquels il fournit une formidable publi-cité gratuite), l'« Hommage » à un cinéma national, une section permanente consacrée à l'Amérique Latine, et un certain nom-bre de films dénichés dans les contrées les plus exotiques (la Chine, les Philippines et toute l'Asie ; seule l'Afrique noire reste tragiquement absente pour des raisons inconnues) . C'est un fes-tival qui coûte de plus en plus cher, mais Losique sait flatter les hommes politiques et n'a apparemment aucune difficulté à obtenir les subventions et les commandites de prestige sans lesquelles ces dix jours de projections et de coktails avec le *jet set* local et quelques vedettes internationales ne pourraient avoir lieu.

Dans un tout autre esprit débutait en 1982 le Festival du cinéma international en Abitibi-Témiscamingue animé par Jacques Matte, un professeur de cinéma du Cégep de Rouyn. Ce festival est issu directement de plusieurs manifestations consacrées au cinéma régional, très vivace dans les années 70, et d'une préoccupation très vive de diffuser dans la région un cinéma de qualité auquel ne s'intéresse aucun des distributeurs provinciaux. Ce festival, qui se déroule en automne, attire quelques nouveautés du cinéma mondial (en 1985, par exemple, la première projection québécoise de *Trois hommes et un couffin* de Coline Serreau) et présente plusieurs films de répertoire dont la projection risque de demeurer unique dans la région, mais surtout, il consacre toujours un bloc très important de sa programmation à des nouveautés québécoises : *Le Dernier Glacier* de Jacques Leduc et Roger Frappier en 1984, *Une guerre dans mon jardin* de Diane Létourneau en 1985 et *Bach et Bottine* d'André Melançon, par exemple, sont présentés au public pour la première fois. S'ajoutent à cela le fait que les invités de l'étranger et la critique québécoise y jouissent d'un accueil chaleureux comme il ne s'en voit nulle part ailleurs. Ce festival s'impose comme la plus importante manifestation cinématographique régionale du Québec. Sa caractéristique principale est d'être tout entier orienté dans le sens d'une fête du cinéma, car au fond personne n'y travaille par intérêt autre que celui-là. Plus modestement, mais dans le même esprit, débutait en 1985 le Festival du cinéma international de Sainte-Thérèse, une initiative de cinéphiles.

À l'instigation des distributeurs qui veulent se donner dans la ville de Québec un instrument de promotion aussi efficace que le festival de Montréal, est fondé en 1983 le Festival international du film de Québec qui se déroule après le Festival des films du monde ou qui le chevauche un peu. En fait, on y retrouve maintenant presque les mêmes films qu'à Montréal, avec quelques primeurs. Bruno Bégin, du cinéma de répertoire Cartier, en est le principal organisateur (jusqu'en 1986).

Depuis 1981, Montréal connaît aussi son Festival international du film sur l'art, dont René Rozon est l'instigateur et l'animateur. On y présente aussi maintenant du vidéo d'avant-

Affiche officielle qui provoqua moult commentaires mais tous s'entendirent sur la valeur représentative de l'esprit de l'événement.

garde. Ce festival très spécialisé n'intéresse qu'un public restreint, mais fidèle.

Se déroulant à Québec depuis dix ans, le Festival international des films et vidéos de femmes vient aussi maintenant présenter une partie de sa sélection à Montréal à chaque printemps.

En plus de ces festivals « permanents », beaucoup d'événements ponctuels de toutes sortes ont jalonné la vie cinématographique des dernières années. Signalons, parmi les plus marquants et qui illustrent bien la diversité des œuvres offertes aux cinéphiles du Québec, le Festival international du film sur l'environnement humain du 1er au 10 juin 1973; à la fin de ce même mois, La Femme et le Film (qui s'est maintes fois répété sous des formes et dans des cadres différents); les Rencontres internationales pour un nouveau cinéma, du 2 au 8 juin 1974, et deux mois plus tard, la Superfrancofête de Québec qui fournirent l'occasion de découvrir plusieurs jeunes cinémas nationaux et constituent un jalon important dans la sensibilisation aux cinémas politiques alternatifs; une joyeuse Semaine du film sur les tablettes en juin 1974; le Festival international du film d'animation, à Ottawa en 1976; un Carrousel du film pour enfants à Rimouski; des Journées du cinéma africain ou latino-américain qui reviennent de temps en temps, etc. Sans compter bien des « semaines » thématiques de toutes sortes.

Si l'exploitation commerciale du cinéma québécois n'a pas encore réussi à démarrer à l'étranger, il n'en va pas de même pour les grands événements culturels. Les Semaines de cinéma québécois (ou « canadien » quand elles sont surtout financées par Ottawa) ne se comptent plus en France, et même en Suisse et en Italie aussi bien qu'à Moscou, Bucarest ou Riga, à New York ou Los Angeles, à Port-au-Prince et même Hong Kong. Sans compter, évidemment, la présence constante de nombreux films dans tous les grands, et même tout petits festivals, ainsi que les tournées de réalisateurs à l'étranger.

Pour coordonner la présence des films et des cinéastes dans toutes ces manifestations à l'étranger et faciliter la promotion générale du cinéma canadien, le gouvernement d'Ottawa créa en 1973 le Bureau des festivals qui, pendant dix ans, sous la direction de Jean Lefebvre, accomplit un travail essentiel. Téléfilm Canada a repris ce mandat en 1983. Depuis 1977, l'Institut québécois, puis la Société générale subventionnent aussi la présence dans les festivals et la promotion du cinéma québécois. Beaucoup de cinéastes et d'industriels du cinéma doivent à ces organismes de beaux voyages ou des facilités de travail exceptionnelles.

Enfin, bien que cela ne suscite guère d'intérêt en dehors d'une partie restreinte du milieu cinématographique, les films québécois participent chaque année à la remise des prix *Genie* attribués par l'Academy of Canadian Cinema (Académie du cinéma canadien), dont le siège social est à Toronto. Les prix *Genie* remplacent depuis 1979 les *Etrogs* du Canadian Film Award décernés depuis 1948. Les cinéastes québécois y recueillent beaucoup de prix, souvent parmi les plus importants, mais ces pâles imitations des Oscars américains ne comptent guère aux yeux du public qui, au Québec surtout, en ignore même l'existence. Ils n'ont jamais contribué à la popularité d'un film canadien *from coast to coast*. Depuis 1985, l'Académie a aussi élargi son éventail pour englober les œuvres sur support vidéo (mais avec une remise de prix distincte).

Associations professionnelles et syndicalisme

Plus la vitalité d'un secteur d'activité est grande, plus ses acteurs éprouvent le besoin de se regrouper pour mieux connaître et défendre leurs intérêts communs. On ne s'étonnera donc pas de voir naître à cette période des associations dans tous les secteurs qui n'en possédaient pas encore[168]. En 1987, presque chaque personne qui est liée au cinéma fait partie d'au moins un regroupement professionnel et il n'est pas rare de voir certains des membres les plus actifs de deux ou trois associations se retrouver en conflit d'intérêts (par exemple, un technicien qui est aussi producteur).

Dans le secteur de la production, s'ajoutent l'Association canadienne des maisons de production cinématographique créée en 1981 pour représenter surtout les producteurs spécialisés dans les grosses (co)productions, et l'Association québécoise des industries techniques du cinéma et de la télévision. De son côté, l'APFQ, comme beaucoup d'organisations qui s'adaptent à la

Photo « de famille » des réalisateurs lors des Rendez-vous de 1987. Dans l'ordre habituel, 1ʳᵉ rangée : Werner Nold, André Gladu, Louise Lamarre, Yves Dion, Bernard Gosselin ; 2ᵉ rangée : Martin Barry, Pierre Hébert, Richard Roy, Denys Arcand ; 3ᵉ rangée : Michel Coulombe, Yvon Provost, Michel Poulette, Diane Beaudry, Camille Coudari ; 4ᵉ rangée : Stéphane Fortin, Jeanne Crépeau, Carlos Ferrand, André Melançon. Peu après, Denys Arcand déclarait : « On a tourné au Québec en 1986, je crois, 23 longs métrages (note de l'auteur : c'est 29). C'est à mon avis 18 de trop. Après l'ascension engendrée par *Anne Trister*, *Pouvoir intime* et *Le Déclin...*, tout le monde s'est emballé, les organismes gouvernementaux comme les producteurs privés. On a voulu profiter de la vague et on est déjà de l'autre côté. Le Québec a la capacité créative et financière pour produire cinq ou six longs métrages par année. Je ne voudrais pas avoir à choisir les élus, mais je pense qu'on n'a pas davantage de possibilités. » (Photo Alain Gauthier, coll. Cinémathèque québécoise)

nouvelle réalité de la vidéo, a changé en 1985 son nom en Association des producteurs de films et de vidéos du Québec.

Chez les réalisateurs, l'Association des réalisateurs et réalisatrices de films du Québec (ARRFQ) succède en 1973 à l'Association professionnelle des cinéastes du Québec et en regroupe la presque totalité des membres ; parallèlement, beaucoup de Québécois font également partie du Conseil du Québec de la Guilde canadienne des réalisateurs, constitué en 1981 et dont le siège social est à Toronto, qui rasssemble des réalisateurs, des assistants, des directeurs de production, des directeurs artistiques, des chefs décorateurs et des régisseurs d'extérieur. En plus de ces professionnels, de jeunes et fervents amateurs fondent en 1974 l'Association des cinéastes amateurs du Québec, qui devient en 1979 l'Association pour le jeune cinéma québécois qui regroupe cinq cents membres, surtout praticiens du Super 8; elle offre régulièrement des stages de formation, publie de temps en temps un bulletin d'information, *Plein cadre*, représente les milliers d'amateurs de petits formats auprès des pouvoirs publics et se charge chaque année de l'organisation du Festival du Super 8.

En 1973, les critiques se dotent aussi d'une association, l'Association québécoise des critiques de cinéma (AQCC). En plus de faire des pressions pour obtenir de meilleures conditions de travail pour ses membres (des journalistes de quotidiens, critiques de revues de cinéma ou autres, pigistes), sa principale activité « publique » est l'attribution, chaque année depuis 1974, du Prix de la critique à un long métrage produit et réalisé au Québec (*voir* la liste en annexe, page 487). Depuis 1979, elle remet aussi un prix à un court ou moyen métrage qui se distingue lors de la Semaine du cinéma québécois (Les Rendez-vous du cinéma québécois).

Dans le secteur de la diffusion, l'Association des cinémas parallèles, constituée en 1979, regroupe des organismes sans but lucratif qui voient, en dehors de Montréal surtout, à la diffusion minimale du film de qualité, québécois ou international. Elle fournit à des membres l'information pertinente à une bonne organisation et dirige des stages de formation à cet effet; elle les représente auprès des pouvoirs publics.

Dans le domaine syndical, le premier regroupement de techniciens oeuvrant dans l'entreprise privée se constitue en 1969, le Syndicat national du cinéma (SNC) et il s'affilie à la puissante Confédération des syndicats nationaux (CSN). Comme principale activité, il négocie une convention collective avec les producteurs; il participe aussi aux débats publics au sujet du cinéma et publie quelques manifestes. Jusqu'en 1976, c'est sa convention qui prime dans l'industrie; mais cette année-là, lors d'un conflit très dur opposant le SNC aux producteurs, un groupe de dissidents moins intransigeants politiquement fonde l'Association des professionnels du cinéma (APC). La division ne sert ni un groupe ni l'autre, d'autant plus que toute la production entre à ce moment dans une récession qui durera cinq ans. Lors d'un référendum organisé auprès de tous les membres des deux regroupements en 1983, la hache de guerre est enterrée et la fusion s'opère sous le nouveau nom de Syndicat des techniciens et techniciennes de cinéma du Québec (STCQ).

Dernière née, en octobre 1982, l'Association québécoise des études cinématographiques (AQEC) rassemble et tâche de mettre en contact des professeurs, chercheurs, journalistes, pro-

PREMIER COLLOQUE CONJOINT DE
FIRST JOINT CONFERENCE OF

L'ASSOCIATION QUÉBÉCOISE
DES ÉTUDES CINÉMATOGRAPHIQUES
ET DE
L'ASSOCIATION CANADIENNE
DES ÉTUDES CINÉMATOGRAPHIQUES

THE ASSOCIATION QUÉBÉCOISE
DES ÉTUDES CINÉMATOGRAPHIQUES
AND
THE FILM STUDIES ASSOCIATION
OF CANADA

LE CINÉMA AU QUÉBEC ET AU CANADA :
UN DIALOGUE CRITIQUE

CANADIAN AND QUEBEC CINEMA :
A CRITICAL DIALOGUE

Un pays sans bon sens, Pierre Perrault, 1969

DU 21 AU 24 MAI 1986
FROM MAY 21 TO MAY 24, 1986

UNIVERSITÉ
LAVAL
Pavillon Charles-De Koninck
Cité universitaire, Québec

Y eut-il dialogue? Même pour les plus optimistes, il faut bien reconnaître que les études cinématographiques canadienne et québécoise pointent tout autant dans des directions opposées que les cinémas canadien et québécois. Mais comme dans les autres secteurs de la vie nationale, les illusions persistent...

fessionnels et étudiants, intéressés à la recherche et aux échanges. Elle fait pendant à la Film Studies Association of Canada (Association canadienne des études cinématographiques), dont plusieurs Québécois font cependant aussi partie. Comme principale activité, elle organise chaque année un colloque sur un thème précis et dont les actes sont publiés; le plus important, organisé conjointement avec l'Association canadienne et tenu à Québec en mai 1986, s'intitulait : « Le cinéma au Québec et au Canada : un dialogue critique »; les autres ont porté sur « Le cinéma : théories et discours », « Sons et narrations au cinéma », « La vidéo vue du cinéma » et « Cinéma et histoire ». L'AQEC organise aussi quelques rencontres d'échanges autour d'une nouvelle publication, avec des cinéastes qui ne craignent pas les théoriciens et avec des chercheurs étrangers de passage.

Critique

> Si une critique cinématographique spécialisée a toute la difficulté du monde à se faire, à s'organiser, à se parfaire et à se transmettre dans le milieu québécois, il faut croire, d'une part que les journaux, les bulletins et les revues de toutes sortes tardent trop à donner au cinéma la place qui lui revient (sans compter que jusqu'à nos jours, 90% des critiques de cinéma ont brillé par leur ignorance ou leur incompétence); d'autre part et c'est là l'argument le plus sérieux — que le manque d'une tradition créatrice retarde considérablement l'avènement d'une tradition critique. (L'avènement d'une tradition créatrice, et par le fait même d'une tradition critique, fut et reste toutefois retardé par la censure, l'absence d'archives du cinéma, la mauvaise organisation du système de distribution, l'absence d'aide gouvernementale à la production indépendante et la mainmise du gouvernement fédéral sur à peu près toute la production canadienne.)
>
> Jean Pierre Lefebvre (1964)

> On reproche à la critique sa tiédeur institutionnalisée, mais sans vraiment s'interroger sur ses véritables racines. L'une d'elles me semble être la tiédeur institutionnalisée du cinéma en général, et du cinéma québécois en particulier.
>
> Jean Pierre Lefebvre (1981)

Les conditions ont passablement changé, au moins pour ce qui touche la censure et les archives, depuis que Lefebvre écrivait ces phrases de 1964. Son « argument le plus sérieux » continue cependant de se vérifier: c'est lors des périodes de production les plus intenses que la critique fut à son meilleur, comme si tout le monde participait au même élan de créativité. Dans les moments de grande crise, elle eut malheureusement un peu trop tendance à se montrer indulgente et complaisante, sous le fallacieux prétexte de ne pas donner le coup de grâce à des « moribonds »[79].

Comme pour les autres périodes, c'est dans les quotidiens[93] qu'il faut fouiller pour retrouver trace des grands événements qui marquent la vie de l'industrie. Seuls les quotidiens à fort tirage affectent des journalistes à plein temps pour couvrir les événements et critiquer les films: *La Presse* (avec Luc Perreault, en poste depuis 1969, qui détient le record de permanence, et Serge Dussault) et *Le Journal de Montréal* (avec Franco Nuovo surtout) à Montréal et *Le Soleil* (avec Claude Daigneault dans la période cruciale des années 70 et Louis-Guy Lemieux par la suite) à Québec. Au *Devoir*, des journalistes réguliers couvrent l'actualité (en général très mal, sauf avec Jean-Pierre Tadros au début des années 70 et durant quelques années avec le pigiste Richard Gay qui faisait aussi de la critique) et on engage des pigistes pour la critique (depuis quinze ans, il y a eu tour à tour André Leroux, Robert-Guy Scully, Michel Euvrard, Marcel Jean, et la plus régulière, Francine Laurendeau). Avant de disparaître, le *Montreal Star* informait bien le public anglophone avec la chronique de Martin Malina; Bruce Bailey, Bill Brownstein et Marianne Ackerman ont pris la relève dans *The Gazette*. Aucun quotidien en dehors de Montréal et de Québec n'emploie de journaliste permanent; on y retrouve les communiqués et articles de l'agence Presse canadienne (par Pierre Roberge) et, occasionnellement des textes de journalistes réguliers (au *Droit* d'Ottawa, Murray Maltais d'abord et maintenant Paule La Roche, font beaucoup pour y faire connaître le cinéma québécois) ou de critiques de la région (Léo Cloutier au *Nouvelliste* de Trois-Rivières).

Parmi les hebdomadaires, *Québec-Presse* eut tout au long de ses cinq ans d'existence (1969-1974) une critique permanente tout aussi sérieuse qu'engagée et qui participa intensément aux grands débats sur la censure et le cinéma politique (Carol Faucher, Robert Lévesque). *Dimanche matin* (disparu en 1985) offrait régulièrement critiques et reportages (surtout Manon Péclet). Enfin, *Perspectives* (disparu en 1982) présentait occasionnellement des portraits de cinéastes, des grands reportages et des mini-dossiers rédigés par des pigistes.

C'est surtout au printemps de 1971 que la vitalité nouvelle de la création commence à se refléter dans la critique. Nous entrons alors dans la meilleure période qu'ait connue le Québec en matière de critique cinématographique, à la fois dans les revues d'intérêt général qui publient une chronique de cinéma et dans les revues de cinéma proprement dites.

Pour ce qui est des revues d'intérêt général qui offrent une chronique de cinéma, certaines depuis plusieurs années, mentionnons d'abord celles qui sont toujours là en 1987 et qui présentent régulièrement de la critique : *L'Actualité* (avec Jean-Marie Poupart pendant longtemps, récemment remplacé par Richard Gay), *Relations* (surtout Yves Lever), *Vie des arts* (surtout Gilles Marsolais), *Spirale* (surtout André Roy), *L'Analyste* (Jean-René Éthier et Marcel Jean), *L'Oeil rechargeable* (Michel Beauchamp), des organes de promotion comme *Vice-Versa, Montréal ce mois-ci, Voir, Qui fait quoi,* etc. À l'occasion, on trouvera aussi des articles importants dans *Québec français* (surtout Paul Warren), *Parachute, Recherches amérindiennes* (à propos du cinéma ethnographique et de ses représentants comme Pierre Perrault ou Arthur Lamothe), *Études françaises, Voix et images* (Gilles Thérien), *La Gazette des femmes,* etc. On pourra aussi consulter avantageusement les grandes disparues qui ont publié des articles marquants à un moment ou l'autre de la période, malgré une existence parfois éphémère : *Maintenant* (surtout Richard Gay), *Maclean, Presqu'Amérique, Point de mire, Tilt, Nous, Sept Jours, Hobo-Québec* (ses premières années), *Chroniques, Stratégie, La vie en rose* (Diane Poitras) et *Le Temps fou.*

Bulletin d'information sur l'actualité cinématographique, «journal de bord» où l'on consigne au jour le jour les événements significatifs, les nouvelles de production, de tournage, des festivals, des prix obtenus ici et là, *Nouveau cinéma canadien,* publié par la Cinémathèque québécoise, paraît cinq fois l'an de 1968 jusqu'en 1978. Il est aussi publié en anglais sous le nom de *New Canadian Film.* À partir de 1973, un des numéros est annuellement consacré à une liste-bilan de la production canadienne. En 1978, *Copie Zéro* prend la relève quatre fois l'an, deux de ses numéros dressant l'annuaire des longs et des courts métrages, avec

Sur la photo, Jean Lapointe dans *Duplessis*, la série de Radio-Canada scénarisée par Denys Arcand et réalisée par Mark Blandford.

quelques articles synthétiques dans chaque livraison; les deux autres offrant des études diverses («Des cinéastes québécoises», «L'ACPAV, première décade», «Vues sur le cinéma québécois», «Du montage», «Photographes de plateau», «Vivre à l'écran» (les acteurs de cinéma au Québec), «Ce glissement progressif vers la vidéo», «Le documentaire, vers de nouvelles voies») ou des monographies d'auteurs de qualité fort inégale parce qu'elles tiennent plus de l'hagiographie que de la véritable étude (Georges Dufaux, Michel Brault, André Forcier, Anne Claire Poirier, Michel Moreau, André Melançon). Avec chaque annuaire des longs métrages, *Copie Zéro* livre chaque année depuis 1982 une bibliographie, préparée principalement par René Beauclair et Carmen Palardy du Centre de documentation cinématographique, qui se veut exhaustive en tout ce qui concerne le cinéma québécois (même les articles des quotidiens) et qui recense tous les livres de cinéma publiés par des Québécois. C'est un instrument d'une valeur inestimable pour tous les chercheurs, professeurs, étudiants, journalistes, critiques, documentalistes. Depuis 1984, on trouve aussi dans cet annuaire une chronologie des principaux événements de l'année.

Quant aux revues de cinéma, c'est une période faste qui débute en 1971. *Séquences* occupe toujours sa place et conserve le même directeur, mais lentement son équipe se renouvelle et l'importance accordée au cinéma québécois s'accentue. Elle maintient sa politique d'interviewer chaque mois un réalisateur québécois (et quelques fois un pionnier marquant comme Paul L'Anglais ou Gratien Gélinas)[11] et elle offre quelques numéros spéciaux consacrés à Norman McLaren (pour lequel il n'existe rien de comparable en français) et à l'animation à l'ONF, ou au cinéma québécois pour marquer, en 1980, son 25e anniversaire et, en 1985, son 30e. À l'automne 1986, elle change une fois de plus son format, s'alignant sur la norme standard (21 x 27 cm) et revampe sa présentation. De plus, nous assistons à la naissance de plusieurs revues, toutes intéressantes à leur façon, et dont les affrontements idéologiques offrent un spectacle tout aussi divertissant que significatif des grands débats qui animent alors le milieu du cinéma et tout le Québec.

Dirigée et éditée par Jean-Pierre Tadros, *Cinéma Québec* donne le coup d'envoi en mai 1971. De format (21 x 27 cm) et de présentation agréables, elle colle surtout au cinéma québécois, mais on y retrouve des informations de tous ordres, des critiques de films de partout (avec une préférence pour le cinéma d'auteur et les indépendants), des dossiers nationaux (surtout d'Afrique), des études sur des pionniers ou d'autres sujets comme la censure, les lois ou l'éducation cinématographique, des documents rares, des interviews de cinéastes, des critiques de livres

Mai 1971

cinéma québec

vol. 1, no 1
mensuel   75¢

la prise de la parole

michel brûlé
fernand dumont
carol faucher
roger frappier
théo gagné
richard gay
arthur lamothe
andré lamy
jean-pierre lefebvre
andré leroux
andré melançon
pierre perrault
maître sheppard
jean-pierre tadros
vadeboncoeur

Le mépris n'aura qu'un temps d'Arthur Lamothe, le film progressiste par excellence en ce début des années 70.

sur le cinéma, un peu de publicité. Ses principaux collaborateurs : André Paquet, Michel Euvrard, Richard Gay, André Leroux, Jean Pierre Lefebvre, Francine Laurendeau, Pierre Demers, Michel Brûlé, Yves Lever, Jean Leduc, et même Patrick Straram ou André Roy (c'est dire l'éventail de la revue). Elle réussit à sortir à peu près régulièrement ses dix numéros par année jusqu'en 1976, mais s'éteint finalement en 1978, après 58 numéros. Souvent objet de controverses à cause de son orientation mal définie et de la personnalité de son directeur, elle n'en fut pas moins la principale tribune d'opinions et d'analyses du cinéma d'ici comme de celui des jeunes nations. Stigmatiser son « éclectisme » et son « amateurisme », comme le faisaient les « politiques » de *Champ libre*, ce serait oublier que toute la critique de l'époque, à des degrés divers, connut les mêmes enthousiasmes, engouements et hésitations que les réalisateurs et scénaristes d'une industrie alors en plein foisonnement.

Quelques mois plus tard paraissait la première des « revues-livres » de *Champ libre* (il y en eut quatre, jusqu'en 1973). Se démarquant radicalement de toutes les revues et de toutes les tendances critiques locales, *Champ libre* veut se mettre « au service de la classe ouvrière » et calque son orientation comme son écriture sur celles des *Cahiers du cinéma* (à la mode post 68) ou de *Cinéthique*. L'œil de Marx a donc remplacé celui de Dieu tout autant que celui de la caméra ; on y est marxiste-léniniste, surtout de tendance maoïste (c'est la « glorieuse » époque de la révolution culturelle en Chine) et on y fulmine l'anathème encore plus facilement que les curés d'autrefois. « Pour nous, une revue de cinéma ne pouvait jamais être neutre : elle était au service soit de la bourgeoisie soit au service des travailleurs », clament ses rédacteurs dans un bilan critique (?) où la justification de l'illisibilité presque chronique des textes serait digne de prendre place dans une anthologie des grandes mystifications. En fait, on n'y parle jamais de films autres que les « purs » et sympathiques à la grande cause de la lutte des classes ; et même, ceux-là sont discutés dans l'abstrait, mis en parallèle avec les textes canoniques et sans rapprochement avec la culture ou la vie politique du Québec. Quelle influence eut *Champ libre* ? Sûrement aucune sur les « travailleurs » comme l'auraient souhaité les rédacteurs (les principaux : Yvan Patry, Alain Berson, Réal Larochelle, Gilbert Maggi, Michel Houle, Charles Rajotte, Dominique Noguez (séjournant alors à Montréal pour y donner cours et conférences) ; peut-être une petite sur quelques cinéastes marginaux ; un peu plus sur l'orientation et le genre d'animation effectuée par le Conseil québécois pour la diffusion du cinéma. On retrouve toutefois le même langage manichéen dans les critiques et dossiers de cinéma dans les revues *Stratégie* et *Chroniques* qui nais-

L'idéologie de *Champ libre* n'a pas suscité tellement d'adhésion, mais elle forçait tout le monde à se définir par rapport à elle.

sent à peu près au moment où *Champ libre* disparaît.

À l'ONF, les animateurs du programme Société nouvelle publient aussi à ce moment quelques numéros de *Médium-Média*, documents de format différent chaque fois, devant à la fois servir à mieux définir l'orientation du programme et contribuer à l'animation sociale à l'aide de divers médias. Ils portent chacun sur un thème précis: la vidéosphère, la radio communautaire, la presse régionale, les femmes et le cinéma (pour refléter le programme En tant que femmes), le film et les médias communautaires, un *scrapbook* de témoignages de cinéastes, etc.

À Québec, professeurs et étudiants de la section des études cinématographiques de l'Université Laval se dotent, en 1975, d'une revue pour faire connaître leurs recherches : *Cinécrits*. Elle mourra malheureusement après à peine quatre numéros, sans avoir vraiment pu exister, et sans avoir réussi à définir son orientation entre le politique à la manière de *Champ libre* (Brecht à l'honneur) et l'éclectisme à la manière de *Séquences*. Parmi les principaux collaborateurs : Paul Warren, Esther Pelletier, François Baby, Pierre Blouin, Marc Plamondon, Pierre Demers, le Collectif Kinopeste (marxiste-léniniste) et... Patrick Straram.

Benoit Patar fonde *24 images* en 1979, revue trimestrielle (à peu près, car elle en est à son 36e numéro à l'automne 1987, mais plusieurs sont des numéros doubles ou même triples). De format quasi identique à *Séquences* au début (l'épaisseur en plus ; par la suite elle adopte le format 21 x 27 cm), elle a presque le même style, mais en plus superficiel et orienté davantage vers le cinéma-spectacle et le vedettariat. La présentation est soignée, le papier glacé permet de bonnes reproductions de photographies (très/trop nombreuses et généralement inutiles, ne servant qu'à cacher le vide des articles), mais l'ensemble fait, autant dans les critiques que dans les reportages, affreusement amateur. Il semble que Patar, le seul élément de continuité dans l'équipe, n'ait jamais réussi à retenir un noyau de collaborateurs compétents. Claude Racine l'a toutefois reprise en main depuis le numéro 34, s'adjoignant plusieurs nouveaux collaborateurs, autant de la « jeune » que de la « vieille » critique, et il est en voie de lui donner beaucoup plus de consistance.

« Quand on s'met à chiquer de la guenille, entre membres du milieu du cinéma québécois, ce sont toujours les mêmes sujets qui reviennent : personne ne tourne, le Québec est sans véritable reflet cinématographique, Montréal est sans histoire... » Ainsi commençait le premier éditorial de *Format Cinéma*, le 1er juin 1981, sous la signature de Jacques Leduc. Lui et plusieurs autres cinéastes se dotaient d'un petit bulletin d'information « pour dire ce qu'on a sur le cœur, pour commenter l'actualité socio-cinématographique, pour exposer nos rapports avec les nombreuses instances gouvernementales, pour se parler et s'envoyer des graffitis et des cartes postales ». En cinq ans et quelque 48 numéros, *Format Cinéma* a fait exactement ce qu'annonçait son premier numéro : « chiquer de la guenille... » et la collection de « lettres ouvertes » ressemblait toujours à un « bulletin paroissial » limité au cercle des copains et des sympathisants. Il ne semble pas qu'on ait fait quelque effort pour sortir « dans le monde ». Les principaux collaborateurs étaient : Jacques Leduc, André Théberge, Jean Chabot, Pierre Hébert, Jean Pierre Lefebvre, Michel Euvrard, Luce Guilbeault, Réal Larochelle, Arthur Lamothe, Pierre Falardeau, etc. On le lisait généralement avec plaisir, parfois avec intérêt, mais on ne pouvait s'empêcher de constater la similitude d'esprit entre les textes et les films de leurs auteurs : on faisait les textes, comme les films, pour se faire plaisir, pour communiquer entre copains, non pour le public... Pourtant c'est l'un de ses rédacteurs et cinéaste émérite, Pierre Hébert, qui écrivait récemment : « Comment pousser la discussion plus loin si on ne parle pas plus franchement des films ? » (n° 41, avril 1985). Le dialogue ne s'amorça qu'à deux ou trois reprises. Malheureusement !

Lancée en décembre 1982, *Ticket* est la plus grande aventure commerciale jamais tentée au Québec en ce domaine : 80 pages, photos couleurs, grands reportages. Le rédacteur en chef, René Homier-Roy, plus connu comme potineur que comme critique, a recruté certains collaborateurs de prestige (le reporter Pierre Nadeau, l'écrivain Michel Tremblay), mais bien peu de personnes de quelque crédibilité dans la critique de cinéma. Sous prétexte d'en faire un magazine de masse et d'intéresser le public qui, comme dit Homier-Roy, « va aux vues », contrairement aux intellectuels qui, eux « vont au cinéma » (*sic*), *Ticket* mise sur le « populisme », la facilité et l'insignifiance et imite les magazines américains des années 20 : n'intéressant ni les cinéphiles à cause de sa superficialité, ni les amateurs de potins qui trouvaient mieux et pour moins cher dans *Écho-vedettes*. Elle disparut en mai 1984, après 16 numéros.

Avec les années 80, *Cinema Canada* (revue anglophone visant surtout le public hors Québec, mais éditée à Montréal par Connie et Jean-Pierre Tadros) reste le porte-parole privilégié de la critique et de l'actualité dans l'industrie canadienne, mais elle donne de plus en plus de place à l'information, aux grands dossiers et à la critique du cinéma québécois (surtout avec Michael Dorland).

À l'automne de 1985, Michel Coulombe transformait le bulletin de liaison de l'Association des cinémas parallèles, *Ciné-Bulles*, en une revue de cinéma trimestrielle et s'adjoignait de jeunes collaborateurs (Thierry Horguelin, Patrice Poulin, Martine Provost...), tout en accueillant à l'occasion certains « anciens ». De présentation graphique très moderne, se préoccupant autant du cinéma québécois que de l'étranger, elle semble hésiter entre le magazine léger pour ciné-club étudiant et la revue sérieuse ; ses interviews comme ses reportages et ses critiques (trop peu nombreuses par rapport au reste) manquent de profondeur et de perspective.

Pendant toute cette période, les articles et dossiers sur le cinéma québécois se sont faits nombreux dans les revues françaises comme *Écran*, *Revue du cinéma*, *Image et son*, *Cinéma*, *Positif*, etc., le plus souvent écrits par leurs collaborateurs habituels, parfois par des Québécois. Pour la première fois, *L'Avant-scène* a publié un découpage de film québécois (*La Vraie Nature de Bernadette* de Gilles Carle). Les encyclopédies (Atlas, Boussinot) et dictionnaires (Sadoul, Tulard, Larousse) ainsi que plusieurs ouvrages généraux (livres de Hennebelle, Haustrate, etc.) comprennent une entrée pour *Canada* et pour les Québécois les plus connus en France, mais le résultat est plus que douteux et toujours décevant pour le critique de ce côté-ci de l'Atlantique, car on dirait toujours que ces critiques français n'évaluent jamais l'importance réelle des cinéastes à inscrire et se contentent d'un simple collage de fiches déjà complètement dépassées, anachroniques, passant à côté des réalités et des cibles les plus importantes (même le dernier *Larousse* (1986), dont les articles québécois sont pourtant écrits par de « bons auteurs », sympathiques au Québec en plus).

Avant 1970 n'existaient que fort peu d'études publiées. Pas moins de vingt-cinq ouvrages, de qualité inégale mais tous utiles, se sont ajoutés depuis. Pour la première fois, un *Dictionnaire du cinéma québécois* est publié, par Michel Houle et Alain Julien, en 1978. Plus de la moitié des entrées du *Film Companion* de Peter Morris concernent le cinéma québécois. Sans compter les numéros spéciaux de *Séquences* et les monographies de réalisateurs publiées par le CQDC et par *Copie Zéro*, « Les Dossiers de la Cinémathèque ». De plus en plus de découpages, scénarios et versions romancées de films viennent faciliter les études. Les thèses et mémoires universitaires consacrés au cinéma, surtout québécois, se font de plus en plus nombreux et de meilleure qualité, illustrant un regain d'intérêt pour la recherche chez les jeunes ; la plupart sont déposés au centre de documentation de la Cinémathèque et deviennent ainsi facilement accessibles.

Signalons enfin que les médias électroniques se sont aussi mis de la partie. Radio-Canada présenta en 1972 l'intéressante série historique *Cinéma d'ici*, préparée par André Lafrance et Gilles Marsolais, alternant extraits de films et témoignages de cinéastes (reproduits ensuite dans un livre au même titre). Elle offrit pendant plusieurs années une émission hebdomadaire d'interviews et de critique animée par Richard Gay pendant que, parallèlement, Gilles Marsolais entretenait les auditeurs de la radio. Par la suite, le cinéma n'occupa plus que chichement les émissions dites « culturelles », dont *Le Trèfle à quatre feuilles* en 1982 où, par une aberration que personne n'a jamais pu comprendre, c'était Denis Héroux (oui, oui, le producteur!) qui avait été engagé comme critique. Puis de 1983 à 1987 (avec une interruption d'une année), Radio-Canada présenta *À première vue*, pâle plagiat de *Sneak Previews* à la télé éducative américaine, une série hebdomadaire animée par Chantal Jolis (remplacée par Nathalie Petrowski la dernière année) et René Homier-Roy, déconcertants à force d'ignorance du cinéma, d'incompétence, de banalité et de niaiserie. À la radio, Minou Petrowski raconte avec brio, depuis le début de la décennie 80, l'actualité cinématographique dans le cadre des *Belles Heures*. À Télé-Métropole, l'émission *Bon dimanche* consacre toujours un de ses volets au cinéma ; animé d'abord par Jean-Claude Lord, au début de la décennie 70, il connut ensuite plusieurs chroniqueurs qui lui conférèrent un ton plus ou moins sérieux.

Quelles sont les principales caractéristiques de cette critique pratiquée au Québec? Disons d'abord que, sauf dans les quotidiens et pour quelques autres exceptions, elle est le fait de professeurs, de cinéma surtout ou de matières comme la littérature ou la philosophie, pour qui elle représente davantage un hobby

Steve Banner dans *Les Fous de Bassan* d'Yves Simoneau : le cas typique du film «maltraité» par la critique : certains l'ont vanté et d'autres l'ont méprisé; on a beaucoup interviewé le jeune réalisateur et l'auteur du roman. Mais aucune analyse sérieuse n'en a été faite et Simoneau transportera sans doute dans ses prochains films les mêmes facilités et tics inconscients (Alliance Vivafilm)

qu'un métier. Elle n'est presque jamais «chasse à l'homme» comme une grande partie de la critique européenne, car trop souvent, elle fait le contraire de ce que le vieux Henri Agel formulait comme premier principe : «se tenir très loin des cinéastes, et très près des films». Au début de cette période l'influence de la critique «politique» française fut considérable et toucha tout le monde, obligeant même ceux qui n'y adhéraient pas à se définir par rapport à elle. Les jeunes universitaires d'aujourd'hui ont peine à le concevoir, mais au fond, il n'y avait rien de plus normal et de quasi inévitable pour la plupart des intellectuels d'ici, qui s'étaient trop facilement «libérés» du catéchisme catholique de l'infaillibilité papale, que de rapidement acquiescer au credo marxiste-léniniste avec interprétation infaillible de Mao! Dans le meilleur esprit de la «Révolution culturelle», tout devenait politique. Par la suite, on a succombé à l'excès inverse : trop souvent, ces dernières années, les revues multiplient les reportages et les interviews comme pour éviter d'analyser les films; on me pardonnera de plaider *pro domo*, mais *Cinéma Québec* n'a pas encore été remplacé. Je répète la question de Pierre Hébert : « Comment pousser la discussion plus loin si on ne parle pas plus franchement des films ? », ce que ne font ni *24 images*, ni *Ciné-Bulles* (dans ces deux revues, on ne parle que des grandes vedettes et des films déjà les plus « publicisés », de sorte qu'une grande partie des longs métrages et la presque totalité des courts et moyens métrages sont complètement ignorés), et parfois seulement *Séquences*. De sorte qu'au Québec, c'est avant tout une partie de la critique qui amène cinéastes comme producteurs et distributeurs à miser avant tout sur l'« incompétence » des critiques, sur leur absence d'analyse (qui pourrait révéler les défauts du film), sur la brièveté de leurs commentaires et sur leur gêne à prononcer quelque jugement. Je l'ai plusieurs fois entendu de la part de cinéastes : un critique devrait se contenter de signaler l'existence d'un film, interviewer son créateur et laisser le public juger par lui-même. Au fond, ils demandent au critique de se faire thuriféraire ou de simplement « xéroxer » les communiqués de presse, comme si c'était à eux de créer l'événement, « et non au film ». Quand un critique entend Micheline Lanctôt, si sympathique soit-elle et si intéressant soit son film, dire à propos de sa *Sonatine* : « C'est d'abord une voix qui m'est personnelle et que j'ai mis du temps à découvrir, une voix qui ne veut pas être écoutée pour ce qu'elle dit, mais pour ce qu'elle garde sous silence », il peut difficilement acquiescer à cette invitation de considérer plutôt les intentions (sûrement admirables) de la cinéaste plutôt que son film. Ou bien, quand il entend le distributeur René Malo affirmer sérieusement : « Il y a trop de critique et pas assez d'information », il ne peut que s'interroger sur le rôle que les financiers voudraient le voir tenir. Car, au fond, l'observateur le moindrement lucide ne peut que constater que ce que l'on appelle critique dans les quotidiens, dans les médias électroniques et dans presque toutes les revues de cinéma actuelles, se réduit le plus souvent à de l'information plus ou moins complaisante ou à de la plate admiration mutuelle entre trop bons copains. Pendant ce temps, on n'analyse pas vraiment les films, ce qui est la meilleure façon de les empêcher d'exister et, par le fait même, de tuer le cinéma.

L'affaire Bronswik de Robert Awad et André Leduc : le film idéal pour les cours de cinéma. Une fiction qui a l'air du documentaire le plus authentique, avec en prime un usage brillant de plusieurs techniques d'animation... (ONF)

Éducation cinématographique

Il n'y a toujours pas, en 1987, d'école de cinéma au Québec. À mesure que se développe l'organisation du nouveau niveau scolaire que forment les cégeps (entre le secondaire et l'université), quatre institutions (de Montréal ou de sa région immédiate) inscrivent une « concentration en cinéma » à leurs programme[234]. Cela n'en fait toutefois pas des écoles de cinéma, car il s'agit d'un programme préuniversitaire centré davantage sur la culture cinématographique que sur l'acquisition d'habiletés techniques, bien que comportant aussi des cours de création en Super 8 et, ces dernières années, de plus en plus en vidéo. Les cours de cinéma n'occupent, d'autre part, qu'environ le quart du temps scolaire de l'étudiant, à côté de la philosophie, du français, de l'histoire de l'art, etc. Signalons aussi qu'au moins une trentaine d'autres cégeps offrent aussi des cours de cinéma classés « cours complémentaires », c'est-à-dire destinés à la culture générale de l'étudiant. Les lignes qui précèdent s'appliquent presque intégralement aux « mineur » et « majeur » en études cinématographiques dispensés à l'intérieur de programmes en histoire de l'art, en communications ou en littérature à l'Université de Montréal, à l'Université du Québec à Montréal et à Laval, à Québec ; quoique la production s'y fasse surtout en 16 mm et que l'éventail des matières soit plus diversifié. La bilingue Université Concordia, à Montréal, consacre toutefois davantage de temps aux apprentissages techniques, et moins à une culture cinématographique générale ; là encore, il ne s'agit pas d'une véritable école de cinéma[317].

À vrai dire, peu de personnes reconnaissent dans le milieu la nécessité d'une telle école. On y pense pendant les périodes de production intensive (en été), surtout quand des compagnies américaines viennent faire une partie de leurs tournages à Montréal (pour les décors et... le *cheap labor*), alors que règne le plein emploi et qu'apparaît la nécessité de spécialisations nouvelles pour les artisans (utilisation de l'ordinateur, effets spéciaux, nouveaux types de caméras, formes différentes de montage, méthodes de gestion, marketing), le besoin d'un centre spécialisé de formation et de recyclage semble évident à tous. Mais dès qu'arrive l'hiver et que survient le chômage, le doute revient : une école de cinéma ne créerait-elle pas des chômeurs de plus ?

Malgré tout, pour tenir compte de certains arguments probants (en finir avec l'amateurisme, accroître les compétences techniques, besoin de culture cinématographique chez beaucoup de cinéastes), le Rapport Fournier[168] recommanda en 1982 la création d'une école « supérieure » de cinéma, complémentaire (et non substitut) aux programmes existants et axée surtout sur la création. Il reprend aussi les recommandations exprimées il y a vingt ans par le Rapport Parent[177] d'instaurer un apprentissage au moins culturel, sinon technique, du cinéma dans tout le réseau scolaire, question de former au moins de bons spectateurs et préparer de bons créateurs (l'un allant difficilement sans l'autre). Malgré de régulières rumeurs annonçant pour bientôt la fondation de cette « école supérieure », le gouvernement du Québec recule à chaque fois devant le coût de l'opération.

Législation

Mentionnons d'abord une loi québécoise ne portant pas directement sur le cinéma, mais qui aura sur lui de fortes incidences : la Loi de l'Office de radio-télédiffusion du Québec, votée en 1969, permettant la création de la chaîne de télévision Radio-Québec. Cette loi était une mise à jour de la loi de 1945 autorisant la création d'un service provincial de radiodiffusion, par laquelle le Québec s'était donné, sans demander la permission à Ottawa (de qui relève la juridiction des ondes), la possibilité d'instaurer ses propres structures de communication. Avec Radio-Québec, de nouvelles possibilités s'offrent aux créateurs et certains purent largement en profiter. À un autre niveau, la diffusion du cinéma national y trouvera son meilleur canal.

Dès le début des années 60, les cinéastes québécois avaient commencé à demander aux gouvernements l'établissement de politiques claires d'aide à la création et à la diffusion du cinéma national, leur rappelant que le cinéma, sous sa forme classique dans les salles, sur écran réduit à la télévision ou à travers ses transpositions frelatées dans les séries et drames télévisés, n'en reste pas moins le principal véhicule de la culture de masse. Entre deux changements de gouvernement et trois mutations de ministres des Affaires culturelles, beaucoup de promesses avaient été enregistrées, des projets de loi avaient même été déposés à l'Assemblée nationale ; mais ils ne prenaient jamais place au rang des priorités.

Coup d'éclat le 22 novembre 1974 : un groupe imposant de membres de l'Association des réalisateurs, alors en congrès, décident d'aller occuper le Bureau de surveillance du cinéma pour protester contre l'inaction du gouvernement de Québec. Pourquoi cet organisme ? Tout simplement parce qu'il est le seul endroit où s'exerce un contrôle sur la circulation des films (par l'octroi des visas), parce qu'on est au moment où les distributeurs apportent leurs primeurs devant sortir à Noël (le moment le plus rentable, avec juin) et qu'en paralysant le Bureau on s'attaque symboliquement et financièrement aux *Majors* hollywoodiens et qu'alors, on est sûr de provoquer une réaction. L'occupation dure dix jours, les réalisateurs étant expulsés par la police le 2 décembre. Mais un tas d'articles dans les journaux et de reportages télévisés ont

Jean Chabot, Maurice Bulbulian, Roger Frappier, Fernand Dansereau et d'autres lors de l'occupation du Bureau de surveillance, en novembre 1974. (Coll. Cinémathèque québécoise)

popularisé leur cause, ont amené le ministre des Communications (de qui relève alors le dossier cinéma) à négocier et à prendre position. Quelques jours plus tard, une grande manifestation rue Sainte-Catherine à Montréal (où sont situées les salles les plus importantes) regroupe quelques centaines de membres de toutes les associations intéressées au cinéma. Ces événements accélèrent la présentation d'un projet de loi qui, déposé au printemps, est finalement voté le 19 juin 1975.

L'énoncé de la politique (article 3 de la loi) réjouit presque sans ambiguïté le milieu du cinéma.

> La politique cinématographique du Québec doit favoriser la réalisation des objectifs suivants :
> a) l'implantation et le développement de l'infrastructure artistique, industrielle et commerciale d'un cinéma qui reflète et développe la spécificité culturelle des Québécois ;
> b) le développement d'un cinéma québécois de qualité et l'épanouissement de la culture cinématographique dans toutes les

régions du Québec;
    c) la liberté de création et d'expression;
    d) la liberté de choix des consommateurs;
    e) l'implantation et le développement d'entreprises québé-
coises indépendantes et financièrement autonomes dans le domaine
du cinéma;
        f) le développement du cinéma pour enfants et le dévelop-
pement du court métrage.

Il se réjouit aussi de la création des deux organismes
devant concrétiser les principes de la loi : l'Institut québécois du
cinéma (IQC) pour répartir les fonds que le gouvernement destine au secteur privé et, à l'intérieur du ministère et sous la responsabilité du ministre des Affaires culturelles, la Direction générale du cinéma et de l'audiovisuel (DGCA) pour coordonner
toutes les activités gouvernementales en matière de cinéma (et,
espère-t-on, régler l'épineux problème des commandites); pour
veiller à la promotion de l'ensemble de la production québécoise
dans les salles comme dans toutes les sortes de manifestations;
pour établir tous les règlements nécessaires à la réalisation des
objectifs de la loi. Plusieurs autres mesures ne suscitent toutefois pas la même adhésion.
    Peu de changements y sont apportés quant à la circula-
tion des films. Le système des visas par groupes d'âges est recon-
duit tel quel. Un article prévoit la transformation du Bureau de
surveillance, jusqu'alors organisme indépendant (le gouvernement peut démettre le directeur, mais ne peut intervenir dans
son activité ordinaire) en un simple service d'information et de
classification des films, sous la responsabilité du ministre. Cela
équivaut presque à la politisation de la censure et à sa soumission à toutes les formes de pressions et de chantage (car un ministre n'oublie jamais qu'il doit se faire réélire). Devant les pressions, non seulement du milieu cinématographique qui maintient
sa confiance en André Guérin, mais aussi de la presse en général qui déteste toujours voir se profiler le spectre de la censure,
le gouvernement ne promulgue pas cet article et il n'est donc
pas appliqué. Il en est de même pour plusieurs autres, notamment ceux concernant le pouvoir discrétionnaire du ministre sur
la programmation des salles et l'établissement de contingentement, ceux concernant la conservation du patrimoine et créant

une cinémathèque nationale en ignorant la cinémathèque existante (35 sur 104 n'ont pas été promulgués et 8 des articles en vigueur n'ont jamais été appliqués).

Autre sujet de mécontentement, les organismes créés prennent beaucoup de temps à se mettre en place. Il faudra attendre le printemps de 1977 et un changement de gouvernement pour que les fonctionnaires idoines soient recrutés et qu'ils trouvent leur rythme de travail. Mais très vite éclatent des conflits de juridiction entre les deux, car la définition de plusieurs champs d'autorité porte à confusion, notamment la séparation entre l'aide à la production et l'aide à la promotion (les deux directeurs veulent évidemment se retrouver en première ligne au festival de Cannes et tous deux savent bien plus clairement que les cinéastes quel genre de films le Québec doit produire). Moins de deux ans après son adoption, on met déjà en branle le processus de refonte de la loi.

En 1978, le gouvernement publie un « Livre bleu » intitulé *Pour une politique du cinéma*, signé par Michel Brûlé[14], le grand patron de la DGCA. Mais personne n'est satisfait de ses énoncés de principe et de ses suggestions de règlement parce qu'ils accordent encore trop de pouvoirs au ministre ; le milieu du cinéma exprime aussi sa frustration de n'avoir pas été consulté au sujet de cette nouvelle politique. À l'hiver de 1981, le ministre des Affaires culturelles crée alors une Commission d'étude sur le cinéma et l'audiovisuel, dirigée par Guy Fournier (que les gens connaissent surtout pour ses textes humoristiques et ses scénarios de téléromans, mais qui est aussi propriétaire d'une compagnie de production de films qui travaille beaucoup dans la publicité, et qui est lié par la famille à deux ou trois clans importants du milieu cinématographique), pour consulter le milieu et suggérer une proposition de texte de loi. Fonctionnant avec une célérité rarement vue (entravée toutefois pendant plusieurs mois à cause de la tenue d'élections générales), la Commission Fournier tient des audiences publiques à Québec et à Montréal, reçoit des dizaines de mémoires volumineux qu'elle analyse en plus des études qu'elle avait commandées et remet son rapport le 2 septembre 1982[168]. Il suscite des centaines de commentaires et provoque dans les journaux des polémiques comme on n'en avait jamais vues, surtout en ce qui concerne la réglementation de la distribution, qui brimerait la liberté des cinéphiles, et la censure que d'aucuns réclament plus sévère à l'égard de la pornographie violente. André Guérin y apprend crûment que les féministes ne partagent pas l'affection que les gens de cinéma lui portent, car elles réclament son congédiement pur et simple. Ces interminables débats au sujet de la censure illustrent bien le cheminement de la société québécoise depuis 1960, mais aussi ses hésitations et ses incertitudes, tout en suggérant de se méfier des idées toutes faites à ce sujet et de raffiner les critères d'analyse. Trois mois plus tard, le ministre Clément Richard dépose un projet de loi (numéroté 109 : on parlera rapidement de « sang neuf »...) que tous peuvent discuter en commission parlementaire publique (et intégralement télédiffusée) du 22 au 25 février 1983. Les mémoires qui y sont à nouveau déposés (*grosso modo* par les mêmes personnes et dans presque les mêmes termes qu'à la Commission Fournier) et discutés âprement (notamment celui des *Majors* sur la distribution) réclament quelques changements au projet[151]. Il est finalement voté le 22 juin et sanctionné le lendemain.

La nouvelle politique abandonne l'idée du cinéma pour enfants (comprise dans l'ensemble), mais élargit ses perspectives :

— La politique du cinéma, tout en respectant la liberté de création et d'expression, ainsi que la liberté de choix du public, doit donner la priorité aux objectifs suivants :
1° l'implantation et le développement de l'infrastructure artistique, industrielle et commerciale du cinéma ;
2° le développement du cinéma québécois et la diffusion des œuvres et de la culture cinématographique dans toutes les régions du Québec ;
3° l'implantation et le développement d'entreprises québécoises indépendantes et financièrement autonomes dans le domaine du cinéma ;
4° la conservation et la mise en valeur du patrimoine cinématographique ;
5° les respect des droits relatifs à la propriété intellectuelle sur les films et l'établissement de mécanismes de surveillance de la production, de l'exploitation et de la circulation des œuvres ;
6° la participation des entreprises de télévision à la pro-

duction et à la diffusion des films québécois.

Les intentions restent donc à peu près les mêmes, comme d'ailleurs le personnel en place dans les organismes. Le ministre Richard exprime toutefois une volonté très ferme de régler rapidement l'épineux problème de la distribution et de la langue dans l'exploitation.

Comme points principaux d'application, l'Institut québécois n'est plus qu'un discret organisme consultatif auprès du ministre pour élaborer les mesures de la mise en œuvre de la politique du cinéma et en surveiller l'application; huit de ses 12 membres sont nommés par les associations reconnues comme les plus représentatives dans les principaux secteurs de l'industrie (producteurs, distributeurs, exploitants, réalisateurs, techniciens, interprètes, scénaristes, industries techniques), les autres par le gouvernement. La Société générale du cinéma[91] répartit les fonds que le gouvernement attribue au secteur privé et est en principe subordonnée aux directives de l'Institut, mais comme c'est elle qui manipule l'argent, c'est là que se prennent les vraies décisions (*voir* page 275). Ironiquement, les deux organismes sont situés à Montréal dans des édifices différents et passablement éloignés l'un de l'autre!

Bien que peu apparent pour le public, le plus grand changement se produit au Bureau de surveillance qui devient la Régie du cinéma. Elle est confirmée dans son autonomie et son statut d'organisme quasi judiciaire; elle se compose de trois membres, dont André Guérin qui en demeure le président, mais, manœuvre fort habile du ministre, Claire Bonenfant, qui vient de quitter la présidence du Conseil du statut de la femme et a toute la confiance des féministes, devient membre du triumvirat, complété par Pierre Lamy qui abandonne la production. Le mandat est élargi pour prendre en charge, en plus des visas pour les films (mais la censure de la publicité, sauf par le film-annonce, est abolie), l'octroi des permis (de producteur, de distributeur, d'exploitant, etc.) prévus par la loi, pour compiler et publier toutes les données pertinentes relatives à l'industrie, pour composer et faire approuver par le gouvernement les règlements sur le contrôle de la distribution et sur la langue de diffusion des films. Nouveauté importante, la Régie se voit aussi chargée de la réglementation qui concerne la circulation du matériel vidéo, qui commence

LE DÉCLIN DE L'EMPIRE AMÉRICAIN

La publicité du cinéma n'est plus censurée au Québec. Pour les quotidiens, on a quand même remonté le titre jusqu'à la ceinture du monsieur. Dans tous les autres pays, on a utilisé une affiche différente. (Affiche d'Adam/Lafaille)

à devenir un support important de la diffusion du cinéma.

La loi 109 réjouit presque tout le monde au Québec. Par les *Majors* et quelques éditorialistes de *La Presse* (Jean-Guy Dubuc

et Lysiane Gagnon) et du *Devoir* (Michel Nadeau), elle est qualifiée de «protectionniste» (comme si ce n'était pas la justification
même de toute loi que de protéger le faible contre le fort et de
civiliser les relations — et comme si les grandes entreprises américaines n'étaient pas les plus protectionnistes du monde) et de
«contraire aux intérêts des cinéphiles»; ils évoquent le «libre choix
du public», comme si cela existait quand les *Majors* américains
contrôlent plus de 90 % de la distribution au Canada et n'imposent que leurs produits, excluant systématiquement des centaines de films valables venant d'Europe ou d'Asie. Au fond, la
loi québécoise ne fait que copier les mesures coercitives, mais
salutaires, des lois françaises, suédoises et brésiliennes, lesquelles n'empêchent d'ailleurs pas ces pays d'être à la fois parmi les
plus ouverts au cinéma mondial et en même temps des lieux intenses de création. Le milieu du cinéma qui, pour une fois, a été
abondamment consulté et voit de réelles possibilités d'épanouissement, considère comme normal le désir des Québécois d'avoir
accès à une culture cinématographique la plus large possible et
non réduite à ce que les *Majors* américains trouvent bon de lui
imposer. Plus le public québécois développera sa curiosité et
s'éveillera au cinéma mondial de qualité, meilleures seront les
chances des films québécois, croit-il.

Encore une fois, cinéastes et distributeurs québécois perdent leurs illusions assez rapidement, car la Régie prend du retard
dans la composition des règlements et les articles capitaux de
la loi ne sont pas promulgués. Le 1er avril 1985, la Régie décrète
l'abandon de la censure de la publicité et annonce que les visas
s'interprètent dorénavant comme suit: le «pour tous» devient
«visa général», le «14 ans» n'est désormais qu'«indicatif», ce
qui signifie que c'est maintenant aux parents de décider s'ils veulent que leurs enfants de 9 ans voient *Rambo* ou *Rocky*, et le
«18 ans» demeure. Rien là pour transformer la vie cinématographique. En septembre 1985, elle tient des audiences publiques
au sujet des règlements sur la distribution; on assiste alors à une
nouvelle offensive de chantage de la part des *Majors* américains
et lorsque les règlements sont prêts pour la promulgation, le gouvernement du Parti québécois, en campagne électorale, tergiverse
et bloque tout. Le gouvernement libéral qui prend le pouvoir
le 2 décembre suivant ne se presse pas dans l'examen de ce dos-

sier, le réétudie selon ses préalables et son orientation économique propre; le problème vient de trouver une conclusion provisoire (*voir* page 380). L'article 83, au sujet de la langue de projection, avait quand même pu être promulgué et entrer en vigueur le 8 octobre 1985. Restent à venir, en plus des règlements sur la distribution, évidemment, ceux concernant les divers permis requis pour chaque secteur de l'industrie, ce qui touche la billetterie nationale et la cueillette d'informations sur le secteur de l'exploitation, et tout ce qui concerne le domaine de la vidéo. Ces retards, inexplicables pour les cinéphiles ordinaires, ne servent qu'à perpétuer une situation où industriels comme public québécois voient retardé le développement de la création et de la culture cinématographique que la loi « sang neuf » leur promettait.

CONCLUSION

« Quand je me regarde, je me désole; quand je me compare, je me console », dit l'adage populaire. Au terme de ce vaste panorama historique, on ne peut éviter ce jeu des comparaisons et des « consolations », aussi inintéressant ou agaçant cela soit-il pour qui en mesure toutes les composantes. Les cinémas minoritaires ne peuvent échapper à l'obligation de se définir par rapport aux dominants. Si les cinéastes préfèrent souvent oublier le fait, le public, lui, ne ménage pas ses comparaisons et penche généralement du côté de la « désolation ». Le public québécois, comme presque tous les publics du monde, est plutôt jeune, a subi dès ses premières années une colonisation systématique de son imaginaire par l'ingestion massive des Walt Disney et imitations, des *soaps* et des séries policières, des effets spéciaux dans les « spielbergeries » et dans les horreurs artificielles. Faut-il s'étonner de le voir si parfaitement à l'aise, comme dans son lieu le plus naturel de vie, dans les *high schools* et *colleges* de *Porky's* et autres gamineries, et si étranger dans l'univers de *Sonatine*, comme s'il manquait des références fondamentales pour bien comprendre ce film, tourné pourtant dans ses rues et son métro? Faut-il se surprendre de l'entendre dire que « *Mon oncle Antoine*, y a rien là! » ou que « *Les Plouffe*, ça manque de respiration »? C'est pourtant ce même public, du moins les spectateurs les plus âgés, qui de temps en temps fait un triomphe à un film québécois en lui donnant un *box-office* que seules les productions américaines les plus populaires atteignent. Dans ce cas, on dit que « C'est pas mal bon, *pour un film québécois!* »

La partie plus cinéphile du public, qui ne dédaigne pas le cinéma hollywoodien à son meilleur, élargit ses critères de comparaisons et constate bien vite qu'au regard de l'ensemble des petits pays du monde industrialisé (et même de plusieurs grands),

Pascale Bussières et Marcia Pilote dans *Sonatine* de Micheline Lanctôt. Le ton était juste, le traitement original mais déroutant ; le miroir qu'il offrait aux jeunes était insupportable dans sa vérité crue. (Les Films René Malo)

la situation québécoise apporte bien des consolations. Dans la plupart des secteurs (la distribution et l'exploitation — qui dépendent fortement de la situation internationale du cinéma et en subissent toutes les crises — la critique, le syndicalisme et les autres formes d'association chez les artisans, l'éducation cinématographique), ça ne va ni mieux ni plus mal qu'ailleurs ; en ce qui concerne la législation, tant pour les mesures de censure que pour

Château de sable de Co Hoedeman. Auréolée de plusieurs Oscars et de prix remportés dans tous les festivals du monde, l'animation faite au Québec reste le lieu par excellence des «comparaisons consolantes». (ONF)

les formes d'aide gouvernementale, la situation suscite l'envie de plusieurs. Sans compter qu'au secteur de la production, la tradition documentaire et surtout l'expertise en animation, mais aussi parfois la fiction pour ses quelques belles réussites, obtiennent tellement de prix et de nominations dans les festivals que le palmarès a de quoi faire oublier bien des déboires. Au regard de l'ensemble des cinémas nationaux en Afrique, Amérique Latine, Europe de l'Est ou Asie, la situation paraît plutôt enviable. Combien de cinéastes de ces pays, surtout ceux qui ont eu la chance à un moment donné de venir visiter l'ONF, souhaiteraient des conditions de travail aussi favorables.

D'autre part, le milieu du cinéma en général n'aime pas trop le jeu des comparaisons où il perçoit une critique que lui-même se refuse le plus souvent à faire. «On ne compare pas un jeune cinéma aux traditions d'Hollywood (et pourquoi pas?), ni un petit pays à un grand, ni une culture minoritaire en Amérique avec la culture française ou l'impérialisme des dollars américains» (encore une fois: et pourquoi pas?), entend-on souvent dans les grands débats publics. S'il fallait en croire certains, ce serait si facile, n'est-ce pas, de produire des *Les Uns et les Autres*,

Jaws, E. T., *Raiders of the Lost Ark* ou *Star Wars* à la pelle, alors que réaliser un bon documentaire ou une bonne fiction-québécoise-documentée-et-culturelle, ça, ce n'est pas à la portée de n'importe quel Lelouch, Spielberg ou Lucas venu! À d'autres moments, je trouve qu'on a la « consolation » un peu trop facile. Cinq ou sept semaines à l'Élysée ou dans une petite salle du Berri, n'est-ce pas trop souvent considéré comme un grand succès? Louis Marcorelles a tellement répété dans *Le Monde* que c'était au Québec qu'on faisait les meilleurs documentaires du monde que ça doit bien être vrai! Avoir été invité si souvent à la Quinzaine des réalisateurs, n'est-ce pas plus « consolant » qu'une critique mitigée dans *La Presse* et des salles vides? Tous ces Français qui organisent des Semaines de cinéma québécois ou qui écrivent de si beaux articles louangeurs ne peuvent pas se tromper, n'est-ce pas? (je l'ai déjà mentionné, *voir* page 200), le regard « extérieur » sur le cinéma québécois a été presque uniquement français et chargé d'ambiguïtés (mauvaise conscience de colonisateur, paternalisme, condescendance envers de lointains « cousins » que l'on aime bien tant qu'ils restent loin, méprises sur l'« américanité » du Québec...). Parfois je pense qu'il faudrait que certains cinéastes rencontrent de temps en temps de jeunes étudiants qui leur disent avec toute leur belle naïveté « le roi est nu » ou, avec leur cruauté inconsciente, « au royaume des aveugles, les borgnes sont rois » (réflexions qu'ils lancent régulièrement à la tête de leurs professeurs de cinéma qui mettent tout leur pouvoir de séduction et leur force de persuasion à les convaincre de voir tel film québécois et qui parfois réussissent).

La plus fallacieuse des comparaisons consolantes, c'est évidemment de répéter *ad nauseam* que « le cinéma québécois est jeune, pas encore mûr », qu'il faut lui donner le temps de s'épanouir, que les « jeunes » ont droit à leurs erreurs (« les péchés de jeunesse » : n'est-ce-pas la meilleure excuse à l'échec?). La première chose qu'il faut souligner, c'est que pour un cinéma qui s'affirme « jeune », il manque singulièrement d'audace et d'imagination, caractéristiques essentielles de la jeunesse. Mais il n'est plus jeune, le cinéma québécois. Nous avons montré, dans la deuxième partie, qu'il existe de façon structurée et « professionnelle » depuis au moins 1939, ce qui lui donne l'âge respectable de bientôt cinquante ans (et l'embonpoint « organisationnel » qui

Les Vrais Perdants d'André Melançon : si l'on appliquait les « messages » de ce film aux relations entre les cinéastes, les organismes publics et les spectateurs ? (ONF)

sied à cet âge); même si l'on ne veut dater sa naissance qu'avec le regroupement de l'équipe française à l'ONF vers 1956-1960, cela fait encore trente ans. Il n'en a pas fallu autant, et dans des conditions de loin moins favorables (appareils, techniques, liberté de création) aux cinémas américain, français, russe, danois ou allemand, pour produire les Griffith, Keaton, Chaplin, Clair, Renoir, Eisenstein, Poudovkine, Dreyer, Lang, Murnau... « Le cinéma, c'est un métier où l'apprentissage est très long », dit Roger Frappier dans une émission de télé sur « avoir 40 ans » : comment ne pas souligner, si l'on connaît l'histoire du cinéma et si l'on ne craint pas les comparaisons, que les Eiseinstein, Welles, Lang, Vigo, Godard, Truffaut, Spielberg, et combien d'autres, ont réalisé leurs œuvres les plus originales et les plus significatives avant d'avoir trente ans ou dans la jeune trentaine ? Jeune, le cinéma québécois? Presque toutes ses têtes d'affiche ont dépassé la cinquantaine ou s'en approchent et comptent environ vingt-cinq ans de métier. Difficile d'évoquer l'alibi de l'adolescence et d'attendre encore ce qu'ils vont faire « quand ils seront grands ». D'autant plus que la génération des quarante ans n'a pas encore réussi à se trouver et s'imposer et que ceux de trente ans, sauf deux ou trois exceptions, semblent attendre béatement que les aînés ou les organismes gouvernementaux leur créent de petits nids douillets et sûrs où leur talent trouverait à s'épanouir (j'exagère à peine).

On ne peut pas non plus évoquer l'alibi de la pauvreté. Les cinéastes québécois, sauf rarissimes exceptions, sont pauvres et ne peuvent mettre de la confiture sur leurs rôties qu'au prix de bien des heures supplémentaires, d'à-côtés à la télévision ou au théâtre, ou encore dans l'enseignement ; mais le cinéma québécois, lui, est riche. Chaque année, les rapports annuels de la SDICC, ou Téléfilm Canada, de l'Institut québécois ou de la Société générale, de Radio-Canada et de Radio-Québec, du Conseil des arts du Canada, en plus évidemment de celui de l'ONF, alignent les dizaines de millions de dollars consacrés à la production de films « d'intérêt national » (et je ne parle pas des autres dizaines de millions de dollars engloutis dans les coproductions). Rien que pour l'année 1985, au moins 50 millions de dollars auraient été investis dans l'industrie québécoise. Mais où va-t-il tout cet argent, se demandent les cinéastes ? On a beau additionner tous les budgets connus des films, imaginer toutes sortes de dépassements de budgets, on reste toujours loin du compte. C'est que les dépenses de fonctionnement des organismes d'État, copies presque conformes à chaque niveau de gouvernement, s'accroissent proportionnellement au nombre de fonctionnaires engagés et accaparent une part toujours plus grande des coûts de production ; et là-dessus, le milieu du cinéma n'a presque rien à dire et presque rien à contester. Bien que ces organismes aient été créés à la suite de ses demandes et selon ses spécifications ; bien que des membres des associations représentatives du milieu du cinéma aient souvent la majorité au sein des conseils d'administration ou des comités consultatifs de ces organismes ; bien qu'une grande partie des fonctionnaires y oeuvrant aient été recrutés dans la profession elle-même, les cinéastes ressentent toujours de l'impuissance et éprouvent très souvent l'impression

Comment s'étonner de la réaction des spectateurs quand ce sont des représentants mêmes du milieu du cinéma qui proposent cette perception ? (Couverture du programme officiel)

d'être trahis par leurs amis. Peut-être sentent-ils aussi que leur attitude, qui consiste le plus souvent à revendiquer une autonomie totale tout en étant financé presque entièrement par les gouvernements, est objectivement insoutenable. Mais ont-ils le choix ? Dans un petit pays de six millions d'habitants comme le Québec, il est mathématiquement impossible d'imaginer une industrie privée rentable ; ce qui en tient actuellement lieu n'est qu'une fiction mystificatrice entretenue par certains gros industriels qui savent tirer les bonnes ficelles à leur profit (*voir* page 293, l'exemple du *Déclin de l'empire américain*). Le cinéma québécois ne peut exister que subventionné pour la presque totalité de son financement; il s'ensuit quelques exigences que le milieu du cinéma se refuse le plus souvent à considérer, mais que le public général, lui, considère comme allant de soi: le cinéma doit tenir compte des goûts du public et non seulement de ceux des cinéastes; plus on demande à la collectivité, plus on doit lui donner en retour. Le public veut bien se faire déranger dans ses certitudes et à l'occasion se faire bousculer dans ses habitudes, mais il accepte mal de se faire continuellement traiter d'idiot par une élite intellectuelle bien-pensante; il veut bien se laisser éclairer par les prophètes du changement social, mais non se laisser imposer des modes de penser et des idées qui, si généreuses et progressistes soient-elles, correspondent mal à son vécu. Ce qui nous renvoie à la question fort joliment posée par Micheline Lanctôt: «Le cinéma québécois a toujours été tributaire des fonds publics. La poule ou l'œuf? Est-ce parce qu'il cherche son public qu'il tète l'État ou est-ce parce qu'il tète l'État qu'il cherche son public?» Elle-même n'ose pas répondre à la question! Au début de l'ONF, sous l'influence de Grierson, ces «évidences» avaient force de loi; on les a passablement oubliées depuis et, le plus souvent, on refuse de les affronter. Lors d'un débat public, aux Rendez-vous du cinéma québécois de 1986, constatant que le milieu du cinéma est fort démocratique, mais qu'il ne s'épure jamais et que les tâcherons de la pellicule obtiennent autant d'argent public que les plus talentueux, j'ai naïvement posé la question: «Y a-t-il trop de cinéastes au Québec?» Quel scandale! Mais il me semble qu'il y a là aussi matière à un vaste débat collectif dont la profession ne pourra se permettre de faire l'économie dans les prochaines années.

Il n'est donc ni «jeune», ni «pauvre», le cinéma québécois; plutôt mûr (on distingue déjà quatre générations de cinéastes) et «gras dur» (on compte une bonne demi-douzaine d'organismes publics, qui ne cessent de s'inventer de jolis organigrammes et structures et dépensent annuellement des centaines de millions de dollars pour sa prospérité). Une bonne connaissance de son histoire permet de constater l'évolution d'ensemble, les phases successives de la période artisanale et de l'accession à une maturité évidente, puis les problèmes d'usure et enfin, la nécessité du renouvellement et des réaménagements à tous les niveaux. Dans un de ses meilleurs textes, il y a quelques années, Fernand Dansereau[102] justifiait ainsi son passage du documentaire à la fiction : « Il faut s'imaginer pour se connaître ; il faut pouvoir s'imaginer autre pour se libérer. » Cette phrase résume bien pour nous l'orientation marquant les quatre grandes périodes de la création filmique au Québec. Résumons-les sous cet éclairage qui constitue une bonne introduction à l'analyse de la place qu'occupe le cinéma québécois dans son milieu.

À l'époque des pionniers (Tessier, Proulx...) et avec les débuts de l'ONF, le documentaire s'imposa : devant l'absence quasi totale sur les écrans commerciaux d'images du pays (et la perversion de ce qui en tenait lieu dans les productions d'Hollywood), il était capital, « pour mieux se connaître » de mettre en images personnes, paysages, artefacts, lieux de vie, techniques en voie de disparition, modèles sociaux et croyances. On n'avait guère le temps et les moyens de se préoccuper d'esthétique, seules comptaient la véracité du montré et la force de persuasion de la démonstration. Les professionnels dans la lignée de Grierson tout autant que les artisans amateurs voyaient d'ailleurs ce cinéma davantage comme un diffuseur d'informations ou un outil d'animation que comme un divertissement. D'où l'importance de la « parole », soit celle de Tessier ou Proulx interprétant ses images, soit celle du commentaire explicatif dans les films de l'ONF, car on se méfie de l'image brute sur laquelle tous les (boni)menteurs du passé et les fabricants d'intertitres avaient collé du mépris ou des discours farfelus.

Dans l'après-guerre, renversement de perspective et de ton : la fiction remplace le documentaire comme attraction principale ; le divertissement prime sur le « message » et les récits mélodramatiques, malgré leur réalisme, amènent à « s'imaginer autre ». L'aspect « libération » ne s'y articule pas clairement, mais je crois, avec Michel Brûlé, que les *Père Chopin*, *Un homme et son péché*, *Aurore*, *Curé de village*, *Gros Bill*, etc., furent pour leur temps d'utiles « imaginaires catalyseurs » et qu'ils ont contribué à l'évolution des esprits, ne serait-ce que par le geste d'affirmation culturelle originale qu'ils représentaient. C'est dans le même esprit qu'il faut voir une partie de la production documentaire des francophones à l'ONF durant les années 50 et la série *Panoramique* créée pour la télévision.

« Quand je fais un film, je suis à la chasse... Il y a des pistes... et je me laisse inspirer par ces pistes... Au bout, il y a une bête ou il n'y en a pas. » Pierre Perrault, tournage de *La Bête lumineuse*. (Photo Martin Leclerc, ONF)

Avec la grande aventure du « cinéma direct » rassemblant en un gigantesque et magnifique « album » presque tout le monde ordinaire du pays et dressant l'inventaire de l'héritage culturel, nous sommes évidemment dans la voie « s'imaginer pour se connaître ». Du fait de leur formation antérieure et répondant aussi sans doute à une exigence intérieure, la majorité des cinéastes du direct privilégient la « parole » à l'image et au geste ; les « gens de paroles » célébrés par Gilles Vigneault dans ses chansons les intéressent plus que les hommes d'action. C'est alors souvent la parole qui tient lieu d'acte surtout dans le cinéma de Perrault. Une partie de la fiction de l'époque, d'*À tout prendre* à *Entre la mer et l'eau douce*, joua aussi à peu près le même rôle. Cette entreprise de lucidité sur soi et de création de solidarités nouvelles contribua à sa façon au succès des grands projets de développement de la Révolution tranquille.

Avec les années 70, c'est l'explosion dans tous les genres et l'exploration de toutes les voies thématiques. Plutôt conformiste, le cinéma de fiction se contente trop souvent de traduire ou de reproduire, avec plus ou moins d'interprétation, d'humour ou de sérieux, les observations et faits historiques déjà consignés en archives par le documentaire ou l'écrit (de *Mon oncle Antoine* à *Bonheur d'occasion*). Les grandes séries documentaires (*Carcajou*, *Le Son des Français d'Amérique*, *La Belle Ouvrage*) participent du même esprit et sont tournées vers le passé (alors que le direct des années 60 était préoccupé surtout par le présent). Un peu paradoxalement, c'est dans les documentaires du programme Société nouvelle et ceux réalisés avec les mêmes objectifs que s'élabora le meilleur « s'imaginer autre » de l'époque, alors que la fiction ne produisit que peu d'œuvres provocantes (j'entends ici des films provocateurs de longues discussions ou de vifs débats publics comme *La Vraie Nature de Bernadette*, *Les Ordres*, *Gina*, *Bingo*, *Mourir à tue-tête*, *Les Bons Débarras*, *Le Déclin de l'empire américain*). Ces « rendez-vous réussis » des films québécois avec leur public (qu'il soit spécialisé dans le cas de certains documentaires ou aussi large que dans celui des plus gros succès étrangers et de certaines fictions commerciales) rejetaient dans l'ombre bien des « amours contrariés » (Luc Perreault) qui, après 1975, feront éclater au grand jour une série de crises et de « crisettes » dont le cinéma québécois ne commence à se sortir qu'au milieu de la décennie suivante.

Statistiquement, les « amours contrariés » dominent largement les « rendez-vous réussis » entre 1975 et 1984, et cela dans tous les genres et pour presque tous les auteurs. Pour ne prendre que les cas les plus spectaculaires, comment avaler la série Abitibi ou *La Bête lumineuse* de Perrault après la poésie de l'Île-aux-Coudres? *Pour le meilleur et pour le pire* et *La Dame en couleurs* de Jutra après *Mon oncle Antoine*? *Éclair au chocolat* de Lord après *Panique* ou *Bingo*? *Les Beaux Souvenirs* de Mankiewicz après *Les Bons Débarras*? *Le Crime d'Ovide Plouffe* d'Arcand après *Le Confort et l'Indifférence*? *Fantastica*, *Ô Picasso* ou *La Guêpe* de Carle après

Avec un seul *Matou* (Jean Beaudin), on peut financer cinq *Années de rêves* (Jean-Claude Labrecque): faut-il choisir? (Publicité)

Bernadette ou *Les Plouffe*? *Le vieux pays où Rimbaud est mort* ou *Le Jour S...* de Lefebvre après *Les Dernières Fiançailles*? *Le Matou* de Beaudin après *J.A. Martin*? *La Quarantaine* de Poirier après *Mourir à tue-tête*? *Debout sur leurs terres* de Bulbulian après *Richesse des autres*? Et je ne parle pas de ceux et celles qui, sauf pour les copains et certains micromilieux, n'ont jusqu'ici suscité qu'«amours contrariés».

Beaucoup n'ont pas prisé cette affiche d'Yvan Adam, mais combien acceptent de réfléchir sur sa signification?

Pour toutes sortes de raisons qui relèvent davantage de la sociologie (nouveauté, sujets controversés, sexualité débridée, interprétation historique, cote d'amour pour des comédiens vedettes de la télévision, publicité agressive et efficace, thèmes à la mode) que de l'intérêt proprement cinématographique, le public avait fort goûté les « essais » des années 60 et du début de la décennie suivante. Il y eut, à ce moment, une empathie assez profonde entre les créateurs et les spectateurs ; la fraîcheur et la bonhommie du ton faisaient bien passer les messages, même ceux d'une critique sociale parfois acerbe. On lui pardonnait facilement ses incohérences de scénarios et ses outrances : il fallait bien encourager ce dynamique « cinéma naissant » ! Une critique en général fort indulgente (trop ?) en constituait toujours la meilleure publicité parce qu'elle s'efforçait de trouver au moins un petit quelque chose de bon, même chez de jeunes auteurs qu'il aurait peut-être mieux fait de décourager rapidement.

Mais après s'être fait passer quelques bons « sapins », soit par les cinéastes, soit par une critique trop louangeuse de films pour lui imbuvables, le public s'est mis à se méfier des uns et des autres[81]. Combien de spectateurs auraient signé avec la journaliste Lysiane Gagnon de *La Presse* : « Il y a probablement quelques milliers de gens comme moi au Québec qui ont été tellement échaudés par tous ces films trop lourds, trop lents, abstraits, bâclés ou prétentieux, qu'ils ne veulent plus rien voir de cinéma québécois » ? Dans le milieu du cinéma en général, on s'interroge fort peu sur le sens de cette rupture avec le public ; on y a fort mal accueilli la publication du *Cinéma québécois à la recherche d'un public* de Ginette Major[45] et refusé comme non avenu le questionnement des films qui y est tenté. La question est évoquée dans presque tous les débats publics, mais on revient toujours aux alibis faciles, quoique toujours réels, de la difficulté d'accès aux meilleurs salles à cause de la propritété étrangère des principaux réseaux, des mauvais *timings* de programmation, de l'acculturation du public aux produits américains et de son refus de se faire déranger dans ses habitudes, du manque d'information sur l'actualité locale, de l'incompétence de la critique en général, de l'absence de politique en ce qui concerne la distribution et l'exploitation, du mauvais raccordement des interventions fédérales et provinciales (quand il n'y a pas contradictions entre elles), etc. Quand on parle de la production, c'est presque uniquement pour faire le procès des organismes subventionnaires et de leurs exigences. Toutes ces « circonstances atténuantes » (et « exténuantes » ajouterait Pierre Perrault) font évidemment partie de la problématique, mais ne peuvent tout expliquer. On répète aussi à satiété qu'il faut réinventer le rapport au public, créer de nouvelles connivences et complicités (comme on l'avait fait dans les années 60, *revoir* la citation de Dansereau, page 148), mais c'est presque toujours pour inciter le public, lui, à changer. Quelle candeur dans cette phrase de Thomas Vamos : « Il y a quinze ans, c'était clair. Il n'y avait pas de cinéma québécois. Tout était à inventer. On n'avait pas de public et on n'en avait pas besoin. Aujourd'hui, c'est le contraire, on a besoin du public pour justifier nos efforts et justifier nos subventions auprès des fonctionnaires. » Quand le public ne sert qu'à ça... Pour les cinéastes québécois, l'ambiguïté a d'autant plus de poids que dans les milieux du cinéma à l'étranger, leurs films jouissent d'une excellente réputation et remportent des tas de prix. Toutefois, on ne s'interroge guère sur le fait qu'aucun auteur n'ait encore réussi à s'imposer internationalement, que les grands prix d'interprétation à Cannes ou Chicago ne procurent aucune offre de travail sérieuse à l'étranger pour les lauréates (parlez-en à Monique Mercure ou Marie Tifo) et on préfère oublier les connotations « politiques » de tous ces prix accordés par des pairs. Les prix locaux tiennent tout autant d'un mirage qu'il faudra bien un jour dissiper ; par exemple, je puis chaque année voir de très près comme il n'y a absolument rien de sérieux dans ce « Prix de la presse internationale » au Festival des films du monde et dans celui du film le plus populaire (simplement choisi, personne ne sait de quelle manière, parmi ceux qui remplissent la salle et pour qui on doit refuser des spectateurs) ; le Prix de la critique québécoise se décide presque toujours par une marge très faible et penche généralement vers les « jeunes auteurs sympathiques à encourager » ou vers l'intérêt politique du film plutôt que sur sa valeur cinématographique réelle, ou bien il entend souligner davantage une carrière et une vision du cinéma que le film nommé (les discussions précédant le choix ne vont jamais très loin et on y parle davantage des réalisateurs ou de la situation générale du cinéma que des films à primer). Les Rendez-vous du cinéma québécois (*voir* page 406) sont toujours fort bien « réussis », mais il faut retenir que seuls les gens du milieu du cinéma et quelques cinéphiles maniaques se retrouvent dans la petite salle de la Cinémathèque. Tout cela n'enlève aucune valeur aux films ainsi mis en

Fantastica de Gilles Carle, une coproduction réalisée avant tout pour plaire à un public étranger. Ce choix s'est-il déjà révélé rentable quelque part? (Coll. Cinémathèque québécoise)

vedette, et dont certains s'élèvent à un haut niveau de qualité, mais il faut répéter ici qu'un cinéma qui n'est apprécié que par le milieu du cinéma, si grande l'admiration des pairs soit-elle, ou par une critique hésitante à parler des films, repose sur un malentendu qui ne contribue pas à le rapprocher du public ordinaire. Il faudra pourtant un jour regarder si ce ne sont pas les films eux-mêmes, dans leur esthétique comme dans leurs contenus, qui coupent la communication. Jetons ici un coup d'œil (comme on dit aussi «coup de hache») sur la perception d'ensemble que les films provoquent souvent.

Comme professeur et critique, je m'impose d'assister systématiquement à tous les films québécois possibles (bien que des sorties trop rapides ou des séjours prolongés en dehors de Montréal m'en aient fait manquer quelques-uns que même les télévisions n'osent pas reprendre). Malgré mes préjugés indéfectiblement favorables (dont mes étudiants ne manquent pas de se moquer) et mon indulgence toujours assurée d'avance, il me faut convenir que si j'entre toujours dans la salle avec plaisir, c'est souvent par devoir que je ne la quitte pas avant la fin de la projection. Ce malaise de critique, je le vois partagé par Fer-

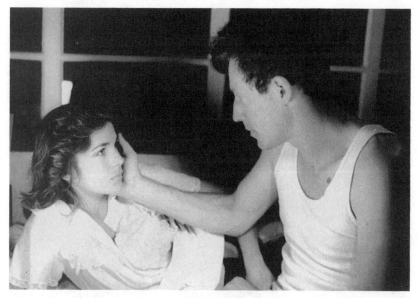

Véronique Jannot et Gabriel Arcand dans *Le Crime d'Ovide Plouffe*, partie réalisée par Denys Arcand. La séquence la plus invraisemblable du film: Ovide ne pouvait pas avoir amené Marie jusque-là, aimante, «voulante», pour refuser d'entrer dans son lit... Un bon exemple du cinéma «j'aurais donc dû». (Photo Piroska Mihalka, Les Films René Malo)

nand Dansereau qui, participant à une Semaine du cinéma québécois à Poitiers, devait dire par la suite:

> Ce fut le choc de ma vie. En regardant les films de mes confrères, Perrault, Groulx, Arthur Lamothe, j'ai eu l'impression de voir *un seul et même film*. Ce fut une véritable leçon d'histoire du cinéma québécois. J'ai vu les qualités de nos films, la chaleur, le souci technique, la complicité avec le quotidien. J'ai vu aussi leurs maudits défauts. Notre cinéma est *profondément nostalgique*, c'est le cinéma du «j'aurais donc dû», un cinéma sans violence où gronde quelque part la colère des faibles. Et au-dessus de tout ça, j'ai compris que *nous n'avions jamais apprivoisé les éléments du spectacle*, nous ne savions rien de ses exigences. (*Le Devoir*, 4 septembre 1982) (C'est moi qui souligne.)

Ces réflexions, je les entends depuis dix ans dans la bouche des étudiants (qui disent d'ailleurs la même chose des films de Godard ou de ses émules) et de plusieurs personnes du public ordinaire qui aiment le cinéma québécois, mais sentent souvent le malaise de l'«amour contrarié». Reprenons les deux principales constatations de Dansereau.

On est loin du soleil de Jacques Leduc. « Le syndrome de la plante verte : il y a en effet toujours une plante verte qui pointe le bout de sa feuille, et c'est parfois ce qu'il y a de plus vivant dans l'image. » Cette parole de Jacques Leduc s'applique à combien de films ? (ONF)

Que l'on ait souvent l'impression de revoir toujours « le même film » au cinéma québécois ne devrait pas trop surprendre : si l'on n'est pas trop naïf, ne peut-on dire la même chose de tous ces films français utilisant les Belmondo, Montand ou Depardieu ? N'a-t-on pas le sentiment de n'avoir vu qu'un seul western, un seul policier, un seul Zorro-Indiana Jones, un seul Carpenter-King, un seul Lelouch, un seul Woody Allen, un seul Bergman, un seul Resnais ? Ce qui peut gêner, ce n'est pas tellement non plus le type de personnages privilégiés (il y a beaucoup plus de *losers*, de paumés, d'ivrognes, de marginaux, de *cheap* dans le cinéma américain que dans tout autre), ni l'unité des thèmes ; c'est que cette unité, dans le cinéma québécois, penche, la plupart du temps, du côté de la nostalgie, du pessimisme, de l'échec accepté passivement. Les films québécois décrivent presque toujours comme une situation « normale » les révolutions avortées, les révoltes sans lendemains, les amours impossibles,

Joseph Rouleau dans *Au pays de Zom* de Gilles Groulx. À pousser trop loin la recherche esthétique, on peut aboutir au même point que si on ne s'en préoccupe pas assez : à ne plus faire de cinéma. (ONF)

les maladies inéluctables, les échecs inévitables, les peurs incontrôlables, la quotidienneté nécessairement plate, les ambitions dégonflées, la vie sans relief, l'inertie sociale. Les « héros » des films chialent un bon coup, lancent quelques coups de gueule contre l'État, Dieu et les pères tous confondus, puis retournent à leur « petite vie », cette petite vie que Ding et Dong stigmatisent si bien dans leurs sketches parodiques ; à la fin de la majorité des films, il n'y a rien de changé, essentiellement, par rapport à la situation initiale. « Les héros du cinéma québécois ne sont pas des *gagnants* car ils ne partent jamais à la conquête, écrit Louise Carrière, (...) les rares moments d'action concernent les derniers moments du héros et non son itinéraire actif : l'essentiel du film se complaît à nous faire assister lentement à sa fin tragique et la spectacularisation met en scène davantage les difficultés rencontrées que les qualités personnelles : d'où, me semble-t-il, la fatalité et même la lourdeur des fins de nos films. »[96] C'est surtout cela, il nous semble, que le public général accepte mal : de sortir de la salle sans avoir pu s'évader de ses problèmes, d'avoir dû s'y replonger sans avoir pu entrevoir l'espoir d'en sortir. Comme tous les spectateurs du monde, ceux du Québec vont au cinéma pour se distraire, pour se changer les idées; ils ne refusent pas les drames, les problèmes personnels, mais il faut 1) que ce soit ceux des autres; ou bien 2) que s'ils ressemblent aux leurs, ils aient au moins une fin heureuse; on peut accepter de voir mourir les autres, mais on refuse sa propre mort! « Le cinéma était trop misérabiliste, constatait récemment Louise Carré, les spectateurs avaient besoin qu'on leur dise qu'eux aussi ils étaient beaux. » Ceci est parfaitement illustré par l'échec de *Sonatine* de Micheline Lanctôt, film admirable, mais que toutes les adolescentes qui ont l'âge, la culture *walkman*, les problèmes de communication et les rêves des héroïnes suicidées ne veulent pas voir, le portrait étant trop ressemblant et réalistement pessimiste; il va sans dire que les parents d'adolescents n'aiment pas non plus se faire lancer leur échec à la figure. Paradoxalement, pour un cinéma qui se veut profondément inscrit dans la réalité, on peut se demander si un éventuel spectateur « martien », si bon analyste fût-il, y apprendrait les quatre saisons, les principales structures culturelles, les disparités de groupes sociaux, le pluralisme des croyances et des modes de vie, les grands enjeux idéologiques, etc.

Deuxième réflexion importante de Dansereau, le « non-apprivoisement des lois du spectacle ». Presque toutes les têtes d'affiche actuelles firent leur apprentissage cinématographique avec le cinéma direct ou bien avec un cinéma de fiction militant. Pour eux, l'expression en tant qu'artiste a toujours été subordonnée à l'engagement et l'esthétique à la force de communication du discours. Tous, au moment le plus important de leur carrière, se sont davantage considérés comme des sociologues, des anthropologues, des politicologues, des éveilleurs de conscience, des travailleurs sociaux, des pamphlétaires, des poètes, des prêtres-directeurs de conscience, des professeurs (de cinéma surtout) et trop rarement comme des « cinéastes ». Dansereau l'a souvent souligné, mais aussi Gilles Groulx et Arthur Lamothe, on a eu trop peur de passer pour des « artistes » dans le cinéma québécois. Les lois et exigences du spectacle, on ne les a pas apprivoisées « parce qu'on n'a pas voulu les apprivoiser », parce qu'on les a « rejetées ». Dans le documentaire comme dans la fiction, avec les Perrault et Lamothe comme avec les Jutra, Arcand, Lefeb-

Zikkaron de Laurent Coderre : quand un réalisateur réussit à se faire plaisir et à séduire un très large public international avec des rognures de linoléum, un bon scénario et beaucoup de patience. (ONF)

vre ou Leduc (mais à un moindre degré chez Carle et Lord, et plus du tout chez des plus jeunes comme Simoneau ou Pool), on a systématiquement cherché à faire œuvre originale, à se démarquer de ces lois hollywoodiennes du spectacle, soit parce qu'elles représentaient, dans le cadre de luttes idéologiques globales, un impérialisme culturel aliénant, la botte d'un colonisateur dont il faut se libérer ; soit par geste d'affranchissement thérapeutique («Ma mère se nommait Hollywood. Mon père Saint-Germain-des Prés», dit Jacques Godbout) ; soit encore parce que, simplement, on sentait les choses d'une manière différente. Quand Jacques Leduc pose la question : «Comment en arriver à cet équilibre précaire entre se faire plaisir et faire plaisir aux autres ?», il ne fait que formuler ce que tous les grands créateurs du monde ont toujours vécu ; sans ajouter toutefois que dans le cas des meilleurs, se faire plaisir, c'est aussi faire plaisir au public du même coup. Jusque-là, tout s'explique et se comprend assez bien. Ce qu'on parvient mal à accepter, toutefois, ce sont les choix esthétiques découlant de cette prémisse : improvisation des scénarios, choix de personnages faisant partie du «monde ordinaire » décrits dans leur quotidienneté ; désir de bien raconter l'Histoire sans conter des histoires ; volonté de tout expliquer et trop d'importance accordée aux paroles au détriment de l'image (à laquelle on fait moins confiance) ; narration biscornue, mal fragmentée et manquant de clarté ; trop d'illustration et pas assez d'évocation ; redondances ou répétitions inutiles ; rythme lent ; refus de l'acteur fort ; plan-séquence généralisé (ce qui implique le plus souvent une distance par rapport au sujet principal, un quasi-refus du gros plan, une meilleure continuité du plan émotif peut-être, mais aussi un manque de dramatisation ; souvent, le plan-séquence recouvre aussi un manque d'imagination et beaucoup de paresse) ; méfiance envers les musiques trop dramatisantes et option pour celles qui « distancient » ; etc. Réflexe salutaire que de rejeter un cinéma de fiction trop embourbé dans ses clichés, ses stéréotypes et ses poncifs, mais du même coup, il semble qu'on ait « jeté le bébé avec l'eau sale ». On reste pantois quand, par exemple, on entend Louise Rinfret, la coscénariste avec Claude Jutra de *La Dame en couleurs*, dire à la télévision que pour la publication romancée de ce scénario (après le lancement du film), elle a inventé une biographie aux personnages : comme si l'abc de la scénarisation ne comportait pas cette exigence fondamentale ! Ou encore, quand Roger Frappier raconte que pour *Le Déclin de l'empire américain*, la qualité du scénario vient de ce que l'équipe en a discuté pendant des jours et des jours : comme si producteurs et scénaristes n'avaient pas fait cela à Hollywood depuis le début du siècle ! Enfin, mieux vaut tard que jamais. Au fond, chez la majorité des cinéastes québécois, il n'y a presque jamais eu ce qu'André Roy appelait « désir de cinéma » lors d'un récent débat. Pierre Perrault marque un point limite quand il affirme ne jamais aller au cinéma et ne savoir ce qui s'y passe que par les journaux, mais cette attitude se retrouve à un degré moindre chez plusieurs. Comme si on prenait la contrepartie de ce Godard d'il y a vingt ans qui affirmait : « J'aime le cinéma, ce sont les films que je ne puis supporter ! » Des centaines d'artisans adorent faire des films au Québec et ils y investissent toutes leurs énergies, mais il y en a bien peu qui plongent vraiment dans le « désir-cinéma » et font confiance à leur imagination. C'est probablement ce manque de confiance en soi qui explique le manque de clarté des sujets, les problèmes de structure des œuvres et la difficulté de s'élever au niveau de la transposition symbolique. On peut en voir certaines explications dans le fait que l'«école de cinéma» pour la plupart ait été uniquement l'approche «par essais et erreurs», suivant l'intuition, dans la fabrication de documentaires; ou bien dans la conscience sociale appelant à certains engagements; ou bien dans un désir très sincère et très honorable de faire évoluer le cinéma. Mais on sent comme une peur de se laisser aller dans l'imaginaire, de se perdre dans la fiction. Si les films québécois ont fait évoluer quelque chose, je ne suis pas sûr que ce soit le cinéma!

Tout cela met bien en évidence que le problème majeur demeure toujours celui du scénario. C'est plutôt banal de le répéter, surtout quand on sait que c'est le problème universel et intemporel de tout cinéma. Mais, nuance! En contexte québécois, ce sont moins les bons sujets et l'imagination qui manquent que le métier pour en faire des œuvres qui se tiennent. En 1975, Paul Warren provoquait en écrivant: «Notre cinéma doit absolument se distancer de nos *bibittes* caricaturées par des réalisateurs pognés.» La situation a maintenant passablement changé: on parle moins de nos «bibittes» et la majorité des réalisateurs paraissent moins «pognés» qu'auparavant. Mais la plupart tiennent encore au mythe de l'auteur «total» (scénariser sa propre histoire, diriger, dernier mot sur le montage, parfois jouer, parfois produire). Qu'on ne voie pas ici, de ma part, un procès d'intention: les cinéastes québécois multiplient tellement les interviews que leurs «intentions» sont beaucoup mieux connues que leurs films, et généralement beaucoup plus intéressantes. Peut-être le temps de ces hommes-orchestres qui prennent tous les risques est-il passé (au fond, combien de films importants leur doit-on? bien peu!) et que plusieurs devraient y renoncer et accepter modestement la collaboration et le travail en équipe. Il y a quelques années, tout le monde ne voulait être que réalisateur; selon le principe bien connu, plusieurs y ont rapidement atteint leur «niveau d'incompétence». Peut-être retrouveraient-ils un nouveau souffle en réintégrant leur poste de cameraman, ou de monteur, ou de critique. D'autres devraient abandonner l'idée d'écrire et s'entourer de scénaristes compétents. Le problème, évidemment, c'est de les trouver. Depuis plus de dix ans, autant la SDICC à Ottawa que l'Institut ou la Société générale à Québec fournis-

Mario de Jean Beaudin : de belles images, une bonne musique, de bons comédiens et un sujet en or. Mais on n'a pas su couper à temps dans certaines scènes, ni inventer une bonne finale. (ONF)

sent annuellement des centaines de milliers de dollars en aide à la scénarisation ; mais trop dispersée et le plus souvent mal dirigée (car elle sert surtout de « primes » à plusieurs réalisateurs

Carole Laure dans *Maria Chapdelaine* de Gilles Carle: le spectateur pouvait-il voir autre chose que Carole Laure dans ce film où l'adaptation du roman célèbre ne se fit pas pour créer une œuvre cinématographique, mais avant tout pour faire jouer une comédienne en mal de *star-system*? (Photo Pierre Dury, Astral Films)

ou à des auteurs de théâtre médiocres), elle n'a encore révélé aucun talent important (au moins chez les francophones). C'est donc un peu « par défaut » que bien des réalisateurs continuent d'écrire leurs scénarios. On ne le regrette pas dans le cas de Denys Arcand, parfois de Gilles Carle (quand il est bien secondé), et de quelques autres ; mais on ne peut dire que la situation est déterminante pour l'existence d'un cinéma d'auteur au Québec.

Il n'y a que fort peu de temps que la distinction nette entre cinéma d'« auteur » et cinéma de « producteur » est inscrite dans les débats locaux. Comme tous les jeunes cinémas nationaux, le cinéma québécois n'a longtemps existé que par les œuvres fortement personnelles de ses principaux pionniers qui y investissaient jusqu'à leur dernière chemise, et qui bien souvent la perdaient ! Ce n'est que lorsque la SDICC s'est mise à imposer de nouveaux modèles vers 1972 (*voir* page 263) que les producteurs commencèrent à prendre de la place ; mais là encore, ils se cantonnaient surtout dans leur rôle de gestionnaires et la plupart des réalisateurs conservaient le pouvoir de définition des films. Avec les années 80 et l'arrivée des grosses productions, conjointes ou non avec la télévision, et avec les coproductions, la situation se renverse et les producteurs-gestionnaires s'emparent vraiment du pouvoir. Que les Héroux, David ou Greenberg produisent des *Au nom de tous les miens, City on Fire, Man in 5A, Porky's, Louisiane* ou *Hold-up*, qui n'ont rien à voir avec le cinéma québécois, ne porterait pas à conséquences, et on pourrait peut-être même les féliciter de créer des emplois ou de faire entrer des devises ; mais ce faisant, ils accaparent la plus grande partie de « l'argent cinématographique » disponible et imposent un modèle industriel tout à fait défavorable au cinéma à petit budget. Denis Héroux affirme à qui veut l'entendre que lui seul est un « auteur complet » (*sic*) parce qu'il décide de tout, du choix du scénariste jusqu'au montage final. Non pas qu'il vienne dire à Carle ou à Arcand comment diriger leurs scènes sur le plateau des *Plouffe* ; ni que Justine Héroux impose son choix de plans à Jean Beaudin pour *Le Matou* ; ni que Marie-Josée Raymond surveille tout ce que fait Claude Fournier avec *Bonheur d'occasion* (enfin, peut-être...) ; ni que Harold Greenberg se préoccupe de la cuisine de *Maria Chapdelaine*. Mais ni Carle, ni Beaudin, ni Arcand n'ont réalisé dans ce cadre de production les œuvres per-

Michelle Léger dans *La Ligne brisée* de Robert Favreau, série sur la bioéthique: le retour, à l'ONF, à des sujets contemporains, socialement pertinents; presque l'esprit de Société nouvelle. (ONF)

sonnelles auxquelles on pouvait s'attendre (je trouve d'ailleurs qu'ils s'en lavent les mains trop facilement et se consolent trop vite en renvoyant la balle aux producteurs). Plus grave encore, les organismes qui subventionnent sont tellement imprégnés de ce modèle qu'ils ne peuvent en adopter d'autres qui conviendraient mieux; de telle sorte que même les productions à petits budgets les subissent (obligation d'utiliser tel technicien à la mode, imposition du *casting*-vedette de l'heure, pourcentage important du budget concacré à l'administration, conventions collectives qui rendent presque impossible l'investissement par des membres de l'équipe...) et avant que les succès des deux dernières années ne viennent réhabiliter quelque peu le cinéma très personnel, il était très difficile de faire accepter des projets d'auteur. Assez ironiquement, ce sont alors Denis Héroux et Jean-Pierre Lefebvre, deux Montréalais du même âge, aux mêmes études classiques, ayant fréquenté la même université dans des facultés voisines (Héroux en histoire, Lefebvre en littérature), qui cristallisent les deux tendances dans leurs extrêmes. Héroux a momentanément gagné, mais les prochaines années devraient voir revenir Lefebvre en force. Mais est-il besoin de préciser qu'il y a fort peu de chances pour que Héroux soit son producteur! Car il n'y a jamais eu au Québec, comme il y en a en France (heureusement pour Godard) et même un peu aux États-Unis, de lien de mécénat entre les grands industriels du cinéma et les auteurs indépendants (qui, en conséquence, doivent téter l'État le plus possible, lequel les surprotège). Ce sont aussi ces producteurs qui ont imposé comme sujets l'adaptation des classiques de la littérature, alors que toute l'histoire préalable montrait que les plus grands succès, à la fois populaires et critiques, provenaient de scénarios originaux (c'est le cas pour les six films québécois inscrits au palmarès des dix meilleurs films canadiens jamais réalisés, *voir* page 489); ils n'ont pas encore prouvé avoir eu raison.

À l'ONF, la situation se présente différemment: les producteurs s'effacent tellement derrière les réalisateurs et monteurs qu'on ne voit pas facilement le rôle qu'ils jouent, à part surveiller l'application des budgets. On comprend mal, par exemple, que les Jacques Vallée, Robert Forget, Jean Dansereau, etc., aient laissé sortir tant de produits insignifiants ou avec de tels défauts que le premier étudiant de cégep venu peut les souligner après un premier visionnement. À plusieurs moments, ils ont pu servir de remparts fort utiles devant une direction portée à une censure facile, ou défendre efficacement certains projets litigieux;

La Dame en couleurs de Claude Jutra : aux yeux éblouis des enfants et adolescents s'offre la liberté. Mais ils devront dire adieu à la sécurité de leur tunnel et de l'institution. Certains sortent, d'autres pas... (Les Films René Malo)

c'est leur principal mérite. Mais dans l'ensemble et surtout pour ce qui concerne les œuvres de fiction produites depuis quinze ans (sauf pour quelques cas récents), il n'apparaît pas qu'ils aient joué un rôle important, pas assez, en tout cas à l'étape de la finition des films. Ce qu'on peut considérer comme regrettable, car il se révèle de plus en plus, en ce milieu des années 80, que l'ONF peut seule devenir la Cité du cinéma dont tous les créateurs rêvent, mais à la condition de transformer assez radicalement cette notion.

En effet, chaque fois que l'on parle de Cité du cinéma, on pense immédiatement à des locaux, infrastructures, services divers, quincaillerie, appareils, personnel, etc. Tout cela, l'ONF le possède déjà en grande partie et son accroissement comme sa modernisation ne sont qu'affaires d'intendance qui ne requièrent pas grand génie. C'est à un autre niveau qu'il faut se situer. Il faudrait penser en termes de lieux imaginaires, d'attitudes, de rencontres et échanges, de carrefours de créativité, d'exploration de nouveaux territoires, de construction de films plutôt que de bâtiments. Penser aussi à une « cité » où le « monde ordinaire» se retrouve encore sur les écrans, mais «revu et corrigé» par le cinéma, et aussi «dans la salle», et avec plaisir. Comme tous les petits cinémas nationaux, le cinéma québécois devra toujours se battre pour faire accepter son «droit à la différence», qui représente aussi sa seule «condition d'existence» justifiable; et ce n'est pas en se dotant d'ordinateurs sophistiqués dans de vastes studios pour imiter les effets spéciaux des Hollywoodiens qu'il se définira un espace imaginaire original. De même, il nous paraît indéniable que toutes les institutions gouvernementales nécessitent une épuration et de nouvelles règles du jeu, mais il ne nous semble pas non plus qu'il faille augmenter la participation de l'État au niveau de la production. Il faut tirer toutes les conséquences de cette question du Rapport Fournier: «Est-il souhaitable de fonctionnariser les créateurs? de les inscrire dans un système de permanence où parfois ils s'enlisent? de les préserver d'avoir à assumer toutes les conséquences d'une confrontation avec le public? d'assujettir leurs activités à des missions éducatives, sociales ou politiques, influencées par l'État? Est-ce que tout cela est vraiment de nature à stimuler l'imagination?» La réponse semble évidente, mais il ne sera pas facile de couper dans le système de subventions ou de bourses aux copains, ni d'éloigner les parasites qui ne manifestent d'imagination que dans leurs demandes d'aide. Pourtant, c'est la seule voie possible si l'on veut amener dans la «cité» le nouveau souffle d'une relève.

«Jeune», le cinéma québécois? Non, avons-nous déjà répondu. Mais on pourrait ajouter qu'il est un peu comme ces jeunes adultes encore aux études ou chômeurs instruits qui ne se décident pas à quitter le foyer familial (où les parents continuent sans renâcler d'assurer le pain et le beurre), animés d'un certain désir d'indépendance, mais mal décidés à en payer le prix. Faut-il s'en surprendre? Reflet du Québec, le cinéma québécois l'est autant par ce qui se passe derrière les caméras que par ce qui se retrouve sur les écrans. La valse-hésitation des cinéastes qui se demandent s'il est préférable de gagner un prix à Cannes ou d'être nommé pour les Oscars ne leur apporte finalement d'invitation ni à l'un ni à l'autre. Peut-être n'est-il, au fond, que le portrait fidèle de ce petit peuple de «presqu'Amérique» incapable de choisir le risque de la liberté créatrice, autant dans le domaine culturel que dans le domaine politique.

ANNEXES

ANNEXE 1

Critères de la censure en 1931

(Copie exacte d'un document d'archives)

Directives

Bureau de Censure des Vues animées de la province de Québec

Principes généraux:

Aucun film soumis à l'examen ne sera approuvé si dans l'opinion du Bureau de Censure des Vues animées, il amoindrit ou abaisse la morale dans l'esprit de ceux qui le voient. La sympathie de l'auditoire ne doit jamais donc être favorable au crime, aux criminels, à la violation et aux violateurs de la loi. Les sujets de films soumis à l'examen du Bureau de Censure des Vues animées devront être des exemples de la vie ordinaire sujets aux lois et aux règles du contraste et de l'Art dramatique. Ce principe n'a toutefois aucunement pour but de restreindre l'imagination de l'auteur.

La loi naturelle ou humaine ne devra jamais être ridiculisée et aucun film ne doit créer ou déterminer la sympathie envers la violation de la loi.

Principes particuliers:

Sexe:

a) Le Bureau de Censure des Vues animées devra avoir toujours en vue de faire respecter le mariage et de faire ressortir la valeur de la famille dans la société.

b) Le divorce ne devra jamais être présenté de façon attrayante et utilisé comme propagande pour induire à rompre l'union matrimoniale. Les allusions au divorce sont permises dans le dialogue.

c) L'adultère, même s'il est nécessaire ou essentiel à l'intrigue d'un film, ne devra pas être traité de façon trop claire ou explicite et présenté de manière attrayante. Le Bureau de Censure prohibera ce qui pourrait induire l'auditoire à l'imitation.

d) L'infidélité, en ce qui a trait à l'état matrimonial, ne sera pas permise à moins que le film ne comporte la leçon morale qu'elle est mauvaise et toujours punie de manière à décourager toute imitation.

e) Les scènes exprimant, sans nécessité, un amour trop passionné ne seront tolérées que dans la mesure où elles seront nécessaires à l'intrigue, pourvu que cela ne viole pas les règles élémentaires de la morale.

f) La perversion sexuelle, la traite des blanches, les scènes d'accouchement, l'allaitement au sein des enfants en public, l'exposition des organes génitaux seront prohibés.

Crimes :

Le meurtre et l'homicide involontaire comme effets scéniques ne seront acceptés que s'ils sont essentiels à l'intrigue d'un film. Ils ne devront jamais être accompagnés de détails, et tout ce qui pourrait induire les esprits faibles à l'imitation sera prohibé. Le meurtre de revanche est interdit.

Méthodes criminelles :

Tout détail sur le vol, le brigandage, le dynamitage des coffres-forts et des voûtes de sûreté est prohibé. Tout détail sur la manière de préméditer et d'allumer les incendies est interdit. L'usage des armes à feu est restreint à l'essentiel.

Religion :

a) Tout film ridiculisant la Religion ou la Foi est interdit.

b) Aucun prêtre, ministre de quelque religion que ce soit ne devra être tourné en ridicule ni placé dans une situation compromettante. Les prêtres et les ministres de la religion ne devront pas être présentés dans un film dans les rôles de comiques ou de traîtres.

c) Les cérémonies de toutes les religions devront être traitées avec le plus grand respect.

Patriotisme :

Le patriotisme national sera constamment respecté et l'Histoire, les institutions et les hommes éminents des autres pays seront présentés honnêtement et loyalement. Cet article ne restreint pas cependant les sujets de film où l'on traite d'une période historique tout en donnant une large part au roman et à l'imagination. Dans ces cas, le producteur du film sera tenu d'insérer un titre mentionnant qu'il n'a pas l'intention de s'en tenir à la vraie version historique enseignée dans les maisons d'éducation.

Loyauté envers le Roi :

Le Bureau de Censure sera rigide et sévère envers tout film tendant à diminuer la loyauté et le respect dus au Roi.

Bolchévisme et communisme :

Tout film de nature communiste et bolchéviste, même s'il est déguisé sous le manteau de l'art, sera refusé.

Dialogue:

Tout mot ou geste obscène, toute allusion, chanson, farce à double sens et trop crue, le blasphème, sont interdits.

Vulgarités:

Tout sujet trivial et déplaisant devra être traité avec goût et prudence et en ayant égard à la sensibilité de l'auditoire.

Costumes:

a) La nudité complète est toujours défendue, qu'elle soit réelle ou en silhouette, de même que tout dialogue ou personnage libertin ou lubrique.

b) Les costumes de danse du genre doivent toujours être conformes au bon goût et inoffensifs à la décence.

Cruautés:

Les sujets suivants devront être traités avec beaucoup de prudence et dans les limites du bon goût:

a) Pendaison, électrocution et suicide.
b) Méthodes d'interrogation d'accusés pour obtenir des aveux.
c) Toute brutalité.
d) La cruauté envers les femmes, les enfants, les animaux.

Séries:

Cinquante pour cent de toutes les séries devront être présentées au même examen de façon à ce que le Bureau de Censure puisse se former une idée des épisodes à suivre.

Comédies:

Les comédies devront être de la même tenue morale que les autres films. En examinant ce genre de films, les membres du Bureau de Censure seront indulgents dans l'application des règlements.

Copies du dialogue:

Le président du Bureau de Censure pourra, s'il le juge à propos, exiger, avant l'examen d'un film, la production d'une copie du dialogue dudit film. Cette copie sera remise au propriétaire ou distributeur immédiatement après l'examen.

Département des affiches:

Le Bureau de Censure refusera son approbation à toute affiche suggestive, obscène, indécente, représentant des scènes où l'on voit des armes à feu, de pendaison, d'électrocution, de suicide, de meurtre, d'hommes, de femmes demi-nues ou en position suggestive de baisers trop passionnés.

ANNEXE 2

Un imaginaire catalyseur

Voici quelques extraits de deux textes de Michel Brûlé qui interprètent juste-ment, selon moi, le cinéma de fiction de la période 1944-1953.

Trente ans d'avant-premières pour un cinéma neuf sur une société neuve (1973)

New York, Carthage, Londres, Vérone, Pesaro, Marly-le-Roy, Leipzig, Bey-routh, Paris, Moscou, etc. De festival en festival, le cinéma québécois est en train de quadriller le monde. Le cinéma québécois ne saurait être étranger à la logique des petits catéchismes qui ont formé et déformé ses auteurs : il est partagé entre un esprit triomphaliste et une conscience torturée. À l'instar des pays jeunes, tout ce qui est récent est extraordinairement valable et l'histoire ne commence toujours qu'avec soi-même. Nos Eisenstein ont 40 ans, nos Fel-lini 30 et nos Truffaut à peine l'âge de voter pour les gouvernements contre lesquels ils se battent pour avoir toujours plus de subsides. Nous avons des visages à deux têtes et des idées, comme du front, tout le tour de la tête. Notre euphorie cinématographique n'a d'égale que notre attitude régulièrement dépressive à l'égard de nos réussites. Bref, dans la bonne tradition normande, tout va mal et tout va bien, c'est selon, ça dépend du moment de la journée et de l'interlocuteur ! La réalité n'est heureusement pas toujours dans le juste milieu. Nous avons appris que le milieu est loin d'être juste et, comme nous savons malgré tout être excessifs, il nous arrive de tourner en rond. (...)

(*Le Père Chopin*) raconte l'affrontement de deux mondes, la ville et la campagne. La campagne, c'est la vie de famille, le souci des valeurs huma-nistes : le souci des autres par l'enseignement, l'amour du beau (la musique), la religion, bref, le bonheur et la joie dans la simplicité. La ville, c'est l'argent et le pouvoir ; le calcul remplace l'amitié ; le souci des apparences, l'authenti-cité. Mais c'est aussi la solitude et l'ennui. À la fin, cependant, il y a réconciliation des deux mondes. L'argent peut servir à faire le bien, le pouvoir peut être utilisé pour une bonne cause et un dirigisme bien éclairé peut contribuer au bonheur. Somme toute, dans ce film la ville finit par l'emporter, on peut y être heureux à la condition cependant d'y intégrer les valeurs traditionnelles et simples de la campagne.

Ce problème des rapports entre les valeurs traditionnelles liées à un mode de vie rural et les nouvelles valeurs nées avec l'urbanisation et l'industrialisation a été intensément vécu au cours des années 40. Ce fut, si l'on veut, l'époque des derniers soubresauts de l'idéologie de conservation et cette période est une période de transition. D'une part on continuait, malgré l'extraordinaire essor industriel occasionné par la guerre, à proclamer bien haut un attachement aux valeurs traditionnelles et la nécessité de leur conservation pour la survie de la race canadienne-française, mais en même temps la vie quotidienne s'éloignait de plus en plus et à un rythme accéléré des conditions qui avaient créé ces valeurs. L'homme urbain d'alors vivait pleinement ces contradictions. La suite de l'histoire a évidemment montré que ces valeurs liées au monde de la campagne n'étaient plus viables, parce qu'elles ne correspondaient plus à la réalité économique et qu'il fallait coûte que coûte s'adapter au nouveau contexte. Comme le disait le célèbre Pit Caribou, personnage du radio-roman *Un homme et son péché*: « Pas d'avancement, pas de progrès; pas de progrès, pas d'avancement, vous l'avez dit! »

On voit donc que loin d'être insignifiant, *Le Père Chopin* racontait, avec une certaine naïveté peut-être, le drame culturel que les Québécois avaient à vivre. D'ailleurs, contrairement aux idées reçues et aux apparences, le premier cinéma québécois a en définitive systématiquement pris parti pour la ville en montrant à chaque fois l'impossibilité de la vie à la campagne. Même des films au premier abord aussi ruralistes qu'*Un homme et son péché* et *Séraphin*, loin de célébrer le merveilleux temps passé, racontaient la misère et la faillite des anciennes valeurs. Mais les apparences étant trompeuses, il n'est pas du tout certain que ce que nous appelons le contenu essentiel ait été clairement perçu par les spectateurs de l'époque.

La façon la plus efficace de rompre avec une réalité ancienne est sans doute de continuer à la représenter, mais en la vidant de son contenu. C'est d'ailleurs souvent ce qui se passe, tant avec les œuvres romanesques qu'avec les œuvres cinématographiques. *Un homme et son péché* se présente comme une œuvre s'inscrivant dans la ligne de celles qui ont célébré les valeurs rurales, la tradition officielle (c'est-à-dire la tradition véhiculée par l'idéologie dominante). Léon Franque écrivait dans *La Presse* du samedi 29 janvier 1949, le lendemain de la première:

> Nous sommes devant un vrai film de chez nous. On y parle une langue fruste mais expressive, les images ne cherchent pas la virtuosité mais un réalisme simple. C'est exactement ce qu'il fallait et ce que le public appréciera. Nous avons aimé le film précisément parce qu'il ne cherche pas à éblouir, à épater, à imiter Hollywood ou Paris. Séra-

phin, c'est un récit pour nous où de multiples notations, la scène de l'épluchette de blé d'Inde, les danses carrées, les accordailles d'Alexis et d'Artémise, le curé allant porter le Saint Viatique à un mourant, sentent bon le terroir et n'empruntent rien à la cinémathèque (sic) étrangère. La voie est toute tracée, claire, droite et précise.

Pourtant le film montre la faillite de tout ce folklore que célèbre Franque. Toutes les valeurs humaines sur lesquelles on voulait que repose l'essence du Canadien français sont bafouées dans ce film et c'est la victoire absolue du capital et l'apparition de la réification.

Il en est de même pour un autre film célèbre en son temps et qui est devenu l'archétype du mélodrame cinématographique québécois, *La Petite Aurore l'enfant martyre*. Au premier niveau, l'histoire n'est que celle d'une enfant battue, mais c'est en dernière analyse la mise en scène d'un monde sordide et pourri, la campagne, que les pouvoirs publics (l'État avec son appareil juridique) situés en ville viennent secourir et venger.

Alors que l'idéologie officielle célébrait depuis plus de cent ans le monde rural comme le lieu par excellence du Canadien français type — religieux et centré sur sa famille — *La Petite Aurore* montre l'envers de cette médaille, soit un univers complètement dégénéré où tout le monde en fin de compte est complice du martyre d'une enfant.

Loin de nous cependant l'idée de laisser entendre que les films de cette époque ont été mal jugés et que ce sont des chefs-d'œuvre méconnus. Les meilleurs d'entre eux sont des films honnêtement moyens, les autres pourraient être qualifiés de navets. Mais ils étaient nos navets et ils avaient une fonction précise qui tenait à leur signification : la destructuration d'un ensemble de catégories mentales liées à un mode de vie complètement dépassé et la structuration de nouvelles attitudes plus en accord avec les modifications de la réalité socio-économique. (...)

(Forces, n° 25, 1973)

L'imaginaire catalyseur

(...) Contrairement donc à ce que l'on a pu croire, ni *Un homme...* ni *Séraphin* n'ont été des célébrations dramatiques d'un glorieux passé. Ces deux films, comme bien d'autres de la même époque, furent en fait des contestations non pas d'une réalité, puisque la réalité décrite était depuis longtemps dépassée, mais d'un discours qui, envers et contre tout, tentait de maintenir une image de la société globale dont les retombées avaient été si heureuses pour les élites. L'alliance du capital aux valeurs religieuses et l'illusion (débusquée) de la conversion (au sens religieux) possible du capital relèvent d'une critique sévère. La culture demeure mais les structures mentales qui la supportaient sont en voie de transformation, ce qui implique que les structures sociales ont changé. Toutefois les deux films révèlent bien aussi l'ambivalence de ces porteurs de cette idéologie de contestation que sont les nouveaux instruits (instituteurs qui sont en train de troquer le statut d'évangélisateurs des jeunes pour celui de travailleurs, journalistes qui ont pris goût au vaste monde à cause de la guerre, syndicalistes qui cherchent à prendre leur distance vis-à-vis le clergé, artistes qui commencent par tout refuser globalement, et alii) à l'égard de l'image traditionnelle de la culture.

L'attachement à la culture se manifeste par le constant souci de renvoyer aux spectateurs les traits les plus traditionnels des modes de vie d'autrefois: vêtements, objets divers, la hache de Jambe-de-Bois dans *Un Homme...*, mais surtout la langue (expressions du terroir, intonation, archaïsmes, canadianismes, etc.) et c'est ce qui a probablement «trompé» la critique qui a vu dans ces films une célébration du «canayen». En fait, *Un homme...* tient une sorte de double langage ou plus précisément deux langages complémentaires. D'une part on dit que la valeur d'argent est devenue prioritaire au niveau des structures sociales (l'insistance que met Séraphin à respecter hyperscrupuleusement la «loâ» et ses formes qui recouvrent la puissance de son argent), mais d'autre part il y a un attachement culturel certain au Canayen typique qu'est Alexis; c'est l'aspect dionysiaque indéniable de notre personnalité culturelle, comme le soulignait Marcel Rioux au cours d'une table-ronde sur la culture québécoise. Ceci explique pourquoi Séraphin peut gagner sans qu'Alexis n'ait à mourir et qu'il puisse même demeurer une sorte de chien de garde de valeurs qui n'ont plus cours mais que l'on tient à conserver et que l'on décapera à l'occasion pour garder une distance salutaire vis-à-vis tous les Séraphins du monde. Ceci explique également qu'on puisse être terrassé sans être vraiment défait mais seulement tenu en respect. En définitive on peut se demander si le résultat final de ces deux films n'est pas une variante d'un vaste jeu de «qui perd gagne»... Chose certaine, une réhabilitation d'Alexis ne doit pas faire oublier la victoire de Séraphin qui est aux structures sociales ce que son ennemi est à la culture.

Les mots tension, rupture et attachement caractérisent bien, à notre avis, cette période des années 40. Un des facteurs principaux de la tension fut sans aucun doute le développement de l'industrialisation grâce à l'injection massive des capitaux américains et anglo-saxons. Hélène David rapporte que «dans le secteur manufacturier du Québec, l'emploi s'accroît de 87% de 1939 à 1950, soit un peu plus que pendant tout le siècle précédent; pendant ce temps, la main-d'œuvre totale augmente de 27% et l'agriculture perd 18% de sa population active. Toujours dans le secteur manufacturier, le nombre d'entreprises augmente de 50%, la valeur de la production brute, de 100% et les investissements de 150% (en chiffres absolus).» Il faut savoir aussi que l'injection de capitaux étrangers ainsi que l'augmentation générale des investissements signifient un accroissement des contacts avec l'anglais et des modes de production qui nous sont étrangers. La rupture provient de l'impossibilité d'empêcher dans un tel contexte des modifications importantes aux structures sociales. L'attachement à la culture fut un de nos mécanismes de défense, comme le dit bien Fernand Dumont, qui rendit possible de vivre cette mutation des structures sociales, de passer au travers ces transformations inquiétantes en attendant de savoir ce qui s'était passé. Nous savions que nous avions franchi un cap et que quelque chose était radicalement changé. Nous vivions un processus irréversible dont les promoteurs étaient doublement étrangers, linguistiquement et technologiquement.

Les longs métrages de cette époque, comme nos grands romans d'ailleurs, constituent des apprivoisements de cette nouvelle réalité. Somme toute la nouvelle intelligentzia (universitaires, journalistes, syndicalistes, artistes) fut « progressiste-conservatrice ». La production des courts métrages due à des francophones dans le cadre de l'Office national du film au début des années 50 confirme tout à fait cet état de malaise social vécu de façon généralisée mais exprimé davantage par cette élite en formation.

Tout compte fait la critique de l'époque n'avait pas si mal saisi le sens général de ce premier cinéma « québécois ». Elle se félicitait de la naissance d'une nouvelle industrie cinématographique pouvant peut-être un jour rivaliser avec Hollywood et, en même temps, elle affirmait la nécessité que nos films « sentent bon le terroir ». Cette critique n'avait cependant pas perçu que le terroir s'effilochait, qu'il allait quitter la vie publique pour entrer dans le maquis de la vie privée et créer ainsi une résistance culturelle durable. *Un homme et son péché* et *Séraphin* ne sont pas des reflets, mais bien des catalyseurs de cette transformation fondamentale.

(Sociologie et société, n° 228, 1976)

Ces extraits sont reproduits avec l'aimable autorisation de monsieur Michel Brûlé et de la revue Forces.

ANNEXE 3

Les commissaires de l'Office national du film

1939-1945 : John Grierson
1945-1950 : Ross MacLean
1950-1953 : Arthur Irwin
1953-1956 : Albert W. Trueman
1957-1965 : Guy Roberge
1966-1970 : Hugh McPherson
1970-1975 : Sydney Newman
1975-1978 : André Lamy
1978-1984 : James de B. Domville
1984-   : François Macerola

ANNEXE 4

Palmarès du Festival du cinéma canadien

1963 : **Grand prix** : *À tout prendre* de Claude Jutra
Prix spécial du jury : *Pour la suite du monde* de Michel Brault et Pierre Perrault
Grand prix du court métrage : *Bûcherons de la Manouane* d'Arthur Lamothe
Prix spéciaux pour des courts métrages : *The Most* de Gordon Sheppard ; *Au plus petit d'entre nous* de Camil Adam ; *Le Chat ici et là* de Cioni Carpi

1964 : **Grand prix** : *Le Chat dans le sac* de Gilles Groulx
Mention : *Trouble-fête* de Pierre Patry
Grand prix du court métrage (ex aequo) : *Parallèles et grand soleil* de Jean Dansereau ; *The Hutterites* de Colin Low
Mentions : *Free Fall* d'Arthur Lipsett et *Percé on the Rocks* de Gilles Carle

1965 : **Grand prix** : *La Vie heureuse de Léopold Z* de Gilles Carle
Mention : *Sweet Substitute* de Larry Kent
Grand prix du court métrage : *Phoebe* de George Kaczender
Mentions : *Stravinsky* de Wolf Koenig et Roman Kroitor ; *Summer in Mississippi* de Beryl Fox ; *60 cycles* de Jean-Claude Labrecque

1966 : **Grand prix** : n'est pas accordé
Prix spécial du jury : *Winter Kept us Warm* de David Secter
Grand prix du court métrage (ex aequo) : *Buster Keaton Rides Again* de John Spotton ; *Notes on a Film about Donna and Gail* de Don Owen
Prix du jury : *Comment savoir* de Claude Jutra ; *Memorandum* de Donald Brittain ; *On sait où entrer, Tony, mais c'est les notes* de Claude Fournier
Mentions : *Revival* de Donald Shebib ; *Trois Hommes au mille carré* de Jacques Kasma et Pierre Patry

1967 : **Grand prix** (ex aequo) : *Il ne faut pas mourir pour ça* de Jean Pierre Lefebvre ; *Warrendale* d'Allan King
Grand prix du court métrage : *Chantal en vrac* de Jacques Leduc

ANNEXE 5

Les prix de la critique

1974: *Les Ordres* de Michel Brault
1975: *Ti-Cul Tougas* de Jean-Guy Noël
1976: *N'tesi nana shepen (On disait que c'était notre terre)* d'Arthur Lamothe
1977: *24 heures ou plus* de Gilles Groulx
1978: *Comme les six doigts de la main* d'André Melançon
1979: *L'Hiver bleu* d'André Blanchard
1980: *Une histoire de femmes* de Sophie Bissonnette, Martin Duckworth et Joyce Rock
1981: *Les Plouffe* de Gilles Carle
1982: *Le Confort et l'Indifférence* de Denys Arcand
1983: *La Turlute des années dures* de Pascal Gélinas et Richard Boutet
1984: *La Femme de l'hôtel* de Léa Pool
1985: *Caffè Italia Montréal* de Paul Tana
1986: *Le Déclin de l'empire américain* de Denys Arcand
1987: *Train of Dreams* de John N. Smith

ANNEXE 6

Les prix Albert Tessier

1980: Arthur Lamothe
1981: Pierre Lamy
1982: Norman McLaren
1983: Maurice Blackburn
1984: Claude Jutra
1985: Gilles Groulx
1986: Michel Brault
1987: Rock Demers

ANNEXE 7

Les dix meilleurs

En 1984, une centaine de critiques, cinéastes et professeurs canadiens de tout le Canada, surtout des anglophones, ont établi la liste des dix meilleurs films canadiens de toute l'histoire du cinéma. Voici cette liste dans l'ordre :

1. *Mon oncle Antoine* de Claude Jutra
2. *Goin' Down the Road* de Donald Shebib
3. *Les Bons Débarras* de Francis Mankiewicz
4. *The Apprenticeship of Duddy Kravitz* de Ted Kotcheff
5. *Les Ordres* de Michel Brault
6. *The Grey Fox* de Phillip Borsos
7 et 8. *J.A. Martin photographe* de Jean Beaudin, ex aequo avec *Pour la suite du monde* de Pierre Perrault et Michel Brault
9 et 10. *La Vraie Nature de Bernadette* de Gilles Carle, ex aequo avec *Nobody Waved Good-Bye* de Donald Owen

ANNEXE 8

Cherchez la perle...
ou
Petit dictionnaire pour rire

Note : *Parce que les prophètes du cinéma sont, comme le pape, dotés d'infaillibilité chronique, voici, glanées au gré de (re)lectures récentes, quelques déclarations qui révèlent soit un singulier sens de l'humour, soit une incomparable lucidité ... La datation allait évidemment de soi.*

Bière

Nous en sommes arrivés à la conclusion qu'il se dit plus de choses intéressantes, plus vraies, avec une petite bière à la main, qu'avec un micro devant la bouche. C'est plus Québécois. Nous remercions la Brasserie Molson d'avoir bien voulu remplacer les micros. *Programme de la Semaine du cinéma québécois* (1975)

Bouchard, Michel

Je suis en train de devenir un cinéaste qui s'exprime par toutes sortes de moyens sauf le cinéma. *Michel Bouchard* (1974)

Carle, Gilles

Gilles Carle est un cinéaste lucide et intelligent dont on attendra toujours le prochain film avec impatience. (...) C'est à Gilles Carle que nous devons d'avoir posé la base d'un cinéma traditionnel essentiel. *Jean Pierre Lefebvre* (1966)

Jeune, ma famille habitait très haut dans le nord du Québec. Notre appareil radio captait toujours ensemble, jamais séparément, Buffalo et Montréal, de sorte que la récitation radiophonique du chapelet se faisait toujours sur un fond agréable de musique western. C'était beau et fascinant. Mon père disait : « À cheval pour le chapelet. » Nous, les petits enfants, nous récitions donc le rosaire au galop, apprenant qu'au Québec les rêves les plus contradictoires sont permis. *Gilles Carle* (1976)

Mes idées, je m'en fous complètement. D'ailleurs, je m'intéresse très peu moi-même. *Gilles Carle* (1985)

Je ne doute JAMAIS de mon cinéma. *Gilles Carle* (1986)

Chromosomes

Je vous avoue que les chromosomes de Pierre Patry ne sont pas grand-chose au niveau de la pensée; ils sont au niveau de l'expression, des moyens. *Pierre Patry* (1966)

Cinéma québécois

On a eu il y a quelques années un modèle de la voiture québécoise, qui s'appelait la Manic, avec une carrosserie faite ici et un moteur français reconditionné, ce qui est une bonne définition du cinéma québécois. *Roger Frappier* (1978)

Civilisation

Habitant un pays civilisé, membres d'une société bien organisée, nous avons donc, nous Canadiens français, notre législature, notre magistrature et notre censure. *Paul Dupuis* (1958)

Création

Je fais un film ni pour moi, ni pour un ou le public. Je fais un film pour lui-même, pour qu'il ait la vie, devienne un organisme vivant possédant son existence propre, comme un enfant que l'on met au monde non pas pour soi ou pour les autres, mais pour lui-même, pour qu'il vive et soit libre. *Jean Pierre Lefebvre* (1966)

Question: Quelle conception avez-vous de la création cinématographique? *Claude Jutra*: Je passe! Question oiseuse qui invite à la dialectique. Ce n'est pas un sport que je pratique. (1966)

Qu'est-ce qu'on a à dire? *Clément Perron* (1982)

Si ma tête n'arrive pas à comprendre ce qui se passe devant ma caméra, comment filmer? *Jacques Leduc* (1983)

Sérieusement, si on sait pourquoi on fait un film, on ne le fait pas. On est le premier surpris de ce qu'on a mis dedans! Moi, il m'arrive de regarder mes films pour savoir ce que j'y ai mis... *Gilles Carle* (1986)

Critique

La critique devrait aider les créateurs à faire le partage dans ce qu'ils disent plutôt que de se contenter d'adjectifs allant de bon à pourri et d'impressions qui ne rendent justice à personne. *Jean Pierre Lefebvre* (1984)

Culture

L'ensemble des bons réalisateurs viennent plutôt de la scénarisation et du montage que de la technique (assistant, cameraman, etc.) Je crois que ceci est attribuable au fait que le métier de metteur en scène de cinéma exige davantage de réflexion théorique, d'expérience vécue et de culture (de tout ordre) que d'expérience pratique du plateau dont les techniciens se prévalent tant. *Michel Bouchard* (1985)

Découpages

C'est pourquoi nous avons les parti pris aussi vagues que le découpage de la majorité de nos films. *Jean Pierre Lefebvre* (1981)

Direct

Que je sois dépassé dans mon travail, éclipsé, oublié, même si je n'ai plus d'avenir en tant que cinéaste, tout cela n'a aucune importance à mes yeux. Ce qui continue à m'occuper, à me mobiliser, c'est l'avenir d'un outil de connaissance qui, à mon avis, dépasse toutes les fictions qu'on a écrites sur l'homme. Car l'écriture du direct ne part pas de l'écrivain et de l'idée qu'il se fait de lui-même et de son immortalité mais de l'homme qui est décrit et de l'idée qu'il se fait de lui-même et de son humanité. *Pierre Perrault* (1982)

Documentaire

Le documentaire, c'est un lieu de combat. *Jacques Leduc* (1983)

Quand vous tournez un documentaire, c'est le même phénomène qu'en fiction sauf que le processus est inversé et beaucoup plus long. Les gens ne disent pas toujours ce que tu veux qu'ils disent. À l'étape du montage, le doute t'envahit. Le cinéma direct est-il dépassé? C'est comme si on était accroché à une vieille pensée. On s'imagine que c'est vrai et pur. Or c'est absolument faux: en fait, il y a une manipulation du texte et de l'événement comme dans un film de fiction. *Jean-Claude Labrecque* (1983)

Esthétique

Moi, la seule chose qui m'intéresse, c'est l'esthétique. L'éthique, c'est de toujours vouloir faire un film pour autre chose, la collectivité par exemple. On est soi-même une institution. On a une formule. Il faut sortir de notre propre formule. Il faut vivre de vie et d'esthétique et le reflet de notre vie, c'est l'esthétique. *Gilles Groulx* (1980)

État

Lorsque les politiques de l'État ne sont pas nuisibles, le cinéma surgit de lui-même. *Denys Arcand* (1986)

Fiction

La vie c'est une fiction. *Pierre Perrault* (1983)

Film

Des images les unes à la suite des autres, ça ne fait pas nécessairement un film. *Pierre Patry* (1966)

Financement

Le cinéma québécois a toujours été tributaire des fonds publics. La poule ou l'oeuf? Est-ce parce qu'il cherche son public qu'il tète l'État ou est-ce parce qu'il tète l'État qu'il cherche son public? *Micheline Lanctôt* (1981)

Fournier, Claude

Je suis un manuel du cinéma et je ne pense pas beaucoup. *Claude Fournier* (1972)

Fumisterie

Je travaille à faire des films ou des émissions de télévision, c'est dire que je suis plongé dans un monde où la fumisterie règne absolument. *Denys Arcand* (1984)

Gros plan

Je suis tanné du gros plan parce que chaque fois que je vois un gros plan, j'ai l'impression qu'on me cache quelque chose, comme si on ne voulait pas me montrer les milieux où sont filmés ces gens dont on ne voit que le bout du nez et comme si la personne humaine se résumait entièrement à ce qu'elle a à dire : il y a dans cela un peu de l'idée fausse, néanmoins largement répandue, selon laquelle l'essentiel d'une culture tient à la parole, à la langue.

Pour ma part, je m'intéresse plus à comment les gens vivent qu'à ce qu'ils ont à dire, d'autant plus que toutes ces opinions que l'on s'acharne à filmer en gros plans à droite et à gauche me laissent une nette impression de déjà entendu. *Jacques Leduc* (1982)

Héroux, Denis

Je suis vraiment une sorte d'intellectuel. *Denis Héroux* (1983)

Denis Héroux : ancien prof d'histoire du Québec qui n'a pas de mémoire. *Pierre Demers* (1983)

Histoire

Raconter l'histoire aux Québécois, ça les fait chier, surtout quand c'est des défaites. *Denis Héroux* (1972)

Incompréhension

De nos jours, on peut à peine ouvrir un journal ou une revue sans que tel cinéaste à la mode ne nous livre dans une interview interminable les douleurs créatrices qui le torturent, sans qu'il nous reproche d'avoir mal compris son film, sans qu'il s'étende avec complaisance sur l'ostracisme dont il est victime, sans qu'il nous annonce ses projets délirants en exigeant d'avance de notre part un amour inconditionnel doublé d'une admiration sans bornes. *Denys Arcand* (1967)

J'aime mieux mourir incompris que passer ma vie à m'expliquer. *Willie Lamothe* (s.d.)

Jutra, Claude

Jutra est très brillant, mais il manque de rigueur, de discipline. Il a une touche personnelle, comme certaines gens qui ont une touche personnelle et qui gâtent tout ce qu'ils touchent. *Michel Patenaude* (1961)

En dehors du Québec, je n'ai absolument rien à dire. *Claude Jutra* (1970)

Lenteur

La lenteur est devenue insupportable. *Robert Favreau (d'après Michel Moreau)* (1986)

Liberté

À partir du moment où les cinéastes auront oublié leur maman pour déshabiller sereinement leur voisine qui s'appellera Yvette Tremblay ou Yvonne Beauchemin, en plein soleil et avec une grande angulaire bien au foyer sur la caméra, à partir de ce moment-là, nous pourrons envisager comme Jean Renoir un cinéma libre en même temps que férocement national. Un cinéma de joie et de conquête. *Denys Arcand* (1964)

Losers

Il faut arrêter de parler des *losers*. *Jean Beaudin* (1985)

Luxe

En 1962, le cinéma québécois était une urgence. En 1982, ça semble devenu un luxe, un passe-temps. Il y a là un petit malaise. *Jean Chabot* (1982)

Mémoire

Il est incontestable que les pays prennent naissance dans la mémoire et que la mémoire ne manque pas d'imagination. *Pierre Perrault* (1966)

Monde ordinaire

On a fait un documentaire très élitiste depuis des années. Il faudrait poser le problème du monde ordinaire. *Michel Moreau* (1983)

Nationalisme

Le problème du cinéma québécois ne sera jamais résolu tant que le problème du Québec ne sera pas résolu. *Roger Frappier* (1971)

Paresse

On a tendance ici à être dangereusement paresseux, tant au niveau visuel qu'à la scénarisation. *Jean-Claude Labrecque* (1983)

Patrimoine

Il faut bien filmer notre patrimoine, nos Inuit, nos Indiens, nos chevreuils, et le reste. *Serge Losique* (1982)

Perrault, Pierre

Je ne parle que de ma démarche et je ne crois pas que ma démarche soit tellement cinématographique. *Pierre Perrault* (1982)

Plante verte (syndrome de la)

Voilà dix ans que cela dure : il faut regretter cette masse importante de films qui sont le produit bâtard du croisement de la paresse intellectuelle et du manque de moyens financiers, et qui ne sont rien d'autre, somme toute, que des interviews filmés, entièrement asservis à l'esthétique télévisuelle. C'est le syndrome de la plante verte : il y a en effet toujours une plante verte qui pointe le bout de sa feuille, et c'est parfois ce qu'il y a de plus vivant dans l'image ! *Jacques Leduc* (1986)

Portugais, Louis

Il y a de la dialectique léniniste, de l'humour ubuesque, de la sensibilité renaisienne et éluardienne, de l'esprit de synthèse wellesien dans l'engagement politique parce qu'individuel, de Louis Portugais. *Patrick Straram* (1961)

Préjugés

Ce n'est pas parce qu'on a de pleines valises de préjugés qu'on est plus bête qu'un autre. *Jacques Godbout* (1984)

Prix

Les prix, de toute manière, sont trop souvent là comme les loteries, pour masquer « nos » impuissances à trouver de véritables solutions aux vrais problèmes. *Jean Pierre Lefebvre* (1981)

Profession

Je me dis qu'on aura beau s'en plaindre, mais qu'il n'y aura pas vraiment de débat aux Rendez-vous tant qu'il n'y aura pas au départ de vrai débat au sein de la « profession », tant qu'on se limitera à se plaindre des institutions (ce que, ceci dit, on a bien le droit de faire). *Pierre Hébert* (1985)

Public

Quand j'arrive vers la fin d'un film, je suis incapable de savoir ce que ça vaut ; même actuellement, ce n'est qu'en écoutant les réactions d'une salle que j'y arrive. *Denis Héroux* (1966)

...car je dois vous l'avouer, quand je fais un film, je le fais d'abord pour moi et mes amis. *Arthur Lamothe* (1966)

Il y a des jours où j'espère que le film soit vu... des jours où je me dis : pourvu qu'on ne le voit pas. *Jacques Godbout* (1966)

Ce film, une fois fini, n'était pas terminé. Il ne contenait qu'une partie du dialogue. Le meilleur était à venir. À inventer sur place. Et qui change chaque soir. Les répliques d'une salle pleine de Québécois. *Pierre Perrault* (1977)

Nos films appartiennent à la population plutôt que d'appartenir à des producteurs individuels. Ceci entraîne pour nous l'obligation de nous confronter avec les propriétaires de nos films et de les laisser nous juger. (...) Nos films sont nos vrais arguments. *Anne Claire Poirier, Jean Beaudin, Francis Mankiewicz* (1982)

Les cinéastes ont une tendance désastreuse à beaucoup s'écouter et à ne pas assez tenir compte des gens à qui les œuvres s'adressent. *Claude Fournier* (1985)

On sent présentement chez les cinéastes québécois une volonté d'aller toucher leur public. Ce qu'on n'avait pas il y a quelques années. *Michel Moreau* (1986)

Réalisateurs

Je pense que les réalisateurs d'ici sont meilleurs que les films qu'ils font, mais il faudrait qu'ils tournent davantage. *Roger Frappier* (1981)

Récit

Le cinéma a besoin de récits avec un début, un milieu et une fin. *Jacques Godbout* (1982)

Révolution

Lorsqu'on met côte à côte les films les plus attachants de 1970-1971, lorsqu'on mêle, comme pour une écoute unique, la musique rongée d'*Ainsi soient-ils*, les proclamations oraculaires de *La Nuit de la poésie*, les silences de *Mon enfance à Montréal*, les récriminations pressantes du *Mépris n'aura qu'un temps*, on entend un grondement qui croît. L'oreille perçoit encore, sans doute, le bruit parfois discordant des grandes voix du cinéma québécois; et elle reconnaît, parfois trop criarde, la voix des Perrault, des Carle, des Jutra... Elle s'étonne de ne plus entendre celle de Groulx ni celle de Brault; elle guette d'avance celle de Lefebvre, de Leduc ou de Godbout. Mais par-dessus tout, par-dessus même la cacophonie des pornocrates, ce qu'elle entend, oui, c'est cette grande voix collective et de plus en plus forte qui réclame une révolution. *Dominique Noguez* (1971)

Sacré (quête du)

Tout film qui nous touche, qu'on le veuille ou non, est une mise en scène et c'est à travers cette mise en scène, organisation de l'espace visuel et sonore, qu'il peut dépasser l'illusoire et rendre les silences éloquents. La quête éperdue de l'imaginaire, la quête du sacré, au sens profane du terme (*sic*), a du mal à passer par les lentilles zoom, aussi lent en soit le mouvement. Elle passe par une certaine ascèse, une rigueur, par un dépouillement qui peut atteindre la suppression du visuel anecdotique, dépouillement poussé à l'extrême chez Duras et Ackerman où il retrouve la sobriété des peintures archaïques et le *recto tono* des monastères. *Arthur Lamothe* (1981)

Scénario

L'intérêt et l'avantage de cette proposition, c'est que Frappier nous engageait non pas sur un scénario, mais sur notre personnalité. C'était un pari intéressant. *Léa Pool* (1985)

Sonorisation

Nous sommes dirigés d'une façon très ancienne. Le «son» de nos films ressemble à celui du mauvais cinéma français des années 30 et 40. *Luce Guilbeault* (1984)

Straram, Patrick

On connaît le sens des virgules: arrimer les textes au sens. Patrick Straram met ses virgules n'importe comment: alors son texte flotte. *Dominique Noguez* (1971)

Technique

La technique est absurde. *Jean Pierre Lefebvre* (1967)

Chaque film, finalement, traduit les images mentales du cinéaste, traduit son ignorance ou sa connaissance du sujet, traduit ses préjugés. C'est une erreur de croire que, par la vertu de la technique, une vérité profonde surgira sur l'écran. Hélas, le cinéma sert souvent à diffuser l'ignorance. *Arthur Lamothe* (1981)

Testament

J'ai l'impression en tournant d'être un peu le notaire qui enregistre un testament, le nôtre. *François Brault* (1981)

Théorie

Dans ces conditions, nous dirons que des textes théoriques sont non pas «illisibles» mais «non lisibles» à un moment donné et en un lieu donné (par exemple les textes des *Cahiers* ou de *Cinéthique* pour les intellectuels québécois progressistes, parce qu'ils sont le fruit d'une conjoncture idéologique et politique spécifique différente de la nôtre et les conditions de lecture de ces textes ici, maintenant, ne sont pas réunies. Les conditions générales qui spécifient une conjoncture (le rapport de force des classes en présence, en particulier, le poids politique et idéologique de la classe ouvrière) sont à évaluer pour comprendre la forme et le contenu que prend la lutte idéologique dans cette conjoncture... (etc., pendant 33 pages). *Champ libre* (1972)

Titre

Un titre, ce n'est rien. Et pourtant c'est à la fois la coquille, le nom, l'identification, le contenu, le style, la démarche, le commentaire. (...) Donnez-moi un titre, je vous ferai une œuvre! Je vous détruirai une carrière aussi. *Jacques Godbout* (1984)

Utilité

Nous avons peut-être un peu trop facilement pensé que la nécessité sociale ou historique de notre travail allait de soi. *Jean Chabot* (1981)

BIBLIOGRAPHIE

Notes

1. Depuis 1972, tous les articles des principales revues publiées au Québec, et certaines en France, sont répertoriés dans *Radar* et dans *Périodex*, jusqu'en 1983, et dans *Points de repère* (fusion des deux répertoires précécents) depuis 1984. De son côté, *Index de l'actualité* recense tous les articles des cahiers culturels du *Devoir*, de *La Presse* et du *Soleil*. On s'y référera nécessairement pour trouver la documentation pertinente à tout sujet.

2. On consultera avantageusement aussi les *Dossiers* sur les cinéastes, recueils de coupures de presse, colligés et diffusés par la Bibliothèque du Séminaire de Sherbrooke.

3. Depuis 1982, on trouve dans le numéro de *Copie Zéro* consacré à l'*Annuaire des longs métrages*, une bibliographie exhaustive de tout ce qui concerne le cinéma québécois, dans toutes les formes de publications.

4. Des bibliographies spécialisées se retrouvent dans plusieurs des titres inscrits ici ; voir surtout les thèses, les découpages et scénarios et les numéros 4, 25, 30, 47, 51.

5. Pour les textes de lois, on trouvera à la Cinémathèque le recueil de toutes celles votées à Québec jusqu'en 1964. On trouvera facilement les autres dans les *Lois du Québec* ; on consultera aussi la *Gazette officielle du Québec* pour les dates de mises en application des articles et règlements (ces deux collections possèdent un index facile à consulter).

6. *Séquences* a publié en 1983 son index général (numéro hors série) pour les 110 premiers numéros. Celui des numéros 111 à 125 fut publié en juillet 1986 et inséré dans le numéro 125. Pour les revues *Objectif* et *Cinéma Québec*, j'ai publié des index analytiques (*voir* les numéros 122 et 123 de la présente bibliographie). Pour les autres revues de cinéma, il n'existe aucun index utile.

LIVRES ET OUVRAGES GÉNÉRAUX

1. ———— *Encyclopédie du Canada*, Montréal, Stanké, 1987, 3 tomes.

2. ———— *Influence de la presse, du cinéma, de la radio et de la télévision*, Institut social populaire, 1957, 242 p. (34ᵉ Semaine sociale)

3. ———— *Le cinéma, grande histoire illustrée du 7ᵉ art*, Paris, Éditions Atlas, 1984, p. 2195-2197.

4. BEATIE, Eleanor, *A Handbook of Canadian Film* (second Edition), Toronto, Peter Martin associates in association with Take One magazine, 1977, 355 p.

5. BÉGIN, Jean-Yves, CARRIÈRE, Louise, TARDIF, France et ROZON, René, *Portrait d'un studio d'animation*, Montréal, Office national du film, 1983, 96 p., ill.

6. BÉLANGER, Léon-H., *Les Ouimetoscopes: Léo-Ernest Ouimet et les débuts du cinéma québécois*, Montréal, VLB Éditeur, 1978, 247 p., ill.

7. BÉRAUD, Jean, FRANQUE, Léon et VALOIS, Marcel, *Variations sur trois thèmes*, Montréal, Éditions Fernand Pilon, 1946, 497 p.

8. BÉRUBÉ, Rénald, PATRY, Yvan *et al.*, *Le cinéma québécois: tendances et prolongements*, Montréal, Éditions Sainte-Marie, 1968, 167 p. (Les Cahiers du Sainte-Marie, 12)

9. BERTON, Pierre, *Hollywood's Canada the Americanization of our National Image*, Toronto, McClelland and Stewart Limited, 1975, 303 p., ill.

10. BONNEVILLE, Léo, *Dossiers de cinéma*, Montréal et Ottawa, Fides, 1968, 216 p.

11. BONNEVILLE, Léo, *Le cinéma québécois par ceux qui le font*, Montréal, Éditions Paulines inc., 1979, 780 p., ill.

12. BONNEVILLE, Léo, *Le ciné-club*, Montréal, Fides, 1968, 216 p., ill.

13. BOUSSINOT, Roger, *Encyclopédie du cinéma*, Paris, Bordas, 1980, 2 tomes, 1334 p., ill.

14. BRÛLÉ, Michel, *Vers une politique du cinéma au Québec, document de travail*, Québec, Direction générale du cinéma et de l'audiovisuel, ministère des Communications, 1978, 213 p.

15. CARRIÈRE, Louise *et al.*, *Femmes et cinéma québécois*, Montréal, Boréal Express, 1983, 282 p., ill.

16. Centre diocésain du cinéma, de la radio et de la télévision de Montréal, (1955-1956), Centre catholique national du cinéma, de la radio et de la télévision (1957-1960), Office catholique national des techniques de diffusion (1961-1967), Office des communications sociales (1967-total), *Recueil des films*, publication annuelle, Montréal.

17. CHAMPAGNE, Monique, *Le métier de script*, Montréal, Leméac, 1973, 90 p.

18. DAUDELIN, Robert, *Vingt ans de cinéma au Canada français*, Québec, ministère des Affaires culturelles, 1967, 68 p.

19. DEAN, Malcom, *Censored!: only in Canada, The History of Film Censorship: the Scandal Off the Screen*, Toronto, Virgo Press, 1981, 276 p., ill.

20. DESMARAIS, Jean-Pierre, *Révélations d'un survenant du cinéma*, Montréal, Éditions Lumière, 1982, 277 p., ill.

21. DUPONT, Antonin, *Les relations entre l'Église et l'État sous Louis-Alexandre Taschereau, 1920-1936*, Montréal, Guérin, 1973, 366 p.

22. FAUCHER, Carol, « L'activité cinématographique au Québec », dans *Annuaire du Québec*, 1973, p. 382-393.

23. FELDMAN, Seth (ed.), *Take Two a Tribute to Film in Canada*, Toronto, Irwin Publishing, 1984, 312 p.

24. FELDMAN, Seth et NELSON, Joyce (ed.), *Canadian Film Reader*, Toronto, Peter Martin Associates Limited, 1977, 280 p. (Take One film book, 5)

25. FOURNIER-RENAUD, Madeleine et VÉRONNEAU, Pierre, *Écrits sur le cinéma: bibliographie québécoise: 1911-1981*, Montréal, La Cinémathèque québécoise, 1982, 180 p., ill.

26. Gouvernement du Québec, *La politique québécoise de développement culturel*, Québec, Éditeur officiel, 1978, 472 p., 2 vol.

27. GRIERSON, John, *Grierson on Documentary* (edited with an introduction by Forsith Hardy), London-Boston, Faber and Faber, 1979, 232 p.

28. HAUSTRATE, Gaston, *Guide du cinéma*, Paris, Syros, 3 tomes, 1985-1986.

29. HENNEBELLE, Guy, *Quinze ans de cinéma mondial*, Paris, Éd. du Cerf, 1975, 425 p. (7e art)

30. HOULE, Michel et JULIEN, Alain, *Dictionnaire du cinéma québécois*, Montréal, Fides, 1978, 363 p., ill.

31. HOULE, Michel, *Le parc d'établissements et l'exploitation cinématographique au Québec, 1974-1985*, Montréal, Société générale du cinéma, 1985, 90 p.

32. JACOB, Évariste, *Le cinéma et l'adolescent*, Montréal, Fides, 1962, 204 p.

33. KNELMAN, Martin, *This is Where we Came In*, Toronto, McClelland and Stewart, 1977, 176 p.

34. LAFRANCE, André, *8/Super 8/16*, Montréal, Éditions de l'Homme, 1973, 242 p., ill.

35. LAFRANCE, André avec la collaboration de Gilles Marsolais, *Cinéma d'ici*, Montréal, Leméac et Droits dérivés de Radio-Canada, 1973, 216 p., ill.

36. LAMARTINE, Thérèse, *Elles cinéastes ad lib 1895-1981*, Montréal, Les éditions du Remue-Ménage, 1985, 442 p.

37. LAMONDE, Yvan et HÉBERT Pierre-François, *Le cinéma au Québec: essai de statistique historique: 1896 à nos jours*, Québec, Institut québécois de recherche sur la culture, 1981, 478 p.

38. LAROCHELLE, Réal, « Le cinéma québécois, en voie d'assimilation ou de métissage » dans *Les pratiques culturelles des Québécois, Une autre image de nous-mêmes*, sous la direction de Jean-Paul Baillargeon, Québec, Institut québécois de recherches sur la culture, 1986, (394 p.), p. 215-232.

39. LEBOUTTE, Patrick *et al.*, *Cinémas du Québec, Au fil du direct*, Liège, Éditions Yellow Now, 1986, 76 p., ill.

40. LEDUC, Yves, BERTHIAUME , René et AUBRY, François, *Le manuel de L'Homme de papier*, Montréal, Office national du film, 1987.

41. LEVER, Yves, *Cinéma et société québécoise*, Montréal, Éditions du Jour, 1972, 203 p., ill.

42. LEVER, Yves, *Histoire du cinéma au Québec*, Québec, DGEC, 1983, 176 p.

43. LEVER, Yves, « Un cinéma pour imaginer le pays » dans *Le Québécois et sa littérature*, Sherbrooke et Paris, Naaman et Agence de coopération culturelle et technique, 1984, p. 380-396.

44. LINTEAU, Paul-André, DUROCHER, René, ROBERT, Jean-Claude et RICARD, François, *Histoire du Québec contemporain*, Montréal, Boréal, 2 tomes: 1979 et 1986, 658 et 730 p., ill.

45. MAJOR, Ginette, *Le Cinéma québécois à la recherche d'un public, bilan d'une décennie*, Montréal, Presses de l'Université de Montréal, 1982, 183 p., ill.

46. MARCORELLES, Louis, *Éléments pour un nouveau cinéma*, Paris, Unesco, 1970, 154 p.

47. MARSOLAIS, Gilles, *L'Aventure du cinéma direct*, Paris, Cinéma club Seghers, 1974, 500 p., ill.

48. MARSOLAIS, Gilles, «Cinéma et réalité: une fiction?» dans *Cinéma et réalités*, travaux 41, Saint-Étienne, CIEREC, 1984, p. 67-78.

49. MARSOLAIS, Gilles, *Le cinéma canadien*, Montréal, Éditions du Jour, 1968, 160 p., ill.

50. MORRIS, Peter, *Embattled Shadows: A History of the Canadian Cinema, 1895-1939*, Montréal, McGill-Queen's University Press, 1978, 350 p., ill.

51. MORRIS, Peter, *The Film Companion*, a comprehensive guide to more than 650 canadian films & filmmakers, Toronto, Irwin Publishing, 1984, 336 p.

52. NOGUEZ, Dominique, *Essais sur le cinéma québécois*, Montréal, Éditions du Jour, 1970, 221 p., ill.

53. PAGEAU, Pierre et LEVER, Yves, *Cinémas canadien et québécois*, Montréal, Collège Ahuntsic, Pierre Pageau et Yves Lever, 1977, 135 p.

54. PASSEK, Jean-Loup (sous la direction de), *Dictionnaire du cinéma*, Paris, Librairie Larousse, 1986, 890 p., ill.

55. PERRAULT, Pierre, *Caméramages*, Paris, Édilig, 1983, 127 p., ill.

56. PERRAULT, Pierre, *De la parole aux actes*, Montréal, L'Hexagone (essais), 1985, 435 p., ill.

57. PERRAULT, Pierre, *Discours sur la condition sauvage et québécoise*, Montréal, Lidec, 1977, 108 p., ill.

58. PERRAULT, Pierre, ROUSSIL, Robert et CHEVALIER, Denys, *L'art et l'État*, Montréal, Parti pris, 1974, 103 p.

59. PRÉDAL, René, *Jeune cinéma canadien*, Paris, Éd. Premier plan, 1967, 140 p. (Premier plan, 45)

60. SADOUL, Georges, *Dictionnaire des cinéastes* (nouvelle édition), Paris, Seuil, 322 p., ill.

61. STRARAM, Patrick, *One+one: Cinémarx et Rolling Stones*, Montréal, Les Herbes rouges, 1971, 122p., ill.

62. TADROS, Jean-Pierre, COUELLE Marcia et TADROS, Connie, *Le cinéma au Québec: bilan d'une industrie*, Montréal, Les Éditions Cinéma Québec, 1975, 305 p.

63. TADROS, Jean Pierre, VOYER, Bernard et SIMONEAU, France, *Le cinéma au Québec: Répertoire 1979*, Montréal, Les Éditions Cinéma Québec, 1979, 304 p.

64. TREMBLAY, Michel, *La duchesse et le roturier*, Montréal, Leméac, 1982, 387 p.

65. TREMBLAY-DAVIAULT, Christiane, *Un Cinéma orphelin, structures mentales et sociales du cinéma québécois: 1942-1953*, Montréal, Québec-

Amérique, 1981, 357 p., ill.

66. TULARD, Jean, *Dictionnaire du cinéma* (Les réalisateurs), Paris, Robert Laffont, 1982, 784 p.

67. VÉRONNEAU, Pierre (dir.) *et al.*, *Les Cinémas canadiens*, Paris, Montréal, Lherminier et Cinémathèque québécoise, 1978, 223 p., ill.

68. VÉRONNEAU, Pierre, *Cinéma de l'époque duplessiste*, Histoire du cinéma au Québec 2, Montréal, Cinémathèque québécoise, 1979, 164 p., ill. (Les Dossiers de la Cinémathèque, 7)

69. VÉRONNEAU, Pierre, *Le succès est au film parlant français*, Histoire du cinéma au Québec 1, Montréal, Cinémathèque québécoise, 1979, 164 p., ill. (Les Dossiers de la Cinémathèque, 3)

70. VÉRONNEAU, Pierre, *L'Office national du film, l'enfant martyre*, Montréal, Cinémathèque québécoise, 1979, 68 p., ill. (Les Dossiers de la Cinémathèque, 5)

71. VÉRONNEAU, Pierre (ed.), *Self Portrait*, essays on the canadian and Quebec cinemas, (traduction anglaise, dirigée par Piers Handling, avec des ajouts, des *Cinémas canadiens*), Ottawa, Canadian Film Institute, 1980, 258 p.

72. VÉRONNEAU, Pierre, DORLAND, Michael et FELDMAN, Seth, *Dialogue Cinéma canadien et québécois — Canadian and Quebec Cinema*, Montréal, Médiatexte Publications inc. / Cinémathèque québécoise, 1987, 330 p., ill. (Canadian Film Studies/Études cinématographiques canadiennes, 3)

BROCHURES ET NUMÉROS SPÉCIAUX DE REVUES

73. —— « Les 101 questions » posées à Gilles Carle, Fernand Dansereau, Jacques Godbout, Gilles Groulx, Denis Héroux, Claude Jutra, Larry Kent, Arthur Lamothe, Jean-Pierre Lefebvre, Don Owen et Pierre Patry, dans *Objectif*, n⁰ˢ 35 à 38, 1966-1967, ill., articles non signés, plusieurs auteurs différents.

74. —— « Cinéma si », Montréal, *Liberté*, 44-45 (vol. 8, n⁰ˢ 2-3), 1966, 193 p.

75. —— *Le cinéma : théorie et discours*, Actes du colloque de l'Association québécoise des études cinématographiques 1983, Montréal, Cinémathèque québécoise, 1984, 56 p., ill. (Les Dossiers de la Cinémathèque, 12)

76. —— « Guide professionnel du showbusiness québécois », *Qui fait quoi*, 33-34, décembre 1986/janvier 1987, 140 p., ill.

77. —— *Hommage à L. Ernest Ouimet*, Montréal, Cinémathèque canadienne, 1966.

78. —— *Images de femmes*, Un répertoire de films traitant de la condition féminine, Montréal, Office national du film, 1984, 68 p., ill.

79. —— «Littérature québécoise et cinéma», coordination de Laurent Mailhot et de Benoît Melançon, *Revue d'histoire littéraire du Québec et du Canada français*, Ottawa, Éditions de l'Université d'Ottawa, hiver-printemps 1986, 228 p.

80. —— «Sons et narrations au cinéma», Actes du colloque 1984 de l'Association québécoise des études cinématographiques, Chicoutimi, Université du Québec à Chicoutimi, 94 p., ill. (*Protée*, vol. 13, no 2, 1985).

81. —— «Spécial cinéma», *Croc*, Montréal, n° 59, juin 1984, 60 p.

82. —— *Vues d'ici et d'ailleurs, 8ᵉ semaine du cinéma québécois*, Montréal, 1980, 14 p., ill. (format journal)

83. ARCHAMBAULT, s.j., R.P. Papin, *Parents chrétiens, sauvez vos enfants du cinéma meurtrier*, Montréal, 1927, 16 p. (L'œuvre des tracts, 91)

84. BABY, François *et al.*, «Littérature et cinéma», Dossier dans *Nuit blanche*, n° 10, automne 1983, Québec, p. 40-66.

85. BABY, François, GAUDREAULT, André *et al.*, «Cinéma et récit», Québec, Les Presses de l'Université Laval, 1980, 244 p., (*Études littéraires*, vol. 13, n° 1)

86. BACKHOUSE, Charles, *Canadian Government Motion Picture Bureau*, Ottawa, Institut canadien du film, 1974, 44 p.

87. BASTIEN, Jean-Pierre *et al.*, «Les coproductions», Montréal, La Cinémathèque québécoise, 1977, 38 p. (*Nouveau cinéma canadien — New Canadian Film*, 42)

88. BASTIEN, Jean-Pierre, *Québec 75, Cinéma*, Montréal, Cinémathèque québécoise et Institut d'art contemporain, 1975, 63 p., ill.

89. BIENVENUE, Alain, *Une expérience de ciné-jeunes*, Montréal, Centre catholique national du cinéma, de la radio et de la télévision, 1961, 39 p.

90. BONNEVILLE, Léo *et al.*, «L'animation à l'Office national du film», Montréal, *Séquences*, 91, janvier 1978, 199 p., ill.

91. BONNEVILLE, Léo *et al.*, «Le cinéma au Québec», (spécial 30ᵉ anniversaire), Montréal, *Séquences*, 120, avril 1985, 122 p.

92. BONNEVILLE, Léo *et al.*, «Le cinéma canadien», Montréal, *Séquences*, 50, 51, 52, 53, 1967-1968.

93. BONNEVILLE, Léo *et al.*, «Les artisans du cinéma», Montréal, *Séquences* 100, avril 1980, 172 p., ill.

94. BRULÉ, Michel *et al.*, « Pour une sociologie du cinéma », Montréal, Presses de l'Université de Montréal, 1976, 143 p. (*Sociologie et société*, 228)

95. Bureau de surveillance du cinéma (Régie du cinéma), *Répertoire des établissement de spectacles cinématographiques*, Montréal, Gouvernement du Québec, publié deux fois l'an.

96. CARRIÈRE, Louise *et al.*, « Aujourd'hui le cinéma québécois », *CinémAction*, n° 40, Cerf-OFQJ, Paris-Montréal, 1986, 192 p., ill.

97. Centre catholique du cinéma, de la radio et de la télévision, *Guide pour l'utilisation du cinéma, première année*, Montréal, 1960, 79 p.

98. CHABOT, Jean *et al.*, « As-tu un scénario ? » *Format cinéma*, 39, février 1985.

99. CHARRON, Claude-Yves *et al.*, « Le cinéma ethnographique », *Recherches amérindiennes au Québec*, vol. 10, n° 4, 1981, p. 218-238.

100. Comité des œuvres catholiques de Montréal, *Doit-on laisser entrer les enfants au cinéma ?*, Montréal, 1939, 16 p. (L'Oeuvre des tracts, 236)

101. Conseil québécois pour la diffusion du cinéma, *Un cinéma pour qui ? La quinzaine nationale*, Montréal, 1973, 48 p.

102. DANSEREAU, Fernand, « La situation du cinéma au Québec », *Rencontres internationales pour un nouveau cinéma, dossiers nationaux*, Montréal, 1974, 17 p. (reproduit en partie dans *Cinéma Québec*, vol. 3, nᵒˢ 9-10, 1974)

103. DEMERS, Pierre et FRIGON, Constance, *Cinéma régional Saguenay-Lac-St-Jean*, Jonquière, 1984, 12 p., ill.

104. FAUCHER, Carol *et al.*, *La production française à l'ONF, 25 ans en perspective*, Montréal, Cinémathèque québécoise, 1984, 80 p., ill. (Les Dossiers de la Cinémathèque, 14).

105. GAUTHIER, Guy *et al.*, *Écritures de Pierre Perrault. Actes du colloque « Gens de paroles »* 24-28 mars 1982, Maison de la culture de La Rochelle, Paris, Montréal, Édilig et La Cinémathèque québécoise, 1983, 80 p., ill. (Les Dossiers de la Cinémathèque, 11)

106. GRIERSON, John, *Rapport sur les activités cinématographiques du gouvernement canadien (juin 1938)*, Montréal, Cinémathèque québécoise, 1978, 40 p., ill. (Les Dossiers de la Cinémathèque, 1)

107. HAMEL, Oscar, *Le cinéma — Ce qu'il est dans notre province, l'influence néfaste qu'il exerce, les réformes urgentes qui s'imposent*, Montréal, École sociale populaire 170, 1928, 30 p. (Une édition complétée et réservée de cette brochure fut publiée en même temps sous le titre *Notre cinéma, pourquoi nous le jugeons immoral*, 64 p.)

108. HAMELIN, Lucien, WALSER, Lise, *Cinéma québécois, petit guide (1)*, Mont-

réal, Conseil québécois pour la diffusion du cinéma, 1973, 46 p.

109. HANDLING, Piers, *Canadian Feature Films, 1913-69*, part 3 : 1964-1969, Ottawa, Canadian Film Institute, 1975, 64 p.

110. HARBOUR, Chanoine Adélard, *Dimanche vs cinéma, Debout les catholiques*, Montréal, 1927, 16 p. (L'Oeuvre des tracts, 97)

111. JUTRAS, Pierre *et al.*, « 40 ans de cinéma à l'Office national du film », Montréal, Cinémathèque québécoise, 1979, 46 p., ill. (*Copie Zéro, 2*)

112. JUTRAS, Pierre, VÉRONNEAU, Pierre *et al.*, « L'Association coopérative de productions audio-visuelles, première décade », Montréal, Cinémathèque québécoise, 1981, 46 p., ill. (*Copie Zéro, 8*)

113. Jutras, Pierre *et al.*, « Le Documentaire, vers de nouvelles voies », Montréal, Cinémathèque québécoise, 1986, 30 p., ill. (*Copie Zéro, 30*)

114. JUTRAS, Pierre *et al.*, « Ce glissement progressif vers la vidéo », Montréal, Cinémathèque québécoise, 1985, 30 p., ill. (*Copie Zéro, 26*)

115. JUTRAS, Pierre *et al.*, « Du montage », Montréal, Cinémathèque québécoise, 1982., ill. (*Copie Zéro, 14*)

116. JUTRAS, Pierre *et al.*, « Photographes de plateau », Montréal, Cinémathèque québécoise, 1983, ill. (*Copie Zéro, 16*)

117. JUTRAS, Pierre *et al.*, « Vivre à l'écran, propos sur le métier d'acteur », Montréal, Cinémathèque québécoise, 1984, 38 p., ill. (*Copie Zéro, 22*)

118. LACASSE, Germain, avec la collaboration de Serge Duigou, *L'Historiographe* (Les débuts du spectacle cinématographique au Québec), Montréal, Cinémathèque québécoise, 1985, 60 p., ill. (Les Dossiers de la Cinémathèque, 15)

119. LAFOND, Jean-Daniel et LAMOTHE, Arthur, *Images d'un doux ethnocide*, Montréal, Ateliers audio-visuels du Québec, 1979, 48 p., ill.

120. LAROUCHE, Michel *et al.*, « Cinéma québécois, Nouveaux courants, nouvelle critique », *Dérives*, 52, 118p., ill.

121. LEFEBVRE, Euclide, *Le cinéma corrupteur*, Montréal, 1921, 16 p. (L'Oeuvre des tracts, 13)

122. LEVER, Yves, *Index analytique de Cinéma Québec*, Montréal, Yves Lever, 1984, 74 p.

123. LEVER, Yves, *Index analytique d'Objectif*, Montréal, Yves Lever, 1986, 46 p.

124. MORRIS, Peter, *Canadian Feature Films : 1913-1969*, part 1 : 1913-1940, Ottawa, Canadian Film Institute, 1970, 20 p., part 2 : 1941-1963, 1974, 44 p.

125. MORRIS Peter *et al.*, « The Destruction of John Grierson », Montréal, *Cinema*

Canada, 56, june-july 1979, 57 p.

126. MORRIS, Peter, *The National Film Board of Canada, the War Years*, Ottawa, Canadian Film Institute, 1965 (1971), 32 p.

127. PAQUET, André *et al.*, *Comment faire ou ne pas faire un film canadien*, Montréal, La Cinémathèque canadienne, 1967, 23 p.

128. PAQUET, André, DANDURAND, Andrée *et al.*, *Rencontres internationales pour un nouveau cinéma, à Montréal, 2-8 juin 1974*, Montréal, Comité d'action cinématographique, 1975 (quatre cahiers)

129. PELLAND, Léo, *Comment lutter contre le mauvais cinéma*, Montréal, 1926, 16 p. (L'Oeuvre des tracts, 84)

130. PIE XI, *Le cinéma, encyclique Vigilanti Cura*, Montréal, 1936, 16 p. (L'Oeuvre des tracts, 207)

131. REID, Alison, *Canadian Women Film Makers, an Interim Filmography*, Ottawa, Canadian Film Institute, 1972, 14 p.

132. VACHET, Aloysius, *Catholicisme et cinéma*, Montréal, Éditions de Renaissance Film Distribution, 1947, 24 p.

133. VERGNET, Paul, « La place des enfants n'est pas au cinéma », Montréal, École sociale populaire, 1933, 32 p. (*École sociale populaire*, 228)

134. VÉRONNEAU, Pierre, *La collection d'appareils de la Cinémathèque québécoise*, Montréal, Cinémathèque québécoise, 1975, 63 p., ill.

135. VÉRONNEAU, Pierre *et al.*, « Des cinéastes québécoises », Montréal, Cinémathèque québécoise, 1980, 71 p., ill. (*Copie Zéro*, 6)

136. VÉRONNEAU Pierre *et al.*, « Vues sur le cinéma québécois », Montréal, Cinémathèque québécoise, 1981, 94 p., ill. (*Copie Zéro*, 11)

137. VILLENEUVE, Cardinal Rodrigue, *Le cinéma, périls-réactions*, Québec, Action Catholique, 1937, 28 p. (Tract, 13)

138. WALSER, Lise, *Répertoire des longs métrages produits au Québec, 1960-1970*, Montréal, Conseil québécois pour la diffusion du cinéma, 1971, 110 p.

139. WARREN, Paul *et al.*, « Dossier : le cinéma québécois », Québec, *Québec français*, 51, octobre 1983, p. 30-53.

RAPPORTS, MÉMOIRES, MANIFESTES, THÈSES

140. Les rapports annuels, les catalogues, communiqués, bulletins d'information publiés par les divers organismes, particulièrement:

141. Le Bureau de surveillance du cinéma

142. La Cinémathèque québécoise

143. Le Conseil des arts du Canada

144. L'Institut québécois du cinéma

145. L'Office national du film — The National Film Board

146. L'Office du film du Québec

147. La Société de développement de l'industrie cinématographique canadienne

148. La Société générale du cinéma du Québec

149. Téléfilm Canada

150. —— *Le cinéma pour enfants*, Colloque tenu à Montréal, mars 1982, 46 p. et annexes.

151. —— Mémoires présentés à la Commission parlementaire sur le projet de loi 109: plus de quarante organismes et individus lors des séances publiques et télévisées du 22 au 25 février 1983. Parmi les principaux, qui donnent un bon portrait panoramique de la situation du cinéma au Québec en 1983, mentionnons ceux de l'Institut québécois, des associations des distributeurs de films, du Front commun contre la pornographie, des exploitants indépendants, du Syndicat national, des cinémas parallèles, des industries techniques, de Cinéma Libre et Crépuscule, de l'Association pour le jeune cinéma. Les textes de ces interventions ainsi que les questions et réponses sont reproduits dans le *Journal des débats*, Commissions parlementaires, Assemblée nationale du Québec, troisième session, 32e législature, 22 février 1983, n° 239; 23 fév., n° 241; 24 fév., n° 243; 25 fév., n° 245.

152. APPLEBAUM, Louis et HÉBERT, Jacques, *Rapport du comité d'étude de la politique culturelle fédérale*, Ottawa, Direction de l'information, ministère des Communications, gouvernement du Canada, 1982, 392 p.

153. Association des réalisateurs de films du Québec, *La culture et le cinéma au Québec*, Mémoire adressé à l'Honorable René Lévesque, premier ministre du Québec, s.l., février 1978, 54 p.

154. Association des réalisateurs de films du Québec, *Mémoire présenté à la Commission parlementaire sur le projet de loi n° 1 sur la langue*, juin 1977 (repro-

duit dans *Nouveau cinéma canadien*, n° 41, sept. 1977, p. 4-6)

155. Association professionnelle des cinéastes du Québec, *Un autre visage du Québec colonisé*, Montréal, 1971 (publié dans *Champ libre*, 1, juillet 1971)

156. BÉRUBÉ TRUDEL, Suzanne, *Analyse sémiotique d'un genre cinématographique : Un pays sans bon sens de Pierre Perrault*, Montréal, Université de Montréal (communications), 1979, 141 p.

157. BOISSONNEAULT, Robert, *Les Cinéastes québécois à l'ONF, un aperçu*, Montréal, Université de Montréal (sociologie), 1971, 345 p.

158. BOYER, Louis (Juge, commissaire enquêteur), *Rapport de la Commission royale chargée de faire enquête sur l'incendie du « Laurier Palace » et sur certaines autres matières d'intérêt général*, Québec, 1927, 31 p.

159. BRAULT, François, « Manifeste pour un cinéma vraiment national », Montréal, *Possibles*, vol. 7, n° 1, 1982, p. 83-87.

160. CARRIÈRE, Louise, *La série de films Société nouvelle dans un Québec en changement : 1969-1979*, Montréal, Université du Québec, 1983.

161. CHEVRIER, Henri-Paul, *La Distanciation au cinéma : application dans les films de fiction de Denys Arcand*, Montréal, Université de Montréal, 1982, 201 p.

162. Comité des ciné-clubs, *Mémoire à la Commission Parent*, Montréal, 1962 (reproduit dans *Objectif 62*, n° 4, p. 5-14)

163. Commission d'études sur le cinéma et l'audio-visuel, *Le Cinéma, une question de survie et d'excellence* (Rapport Fournier), Québec, Direction générale des publications gouvernementales, 1982, 330 p.

164. COUSINEAU, Jacques, *Mémoire du Comité de culture cinématographique de l'Office catholique national des techniques de diffusion à la Commission Laurendeau-Dunton*, Montréal (reproduit dans *Jeune cinéma*, vol. 1, n° 2, janvier-février 1966, p. 32-33)

165. DANSEREAU, Fernand, *Notes sur la condition du long métrage au Québec*, s.l., 28 juin 1978, 22 p.

166. DENAULT, Jocelyne, *Écriture cinématographique féminine au Québec*, Montréal, Université de Montréal (histoire de l'art), 1982

167. DORION, Jules, HUOT, Antonio et HARBOUR, Adélard, *Le rapport Boyer sur le cinéma, quelques appréciations et commentaires*, Montréal, 1927, 16 p. (L'Oeuvre des tracts, 100)

168. FOURNIER, Guy (président de la commission d'étude), *Le Cinéma, une question de survie et d'excellence*, Québec, Gouvernement du Québec, 1982, 330 p.

169. JAUBERT, Jean-Claude, *L'Image du pays dans le cinéma québécois*, Aix, Université d'Aix (lettres et sciences humaines), 1975, 330 p.

170. LAMARTINE, Thérèse, *Elles, cinéastes... ad lib*, Montréal, Université de Montréal (histoire de l'art), 1981, 305 p.

171. LAMOUREUX, Jean-Luc, *Le Cinéma direct: cinéma subjectif ou objectif?*, Montréal, Université de Montréal, 1978, 149 p.

172. LAROUCHE, Michel, *Le Sens de la parole dans le cinéma de Pierre Perrault*, Montréal, Université de Montréal (études françaises), 1976, 106 p.

173. LEVER, Yves, *L'Église et le cinéma au Québec*, Montréal, Université de Montréal (théologie), 1977, 275 p.

174. MASSEY (Rapport), *Rapport de la commission royale d'enquête sur l'avancement des arts, lettres et sciences*, Ottawa, Imprimeur de la Reine, 1951.

175. Office catholique national des techniques de diffusion, *Mémoire présenté à la Commission Parent*, Montréal, 1962, 67 p.

176. PAQUIN, Jean, *Le Développement de la critique marxiste au Québec de 1968 à 1978*, Montréal, Université de Montréal (histoire de l'art), 1980, 54 p.

177. PARENT (Rapport), *Rapport de la Commission d'enquête sur l'enseignement dans la province de Québec*, Québec, 1964.

178. RAYMOND, Marie-Josée et ROTH, Stephen, *Le Cinéma au Canada, sur un bon pied* (Rapport du groupe de travail sur l'industrie cinématographique, novembre 1985, Ottawa, ministre des Approvisionnements et Services, 62 p. (en anglais: *Canadian Cinema, a Solid Base*)

179. RÉGIS, Louis-Marie *et al.*, *Mémoire du comité provisoire pour l'étude de la censure au Québec*, Québec, 21 février 1962, 124 p.

180. RIOUX, Marcel *et al.*, *Rapport de la Commission d'enquête sur les arts au Québec*, Québec, Éditeur officiel, 1968.

181. SAUVAGEAU, Florian et CAPLAN, Norman, *Rapport du groupe de travail sur la politique de la radiodiffusion*, Ottawa, ministère des Approvisionnements et Services, 1986, 788 p.

182. Société de développement de l'industrie cinématographique canadienne, *Rapport sur les coproductions canadiennes (1963-1979)*, Montréal, 31 décembre 1980, 22 p. et annexes.

183. Sorécom (sondage), *Les québécois face au cinéma: habitudes et perceptions*, Montréal, Institut québécois du cinéma, avril 1982, 39 p.

184. WHITE, Peter, *Investigation Into an Alleged Combine in the Motion Picture Industry in Canada*, Rapport du commissaire du ministère du Travail du Canada, Ottawa, 30 avril 1931, 324 p.

ARTICLES CHOISIS

185. ——— « L'ONF et le cinéma québécois », Montréal, *Parti pris*, 7, avril 1964, p. 2-24.

186. BASTIEN, Hermas, « Le cinéma déformateur », Montréal, *Action française*, mars 1927, p. 167-169.

187. BERNARD, Harry, « Théâtre et cinéma » (chronique « L'ennemi dans la place »), Montréal, *Action française*, août 1924, p. 68-80.

188. BLOUIN, Jean, « L'incendie du Laurier Palace, ce fut beaucoup plus que la mort de 78 enfants », Montréal, *Perspectives*, 8 janvier 1977, 5 p.

189. BOISSET, Patrick, « Daniel Lajeunesse, la programmation de l'« autre télévision », *24 Images*, n°s 13-14, juillet-août 1982, p. 64-72.

190. BONNEVILLE, Léo et BÉRUBÉ, Robert-Claude, « L'enfant dans le cinéma canadien », Montréal, *Séquences*, 96, avril 1979, p. 4-12.

191. BONNEVILLE, Léo, « Entretien avec Gratien Gélinas », Montréal, *Séquences*, 107, janvier 1982, p. 4-8.

192. BONNEVILLE, Léo, « Entretien avec Maurice Blackburn », Montréal, *Séquences*, 115, janvier 1984, p. 3-13.

193. BONNEVILLE, Léo, « Entretien avec Paul L'Anglais », Montréal, *Séquences*, 106, octobre 1981, p. 4-12.

194. BONNEVILLE, Léo, « Entretien avec Pierre Perrault », Montréal, *Séquences*, 110, octobre 1982, p. 4-51.

195. BOUCHARD, René, « Un précurseur du cinéma direct : Mgr Albert Tessier », Montréal, *Cinéma Québec*, 51, 52, p. 19-23, 27-33.

196. BRODEUR, Pierre, « Sport, idéologie et cinéma », Montréal, *Cinéma Québec*, 46, 1977, p. 39-42.

197. BRÛLÉ, Michel, « René Bail, ou le cinéaste dont on lira peut-être un jour les films », Montréal, *Cinéma Québec*, vol. 3, n° 3, novembre-décembre 1973, p. 20-23.

198. BRÛLÉ, Michel, « Roger Laliberté : les petites misères sans grandeur d'un cinéaste méconnu », Montréal, *Cinéma Québec*, vol. 2, n° 8, 1973, p. 24-34.

199. BRÛLÉ, Michel, « Trente ans d'avant-premières pour un cinéma neuf sur une société neuve », Montréal, *Forces*, 25, 1973, p. 23-34.

200. COMTOIS, Louise et RACINE, Claude, « Claude Chamberland, l'homme du nouveau cinéma », Montréal, *24 Images*, n° 21, été 1984, p. 26-29.

201. COX, Kirwan, « Hollywood Empire in Canada, the majors and the man-

darins through the years», Montréal, *Cinema Canada,* 22, october 1975, p. 18-22.

202. DAUDELIN, Robert, «Le festival du film de Montréal», Montréal, *Culture vivante,* 1, 1967, p. 55-56.

203. DEMERS, Pierre, «Le cinéma catholique», Montréal, *Cinéma Québec,* vol. 4, n° 3, 1975, p. 28-32.

204. DEMERS, Pierre, «Michel Vergnes et le Service de Ciné-Photographie», Montréal, *Cinéma Québec,* vol. 3, n° 4, 1974, p. 28-34.

205. DEMERS, Pierre, «Un pionnier du documentaire québécois: l'abbé Maurice Proulx», Montréal, *Cinéma Québec,* vol. 4, n° 6, 1975, p. 17-34.

206. DENAULT, Jocelyne, «Les Québécoises derrière la caméra», Montréal, *Dires,* vol. 1, n° 1, 1983, p. 42-46.

207. DORLAND, Michael, The creation myth: JACQUES BOBET the birth of a national cinema, Montréal, *Cinema Canada,* april 1984, p. 7-13, ill.

208. DUGUAY, Raoul et PAUL, Andrée, «Politique culturelle 1: le cinéma», Montréal, *Parti pris,* vol. 4, nᵒˢ 9-12, 1967, p. 123-129.

209. DUVAL, Jean et PATAR, Benoit, «Arthur Lamothe, Prix Albert Tessier 1980», *24 images,* nᵒˢ 7-8, jan.-fév. 1981, p. 41-47.

210. GAY, Richard, «Claude Daigneault, Les scénarios de notre confusion», Montréal, *Le Devoir,* 23 janvier 1982.

211. GODBOUT, Jacques, «Une politique du film muet», Montréal, *Le Devoir,* 11 juin 1984.

212. HÉBERT, Pierre, «McLaren vu par *Séquences:* une falsification de l'histoire», Montréal, *Stratégie,* 13-14, 1976, p. 49-56.

213. HÉROUX, Denis, «Introduction 2», Ottawa, *Film Canadiana,* 1978-1979.

214. JAMES, Rodney, «Le rêve de Grierson», Montréal, *Cinéma Québec,* vol. 1, n° 9, 1972, p. 31-35.

215. LAMOUREUX, Jacques, «Le cinéma au Canada», Montréal, *Images,* vol. 1, n° 3, avril 1956, p. 2-3.

216. LAMOUREUX, Jacques, «Et encore du folklore», Montréal, *Images,* vol. 1, n° 3, avril 1956, p. 16-18.

217. LAROCHELLE, Réal *et al.,* «Dossier: le cinéma québécois», Montréal, *Presqu'Amérique,* vol. 1, n° 3, déc. 1971-jan. 1972, p. 15-24.

218. LAVERDIÈRE, Suzanne et PATAR, Benoit, «Nicole Boivert, présidente-directrice générale de la Société générale du cinéma», Montréal, *24 Images,* n° 25, été 1985, p. 28-32.

219. LEFEBVRE, Jean Pierre, «Introduction 3», Ottawa, *Film Canadiana*, 1978-1979.

220. LEFEBVRE, Jean Pierre, «Les années folles de la critique, ou petite histoire des revues de cinéma au Québec», Montréal, *Objectif*, octobre-novembre 1964, p. 42-46.

221. LEFEBVRE, Jean Pierre et PILON, Jean-Claude, «L'équipe française souffre-t-elle de «Roucheole»?», Montréal, *Objectif*, 15-16, août 1963, p. 45-53.

222. LEVER, Yves, «L'acharnation du cinéma québécois», Montréal, *Critère*, n° 10, janvier 1974, p. 112-120.

223. LEVER, Yves, «Et si l'on pariait sur un cinéma différent», Montréal, *Relations*, 479, avril 1982, p. 16-18.

224. LEVER, Yves, «*Le Confort et l'Indifférence*, pour renouer avec le cinéma politique», Montréal, *Relations*, 480, mai 1982, p. 140-141.

225. LEVER, Yves, «Octobre 70 dans le cinéma québécois», Montréal, *Cinéma Québec*, vol. 4, n° 5, 1975, p. 10-15.

226. LEVER, Yves, «Un cinéma de campagne», Montréal, *Relations*, 376, novembre 1972, p. 316-317.

227. LEVER, Yves, «Une mémoire vivante», Montréal, *L'immédiat*, vol. 1, n° 1, été 1984, p. 21-22.

228. LÉVESQUE, Robert, «Le cinéma québécois face à l'indépendance, table ronde», Montréal, *Québec-Presse*, 17 décembre 1972.

229. MARSOLAIS, Gilles, «Évolution du documentaire québécois de 1969 à 1976», Montréal, *Forces*, n°s 41-42, 1977-1978, p. 30-43.

230. MARSOLAIS, Gilles, «Situation et perspectives économiques du cinéma québécois», Montréal, *Forces*, n° 33, automne 1975, p. 33-41, ill.

231. NADEAU, Pierre, «Les Québécois, le succès, l'argent, la vie et le cinéma selon Denis Héroux», Montréal, *Ticket*, vol. 1, n° 3, juin-juillet 1983, p. 66-70 et 76-77.

232. NOGUEZ, Dominique, «Le cinéma», Montréal, *Études françaises*, vol. VII, n° 2, mai 1971, p. 213-233.

233. NOGUEZ, Dominique, «Un cinéma de l'errance» (Jutra, Don Owen, Carle, Garceau, Lefebvre, Ransen), *Vie des arts*, n° 55, été 1969, p. 52-57.

234. PAGEAU, Pierre, «Évolution des cours de cinéma au collégial», Montréal, *Cinéma Québec*, vol. 2, n° 2, octobre 1972, p. 32-35.

235. PATAR, Benoit, «Rencontre: Denys Arcand, Le refus de la ligne juste», Montréal, *24 Images*, n°s 22-23, automne 1984-hiver 1985, p. 35-44.

236. PERRAULT, Pierre, « Discours sur la parole », Montréal, *Culture vivante*, 1, 1966 (aussi dans *Cahiers du cinéma*, 191, juin 1967, et dans *De la parole aux actes* (mais avec changements), *voir* n° 56)

237. PERREAULT, Luc, « Où va le cinéma québécois ? », Montréal, *La Presse*, 9 et 16 décembre 1967, 6 janvier 1968.

238. PICARD, Wilfrid, « 40 ans de cinéma », Montréal, *Le courrier du cinéma*, vol. 1, n°s 2 et 3, janvier et février 1936, p. 14-15, 11.

239. SAINTE-MARIE, Gilles, « L'Année des retombées », Montréal, *Études françaises*, mai 1972, p. 214-223.

240. STRARAM, Patrick, « Le cinéma, bien, mais plus que le cinéma », Montréal, *Presqu'Amérique*, 1972, p. 37-40.

241. TURNER, D. John, « Dans la nouvelle vague des années 20, J. Arthur Homier », Montréal, *Perspectives*, 26 janvier 1980, p. 2-5 (aussi dans *24 images*, n° 11, déc. 1981, p. 47-55).

242. TURNER, D. John, « Whispering City at Filmexpo », Montréal, *Cinema Canada*, 21, september 1975, p. 24-25.

243. VÉRONNEAU, Pierre, « Conserver et restaurer », Montréal, *Cinéma Québec*, vol. 4, n° 7, 1975, p. 36-40.

MONOGRAPHIES
SUR DES CINÉASTES QUÉBÉCOIS

244. —— *Claude Jutra, rétrospective mars 1973*, Montréal, Cinémathèque québécoise, 1973, 25 p.

245. BONNEVILLE, Léo *et al.*, « Norman McLaren » Montréal, *Séquences*, 82, octobre 1975, 192 p., ill.

246. BASTIEN, Jean-Pierre, *Bernard Gosselin*, rétrospective avril / mai 1977, Montréal, Cinémathèque québécoise, 24 p., ill.

247. BASTIEN, Jean-Pierre et VÉRONNEAU, Pierre, *Jacques Leduc*, Montréal, Conseil québécois pour la diffusion du cinéma, 1974, 95 p. (Cinéastes du Québec, 12)

248. BERSON, Alain, *Pierre Perrault*, Montréal, Conseil québécois pour la diffusion du cinéma, 1970, 58 p. (Cinéastes du Québec, 5)

249. BÉRUBÉ, Rénald, PATRY, Yvan *et al.*, *Jean-Pierre Lefebvre*, Montréal, Presses de l'Université du Québec, 1971, 230 p., ill.

250. BOUCHARD, René, *Filmographie d'Albert Tessier*, Montréal, Éditions du

Boréal Express, 1973, 179 p., ill.

251. BRÛLÉ, Michel, *Pierre Perrault ou un cinéma national*, essai d'analyse socio-cinématographique, Montréal, Presses de l'Université de Montréal, 1974, 153 p., ill.

252. CHABOT, Jean, *Claude Jutra*, Montréal, Conseil québécois pour la diffusion du cinéma, 1971, 26 p. (Cinéastes du Québec, 8)

253. COLLINS, Maynard, *Norman McLaren*, Ottawa, Institut canadien du film, 1976, 116 p., ill.

254. DAUDELIN, Robert, *Gilles Groulx*, Montréal, Conseil québécois pour la diffusion du cinéma, 1969, 24 p. (Cinéastes du Québec, 1)

255. HARCOURT, Peter, *Jean-Pierre Lefebvre*, Ottawa, Canadian Film Institute, 1981, 178 p.

256. HOULE, Michel et FAUCHER, Carol, *Gilles Carle*, Montréal, Conseil québécois pour la diffusion du cinéma, 1976, 124 p., ill. (Cinéastes du Québec, 2, réédition)

257. HOULE, Michel et HAMELIN, Lucien, *Fernand Dansereau*, Montréal, Conseil québécois pour la diffusion du cinéma, 1972, 80 p. (Cinéastes du Québec, 10)

258. JUTRAS, Pierre *et al.*, « André Forcier », Montréal, Cinémathèque québécoise, 1984, 38 p., ill. (*Copie Zéro*, 19)

259. JUTRAS, Pierre *et al.*, « Georges Dufaux », Montréal, Cinémathèque québécoise, 1979, 38 p., ill. (*Copie Zéro*, 1)

260. JUTRAS, Pierre *et al.*, « Michel Brault », Montréal, Cinémathèque québécoise, 1980, 51 p., ill. (*Copie Zéro*, 5)

261. JUTRAS, Pierre *et al.*, « Michel Moreau », Montréal, Cinémathèque québécoise, 1986, 38 p., ill. (*Copie Zéro*, 27)

262. LAROCHELLE, Réal, *Denys Arcand*, Montréal, Conseil québécois pour la diffusion du cinéma, 1971, 51 p. (Cinéastes du Québec, 8)

263. LAROCHELLE, Réal, *Jean-Claude Labrecque*, Montréal, Conseil québécois pour la diffusion du cinéma, 1971, 38 p. (Cinéastes du Québec, 7)

264. MARSOLAIS, Gilles, *Michel Brault*, Montréal, Conseil québécois pour la diffusion du cinéma, 1972, 79 p. (Cinéastes du Québec, 11)

265. MARTIN, André, *Barré l'introuvable*, Montréal, Cinémathèque québécoise, 1976, 16 p.

266. PATRY, Yvan, *Arthur Lamothe*, Montréal, Conseil québécois pour la diffusion du cinéma, 1971, 47 p. (Cinéastes du Québec, 6)

267. PATRY, Yvan, *Jacques Godbout*, Montréal, Conseil québécois pour la dif-

fusion du cinéma, 1971, 47 p. (Cinéastes du Québec, 9)

268. RASSELET, Christian, *Jean-Pierre Lefebvre*, Montréal, Conseil québécois pour la diffusion du cinéma, 1970, 46 p. (Cinéastes du Québec, 3)

269. ROUX, Paul, *Gilles Carle*, Montréal, Conseil québécois pour la diffusion du cinéma, 1970, 31 p. (Cinéastes du Québec, 2)

270. VÉRONNEAU, Pierre *et al.*, « André Melançon », Montréal, Cinémathèque québécoise, 1987, 30 p., ill. (*Copie Zéro*, 31)

271. VÉRONNEAU, Pierre, JUTRAS, Pierre *et al.*, « Anne Claire Poirier », Montréal, Cinémathèque québécoise, 1985, 34 p., ill. (*Copie Zéro*, 23)

DÉCOUPAGES ET SCÉNARIOS

Note : sont inclus ici les « romans » publiés à partir des scénarios, après la sortie du film, mais non ceux mis en films, dont on pourra retrouver la liste dans l'imposante bibliographie de Benoît Melançon, au numéro 79.

272. ARCAND, Denys, *Le Déclin de l'empire américain*, Montréal, Boréal, 1986, 174 p., ill.

273. ASSELIN, Émile, *La Petite Aurore*, Montréal, Alliance cinématographique canadienne, 1952, 286 p. Des photos du film ainsi que le texte de la pièce de théâtre se retrouvent dans Le Blanc, Alonzo, *Léon Petitjean et Henri Rollin : Aurore l'enfant martyre, histoire et présentation de la pièce*, Montréal, VLB Éditeur, 1982, 273 p., ill.

274. BRASSARD, André et TREMBLAY, Michel, *Il était une fois dans l'Est*, Montréal, L'Aurore, 1974, 108 p., ill. (Les grandes vues)

275. CANTIN, Roger et PATENAUDE, Danyèle, *La Guerre des tuques* (roman), Montréal, Québec/Amérique, 1984, 168 p., ill.

276. CAPISTRAN, Michel, *Bingo*, un film de Jean-Claude Lord, Montréal, L'Aurore, 1974, 221 p., ill. (Les grandes vues)

277. CARLE, Gilles, *La Vraie Nature de Bernadette*, Paris. L'Avant-scène du cinéma, 130, 1972.

278. CASTEL, Daphna, avec l'aide de Pierre Gaudette, José Ouimet, Christine Lemoine, Maurice Elia, Dossiers de référence sur des films québécois (découpage par séquences, notes techniques, situation dans le contexte, bibliographie, etc.), préparés surtout pour des étudiants anglophones des cégeps. Québec, Direction générale de l'enseignement collégial, 1980. Copies limitées ; on peut les consulter à la Cinémathèque québécoise. Ils portent sur *L'Âge de la machine* de Gilles Carle (28 p.) *L'Ange et la Femme* de Gilles Carle (23 p.) *Les Bons Débar-*

ras de Francis Mankiewicz (36 p.) *Cordélia* de Jean Beaudin (38 p.) *J.A. Martin photographe* de Jean Beaudin (40 p.) *Mon oncle Antoine* de Claude Jutra (36 p.) *Mourir à tue-tête* d'Anne Claire Poirier (par Christine Lemoine, 23 p.) et *Les Ordres* de Michel Brault (32 p.).

279. FOURNIER, Roger, *L'Amour humain*, Montréal, Presses libres, 1970, 140 p.

280. GÉLINAS, Gratien, *La Dame aux camélias, la vraie*, dans *Les Fridolinades* 1943-1944, Montréal, Les Quinze, 1981, p. 39-78.

281. JUTRA, Claude, *Mon oncle Antoine*, Montréal, Art global, 1979, 102 p., ill.

282. LATOUR, Pierre, *Gina* (de Denys Arcand), Montréal, L'Aurore, 1976, 126 p., ill. (Le cinématographe)

283. LATOUR, Pierre, *La Maudite Galette* (de Denys Arcand), Montréal, VLB Éditeur et Éditions le cinématographe, 1979, 102 p., ill.

284. LEDUC, Jacques, *Tendresse ordinaire*, Montréal, ONF, 1973, 35 p.

285. LÉVESQUE, Robert, *Réjeanne Padovani* (de Denys Arcand), Montréal, L'Aurore, 1975, 111 p., ill. (Le cinématographe)

286. MARSOLAIS, Gilles, *Les Dernières Fiançailles* (de Jean-Pierre Lefebvre), Montréal, VLB Éditeur, 1977, 103 p., ill. (Le cinématographe)

287. MARSOLAIS, Gilles, *Les Ordres* (de Michel Brault), Montréal, L'Aurore, 1975, 127 p., ill. (Le cinématographe)

288. MARSOLAIS, Gilles (avec la collaboration de Danielle Potvin et Volkmar Ziegler), *Le Temps d'une chasse* (de Francis Mankiewicz), Montréal, VLB Éditeur, 1978, 169 p., ill. (Le cinématographe)

289. NOISEUX-LABRECQUE, Lise, *La Visite du général de Gaulle au Québec* (de Jean-Claude Labrecque), Montréal, Conseil québécois pour la diffusion du cinéma, 1971, p. 17-30 (Cinéastes du Québec, 7)

290. PERRAULT, Pierre, *La Bête lumineuse*, Montréal, Nouvelle Optique, 1982, 251 p., ill.

291. PERRAULT, Pierre, *Le Règne du jour*, Montréal, Lidec, 1968, 161 p., ill.

292. PERRAULT, Pierre, *Un pays sans bon sens*, Montréal, Lidec, 1972, 247 p., ill.

293. PERRAULT, Pierre, *Les Voitures d'eau*, Montréal, Lidec, 1969, 175 p., ill.

294. RENAUD, Bernadette, *Bach et Bottine*, Montréal, Québec/Amérique, 208 p., ill.

295. RICHER, Gilles, *Tiens-toi bien après les oreilles à papa*, Montréal, Éditions Leméac, 1971, 99 p., ill.

296. RINFRET, Louise, *La Dame en couleurs*, Montréal, Domino, 1985, 175 p.

297. RUBBO, Michael, *Opération Beurre de Pinottes*, Montréal, Québec/Améri-

que, 1985, 226 p., ill.

298. THÉRIAULT, Yves, *Valérie*, Montréal, Éditions de l'Homme, 1969, 123 p.

299. THÉRIEN, Gilles, *Ratopolis*, Montréal, Les presses de l'Université du Québec, 1975, 130 p., ill.

FILMS SUR LE CINÉMA OU SUR DES AUTEURS

300. *Albert Tessier, à force d'images*. Réalisation: Louis Ricard. Production: Les Films Cénatos pour Radio-Canada. 1975. Recherchiste: René Bouchard. Narration: Albert Millaire. 16 mm couleur. 58 minutes.

301. *Autoportrait*, anthologie de la production de l'ONF de 1939 à 1960. Choix et assemblage: Guy Glover. Produit et distribué par l'ONF. 1961. 16 mm couleur. 2 heures 30 minutes.

302. *Le Cinéma au Québec*, portrait de la production du cinéma au Québec. Réalisation: Gérald Pageau. Produit et distribué par le Collège Montmorency. 1986. Vidéo 3/4 po couleur. 6 x 28 min.

303. *Cinéma, cinéma*, rétrospective des 25 premières années de la « production française » à l'ONF. Réalisation: Gilles Carle et Werner Nold. Produit et distribué par l'ONF (en vidéocassette seulement). 1985. Vidéo 3/4 po couleur. 71 minutes.

304. *Co Hoedeman, animateur*. Réalisé par Nico Crama. Produit et distribué par l'ONF. 1980. 16 mm couleur. 28 minutes.

305. *Culture vivante cinéma*. Réalisation Jean Dansereau. Recherchiste: André Paquet. Produit par Les Cinéastes associés pour l'Office du film du Québec. 1968. 16 mm noir et blanc et couleur. 120 minutes.

306. *Le Dernier des coureurs des bois (Paul Provencher)*. Réalisé et produit par Jean-Claude Labrecque avec l'aide de Radio-Canada. 1979. 16 mm couleur. 54 minutes.

307. *Dreamland, a history of early canadian movies: 1895-1939*. Réalisé par Donald Brittain. Produit par The Great Canadian Moving Picture Company avec l'aide de l'ONF. Distribué par l'ONF. 1974. 16 mm noir et blanc. 87 minutes.

308. *Has Anybody Here Seen Canada?* (suite de *Dreamland*). Réalisé par Kirwan Cox. Produit par l'ONF en collaboration avec CBC et The Great Canadian Moving Picture Company. Distribué par l'ONF. 1978. 16 mm couleur. 85 minutes.

309. *Fantasmagorie* (histoire du studio d'animation de l'ONF). Réalisé par Michel

Patenaude et Rupert Glover. Produit et distribué par l'ONF. 1975. 16 mm couleur. 54 minutes.

310. *Herménégilde* (Herménégilde Lavoie). Réalisé par Richard Lavoie. Produit par Richard Lavoie Inc. pour Radio-Canada. Distribué par Les Films du Crépuscule. 1976. 16 mm couleur. 57 minutes.

311. *Homme de papier (l')*. Réalisé par Jacques Giraldeau. Produit et distribué par l'ONF. 1987. 35 mm couleur, son Dolby Stéréo. 59 minutes.

312. *Jean-Marie Poitevin ou la folle aventure*. Réalisé par Louis Ricard. Produit par Les Films Cénatos pour Radio-Canada. 1977. 16 mm couleur. 58 minutes.

313. *Monsieur John Grierson*. Réalisé par Roger Blais. Produit et distribué par l'ONF. 1973. 16 mm couleur. 58 minutes.

314. *Le Mouvement image par image*. Réalisé par Norman McLaren. Produit et distribué par l'ONF. 1976-1978. Cinq courts films, entre 7 et 9 minutes. Couleur.

315. *Les Traces du rêve* (sur Pierre Perrault). Réalisé par Jean-Daniel Lafond. Produit et distribué par l'ONF. 1986. 16 mm couleur. 95 minutes.

316. JUTRAS, Pierre *et al.*, «Claude Jutra», Montréal, Cinémathèque québécoise, 1987, 36 p., ill. (*Copie Zéro*, 33)

317. PAGEAU, Pierre *et al.*, *Cinéma et Histoire*, Actes du Colloque de l'Association québécoise des études cinématographiques, 15 novembre 1986, Montréal, AQEC et Yves Lever, 1987, 98 p.

318. TURNER, D. John, *Canadian Feature Film Index — Index des films canadiens de long métrage 1913-1985*, Ottawa, Archives publiques Canada, 1987, 816 p.

319. VERONNEAU, Pierre, *Résistance et affirmation: la production francophone à l'ONF — 1939-1964*, Histoire du cinéma au Québec 3, Montréal, Cinémathèque québécoise, 1987, 144 p., ill. (Dossiers de la Cinémathèque, 17)

320. VERONNEAU, Pierre *et al.*, «Denys Arcand», Montréal, Cinémathèque québécoise, 1987, 74 p., ill. (*Copie Zéro*, 34-35)

INDEX GÉNÉRAL
DES NOMS CITÉS ET DES SUJETS

INDEX DES FILMS CITÉS

TABLE DES PRINCIPAUX SIGLES UTILISÉS

APC: Association des professionnels du cinéma
AQDF: Association québécoise des distributeurs de films
AQEC: Association québécoise des études cinématographiques
ARRFQ: Association des réalisateurs et réalisatrices de films du Québec
ASN: Associated Screen News
BSCQ: Bureau de surveillance du cinéma du Québec
CCC: Compagnie cinématographique canadienne
CFI — ICF: Canadian Film Institute — Institut canadien du film
CGMPB: Canadian Government Motion Picture Bureau
CPR: Canadian Pacific Railway
CQDC: Conseil québécois pour la diffusion du cinéma
CSN: Confédération des syndicats nationaux
DGCA: Direction générale du cinéma et de l'audio-visuel
FLQ: Front de libération du Québec
IQC: Institut québécois du cinéma
JEC: Jeunesse étudiante catholique
NFB: National Film Board
OCS: Office des communications sociales
OFQ: Office du film du Québec
ONF: Office national du film
RIN: Rassemblement pour l'indépendance nationale
SARDEC: Société des auteurs, recherchistes, documentalistes et compositeurs
SDDA: Service de diffusion de documents audiovisuels
SDICC: Société de développement de l'industrie cinématographique canadienne
SGC: Société générale du cinéma
SNC: Syndicat national du cinéma
SPDA: Service de production de documents audiovisuels
STCQ: Syndicat des techniciens et techniciennes du cinéma du Québec
UDA: Union des artistes

TABLE DES MATIÈRES

Achevé d'imprimer en mai 1988
sur les presses de l'Imprimerie Gagné, à Louiseville, Québec.